W9-BPR-063

1756 — 1996
ИЗДАТЕЛЬСКОЙ ДЕЯТЕЛЬНОСТИ
240
ЛЕТ
МОСКОВСКОГО УНИВЕРСИТЕТА

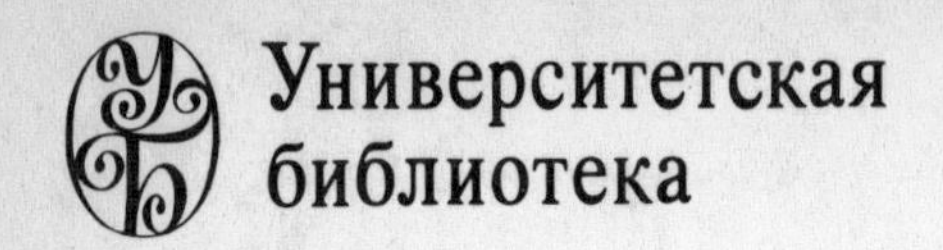

Редакционная коллегия:

В. Л. Янин *(председатель)*
Л. Г. Андреев, Я. Н. Засурский, А. Ч. Козаржевский,
Ю. С. Кукушкин, В. И. Кулешов, В. В. Кусков,
П. А. Николаев, В. И. Семенов, А. А. Тахо-Годи,
Н. С. Тимофеев, А. С. Хорошев, А. Л. Хорошкевич

Издательство Московского университета
1996

ЗОЛОТОЙ ВЕК ЕКАТЕРИНЫ ВЕЛИКОЙ

Воспоминания

Издание подготовлено
В. М. Боковой и Н. И. Цимбаевым

Издательство Московского университета
1996

ББК 63.(02)46
З80

Печатается по постановлению
Редакционно-издательского совета
Московского университета

З80 **Золотой** век Екатерины Великой: Воспоминания/Изд. подг. В. М. Боковой и Н. И. Цимбаевым.— М.: Изд-во МГУ, 1996.— 330 с. (Университетская библиотека).
ISBN 5-211-03366-3

Книга включает воспоминания и записки современников и участников событий екатерининского века: С. Н. Глинки, С. А. Тучкова, Ф. Н. Голицына, Ф. В. Ростопчина. Материалы воссоздают выразительную картину придворных нравов, отечественной культуры и быта российского дворянства.
Для широкого круга читателей.

4700000000—052 / 077(02)—96 **40—95** **ББК 63.3(2)46**

ISBN 5-211-03366-3

© В. М. Бокова, Н. И. Цимбаев. Сост., вводные тексты, коммент., 1996 г.

СВИДЕТЕЛЬ СЛАВЫ РОССИЯН

Восемнадцатый век кончался несчастливо.

Казалось, что безумие охватило Европу. На Западе низвергались вековые династии, бесследно исчезали государства, перекраивались границы, шли непрерывные ожесточенные войны. Народ Франции, восставший против королевской тирании, обречен был пережить ужасы якобинского террора, вслед за казнью Людовика XVI парижане видели казнь Дантона и Робеспьера, а на исходе столетия стали свидетелями возвышения первого консула Наполеона Бонапарта.

Русские современники событий, потрясавших Западную Европу, недоумевали: есть ли смысл в этих страшных переменах, в этих реках пролитой крови? Узнав о коронации Наполеона, Ростопчин, чье имя навсегда связано в нашей памяти с пожаром Москвы 1812 года, восклицал: «Стоило ли жизни близ двух миллионов людей, потрясения всех властей и произведения непонятных варварств и безбожия то, чтобы сделать из пехотного капитана короля!»

Размышляя о Французской революции, юный Александр Тургенев записал в 1803 г. в дневнике: «Сколько далеко не простирается история, везде почти показывает она, что, хотя мятежи койкогда и удавались, всегда почти приносили они с собою бо́льше пагубы и бедствий для народа, нежели бы сколько претерпел он, снося тиранские бедствия». В зрелые годы литератор Александр Тургенев не раз имел возможность повторить эту истину своим друзьям — Жуковскому, Пушкину, князю Вяземскому. Блестящий собеседник, умнейший человек своего времени, он был красноречив и безупречно логичен, но не смог убедить ближайшего своего друга — брата Николая, который стал одним из главных деятелей тайных декабристских обществ.

Не смог, ибо террор несносен, а терпение народа и общества не может быть безграничным.

В то самое время, когда Запад Европы сотрясали войны, вызванные Французской революцией, в России царствовал Павел I, которого сравнивали то с Нероном, то с Калигулой. Краткое павловское правление воспринималось современниками как година бедствий, как правление тираническое и сумасбродное. Павел I не принимал во внимание екатерининскую «Жалованную грамоту дворянству», восстановил телесные наказания дворян, запретил созывать губернские дворянские собрания, запретил дворянам, служившим в армии, выходить в отставку до получения первого офицерского чина, приказал офицерам, многие из которых безотлучно жили в своих усадьбах, вернуться в полки. Никто не был избавлен от внезапной и бессмысленной опалы. Императорский деспотизм уравнял сословия, и в одной кибитке ссылались в Сибить генерал и купец, родовитый дворянин и аптекарь. Как вспоминала осведомленная госпожа Шуазель-Гуфье, «террор царил повсеместно — при дворе, в столице, в армии и даже в самых отдаленных провинциях государства. При самом осторожном поведении никто не мог считать себя в безопасности от доноса, никто не мог рассчитывать на следующий день».

Павел I сделался ненавистен дворянству — единственному к тому времени сословию в России, которое сознавало свое единство, знало свои права и место в государственном организме и обладало развитыми представлениями о личной чести и достоинстве. В Петербурге при дворе, среди высших сановников, гвардейских офицеров возник заговор, который в ночь с 11 на 12 марта 1801 года завершился переворотом и цареубийством.

Известие о мартовских событиях с невероятной быстротой распространилось по России, чему не мешали ни закрытые заставы, ни весенняя распутица. Новость повсеместно вызывала живой отклик, незнакомые люди обнимались со слезами на глазах, поздравляли друг друга с новым государем. Несмотря на Великий пост, Петербург был иллюминирован и, по свидетельству некоего Вельяминова-Зернова, весь город «походил на дом сумасшедших».

Новый век начинался славно, надежда, как вино, веселила сердца, и знаменитый литератор Карамзин утверждал: «Девятый на десять век должен быть счастливее, уверив народы в необходимости законного повиновения, а государей — в необходимости благодетельного, твердого, но отеческого правления».

Всех современников поразила перемена петербургской погоды, воспринятая как символ, как переход от павловской зимы к весне александровского царствования. Одно, достаточно характерное высказывание: «Случилось, что 11-е марта 1801-го в Петербурге был самый неприятный зимний день: сквозь туман в нескольких шагах ничего не было видно. А 12-е, напротив, погода сделалась тихая, теплая и ясная, как будто весна внезапно наступила».

Молодого Александра I сравнивали с Александром Македонским, Марком Аврелием и Петром I. Он же торжественно обещал править «по законам и сердцу своей бабки Екатерины Великой». Русское общество словно бы проснулось и, как вспоминал сановник и поэт князь Иван Долгорукий, «даже дамы стали вмешиваться в судебные диспуты, рассуждать о законах, бредить о конституциях». Жизнь начиналась с чистого листа, пагубные заблуждения конца восемнадцатого века были отброшены, их уроки усвоены и никто, казалось, не мог оспорить Карамзина: «Ужасы Французской революции излечили Европу от мечтаний гражданской вольности и равенства, но что сделали якобинцы в отношении к республикам, то Павел сделал в отношении к самодержавию: заставил ненавидеть злоупотребления оного».

Отрезвление наступило быстро. Новый век не принес ни мира, ни гражданского спокойствия. России суждено было воевать со всей Европой, русские войска дошли до Парижа, но закон и правда не торжествовали в судах, и Александр I мало походил на идеального государя. России принадлежала первенствующая роль в Европе, но будущность страны, утомленной войнами и отягощенной бременем крепостничества, казалась неопределенной. В поисках идеала общественной гармонии взоры современников все чаще стали обращаться к недавнему прошлому, к золотому веку Екатерины Великой, ко времени блистательному и безвозвратно утраченному. Лицеист Пушкин восклицал:

Промчались навсегда те времена златые,
Когда под скипетром великия жены
Венчалась славою счастливая Россия,
Цветя под кровом тишины!

Тогда, при государыне Екатерине, русское оружие не знало поражений, Россия прочно утвердилась на берегах Черного моря, началось хозяйственное освоение плодороднейшей черноземной степи, уральский чугун и железные изделия вывозились в Англию, и Западная Европа с изумлением, тревогой и восхищением наблюдала неслыханно быстрый рост могущества великой северной империи. Подданные Екатерины II гордились военными победами, европейским авторитетом страны, процветанием наук и искусств. Умный Вигель писал: «Первые искры национального самолюбия, просвещенного патриотизма показались при Екатерине; при ней родились и вкус, и общее мнение, и первые понятия о чести, о личной свободе, о власти законов».

Особое внимание Екатерина II оказывала дворянству. Она заботилась о воспитании и обучении благородного российского юношества и мечтала со временем произвести «новую породу» людей, которые сочетали бы исконные российские добродетели с блеском европейского просвещения. Императрица самолично отредактировала книгу «О должностях человека и гражданина», которая стала обязательной для всех учебных заведений России. На дворе стоял 1783 год...

Разумеется, мечта о «новой породе» людей не сбылась. Российское дворянство охотно и умело перенимало внешнюю сторону и бытовые подробности европейской жизни, усложнялись духовные запросы, но сознание неограниченной власти над крепостными душами не могло не влиять губительно. Большинство ценило праздность, довольствовалось потехами, зрелищами, увеселениями, и утонченным вельможей смотрелся князь Александр Куракин, который из Парижа выписал «настоящую маркизшу» д'Изабэ, чтобы та занимала гостей. Вообще в екатерининское время иностранцы разных сословий охотно ехали служить в Россию.

Просвещенное меньшинство дворян отдавало дань театру, коллекционированию, литературе. Сама Екатерина II сотрудничала в журналах и претендовала на славу драматурга. Величественная и сдержанная императрица умела превращаться в милую, болтливую женщину, умела быть душой общества. В высшей степени знаменателен ее ответ на вопрос прославленного Фонвизина: «Отчего у нас не стыдно не делать ничего?— В обществе жить не есть не делать ничего».

Сейчас, на исходе двадцатого века, время Екатерины II видится одним из блестящих периодов российской истории, временем подлинного величия Державы Российской. Жаль, что современный человек поневоле мало искушен в подробностях старинной жизни, что забылись великие события прошлого, которыми можно и до́лжно гордиться. Почти стерлись из общественной памяти имена людей, чьи воля, разум и талант служили России. Потомки забывчивы и неблагодарны и им ближе неосторожные слова Ростопчина о том, что екатерининский трон окружали люди, из которых «наиболее честные заслуживают быть колесованными без суда». Действительность была иной, совершенно иной...

В этом легко убедиться, обратившись к воспоминаниям, вошедшим в состав настоящей книги, прочитав их неспешно, входя в повседневные мелочи ушедшей эпохи. Судьба сделала литератора Сергея Глинку, генерала Тучкова, представителя знаменитой семьи, столь прославленной в летописях Отечественной войны 1812 года, дипломата князя Голицына и сановника Ростопчина свидетелями минувших дней. Они заслуживают быть услышанными. В научном отношении появление в печати исторических источников, ныне практически недоступных даже специалистам, явление замечательное, которое трудно переоценить.

В своей совокупности воспоминания четырех авторов охватывают все стороны жизни екатерининской России: внутреннюю и внешнюю политику, придворный и частный быт, военное дело, общественное воспитание, театр и литературу. Перед читателем проходит галерея персонажей, которую открывает та, чье имя дало название золотому веку истории России.

Н. И. Цимбиев

ДЕЙСТВУЮЩИЕ ЛИЦА

1. КОРОНОВАННЫЕ ОСОБЫ — РУССКИЕ И ИНОСТРАННЫЕ — И ЧЛЕНЫ ИХ СЕМЕЙ

Екатерина II Великая (Екатерина Алексеевна), урожд. София-Августа-Фридерика, принцесса Ангальт-Цербстская (1729—1796), императрица Всероссийская с 28 июня 1762 г.

Петр III Федорович (1728—1762), император Всероссийский в 1761—1762 гг. Муж Екатерины II.

Павел I Петрович (1754—1801), великий князь, сын Петра III и Екатерины II, император Всероссийский (с 5 ноября 1796 г.).

Наталья Алексеевна, урожд. Вильгельмина, принцесса Гессен-Дармштадтская (1755—1776), великая княгиня, первая жена великого князя Павла Петровича с 1773 г. Умерла родами.

Мария Федоровна, урожд. София-Доротея, принцесса Вюртембергская (1759—1828), великая княгиня, вторая жена великого князя Павла Петровича с 1776 г. С 1796 г. императрица.

Александр Павлович (1777—1825), великий князь, сын великого князя Павла Петровича, внук Екатерины II. С 12 марта 1801 г. император Всероссийский Александр I.

Константин Павлович (1779—1831), великий князь, сын великого князя Павла Петровича, внук Екатерины II.

Александра Павловна (1783—1801), великая княжна, дочь великого князя Павла Петровича, внучка Екатерины II. В замужестве за австрийским эрцгерцогом Иосифом, палатином Венгерским.

Елена Павловна (1784—1803), великая княжна, дочь великого князя Павла Петровича, внучка Екатерины II.

Бобринский Алексей Григорьевич (1762—1813), граф. Внебрачный сын Екатерины II и гр. Г. Г. Орлова.

Елизавета Петровна (1709—1761), императрица Всероссийская с 1741 г. Дочь Петра I Великого, тетка Петра III.

Фридрих II Великий (1712—1786). Прусский король с 1740 г.

Генрих-Фридрих-Людвиг, принц Прусский, брат Фридриха II Великого.

Мария-Терезия (1717—1780), императрица Священной Римской империи 1740 г.

Иосиф II (1741—1790), император Священной Римской империи с 1765 г.

Леопольд II (1747—1792), император Священной Римской империи с 1790 г., брат Иосифа II.

Франц II (1768—1835), император Священной Римской империи в 1792—1806 гг.

Людовик XVI (1754—1793), французский король с 1774 г.
Граф д'Артуа (1757—1836), в 1824—1830 гг. французский король Карл X.
Густав III (1746—1792), шведский король с 1771 г.
Густав IV Адольф (1778—1837), шведский король в 1792—1810 гг.
Карл. герцог Зюйдерманладский (1748—1818), регент при Густаве IV Адольфе, шведский король с 1810 г.
Станислав-Август Понятовский (1732—1798), польский король в 1764—1795 гг. В юности — возлюбленный Екатерины II.
Шарль-Жозеф де Линь (1735—1814), принц Бельгийский, генерал-фельдмаршал австрийской армии, писатель.

2.ГОСУДАРСТВЕННЫЕ, ВОЕННЫЕ И ЦЕРКОВНЫЕ ДЕЯТЕЛИ

Анастасий (в миру Андрей Семенович Братановский) (1761—1806), известный проповедник.
Апухтин Александр Петрович (1775— до 1844), адъютант кн. Ю. В. Долгорукова. В 1830-х гг. инженер-генерал-майор.
Арсеньев Николай Дмитриевич (1739—1796), генерал-майор.
Архаров Иван Петрович (1754—1820), московский военный губернатор в 1796—1797 гг.
Архаров Николай Петрович (1742—1814), московский обер-полицмейстер в 1775—1782 гг., московский военный губернатор в 1782—1784 гг., генерал-губернатор Тверского и Новгородского наместничеств; петербургский генерал-губернатор в 1796—1797 гг.
Бакунин Петр Васильевич (Меньшой) (1734—1786), тайный советник, член Коллегии иностранных дел (1780—1783).
Балле (Баллэ) Иван Петрович (1741—1811), контр-адмирал, впоследствии сенатор.
Де Бальмен Антон Борисович (?—1790), граф, Курский генерал-губернатор в 1786—1790 гг.
Баур (Бауэр) *Карл Федорович* (1767— после 1811), генеральс-адъютант Г. А. Потемкина.
Безбородко Александр Андреевич (1714—1799), граф, с 1796 г. светлейший князь. Статс-секретарь Екатерины II с 1775 г. Дипломат. С 1783 г. руководил внешней политикой России. С 1797 г. канцлер.
Беннигсен Леонтий Леонтьевич (1745—1826), граф, генерал-майор с 1773 г., впоследствии генерал от кавалерии, главнокомандующий русской армией в кампании 1807 г.
Бибиков Александр Александрович (1765—1822), дипломат, сенатор, тайный советник, действительный камергер.
Бибиков Александр Ильич (1729—1774), генерал-аншеф. В 1771—1773 гг. главнокомандующий русскими войсками в Польше.
Бибиков Павел Гаврилович (?—1812), флигель-адъютант Екатерины II.
Бибиков Петр Степанович (1768—1828), генерал-майор.
Брюс Яков Александрович (1729—1791), граф, генерал-аншеф, московский градоначальник.
Буксгевден Федор Федорович (1750—1811), граф, генерал-майор, впоследствии генерал от инфантерии; командующий русской армией в шведской кампании 1808 г.
Воронцов Роман Илларионович (1707—1783), граф, генерал-поручик, сенатор. Отец Е. Р. Дашковой.
Вяземский Александр Андреевич (1727—1793), князь, генерал-прокурор.
Гавриил (Петров) (1730—1801), митрополит Петербургский.
Герман Иван Иванович (1743—1801), генерал-майор, позднее генерал от инфантерии.
Голенищев-Кутузов-Смоленский Михаил Илларионович (1745—1813), светлейший князь, генерал-фельдмаршал.
Голицын Дмитрий Михайлович (1721—1793), князь, дипломат, основатель Голицынской (ныне 1-й Градской) больницы в Москве.
Головатый Антон Андреевич (1774—1797), атаман Черноморского казачьего войска.

Грейг Самуил Карлович (1735—1788), контр-адмирал.
Денисов Адриан Карпович (1763—1841), генерал-майор Донского казачьего войска.
Долгоруков Василий Юрьевич (1776—1810), князь, генерал-адъютант, сын кн. Ю. В. Долгорукова.
Долгоруков Петр Петрович (1744—1815), князь, генерал-майор.
Долгоруков Юрий Владимирович (1740—1830), князь, генерал-аншеф, главный начальник Москвы при Павле I.
Долгорукий-Крымский Василий Михайлович (1722—1782), князь, генерал-аншеф.
Дорохов Иван Семенович (1762—1815), генерал-лейтенант, герой Отечественной войны 1812 г.
Завадовский Петр Васильевич (1739—1812), граф, кабинет-секретарь Екатерины II, ее фаворит в 1775—1777 гг.
Зорич Семен Васильевич (1743—1799), флигель-адъютант, фаворит Екатерины II в 1777—1778 гг. Выйдя в отставку, жил в Шклове, где основал Шкловское благородное училище (впоследствии 1-й Московский кадетский корпус).
Зубов Николай Александрович (1763—1805), граф, генерал-майор, брат П. А. Зубова.
Зубов Платон Александрович (1767—1822), граф, с 1796 г.— светлейший князь; последний фаворит Екатерины II.
Игельстром (Игельштром) Осип Андреевич (1737—1823), барон, позднее граф; генерал от инфантерии.
Каменский Михаил Федотович (1738—1809), граф, генерал-фельдмаршал.
Кнорринг Богдан Федорович (1746—1825), генерал-поручик.
Козлянинов Тимофей Гаврилович (?—1798), контр-адмирал, член Адмиралтейств-коллегии в 1792—1796 гг.
Фон Круз (Крузэ) Александр Иванович (1731—1799), вице-адмирал.
Куракин Александр Борисович (1752—1818), князь, дипломат, сенатор, вице-канцлер при Павле I.
Кушелев Григорий Григорьевич (1754—1833), граф (с 1799 г.), вице-адмирал, командир Гатчинской флотилии вел. кн. Павла Петровича, с 1798 г. вице-президент Адмиралтейств-коллегии.
Ланской Николай Сергеевич (1743—?), генерал-майор.
Дмитриев-Мамонов (Мамонов) Александр Матвеевич (1758—1803), граф, флигель-адъютант, фаворит Екатерины II в 1787—1789 гг.
Морков (Марков) Аркадий Иванович (1747—1827), граф, дипломат.
Мелиссино Петр Иванович (1724—1797), генерал-поручик артиллерии; директор Артиллерийского и инженерного кадетского корпуса.
Мелиссино Андрей Петрович (1759—1813), генерал-майор с 1801 г.
Нассау-Зинген Карл Генрих (1743—1808), принц. На русской службе с 1786 г. Вице-адмирал.
Неклюдов Леонтий Яковлевич (1748—1839), майор.
Нуммсен Федор Михайлович, генерал-поручик, при Павле I инспектор по кавалерии Лифляндской дивизии.
Орлов-Чесменский Алексей Григорьевич (1737—1807), граф, генерал-аншеф. Брат Г. Г. Орлова. Основатель Хреновского конного завода.
Орлов Григорий Григорьевич (1743—1783), князь, генерал-лейтенант. Фаворит Екатерины II в 1759—1772 гг. Основатель и первый президент Вольного экономического общества.
Орлов Федор Григорьевич (1741—1796), граф, генерал-аншеф, оберпрокурор Сената. Брат Г. Г. Орлова и А. Г. Орлова-Чесменского.
Остерман Андрей Иванович (1686—1747), граф, дипломат, видный государственный деятель времен императрицы Анны.
Остерман Иван Андреевич (1725—1811), граф, тайный советник, вице-канцлер, сенатор.
Фон дер Пален Петр Алексеевич (1745—1828), барон, с 1799 г. граф, генерал-поручик, позднее генерал от кавалерии. В 1801 г. Петербургский военный губернатор. Глава заговора против императора Павла и переворота 11/12 марта 1801 г.
Панин Никита Иванович (1718—1783), граф, дипломат, обер-гофмейстер. Воспитатель великого князя Павла Петровича.
Панин Петр Иванович (1721—1789), граф, генерал-аншеф, сенатор. Брат Н. И. Панина.

Пассек Петр Богданович (1736—1804), генерал-адъютант, сенатор, камергер. Генерал-губернатор Могилевского и Полоцкого наместничества в 1782—1796 гг.

Плещеев Сергей Иванович (1752—1802), генерал-поручик.

Повалишин Илларион Афанасьевич (1739—1799), вице-адмирал.

Попов Василий Степанович (1745—1822), начальник канцелярии кн. Г. А. Потемкина, затем секретарь Екатерины II. Генерал-поручик, тайный советник (1796 г.), президент Камер-коллегии (1797), сенатор (1798).

Потемкин-Таврический Григорий Александрович (1739—1791), светлейший князь, генерал-фельдмаршал; президент Военной коллегии. Фаворит Екатерины II в 1774—1791 гг.

Прозоровский Александр Александрович (1732—1809), князь, генерал-фельдмаршал; главнокомандующий в Москве в 1790—1796 гг., сенатор.

Пущин Петр Иванович (?—1812), адмирал, сенатор.

Разумовский Алексей Григорьевич (1709—1771), граф, фаворит и морганатический муж имп. Елизаветы Петровны.

Разумовский Андрей Кириллович (1752—1836), граф, дипломат.

Разумовский Кирилл Григорьевич (1724—1803), граф, гетман Малороссии в 1750—1764 гг., генерал-фельдмаршал. Брат А. Г. Разумовского.

Репнин Николай Васильевич (1734—1804), князь, дипломат. Орловский и Смоленский генерал-губернатор с 1776 г. Генерал-фельдмаршал с 1798 г.

Румянцев-Задунайский Петр Алексеевич (1715—1796), видный полководец, генерал-фельдмаршал.

Салтыков Иван Петрович (1730—1805), граф, генерал-фельдмаршал. Военный губернатор Москвы в 1797 г.

Салтыков Николай Иванович (1736—1816), граф, генерал-аншеф, позднее генерал-фельдмаршал. Воспитатель великих князей Александра и Константина Павловичей. В 1812 г. председатель Гос. совета и Комитета министров.

Самойлов Александр Николаевич (1744—1814), граф, камергер, генерал-прокурор в 1792—1796 гг.

Ступишин Иван Васильевич (1738—1819), действительный камергер, генерал-лейтенант.

Суворов-Рымникский Александр Васильевич (1730—1800), генерал-фельдмаршал.

Текели-Попович Петр Абрамович (1720—1793), генерал-аншеф. Австрийский серб, на русской службе с 1747 г.

Трошинский Дмитрий Прокофьевич (1754—1829), статс-секретарь Екатерины II, при Александре I занимал министерские посты.

Фалеев Михаил Леонтьевич (?—1792), поставщик армии и флота, участвовал в хозяйственном освоении Причерноморья.

Ферзен Иван Евстафьевич (1747—1799), граф, генерал-поручик.

Цицианов Павел Дмитриевич (1754—1806), князь, генерал-майор. В 1802—1806 гг. главнокомандующий в Грузии.

Чепега Захар Александрович (?—1797), генерал-майор, бригадир Черноморского казачьего войска в 1787—1791 гг.

Чекалевский Яков Михайлович (1752—1827), полковник, письмоводитель у кн. Г. А. Потемкина.

Челищев Александр Иванович (?—1821), генерал-майор.

Чернышев Захар Григорьевич (1722—1784), граф, генерал-фельдмаршал, вице-президент Военной коллегии. Первый возлюбленный Екатерины II.

Чесменский Александр Алексеевич (?—1820), барон, полковник. Внебрачный сын А. Г. Орлова-Чесменского.

Чичагов Василий Яковлевич (1726—1809), адмирал.

Шешковский Степан Иванович (1719—1794), тайный советник, начальник Тайной экспедиции при Екатерине II.

Шувалов Андрей Петрович (1744—1789), граф, тайный советник. Директор Ассигнационного банка.

Юсупов Николай Борисович (1751—1831), князь, дипломат. Коллекционер и меценат. Владелец имения «Архангельское» под Москвой.

3. ПРИДВОРНЫЕ. ДВОРЦОВЫЕ СЛУЖИТЕЛИ

Барятинский Федор Сергеевич (1742—1814), князь, обер-гофмаршал.
Бенкендорф, урожд. Шиллинг фон Канштадт Юлиана — статс-дама при великой княгине Марии Федоровне.
Браницкая, урожд. Энгельгардт Александра Васильевна (1754—1838), кавалерственная дама, племянница Г. А. Потемкина.
Валуев Петр Степанович (1743—1814), обер-церемониймейстер при великом князе Павле Петровиче.
Виельгорский Юрий Михайлович (1753—1807), камергер, гофмаршал.
Грибовский Андриан Моисеевич (1766—1833), статс-секретарь Екатерины II.
Зотов Захар Константинович (1755—1802), камердинер Екатерины II.
Ливен, урожд. фон Поссе Шарлотта Карловна (1742—1828), графиня, статс-дама, воспитательница великих княжон — дочерей великого князя Павла Петровича.
Нарышкин Лев Александрович (1733—1799), камергер двора Екатерины II.
Нарышкина, урожд. княжна Трубецкая Анна Никитична.
Нелидова Екатерина Ивановна (1758—1839), воспитанница Смольного монастыря (1-й выпуск), фрейлина великой княгини Марии Федоровны. Фаворитка великого князя Павла Петровича в 1785—1798 гг.
Перекусихина Мария Саввишна (1739—1824), камер-юнгфера Екатерины II.
Протасова Анна Степановна (1745—1826), камер-фрейлина Екатерины II.
Роджерсон Джон Самуэл (1741—1843), лейб-медик. Шотландец, на русской службе с 1765 г.
Тизенгаузен Иван Андреевич (?—1815), гофмаршал двора великого князя Павла Петровича.
Тюльпин Иван Михайлович, камердинер Екатерины II.
Шереметев Николай Петрович (1751—1809), граф, обер-камергер. Владелец имений «Кусково» и «Останкино» под Москвой. Театрал, основатель Странноприимного дома в Москве.
Щербатова, в замужестве Дмитриева-Мамонова Дарья Федоровна (1762—1801), княжна, фрейлина, с 1787 г. жена А. М. Дмитриева-Мамонова.

4. ПИСАТЕЛИ. АКТЕРЫ. УЧЕНЫЕ. ДЕЯТЕЛИ ПРОСВЕЩЕНИЯ И КУЛЬТУРЫ

Елагин Иван Перфильевич (1725—1796), тайный советник, обер-гофмейстер. Литератор. Известный масон.
Голенищев-Кутузов Павел Иванович (1767—1829), поэт, журналист, куратор Московского университета в 1798—1803 гг.
Бецкой (Бецкий) Иван Иванович (1704—1795); президент Академии художеств (1765—1766), основатель и попечитель Воспитательных домов в Москве и Петербурге, попечитель Смольного монастыря (института).
Богданович Ипполит Федорович (1743—1803), поэт, переводчик, автор известной поэмы «Душенька».
Броневский Владимир Богданович (1784—1835), театральный критик.
Востоков (Остенек) *Александр Христофорович* (1782—1844), поэт, филолог-славист.
Дашкова, урожд. графиня Воронцова Екатерина Романовна (1744—1810), княгиня, президент Академии наук и Российской академии в 1783—1794 гг., писательница.
Державин Гавриил Романович (1743—1816), поэт.
Дмитриевский Иван Афанасьевич (1733—1821), актер и драматург.
Дмитриев Иван Иванович (1760—1837), поэт, баснописец. Товарищ министра уделов и обер-прокурор Сената в 1797—1799 гг., министр юстиции в 1810—1814 гг.
Ефимьев Дмитрий Владимирович (1768—1804), драматург.
Карин Федор Григорьевич (?—1800), переводчик.
Карамзин Николай Михайлович (1766—1826), литератор и историк.
Клушин Александр Иванович (1763—1804), прозаик, драматург, переводчик.

Ключарев Федор Петрович (1754—182...), прозаик, драматург.
Княжнин Яков Борисович (1742—1791), драматург.
Коваленский Михаил Иванович (1754—1807), куратор Московского университета.
Корсаков Петр Александрович (1790—1844), прозаик, журналист, цензор.
Костров Ермил Иванович (1751—1796), поэт, переводчик «Илиады» Гомера.
Крафт Георгий Васильевич, профессор физики, академик.
Лафон Софья Ивановна (?—1797), правительница (директриса) в 1764—1773 гг., а затем начальница Смольного монастыря (института).
Майков Василий Иванович (1728—1778), поэт-сатирик.
Нелединский-Мелецкий Юрий Александрович (1752—1829), поэт. Статс-секретарь Павла I.
Николев Николай Петрович (1758—1815), поэт, драматург.
Новиков Николай Иванович (1744—1818), прозаик, переводчик, журналист, книгоиздатель. Известный масон.
Озерецковский Николай Яковлевич (1750—1827), естествоиспытатель, академик, автор путевых записок.
Озеров Владислав Александрович (1779—1816), драматург.
Оленин Алексей Николаевич (1763—1843), археолог, историк, член Российской академии. С 1817 г. президент Академии художеств.
Петров Василий Петрович (1736—1799), поэт, переводчик.
Плавильщиков Петр Александрович (1760—1812), актер, драматург.
Померанцев Василий Петрович, актер.
Пушкин Алексей Михайлович (1771—1825), переводчик.
Радищев Александр Николаевич (1749—1802), литератор.
Ренофанц (Р922 Рованц) Иван Михайлович (1744—1798), минералог, подполковник; начальник канцелярии Императорского кабинета.
Рожешников Никита Иванович, химик.
Сандунов Сила Николаевич (1756—1820), актер; основатель известных Сандуновских бань в Москве.
Сандунова, урожд. Уранова Елизавета Семеновна (1777—1826), актриса, жена С. Н. Сандунова.
Сумароков Александр Петрович (1717—1777), писатель.
Тутолмин Иван Васильевич (1751—1815), начальник Воспитательного дома в Москве в 1812 г.
Фонвизин (Фон-Визин) *Павел Иванович* (1746—1803), директор Московского университета в 1784—1796 гг. Брат драматурга Д. И. Фонвизина.
Хандошкин Иван (1765—1804), композитор, капельмейстер, скрипач-виртуоз.
Херасков Михаил Матвеевич (1733—1807), поэт, драматург. Директор Московского университета в 1763—1770 гг. Известный масон.
Чеботарев Харитон Андреевич (1746—1815), историк, профессор и первый ректор Московского университета.
Черников Василий Михайлович, актер.
Шатров Николай Михайлович (1767—1841), поэт.
Шишков Александр Семенович (1754—1841), адмирал. Писатель. Гос. секретарь в 1812—1814 гг., позднее министр народного просвещения. Президент Российской академии в 1813—1841 гг.
Шувалов Иван Иванович (1727—1797), граф, фаворит императрицы Елизаветы Петровны. Первый куратор Московского университета. Инициатор создания Академии художеств (1757 г.), которую возглавлял до 1763 г.
Шушерин Яков Емельянович (1749—1813), актер.
Эмин Федор Александрович (1735—1770), прозаик, журналист, переводчик.

5. ПРЕПОДАВАТЕЛИ И УЧАЩИЕСЯ СУХОПУТНОГО ШЛЯХЕТНОГО КАДЕТСКОГО КОРПУСА

Ангальт Федор Евстафьевич (1732—1794), граф, генерал-поручик, начальник корпуса.
Арсеньев Никита Васильевич (1775—1847), кадет, впоследствии директор Военно-Сиротского дома.
Безак Христиан Иванович (?—1800), преподаватель философии.

Гине Яков Егорович (1769—1813), кадет, впоследствии генерал-майор.
Железников Петр Семенович (1770—?), кадет, затем в этом же корпусе преподаватель русского языка и словесности, литератор.
Калатинский Константин Михайлович (1784—1843), кадет, впоследствии генерал-майор.
Кульнев Яков Петрович (1763—1812), кадет. Герой Отечественной войны 1812 г.
Левек Пьер Шарль (1737—1812), историк, автор «Истории России» (1782—1783) на фр. яз.
Леклерк Никола Габриэль (1726—1798), историк, автор «Физической, гражданской, нравственной истории древней России» (1783—1784) на фр. яз.
Офрен Жан (1728—1804), актер, учитель декламации.
Писарев Александр Александрович (1780—1846), кадет, впоследствии сенатор, генерал-майор, литератор.
Полетика Михаил Иванович (1768—1824), кадет, впоследствии действительный статский советник.
Полетика Петр Иванович (1778—1849), кадет, впоследствии дипломат, сенатор, литератор, член литературного кружка «Арзамас».
Салтыков Михаил Александрович (1767—1851), граф, кадет, впоследствии сенатор.
Толь Карл Федорович (1777—1842), кадет, впоследствии граф, генерал от инфантерии, в 1812 г. генерал-квартирмейстер русской армии.
Турчанинов Павел Петрович (1776—1839), кадет, впоследствии генерал-лейтенант.
Шулепников Михаил Сергеевич (1778—1842), кадет, впоследствии поэт.

6. РОДНЫЕ И ДРУЗЬЯ АВТОРОВ ВОСПОМИНАНИЙ

Ваксель Василий Савельевич, смоленский дворянин.
Глинка Андрей Ильич (1750—?), дядя и крестный отец С. Н. Глинки. Отставной поручик л.-гв. Преображенского полка.
Глинка, урожд. Каховская Анна Яковлевна (1757—1802), мать С. Н. Глинки.
Глинка Григорий Андреевич (1699—1783), прадед С. Н. Глинки, хорунжий смоленской шляхты.
Глинка Григорий Андреевич (1776—1818), двоюродный брат С. Н. Глинки, профессор Дерптского университета, филолог.
Глинка Григорий Богданович (1764— после 1816), двоюродный дядя С. Н. Глинки, ротмистр.
Глинка Николай Ильич (1744—1796), отец С. Н. Глинки, капитан.
Голицын Иван Федорович (1731—1798), князь, дядя кн. Ф. Н. Голицына, генерал от инфантерии.
Каховский Федор Александрович, прадед С. Н. Глинки с материнской стороны.
Кашталинский Матвей Федорович, смоленский дворянин.
Лебедев Петр Григорьевич, двоюродный дед С. Н. Глинки.
Повало-Швейковский Иван Яковлевич (1716— до 1796), статский советник, смоленский губернский предводитель дворянства.
Тучков Алексей Васильевич (1729—1799), отец С. А. Тучкова, генерал-поручик.
Тучкова, урожд. Казаринова Елена Яковлевна (?—1818), мать С. А. Тучкова.
Храповицкая, урожд. княжна Друцкая-Соколинская Евдокия Ивановна (1769—1802), крестная мать С. Н. Глинки, жена С. Ю. Храповицкого.
Храповицкий Иван Юрьевич (1739—1800), коллежский советник, Рославльский уездный предводитель дворянства (1782), смоленский вице-губернатор (1785).
Храповицкий Платон Юрьевич, правитель смоленского наместничества, губернский предводитель дворянства в 1782—1787 гг.
Храповицкий Степан Юрьевич (1743—179...), полковник, Смоленский уездный (1786) и губернский (1787) предводитель дворянства и совестной судья.
...И ДРУГИЕ.

СЕРГЕЙ НИКОЛАЕВИЧ ГЛИНКА

Записки

ГЛАВА I

L'homme par un penchant secret
Chérit les lieux de sa naissance (Crésset)*

Родина.— Село Сутоки.— Воспоминание о предках.— Семейное предание о моем рождении.— Род Глинок.— Дворянский быт старого времени.— Отец.— Мать.— Хлебосольство.— Князь Г. А. Потемкин.— Место его рождения.— Детские проказы Потемкина.— Необычайная память его.— Главные черты его характера.— Отзыв о нем принца де-Линя.— Случай при погребении тела принца Виртембергского.— Болезнь и последние дни Потемкина.— Милостивцы времен Екатерины.— М. О. Кашталинский.— Судьба его.— Образ жизни Кашталинского.— А. Н. Оленин.— Рассуждения о карточной игре.— Продолжение родственных воспоминаний.— Дядя мой А. И. Глинка.— Размышления о ходе нашей словесности.— Дух того времени.— С. Ю. Храповицкий.— Увлечения юности.— Первоначальная судьба М. И. Кутузова.— Филипповский.— Благотворительность С. Ю. Храповицкого.— Жизнь в Кощуне.— Н. И. Новиков.— Сношения с ним С. Ю. Храповицкого.— Письмо Н. И. Новикова.— Бабка моя Лебедева.— Моя жизнь в селе Третьякове.— Мой первый наставник Н. П. Лебедев.— Полковые масонские ложи.— Размышления об обществах.— Колыбель моего первоначального учения.— Случай, заохотивший меня к учению.— Добрый дядька Иоганн и его метода воспитания.

Я родился 1776 года, июля 5-го дня, Смоленской губернии в Духовском, или Духовщинском уезде, в селе Сутоках, в 8 верстах от Чижева, родины бедного шляхтича Потемкина, который потом, под блистательным именем князя Таврического, гремел замыслами ума парящего и, говоря словами Державина: «Был могущ, хотя и не в порфире».

После 1812 года в первый раз в половине 1834 года посетил я свою родину. Изменяется жребий обширных областей, изменяется жребий и малых поземельных участков. Родина моя теперь в постороннем владении; но я видел следы праотцев моих; я видел липы, вязы и дубы, насажденные рукою моего прадеда по матери Федора Александровича Каховского. Я сидел под сенью сих дерев, осенявших некогда юными и роскошными ветвями своими веселые кружки пировавших друзей и родных, а теперь грустно, уныло отживающих в одиночестве безмолвном. Я сидел под ними, вслушивался в минувшее и вспоминал, что прадед мой был радушным патриархом родных, другом бедных, примирителем соседей по

---

* Человек имеет тайную склонность с нежностью вспоминать место своего рождения (Крессе) (фр.— *Ред.*).

спорам поземельным, посаженным отцом, восприемником. На это нет почетных грамот в архивах земных; эти мирные дела любовь сердечная передает выше земли. Видел я сельский деревянный храм, где в течение девяноста лет курится жертва Богу любви и милосердия. Прошумел около него вихрь вражеского нашествия, но в стенах его не коснулся ни святыни, ни утварей церковных; все осталось, как прежде было, нет только тех, кто там бывал, но там их прах.

И мир их праху! Они живут в душе моей. Любовь не умирает.

Над колыбелью нового пришельца в мире, в очах матери, в очах отца, надежда, подруга жизни с радужных крыл своих сыплет мечты, алеющими розами и ожиданиями радующие сердца. Витал этот призрак и над моею колыбелью; мне сказывали, что в ясный июльский день моего рождения над нею взвился рой пчел, прилетевший с ароматных садовых трав и цветов. Из этого выводили, что какая-нибудь необычайность промелькнет в моей жизни. А я применяю рой пчел к тем суетливым заботам, которые давным-давно роятся над головою моею.

Говорят, что дворянство есть тень великих людей. Не стану дорываться, на какой степени после первого нашего праотца, улеглась тень дворянства предков моих или в какой туманной дали теряется она. По ходу нашего времени, взял я на лицо свое новую грамоту в силу рескрипта, данного мне в 1812 году Александром I. Знаю только, что предки мои — потомки тех Глинок, которые, по словам короля Владислава, оказали многие услуги Речи Посполитой. Достоверно и то, что Сигизмунд и сын его Владислав за какие-то особенные заслуги жаловали Глинок и почетными грамотами, и поместьями в Смоленской области. Слышал я также, что в Польше есть поколение Глинок-графов, нам родственное. Так ли это или нет, не знаю, упомяну только, что из записок Михаила Огинского явствует, что имя Глинок и теперь еще существует в прежней их отчизне, и что в 1815 году кастелан Николай Глинка был в числе членов нового правления. Впрочем, если детям моим понадобится вековая грамота, они и теперь ее выхлопочут, а мне она не нужна: я иду на всемирную перекличку.

Отец мой служил в молодости в гвардии и, по выходе в отставку, поселясь в деревне, сделался примерным хозяином. Он жил без спеси и без чванства, в мире с самим собою и со всеми. Алчная роскошь не отделяла еще тогда резкими чертами помещиков от почтенных питателей рода человеческого[1], то есть от крестьян. Кроме губернского мундира, одежда будничная и праздничная почти вся была домашнего изделия. Таратайка или одноколка заменяла щегольскую и великолепную карету. Домоводство цвело изобилием, под животворным надзором хозяйским. Упитанные сельские тельцы не уступали яствам героев Омировских. Вместо часто поддельного Клико в круговых чашах Оссиановских кипел родной мед и липец, а вместо пунша ароматного подносили варе-

[1] Выражение Я. Б. Княжнина.

нуху. Жизнь домовитая лелеяла сердце, а любовь к человечеству не была окована прихотями тщеславия. Решительно можно сказать, что роскошь стеснила в России состояние крестьян пахотных и оброчных. Не удружили дворянству и банки заемные, и ломбарды.

Екатерина II хотела ими исторгнуть недостаточных дворян из челюстей безбожного лихоимства и доставить им легкое средство оправляться в случае неурожаев, пожаров, скотского падежа и других непредвидимых бед. Но пышность, засевшая в новоучрежденных городах, вринула большую часть заемщиков в бездну роскоши и мотовства. Екатерина жила и отжила со своим временем. Все ее скрылось с нею. Никогда и нигде не занимая денег, отец мой, в кругу ограниченных желаний и при житье незатейливом, был добрым помещиком. Радушно делился он хлебом-солью со всеми, и готовая к помощи рука его сзывала бедных соседей к участию в избытках его. От прилива и отлива частых гостей Сутокский наш дом был назван несъезжим двором. Заторопленный наездом гостей, отец мой, завидя спускавшиеся с горы возки и колымаги, гневно вскрикивал иногда на мать мою: «Вот, матушка! Родные твои отбою не дают!» Но когда, надев сюртук понаряднее, выбегал на крыльцо, когда встречал и приветствовал гостей, и когда наш сельский запевало Кулеш, прицелясь ладонью к щеке, звонко затягивал: «Вспомни, вспомни, мой любезный!» — тогда подлинная или мнимая досада быстрою зарницею сбегала с лица его. Отец мой страстно любил музыку и играл на флейте. В весенние вечера он выходил на крыльцо, и звукам его флейты вторил голос соловьев, разливавшийся в прибрежных приозерных кустах.

Глубокая чувствительность удвоивала земное бытие матери моей, а душевная ее набожность переносила мысль ее в мир духовный. Суеверие не волновало ее ума. Высказывались иногда порывы пылкого ее нрава, но это была только тень на светлой ее жизни. Вдовы и сироты называли ее матерью. Со страдальцами делилась слезами, а с бедным тем, что Бог посылал в избытках домашних. Была она и примерною хозяйкою. Все Сутокское славилось в Смоленске и отправлялось в Петербург. В одной рифменной географии сказано: «В Смоленске варятся прекрасные закуски».

Домашние наши варенья, коврижки, сыры и живность появлялись при дворе Екатерины и на столах наших петербургских милостивцев и знакомых. Однажды родители мои получили следующее письмо от Л. А. Нарышкина: «Все присланные вами коврижки разошлись на домашнем потчиваньи, а потому, чтобы быть позапасливее, прошу вас заготовить мне тысячу коврижек с моим гербом, которого и прилагаю рисунок. Из этой тысячи уделю только двадцать Г. Р. Державину за его хорошие стихи. Он большой лакомка, а вас отблагодарит своею поэзией». Этот гостинец был тотчас отправлен. В нашей кладовой кадки с липцем и медом были безвыходно. Раздолье было тогда это житье сельское! Казалось, что и сама природа спешила отдарить за то, что с нею жили и ближе, и дружнее.

Державин не остался в долгу: из стихов его помню четыре последние:

«Дележ у нас святое дело,
Делимся всем, что Бог послал;
Мне ж, кстати, лакомство поспело:
Тогда Фелицу я писал».

И князь Таврический, наш сосед, посылал к нам за липцем и расплачивался турецким оружием, то в серебряной, то в золотой оправе. Всем известно, что у князя Потемкина были свои гонцы ловкие, расторопные, умные, но никогда не знавшие того, что передавали они за его печатью. Баур летал по Европе не с письмами к тогдашним министрам, но с доверенностью к банкирам, которые отсыпали деньги тому, кто был ближе к тайным министерским столикам. В числе этих гонцов был двоюродный брат моего отца Г. Б. Глинка[2]. В разъездах своих от князя, заезжал он и к нам за липцем.

Однажды привез он его к Потемкину в то время, когда он забавлял принца де Линя прогулками на лимане и давал ему пиры. Быстро взглянув на моего родственника, князь спросил: «Все ли здорово в Ковно?» Родственник мой отвечал как следовало: «Ну,— сказал князь принцу,— мы сегодня будем пить ковенский липец»; и за столом сам употчивал его тремя бокалами. После обеда принц не мог встать со стула. Князь улыбнулся и промолвил: «Это не ковенский, это русский липец моего соседа. В вашей суматошной Европе из куска золота тормошат и землю, и море, а у нас в России любят угостить и усадить. Выпейте стакан холодной воды, все пройдет».

Кроме того, всякого рода варенья и закуски отправлялись и к Матвею Федоровичу Кашталинскому, слывшему тогда смоленским милостивцем. Матвей Федорович отдаривал или золотыми часами, или брильянтовыми перстнями, или чем другим.

Изображение нравов, обычаев, частных мер правительства и рассказ о лицах, действовавших в свое время на театре света, или случайности: вот объем и жизнь записок.

И у нас, и в Европе говорили, что Екатерина и царствовала, и привлекала сердца. Мы согласны, что она отыскивала все то, что можно было употребить на пользу современников без мысли о будущем. Ум ее постиг, что сильная, богатая и чиновная аристократия домогается по духу своему угнетать то, что малочиновнее и маломощнее ее. А потому она и заметила в Наказе своем, что богатым должно полагать преграду к удручению бедных, и что чины суть принадлежность мест, а не лиц[3].

Князь Григорий Александрович Потемкин, из участи бедного смоленского шляхтича перешедший на чреду князя Таврического,— Потемкин был при Екатерине главным оплотом от притязаний

---

[2] Он был при князе до самой его кончины.

[3] См. Наказ. § 35-й.

сильной аристократии, или, лучше сказать, против вельможеской гордыни. Вековые грамоты вельмож смирились перед юною его грамотою. Но он не пренебрегал вельмож дельных, нужных для дела.

Однажды со мною спорили, будто бы князь Николай Васильевич Репнин был его заклятым врагом. Я возразил на это собственноручным князя Репнина письмом к Потемкину, в котором он его называет любезным и задушевным другом. Оно теперь в руках у князя Дмитрия Ивановича Лобанова-Ростовского. У Потемкина было все свое. «Забывайте искусство, – говорил он,— сами пролагайте себе пути, и слава великих дел подарит вас венком».

В жребий сего чудного баловня счастия судьба включила все необычайные свои игры. В колыбель вступил он не в стенах дома, а в бане, которую я недавно видел, но ту ли?— не знаю. Банный уроженец был и большим проказником в молодости своей. Однажды, вместе с отцом его, пустился полевать родной его дядя, рослый и дюжий. Смеркалось, выплывал месяц. Потемкин нарядился в медвежью шкуру, висевшую между утварью домашнею, притаился в кустарнике; охотники возвращались, и когда дядя поравнялся с кустами, медведь-племянник вдруг выскочил, стал на дыбы и заревел. Лошадь сбросила седока и опрометью убежала. Дядя, растянувшись на траве, охал от крепкого ушиба, а племянник, сбросив шкуру, сказался человеческим хохотом. Стали журить. Проказник отвечал: «Волка бояться, так и в лес не ходить».

Мать князя Таврического была образцом в целом околодке. По ее уставам и одевались, и наряжались, и сватались, и пиры снаряжали. Это повелительство перешло и к сыну ее.

С медвежьими затеями Потемкин вступил в Московский университет и выслан оттуда недоученным студентом, но с дивным умом. Переводчик «Илиады» Костров рассказывал, что однажды Потемкин взял у него несколько частей Естественной истории Бюффона и возвратил ему их через неделю. Костров не верил, чтобы можно было так скоро перечитать все взятые части, а Потемкин, смеясь, пересказал ему всю сущность прочитанного. Память его равнялась его желудку и сладострастию. Память, желудок и сладострастие его все поглощали. Он метил из гвардии в монастырь и попал в чертоги Екатерины. В глубоком раздумьи грыз он ногти, а для рассеяния чистил брильянты. Женщин окутал в турецкие шали, мужчин нарядил в ботинки. Поглощал и ананасы, и репу, и огурцы. «Иным казалось,— говорит граф Растопчин,— что Потемкин, объевшись, не проснется, а он встанет, как ни в чем не бывало, и еще свежее. Желудок его можно уподобить России, она переварила Наполеона, и все переварит». Посылал в Париж за модными башмаками и под этим предлогом подкупал любовниц тогдашних дипломатов. Лакомя хана роскошью, выманил у него Крым. Выдумывал вместе с Пиком польские и контрадансы; дал Екатерине и двору ее такое празднество, какого не придумал бы и обладатель Алладиновой лампады. Мир, заключенный князем Репниным после победы Мачинской, называл ребяческою сделкою и дал князю бессрочный отпуск. Грозился вырвать в Петербурге зуб, т. е. сбить князя Зубова. И умер князь Таврический в глухой степи, под туманным октябрьским небосклоном. Присмотревшись к мнимой беспечности Потемкина, принц де Линь сказал: «Потемкин притворяется, будто он ничего не делает, а он всегда занят».

Вот некоторые подробности о последних днях его жизни, сообщенные мне очевидцем, служившим при нем, родственником моим Гр. Б. Глинкою.

В Галаце после погребения принца Виртембергского, в какомто необычайном раздумьи князь Таврический сел на опустелые дроги. Ему заметили это. Он молчал, но угрюмая дума, проявлявшаяся на отуманенном его челе, как будто говорила: «И меня скоро повезут». Заболев с того же дня, переехал он за Днестр в монастырь Гуж. Перемены в образе жизни не было. Музыка гремела, в комнатах все ликовало, одна рука его отталкивала лекарства, а другая хваталась за все лекарства роскошной природы и все овощи природные; прихотливый его вкус сам не знал, чего хотел в период своего оцепененья. Из-за Прута князь пустился в Яссы. Прощаясь с Поповым, так крепко стиснул ему голову, что любимец невольно вскрикнул. Князь улыбнулся, а Попов с восторгом рассказывал, «что еще есть надежда, что у князя не пропала сила». В числе провожатых была племянница его, графиня Браницкая. Проехав верст шестнадцать, остановились на ночлег. В хате Григорию Александровичу стало душно. Нетерпеливою рукою стал он вырывать оконные пузыри, заменяющие в тамошних местах стекла. Племянница уговаривала, унимала, дядя продолжал свое дело, ворча сквозь зубы: «Не сердите меня!»

На другой день пустились в Яссы, проехали верст шесть. Потемкину сделалось дурно, остановились, снова поднялись и снова поворотили на прежнее место. Смерть была уже в груди князя Таврического. Он приказал высадить себя из кареты. Графиня удерживала. Он проговорил по-прежнему: «Не сердите меня!» Разложили пуховик и уложили князя. Он прижал к персям своим образ, осенился крестом, сказал: «Господи, в руце твои предаю дух мой!» и вздохнул в последний раз.

От великана обращаюсь к скромному быту моему!

Кроме великана сего своего времени, Екатерина, желая, так сказать, учредить между собою и дворянством радушную иерархию, выбирала людей умных, приветливых в милостивцы или в посредники между собою и дворянством. Повторим и здесь, что Екатерина сочинила царствование свое. К милостивцам, учрежденным не по указу, а по указанию, дворянин, приезжавший по делам в Петербург, немедленно относился, и каждый дворянин в милостивце губернии своей встречал и ревностного ходатая, и радушного гостеприимца.

Нашими милостивцами на берегах Невы были: Л. А. Нарышкин и М. Ф. Кашталинский. О первом расскажу после, о втором теперь. По особенному ли поручению Екатерины, которая сама признавалась, что, невзирая на устройство ее судов, все еще нужно ездить в Петербург для покровительства (собственные слова Екатерины II; см.: Собеседник любителей российского слова, 1783 года), или по внушению князя Потемкина, уроженца смоленского, Кашталинский был ходатаем за всех просителей, приезжавших из Смоленска по делам в Петербург. Отобрав записки, он спешил в сенат и к генерал-прокурору. Словом, вне дома был за них ревностным стряпчим, а у себя — радушным гостеприимцем. Матвей Федорович Кашталинский был, как говорится, творцом судьбы своей. И он, как Потемкин, родился простым мелкопоместным шляхтичем. Двор, война и обширный замыслами ум усилили Потемкина; двор, карты и расторопность возвели Кашталинского на степень временной известности. Он человек записок, а не истории. От одного ловкого выигрыша в макао при дворе Елисаветы и от ловкой утайки туза, мешавшего выигрышу, прослыла поговорка: «Он туза проглотил». Однажды Потемкин, не домогаясь выигрыша, проиграл победителю в макао сто тысяч; это просто подарок, и это намек на свое время. Потемкин любил Кашталинского. Матвей Федорович хорошо знал математику, языки и, как сказывают, в Семилетнюю войну служил при штабе герцога Ришелье. Роста он был небольшого, казался подслеповатым, но очень зорко видел. Лицо его цвело здоровьем, и он умел и имел средства поддерживать здоровье. Рано прибегнул он к парику, чтобы каждое утро тереть голову льдом, в то же время освежался он прогулками и ваннами ароматными. К игре на бильярде и к обеду являлся он в коротеньком бархатном сюртуке и в бархатных башмаках, завязанных ленточками. Казалось, что сама богиня щегольства наряжала его. Много вышло теперь сочинений в прозе и в стихах о гастрономии, но едва ли где баловали вкус такие блюда, какие подносили у Кашталинского. В обеде были три перемены: две состояли из кушаньев, а третья из закусок. У Кашталинского все было на серебре и золоте, но скука не перечила желудку. Он дарил вкусным обедом, и его дарили затейливою веселостью. Сенатор Шербачев не спускал ни блюдам, ни анекдотам, ни прибауткам. Видал я у него и молодого человека в щегольском, красном артиллерийском мундире, ловкого, умного, и который, обладая разнообразными знаниями, золотил разговоры чистым русским языком без примеси французского. То был Алексей Николаевич Оленин. После лукулловского обеда в доме Кашталинского опускались на окнах занавески, зажигались свечи, и начиналась резня в карты. Это не укоризна: бездействие есть преждевременная могила.

Дивлюсь, что карты, выдуманные для забавы полоумного французского короля, заполонили общество европейское. Ни один психолог не объяснил еще этого; сказал, однако, Сумароков, что у нас карты уравняли старость с юностью, но от этого равенства карточного разгромились имущества вековые и участились удары апоплексические. Переход из-за роскошного обеда за ломберный стол есть перекор природе. Игра угнездилась в так называемых наших хороших обществах. Кто нужен для партии, тому везде отворялись двери. Игра делается как будто новою жизнью. Руки привыкают к перетасовке карт, а душа привыкает к быстрым переходам от надежды к отчаянию.

Оставя двор, Кашталинский перенес в смоленскую свою деревню жизнь столичную. Но он привез с собою и два волшебных талисмана богатых: привет и ласку. Он посещал соседей, отыскивал нуждающихся, а гостей-бедняков провожал до дверей и до крыльца, как будто совестясь, что богаче их. Это сущая правда: я сам это испытал. Летом и зимой был неутомим в пешеходной прогулке. Утончая правила долгожития, Матвей Федорович охотникам до прогулок говорил: «Сперва ходите против ветра, потом под ветром, потому что если лицо и вспотеет, то не остынет». Но кто устережется всех ветров, которые мчат бренную ладью нашу по океану жизни? Повернулось и колесо судьбы нашего счастливца Лукулла; попал и он впросак карточный. Сотни тысяч уплыли, но он досадовал не на утрату денег, а на то, что опростоволосился. С этою досадою переехал Кашталинский в Петербург, где прежняя блестящая его звезда туманно закатилась в могилу. Отец мой отправлялся всегда в Петербург с запасом прошений бедных дворян и других сословий. У нас не было своих тяжб. Хлопоты для бедных была такая для моего отца отрада, что он никогда не отказывался просить и помогал нуждающимся. Наступал срок масленицы, и несколько возов, нагруженные четвертями ржи и рыбою из Сутокского озера, с прибавлением масла и сыра, отправлялись к неимущим соседям на заговенье. Сутоки наши процветали: крестьяне знали, что их не закладывали и не стесняли. У русских крестьян и смысл, и взгляд зоркий. И у них есть живое внутреннее чувство, одушевляющее их и в жизни, и в трудах, если только и то и другое роднится с семейным их благом. Они знали, что родители мои не ездили мотать и роскошничать в столицы. Знали также и убеждены были наши крестьяне, что ни без очереди, ни в очередь рекрутскую, никого из них не продадут на сторону, ни за горы золотые. А водились и близ нас торговцы, которые промышляли: «Искусно в рекруты торгуючи людьми».

Знал я одного из этих промышленников. Скупая людей, он развозил их по дальним губерниям и там распродавал их. Знал я его и видел, как гневная рука Провидения с корня сорвала родное его попелище. Знал я и другого нашего соседа, который с каким-то жезлом волшебным, то есть: то откупами, то рытьем канав по дорогам, то с помощью других сделок подрядных — от тридцати пяти душ дошел до шести тысяч. Но это не пошло в путь, а сам несчастный владелец деревень и сел спился с кругу. Мне уже за шестьдесят лет[4], но я никогда не видал, чтобы зло до конца ликовало. То же скажут и наблюдатели различных переходов мира нравственного.

Продолжая речь о семейном нашем быте, прибавлю, что у нас было искусственное подспорье. В то время дворянам дозволялось выкуривать по девяносто ведер вина, но перекуривали и гораздо

[4] Писано в тридцатых годах.

за сто; случалось и тут с грехом пополам: у иных проглядывало корчемство; откупщики жили и наживались. Перегонное вино шло на домашние наливки, а остальное — на потчиванье крестьян в положенные дни; бардою же кормили скот, что и способствовало унавоживать пашни.

Было у нас и другое большое подспорье. В семидесятых и в начале осьмидесятых годов через деревню нашу Холм пролегала столбовая дорога на Торопец и до Петербурга. Наши холмяне содержали почту. Они были удалые, ловкие и расторопные ямщики. По этой дороге проезжал великолепный князь Потемкин, то из Белоруссии, то из Смоленска. Бывало, зимою в темно-зеленой бархатной бекеше с золотыми застежками и в огромной шубе, легкой, как пух, мчится снедаемый жаждой власти Потемкин. У князя Таврического не было никакой оседлости. Не строил он замков, не разводил садов и зверинцев: дворец Таврический был даром Екатерины II, а у него своего домовитого приюта не было нигде. Селением его было поморье Понта Эвксинского; заботы его были о древнем царстве Митридатовом, и он это царство принес России в дар бескровный. Чего не успели сделать века от покорения Казани и Астрахани, чего не успел сделать Петр I, то один совершил этот великан своего времени. Он смирил и усмирил последнее гнездо владычества монгольского. Из пространного объявления графа Остермана, по случаю первой войны с Портой Оттоманскою при императрице Анне, видно, какие грозные и опустошительные набеги производили крымцы и до Курска, и до Нижнего, в то самое время, когда Петр I покорял крепости и города прибалтийские. И этот исполин, повторяю еще, был странником: он жил бесприютно и умер в пустыне, на плаще, под сводом сумрачного неба октябрьского. В Германии был издана книга под заглавием «Князь тьмы». Потемкин не был ни князем тьмы, ни ангелом света духовного мира; он был сыном России и трудился, и работал не для своего тщеславия, как будто отчужденный от самого себя. Сочинитель упомянутой книги укоряет Потемкина в расхищении достояния нашего отечества: это ложь. Потемкин не грабил достояние народа, подобно Меншикову, Бирону и другим временщикам. Он сыпал за границу червонцы тогда, когда надобно было золотом выкупить неприязненные и тайные замыслы против России: «Деньги — сор,— говорил он,— а люди — все». Сочинитель книги укоряет его и честолюбием. Требовать, чтобы человек, упоенный властью, не был бы честолюбцем, не летел, как корабль, гонимый ветром по волнам,— невозможно. Носилась молва, будто бы в последние годы жизни Потемкин замышлял создание какого-то нового государства из соединения с Польшей Молдавии и Валахии. Каких грез и мечтаний не представит страсть человека властвовать над людьми!

Дядя мой, Андрей Ильич Глинка, был отцом Григория Андреевича Глинки, который первый из круга родовых русских дворян отважною ногою вступил на профессорскую кафедру и запечатлел имя свое в летописях Дерпского университета званием профессора русской словесности. Тогда еще не было помину о политической экономии, ни о книжках о сельском хозяйстве, а в селении дяди моего Закупе все было в приволье, пышно золотели нивы, роскошно цвели его луга. Как теперь помню дядю моего, когда в первый раз встретился я с ним на лугу обширном и усеянном, и уставленном душистыми копнами. Величавый ростом, он в домодельном халате, мерными шагами обходил поле и как будто глазами взвешивал каждую копну. За ним следовал дюжий приказчик и зарубал на бирке число копен.

Андрей Ильич был крестным моим отцом; ни у него, ни у отца моего не было нигде в закладе ни одной души. Тогда богатые помещики уравнивались с бедными в одном праве винокурения.

По моде своего времени дядя одевался и чопорно, и красиво. На отце моем одежда, так сказать, горела. Новое его платье было новым на один только час, а на дяде моем оно как будто не изнашивалось. Мне, крестнику его, не оставил он своей бережливости, а передал впоследствии свой сердечный романтизм. Лишась первой супруги своей, он уныло бродил по рощам и дубравам и вырезывал на деревьях имя ее. Он плакал, читая романы Феодора Эмина, и заливался слезами, читая и перечитывая Маркиза Г..., переведенного Елагиным. Теперь этих книг нет и в помине; теперь не только не плачут, но и не читают трагедий Сумарокова; а было время, что при дворе императрицы Елизаветы были для них и рукоплескания, и слезы, и вздохи. На все время, и все на время. Молнией мелькает и слава побед, и слава писателей. В то время, когда жил мой дядя, мнение общественное было сиднем неподвижным. Екатерина II, очаровав царствованием своим умы дворян, подносила им волшебною рукою золотой сосуд, из которого они пили забвение прошедшего и беспечность о будущем. Им казалось, что Екатерина условилась с судьбой жить вечно, и что они всегда будут жить ее жизнью. Ту же беспечность передавали они детям своим. Загнездился бы тогда неискоренимый застой в умах дворян смоленских и великороссийских, если бы два обстоятельства не освежали силы мыслящей.

Во-первых, в семидесятых годах с блеском явился на поприще военном Румянцев, совместник Потемкина. Духом своим возбуждал он дух деятельности в земляках своих малороссиянах. Киевская академия была храмом учения их, откуда рука Румянцева выводила соотчичей на пути различных служб. Безбородко, быстрый в соображениях ума и порывистый в страстях; Завадовский, медленный в соединении мыслей, тяжелый в оборотах высокопарного слога и вовсе отживший с Екатериною,— оба сии уроженцы малороссийские даны Екатерине Задунайским[5].

«Препровождаю к вам алмазы в коре,— писал Задунайский Екатерине,— ваша искусная рука их обделает».

---

[5] Мне рассказывал граф Растопчин, что однажды императором Павлом I поручена была бумага в двадцать строк, и что за нею граф ходил суток двое: первоначальный подлинник был весь исчерчен и перечерчен.

Во-вторых, около того времени умный, деятельный, предприимчивый Николай Иванович Новиков, далеко опередивший свой век изданием «Ведомостей Московских», «Живописца», других многоразличных книг и искусным влиянием на умы некоторых вельмож, двигал вслед за собою общество и приучал мыслить среди роскошного и сладострастного обаяния.

Как бы то ни было, но хозяйство кипело в доме моего дяди. Не бросал он денег на поддельное шампанское. Всем известно, что тогда в Гамбурге была вывеска: «Здесь делается лучшее шампанское». От потчивал домашним искрометным напитком, составленным из садовых плодов. У него было все свое, и это все в чистом виде оставил он по себе. Не нужно было хлопотать ни о каких посторонних справках, души крестьянские спокойно жили в приютах своих, и тридцать тысяч рублей, накопленные умным хозяйством, перешли в наличности к наследникам.

Крестною моею матерью была супруга С. Ю. Храповицкого, также родственника моего по матери. Степан Юрьевич Храповицкий был по Смоленской губернии одним из ревностнейших последователей и содействователей Новикова.

Богатый не только числом душ, но и собственною душою, он был и дворянином, и в полном смысле человеком благородным. Бурную юность, проведенную в разгуле военном, заменил он мирною сельскою жизнью. Храповицкий воспитывался в сухопутном кадетском корпусе и вышел оттуда с просвещенным умом и с сердцем, готовым всех любить, всем верить, не ознакомясь еще с тем светом, где и лучший ум, не опираясь на опыт, спотыкается и делает промахи в жизни.

По выходе из корпуса он поступил поручиком под знамена князя Долгорукого-Крымского и скоро отличился храбростью своей. Война и разгул юношеский идут рука об руку. В кругу юных товарищей своих он с таким же жаром предавался карточной игре, с каким действовал в сражениях. Он играл начистоту и спустил почти все свое имение, выкупленное двумя его сестрами и возвращенное ему сполна. В то время познакомился он с Михаилом Илларионовичем Кутузовым, который был уже известен военной деятельностью и необычайной раною, полученной им тогда, когда стоял в виду неприятеля на косогоре, с которого был сбит, и при падении его засыпало землею, откуда с трудом его отрыли.

Но родственник мой во всю жизнь был против него предубежден, и вот от чего: Кутузов в картах был тонким тактиком, но Храповицкий почитал эту расчетливость хитростью. Счастье, которое довело Кутузова до 1812 года, было тогда с ним в размолвке и вело его тернистым путем нужды. Случалось, что он у сослуживца своего Филипповского, издавшего впоследствии «Пантеон российских государей», занимал по пяти и по десяти рублей.

«За мною, брат,— говорил он,— не пропадет твое». Так и сбылось. Во время нашествия дом Филипповского, бывший у Варварских ворот, сгорел; княгиня Смоленская, узнав о том, назначила ему в память усердия его к ее супругу по 300 руб. пенсии.

Из военной службы Храповицкий вышел в отставку полковником, бросил игру и в своем селе Кощуне сделался в полном смысле отцом-помещиком своих поселян. Узнав на опыте роковую превратность игры, он не доверял и никаким предприимчивым оборотам, выходящим из круга земледельческого; зато поля, луга и пажити его заменяли руды золотые.

Изведав в молодости своей, как тяжело жить среди непрестанных нужд, он упросил бедных соседей поручить ему воспитание детей своих, для которых и завел домашнее училище.

— Вы,— говорил Храповицкий бедным дворянам,— доставите мне этим удовольствие быть полезным и вам, и обществу; и притом вам не нужно будет издерживаться на поездки из ваших поместий в столицу для ваших детей, чем и облегчите жребий ваших крестьян.

В училище свое он выписал русского наставника, знавшего французский и немецкий языки; учитель рисования ездил к нему из Смоленска по два раза в неделю, а сам он преподавал воспитанникам арифметику и начальные основания геометрии и называл это занятие лучшим временем своего дня. По образу кадет он одел их всех в одинаковое платье на свой счет.

Супруга его, урожденная княжна Соколинская, как будто родилась для него. У них была одна душа, одна мысль, одно стремление к добру. Нынче, означая степени просвещения, говорят, что такой-то или такая-то отличаются европейским образованием, а я скажу просто, что супруга Степана Юрьевича основательно знала русский язык, читала лучших французских и немецких писателей, понимала и заведовала весь хозяйственный обиход и оказывала нежную материнскую заботливость юным питомцам. Отцы их каждое воскресенье приезжали в церковь своего благодетеля, молились вместе со своими детьми и радушно были угощаемы хлебом-солью хозяйскою. У Храповицкого было село и в Духовщинском уезде, были у него в училище и дети тамошних бедных соседей, которые, удосужась от сельских работ, приезжали на его же лошадях в Смоленск и в Кощуно, находящееся верстах в 25-ти от города.

Лелея воспитанников, хозяева не оставляли и отцов, и матерей их в болезнях и во всех их нуждах; и это ничего им не значило. В селе Кощуно не было псовой охоты, а страшно сказать, что тогда за одну хорошую охотничью собаку платили по 500 и по 1000 целковых, а еще страшнее то, что и христианские души иногда обменивали на бессловесных. Не было в этом селе ни великолепных вечерних балов, после которых иные зевают, и которые в один вечер уносят то, что в умеренном хозяйстве стало бы на год.

По выходе моем из кадетского корпуса я гостил там по неделе и по две, но никогда не встречал за столом заграничных вин, и это было не от скупости. Зато сколько было домашних наливок! И кощунское пиво не уступало тогда английскому. В числе наставников Степана Юрьевича был, кажется, Амкитетен, который впоследствии занимал при одном германском дворце значительное место дипломата.

Он говорил: «Наливок и пива кощунского не променяю на все иностранные вина, привозимые в Смоленск; здешние наливки — нектар. Эпернейское шампанское доставляют только к французскому двору: где же взять этого шампанского в наших столицах и городах?» Не заботились в Кощуне ни о нарядах, ни о каретах к празднику: там работали свои коляски и дрожки прочные и красивые. А потому, за вычитанием этих прихотей и затей, запасные деньги умножались и как будто сами собой шли к доброй цели. Вот почему и хозяева сельскими своими избытками могли делиться со своими неимущими соседями и снаряжать их на службу военную или гражданскую, смотря по способностям их, и по разлуке с ними подкреплять их своею помощью.

Всем известно, с какой ревностью Н. И. Новиков старался об издании книг и распространении чтения. Храповицкий непосредственно участвовал в этом подвиге. Хотя в библиотеке его были все подлинники лучших сочинений французских и немецких писателей, но он покупал, кроме русских книг, и все переводы, печатаемые у Новикова, почему и был с ним в письменных сношениях.

Поговорим об этом человеке.

Н. И. Новиков, двинув умственный ход своего века, перешел и в наше девятнадцатое столетие. Типография Московского университета обязана ему распространением «Московских Ведомостей» и по дальнейшим пределам нашего отечества. А учреждение библиотек по губернским городам есть продолжение мысли его. Видя непомерный разгул роскоши, заполонившей свет столичный и истощавшей быт сельский, он решился отвлечь умы современников от рассеяния к размышлению; средством к тому употребил издание книг. Силой чтения ему удалось сблизить различные сословия, а изданием своего «Живописца» он огромлял закоснелое невежество, видевшее еще на челе трудолюбивых земледельцев печать Хамову. Желая удержать подмосковных своих поселян в правилах возможного благонравия, он домашним запасом всего нужного и для одежды, и для обуви, и для орудий полевых предостерегал их от поездок в город, где так часто выработанное в деревне оставалось за попойками. Трудны были переходы его жизни, но он всегда оставался самим собою. Много перенес он, но могучая мысль человека должна всегда пройти через горнило страдания. Семена и плоды зоркой мысли сами высказывают человека. Вот очевидные следы жизни Н. И. Новикова.

Передаю здесь содержание одного письма Новикова к Храповицкому:

«Вы благодарите меня за присылку Древней Русской Вифлиофики, но замечаете, что бумага не так-то хороша. Всего сделать вдруг нельзя. Я стараюсь особенно о том, чтобы книги пускать как можно дешевле и тем заохотить к чтению все сословия. Вы просите также, чтобы я выслал к вам перевод записок Сюлли, хотя у вас и есть подлинник. Вы желаете, чтобы соседи ваши читали этот перевод. Это прекрасное намерение! Правила Сюлли о внутреннем хозяйстве в государстве как будто писаны и для нас. Нивы, луга и пажити питают столицы и города; чем обильнее будут источники сельского хозяйства, тем привольнее будет и везде. Вы поручаете мне также из присланных вами 50-ти рублей, за уплатою за книги, остальное раздать бедным. Благодарю вас. У нас в Москве убогие хижины подле великолепных палат сами извещают о своих бедняках; вы желали быть безгласным в добром деле, я молчал, но души бедных молились за вас».

О Степане Юрьевиче и о Новикове будет далее, а здесь упомяну о первоначальном моем учении. Я был счастлив в ребячестве моем, меня любили. Особенно ласкала меня моя двоюродная бабка Лебедева, вдова родного брата моей родной бабки. Село ее Третьяково было только в 15 верстах от Суток. В каждый свой приезд она, мимо всех других братьев, дарила меня и лучшими игрушками, и лучшими гостинцами. Я не понимал тогда, что это было предпочтение, за которым так гоняются в свете, но всегда выбегал первый к ней навстречу и целовал ее руку, которой она меня так приголубливала. Лелеяло меня и сердце моей матери, но по нежной ее заботливости о старшем моем брате я видел, что оно ближе было к нему. Не понимал я тогда, что это была зависть, а мне было досадно. И в сердцах детей есть свои порывы, и у мысли их есть своя догадка.

Муж бабки, Петр Григорьевич Лебедев, при учреждении губернии избран был судьей в Духовищинском уезде. А это было тогда чередой почетной в новом мире управления, устроенного Екатериной II. Тогда шар дворянский обвивался каким-то блеском волшебным. Слышно было, что в Новгороде избран был в заседатели суда отставной генерал-майор. Он жаловался Екатерине, и она отвечала: «Я установила выборы, а шары дворянские не от меня зависят». Известно также, что в Московском уездном суде не отказался от должности заседателя камергер Ступишин, родной брат того Ступишина, который начальствовал в Пензенской губернии во время Пугачевского бунта. Тогда с таким же вниманием смотрели на судей, решителей жребия тяжущихся, с каким древние мореходы наблюдали светила небесные. Справедливость велит упомянуть, что тогда еще свято уважалась речь: «Он беден, да честен». У мужа бабки моей было не безбедное состояние, а к нему, по общей тогда молве, он прибавил только имя честного человека и беспристрастного судьи.

Бабка моя меня, своего любимца, выпросила погостить и пожить в селе ее. По отметке ее в святцах о моем туда приезде, я помню, что это было 1780 года, в исходе мая. День был прекрасный. Мы отправились около вечера, и мне казалось, что родное солнце шло вслед за нами. По рощам и кустарникам разливался голос соловьев. Мне был тогда пятый год, и это был первый мой выезд. Бабка моя, боясь меня обеспокоить, велела ехать шагом. Я блаженствовал и всем любовался. Мы приехали в сумерки. Уверенная, что я буду ее жильцом, она заранее велела все приготовить; стол был накрыт, постель моя была поставлена подле ее кровати. Все меня ждали, но никто не суетился. В доме ее все как будто шло само собою; при ней были только две дочери, старее меня шестью и семью годами; три сына ее были в военной службе. Не слыхал я никакого окрика ни на дворовых людей, ни на приказчиков. Каждый знал свое дело и исполнял его рачительно, оттого что не был развлечен никакими прихотями. Об этом рассуждаю теперь, а тогда чувствовал только одно наслаждение новой моей жизни.

Радостно было мое пробуждение: вереница дворовых мальчиков уже ожидала меня и бежала за мною в рощу, которая роскошно раскинулась на каких-то курганах. Рассказывали мне после, что тут была какая-то битва, в то время, когда меч и копье размежевывали землю русскую, но в ребячестве моем я тут ничего себе не представлял и ничего не воображал. Набегавшись по курганам в роще, я побежал на луг, где уже был хоровод сенных девушек и две дочери моей бабки. В играх наших неравенство лет исчезало. Девушки пели песни, а мы кружились в хороводе. Меня величали, как будто какого-то победителя, а я просто был баловнем доброй помещицы села Третьякова. Не утерпела и она: сама явилась к нам на луг. По праздникам в скромной одноколке мы с бабкой ездили по селу. Крестьяне в нарядных своих платьях стояли у изб; бабка моя подъезжала к каждой и заботливо спрашивала, все ли здоровы у них: где был больной, приказывала приходить к себе за сельским лекарством. Ее сердце, ее христианская любовь научила меня всех любить и всем желать добра. В разъездах своих по селу она с особенным вниманием обозревала амбары, где хранилась запасная жизнь крестьян. Село Третьяково недалеко от уездного города и, если приказчик недобросовестен, то перевоз туда хлеба ночью нетруден. Тут нужен зоркий глаз хозяйский. При ней отпускали чистую муку и дворовым, и крестьянам. «Избави, Боже, каждого человека от мякинного хлеба»,— говорила она. А чем питаются бедняки в голодный год, когда у богачей на пирах разливное море! Сытый голодного не разумеет. Тайна этой науки в человеколюбивом попечении, и эту тайну вполне знала моя бабка. И как лелеяла она мою душу! Близ церкви, между двух рощей, окруженное цветущими берегами, большое озеро отражало в волнах своих и ясное солнце, и безмятежную луну. Однажды при ней и при мне закинули невод и вытащили множество крупной и мелкой рыбы. Торопливою рукой хватал я маленьких рыбок и пускал их в озеро. «Что это ты делаешь?» — спросила бабка моя.— «Мне жаль этих рыбок,— отвечал я,— они так сильно бьются, верно, очень боятся больших рыб». Она улыбнулась и приказала, чтобы и впредь мне давали на это свободу.

Я был временным полновластным владельцем и господином в поместье моем. Я говорю: «В моем поместье», потому что все тогда так думали и все это повторяли. Целая кладовая со всеми банками различных варений, все сушеные ягоды и плоды, вся эта лакомая область была в моем распоряжении, и ребятишки, мои сверстники или несколько постарее меня, были ежедневными застольниками моего пированья. Некому было мне поперечить, все покорствовали моим затеям, но я не употреблял во зло моего полномочия. В 1835 году был я в селе Третьякове, и две умные и добрые дочери моей бабки рассказывали мне, что им только та была беда, когда они бывало захотят работать или читать, а бабушка посылает их гулять или играть с Сережею. Отчего при этом рассказе не хочется отстать ни перу, ни сердцу? Что приковывает их к нему? Память о любви сердечной. Между тем, беспечные дни мои текли в лакомствах под крылом бабки моей, и когда на меня, баловня, никому из домашних нельзя было ни прикрикнуть, ни пригрозиться, приехал в отпуск в село Третьяково сын моей бабки, Николай Петрович Лебедев, отличный майор своего времени и масон праводушный. Собою он был очень хорош. Изыскивая все средства к соединению душ и умов на различных путях быта общественного, Екатерина дозволила завесть в полках масонские ложи под названием лож Иоанна Крестителя, и отчасти на образе лож шотландских. Главная цель этих лож была возбуждение в офицерах духа братства, единодушия и самоотреченной приверженности к матушке Екатерине. Во славу русской царицы, во славу братства и в честь доблестных воинов гремели в ложах песни, отзывавшиеся в слухе и в сердцах их, и в веселых пирушках, и в жарких битвах, и на приступах кровопролитных. Вот одна из этих песен:

Имея матерь на престоле,
Ликуй в своей счастливой доле
Сплетенный дружбою собор!
Прославленьем мудрых наслаждайся,
Союзом братским утверждайся.
И пой согласно в честь ей хор.
Да будет счастье неотступно
С тобой, «Почтенный», совокупно!

Наименование «Почтенный» относилось к наследнику престола. Главным мастером лож был Иван Перфильевич Елагин, а частным — генерал-майор Петр Алексеевич Чемоданов.

В дни мирные братья-воины славили царицу, наименованную Вольтером Северною Семирамидою. А когда с кипящими чашами Оссиановскими кипели битвы кровопролитные, тогда при чоканьи кубков заздравных братья-воины, наперерыв друг перед другом, изрекали слово задушевное: кому первому врезаться, врубиться в ряды сопротивников, кому первому ринуться на приступ? С этим братским, с этим крепким словом тогдашний егерский майор Леонтий Яковлевич Неклюдов первый взошел на стены измаиловские под выкличкою суворовскою. Деятельность есть жизнь души и ума человеческого.

По разуму моего воображения и по духу моей порывистой независимости я не был членом никаких обществ. Я не мог на условленное время приковывать себя к стулу и скамье, но я полагаю, что всякое общество, в различных обществах человеческих, побуждается к соединению властительною пружиною деятельности ума человеческого. С поприщем военного масона родственник мой соединил и дальнейшее поприще вольных каменщиков. Не знаю, где он воспитывался, но ум его обогащен был обширными сведениями; он был знаком со всею тогдашнею германскою словесностью и принадлежал к числу людей образованнейших и отличавшихся правилами строгой чести. Как у почетного члена у него была лента и звезда. Из-под знамен Задунайского перешел он служить в Сибирь и впоследствии был главным военным начальником в Иркутске[6]. Служа ревностно, он никогда ни на что не набивался и ни от чего не отказывался. Один только раз он испросил милость и вот какую: при вступлении на престол императора Павла I Лебедев писал к нему: «Государь! Я двадцать пять лет служу в Сибири; приближаясь к старости, испрашиваю у вас одной милости: дозвольте мне приехать в Петербург, единственно для того, чтобы увидеть вас, услышать царское слово и навсегда запечатлеть его в душе моей». Государь удовлетворил его просьбу; он приехал в Петербург, явился к императору и снова возвратился в Иркутск и оттуда, около 1805 года, вышел в отставку. Но и после отставки ему предстояла новая служба, когда громы пушек Наполеона сперва раздались у рубежей нашего отечества, а потом зарокотали в недрах его. Начальствуя смоленским ополчением, он видел и битву Бородинскую. Но всему есть предел: рвение к новой службе истощило последние силы преклонных его лет. Вскоре после Отечественной войны кончил он жизнь свою, непорочную на всех путях его существования. Душевную, пламенную любовь к человечеству и благородную свободу мыслей сохранил он до гроба.

Дядя мой приехал в начале июня. Лето было прекрасное, и он по привычке военной раскинул палатку в саду. Видя, что я с утра до вечера вольничаю и играю с дружиною ребятишек, он дня через три сказал матери своей: «Пора вашему Сереже приниматься за ученье: стыдно нам будет пред его родителями, если упустим время. Его готовят в кадетский корпус, ему шестой год, а он и в азбуку не заглядывал». Он убедил и выпросил позволение быть моим наставником. Не стану хвалиться напрасно, у меня не было никакого стремления к учению. Я был и без книг непрестанно занят. Летом то в рощах гонялся за бабочками, то ходил за ягодами и за грибами, то спешил в орешник; зимою — то катанье на салазках, то в комнате волчки, веревочки и мячик. Словом, я был занят, мне было весело. Но людей все учит, даже и скука, и досуг.

Добрый мой дядя, видя мое своеволие, повел меня к учению стезею ласки и любви.

В шатре, под открытым небом, произнес я на пятом году мертвую букву русской азбуки и произнес ее в духе своеволия и независимости. Никогда не был я рабом указки. Под сводом неба, то прогуливаясь со мною в саду, то усаживаясь под липы и яблони, он высказывал мне буквы и показывал на начертание их. Нераздельно учил он меня и изображать их карандашом на бумаге и

---

[6] Военным генерал-губернатором.

выговаривать буквы. И какая была бумага цветная, какие красные карандаши! Но ни эта приманка, ни нежная внимательность моего наставника не занимали меня. Я уже знал наизусть «Отче наш» и несколько других молитв, и мне было скучно затверживать мертвые буквы. Но вот какой случай заохотил меня к ученью. 25-го июля 1780 года (этот день помечен был в святцах, почему и помню) поехал я с бабкою моею в Сутоки; день был жаркий. Отец мой, отправя исправничью свою должность в Духовщине, приехал после обеда и привез оттуда баранков. Гостинец разошелся по рукам. Я подошел к окну, где стояла тарелка с отравою для мух. Я начал обмакивать туда баранки и преспокойно глотал ядовитую влагу. Дядька братьев моих, как только это увидел, тотчас побежал за молоком, и меня отпоили. Услышав о беде, грозившей мне, бабка моя в беспамятстве и слезах схватила меня на руки, велела запрягать лошадей, и мы возвратились в село ее. Приехав домой, мы тотчас пошли в церковь, отслужили молебен за избавление меня от смертной опасности. Пришел туда и дядя мой. С живым чувством ласкал он меня, и я как будто из нежной его заботливости вдохнул в себя охоту к учению. На другой день я проснулся гораздо ранее обыкновенного и, схватя мою азбуку, побежал в сад, где уже прогуливался мой дядя — наставник. «Что ты, Сережа,— спросил он,— здоров ли ты?» — «Я здоров,— отвечал я,— и хочу учиться». Не знаю, так ли рад был он, когда получил от Павла I Анну первой степени, как обрадовался, услыша от меня неожиданные слова: «Я хочу учиться». И это неудивительно: до ордена он дослужился, а порыв мой к ученью был для него внезапностью. И можно ли было подумать, чтобы то, что грозило мне смертью, открыло путь к новой жизни. В память начала моего ученья в селе Третьякове назвали меня бабушкиным питомцем.

Не на родине произнес я первую букву азбуки, там была только колыбель моя. Под чужим кровом породнился я с трудовою грамотою, а это как будто и было предвестием, что судьба обрекла меня к жизни бесприютной.

Из-под руководства вольного каменщика перешел я под надзор дядьки Иогана, доброго полунемца — русского, но перешел уже прытким чтецом и с изрядным начертанием букв. Новый мой учитель только присматривал за мною, а память меня учила. Родная моя бабка и двоюродная за твердое уже чтение псалмов первой кафизмы всегда дарили меня гостинцами. Из этого поднялись родные ссоры. Старший брат мой был уже в кадетском корпусе, а оставшийся под ним брат косо на меня поглядывал, когда хвалили мое беглое чтение и дарили мне гостинцы. Но я и не думал о соперничестве. От так называемого соревнования до зависти в семейном быту один шаг. Не поддразнивайте ребяческого самолюбия неуместными похвалами. У детей есть свой суд, свой смысл, своя расправа. Не верьте часто мнимому их рассеянию: под этой личиною нередко притаивается очень зоркое и увертливое наблюдение. Одним словом, не мешайтесь в дело природы. Добрый наш немец Иоган не заглядывал в таинства душ наших, не помышлял о развитии наших способностей, но спасибо ему за то, что он самоуправным диктаторством не пытал духа нашего и не мучил нас ярмом указным. Беда там детям, где наставники силятся затащить их на ходули умничанья своего.

ГЛАВА II

Путешествие Екатерины II в Белоруссию.— Екатерина II на родине князя Потемкина.— Разговор ее с Румянцевым.— Напрасные ожидания богача-помещика.— Шатер для государыни.— Встреча ее. Столетний прадед мой Г. А. Глинка.— Отзыв Румянцева о моем отце.— Царские милости.— Рассказы моего отца.— Семейная память о посещении Екатерины.— Отзыв ее об отце.— Помещичий быт в старину.— Простота жизни.— Старинные блазни.— Положение крестьян.— Два горя моего прадеда.— Поездка его в Москву.— Волнения среди крестьян.

Новая жизнь блеснула на родине моей. Екатерина II подарила ее посещением своим. По этому случаю я был взят из села Третьякова. На возвратном пути из Белорусского края Екатерина II 1781 года 4-го июня, из стен Смоленска, сооруженных тем исполином своего века, который с среды писца перешел на среду вельможи и царя, отправилась в село Чижево, на родину другого исполина своего времени, князя Гр. А. Потемкина. В эту поездку пригласила она с собою Румянцева-Задунайского, и мы увидим, что это было не без намерения. Карета императрицы остановилась у ворот скромного дома. Румянцев окинул его быстрым взглядом. Заметя удивление на лице его, Екатерина сказала: «Когда Потемкин устраивал Херсонскую пристань, завистники его разглашали, что он из выданных ему миллионов выстроил какие-то великолепные дворцы на родине своей, а вот его дворец». Румянцев отвечал: «Молва, как морская волна, прошумит и исчезнет; если огорчаться всеми слухами, то придется сидеть сиднем; но и тут не уйдешь от пересудов; одни дела оправдывают нас». Екатерина прибавила: «Я ушенадувателей не любила и не люблю. Клеветали на расточительность князя; не правда и то, что будто бы он писал ко мне, что не хочет и не может служить с вами; он всегда уважал вас»[7].

В этом доме обращена только была в беседку та баня, в которой родился Потемкин. Заглянув в нее, Екатерина сошла по лестнице к колодцу и пила воду.

Если кому из читателей моих доведется проезжать село Чижево, то он увидит и беседку, и скромный бюст князя Таврического, работы домодельной, и стакан, в который Екатерина почерпнула воду, и лист в рамке за стеклом, свидетельствующий о бытности тут императрицы. В это самое время один из родственников князя Таврического, богатый помещик, полагая, что Екатерина удостоит его своим посещением, заготовил торжественный пир, на который

[7] Это я слышал от Я. М. Чекалевского, бывшего письмоводителем у князя Потемкина.

съехались почетные его соседи. Не так случилось. Простой шатер, раскинутый под кровом ясного неба, победил и связи знаменитости, и великолепие роскоши.

Императрица поворотила из села Чижева прямо на столбовую дорогу, пролегавшую из Духовщины на Порхов. В деревне нашей Холм была тогда перемена лошадей. По званию капитана-исправника отец мой устроил свой участок в виде рощи, обсадя обе стороны дороги ветвистыми деревьями. У самой перемены лошадей, близ рощицы, раскинута была довольно обширная палатка, или шатер. Ближайшие наши родные, по повестке отца моего под предводительством столетнего прадеда моего, Григория Андреевича Глинки, со всех сторон спешили для воззрения на Екатерину. Родительница моя, в платье из домашнего изделия, приготовила в палатке сельское угощенье. Четыре мои брата и я, в канифасных домотканных камзольчиках, мы кружились около столиков, украшенных цветами, и разбегались глазами по узорчатым тканям, окидывавшим верх и бока шатра. Между тем отец мой сопровождал карету императрицы. День был как будто праздником сельской природы. Яркие лучи полдневного солнца, разливаясь по густым вершинам дерев придорожных, образовывали какой-то светозарный свод, под которым медленно двигалось шествие Екатерины. По одну сторону крестьяне в нарядных одеждах стояли с хлебом-солью, а по другую — крестьянки с различными садовыми и полевыми цветами. Одни простирали руки с сокровищем нив своих, другие усыпали дорогу цветами и зеленью. Гремели хоры родных песен, по мере движения кареты, тянулись вереницы хороводные. С очаровательным приветом своим Екатерина, раскланиваясь во все стороны, часто останавливаясь, спрашивала у радостных поселян:

— Довольны ли вы, друзья мои, вашим капитаном-исправником?— И раздался общий крик:

— Довольны, матушка-царица, довольны! Он нам отец!

Лицо Екатерины сияло удовольствием, весело было и графу Румянцеву, что он мог поставить на своем. И в важных, и в обыкновенных обстоятельствах щекотливое самолюбие домогается взять свое. Императрице хотелось непременно, чтобы граф побывал на родине князя Потемкина, которого если не он, то другие почитали его соперником, а граф Румянцев, у которого некогда служил мой отец, заранее условился с ним, чтобы мимо богатого родственника князя Потемкина завезть к нему императрицу. Видя, что все кипит душевным восторгом, он доложил Екатерине, что капитан-исправник почтет свыше всех наград, если она соблаговолит принять в семействе его сельскую хлеб-соль.

Известно, что Екатерина, преобразовывая Россию по мысли своей, почитала земское начальство первою ступенью к внутреннему благоустройству, почему и отвечала:

— В семействе ревностного капитана-исправника рада быть гостьей. Он исполнял мой устав, а я исполню его желание. Его любят добрые земледельцы, на которых я всегда обращала особенное внимание; а это и для меня — лучшая награда.

При перемене лошадей граф Румянцев слово от слова пересказал отцу моему отзыв Екатерины. Он записал его, и эту бумажку, которую называл жизнью жизни своей, носил в ладанке на груди.

Иду от памятника Екатерины на то место, где была почтовая наша станция и где для нее переменяли лошадей. Боже мой, как все преобразовывается от присутствия или отсутствия одного человека! Где жизнь, кипевшая так весело в этом селении? Что теперь там, где останавливалась царица? Убогий приют крестьянина. И что прочно на земле? Где Вавилон великолепный? Где это чудо древнего мира? И оно тлеет под разливом мутных вод Евфрата. Но пока бьется сердце в груди, там живет и память о делах благости. Сажусь под образами у хозяина избы и начинаю записывать то, что происходило в шатре июня 4-го 1781 года, а он был отсюда в нескольких шагах.

Когда карета остановилась, отец мой в радостном порыве соскочил с лошади и вскричал:

— Матушка-царица, прими от нас нашу сельскую хлеб-соль, наш домашний липец и наши усердные сердца!

— Благодарю, благодарю,— отвечала Екатерина,— усердие сердечное для меня всего дороже.

Тут с быстротой юноши спрыгнул с коня прадед мой и, преклонив колено, воскликнул:

— Матушка! Живи вдвое столько, сколько я прожил на белом свете, и дай Бог тебе такую же крепость сил, какую Его милосердие даровало мне в преклонные годы.

— А сколько вам лет?— спросила Екатерина.

— Сто лет, матушка-государыня.

Императрица возразила с ласковой улыбкой:

— Нет, мой друг, цари так долго не живут: у них много забот,— сказала и рукою приподняла моего прадеда.

Присутствие Екатерины превратило наш шатер в чертог великолепный; в виде ее ангел милосердия вступил в него. С душевным восхищением мать моя облобызала руку императрицы и подвела к ней нас, пятерых малюток. И теперь еще помню то очаровательное мгновение, когда брат мой Николай (он давно уже умер) резво и смело плясал пред царицею, звонким голосом заводя родную нашу песню: «Юр Юрка на ярмарке». Вижу теперь, как она, нежная матерь отечества, посадила его на колени; вижу, как брат играл орденскою ее лентою; слышу, как смело сказал ей:

— Бабушка, дай мне эту звезду!

— Служи, мой друг,— отвечала Екатерина,— служи, милое дитя, и у тебя будут и ленты, и звезды;— и тут же собственноручною рукою записала его и меня в кадетский корпус, а старшего брата нашего Василия (его давно нет) в Пажеский корпус.

Между тем, заметя, что граф Румянцев разговаривал с отцом моим, как со старинным знакомым, императрица спросила, где граф его узнал. Герой Задунайский отвечал, что отец мой был у него в Молдавии четыре месяца на ординарцах, и потом прибавил:

— В жару Когульского сражения я послал его к полковнику Озерову с приказом, чтобы он с первым гренадерским полком ударил на толпы янычар, которые, нагло ворвавшись из лощины в каре Племянникова, резали наших кинжалами.

Не робея пред царицею, отец мой от полноты сердечной воскликнул:

— Матушка-государыня, я всем обязан его сиятельству, даже детьми, которых готовлю на службу вашему императорскому величеству.

При этом слове Лев Александрович Нарышкин сказал с живою своею шутливостью:

— Слышите, матушка, что говорит капитан-исправник? Он хвалится, что и детьми своими обязан его сиятельству.

Спохватливый мой отец не ходил в карман за словом и, не запинаясь, возразил:

— Я сущую правду говорю, матушка-государыня. Однажды грустным горемыкою явился я в Молдавии к графу на ординарцы; его сиятельство с отческою заботливостью спросил: «Отчего ты так скучен?» Я отвечал, что помолвлен и получил известие, что к невесте моей присватался другой жених. Граф немедленно дал мне домовый отпуск, и по милости его представляю вашему величеству детей моих.

Ликовала Екатерина при этих рассказах; она любила голос сердечный. Приветливо откушала она нашего хлеба-соли, выпила бокал липца за здоровье хозяев «и за здоровье старшины Глинок»,— прибавила она, обратясь к прадеду моему.

Граф Румянцев промолвил:

— Не мимо идет пословица, что за Богом молитва, за царем служба не пропадает. За ревностную службу родного внука старшины Глинок и вы, государыня, и я ему в долгу. Старооскольского полка секунд-майор Глинка, брат нашего хозяина, был в числе дежурных офицеров у генерал-поручика Ступишина при переходе через Дунай; с неустрашимою быстротою передавал он приказания своего генерала. Он был убит, но и вы, государыня, читали о нем в моем донесении.

Слезы блеснули в глазах прадеда моего. Упав на колени пред Екатериною, он сказал:

— Вели, матушка-царица, и я готов за тебя умереть во всякое время! А теперь дозволь проводить тебя верст десять.

Граф Румянцев приглашал его в свою коляску.

— Нет,— отвечал он,— я поеду верхом у кареты матушки-царицы, нагляжусь на нее, и у меня спадет с плеч десятка два лет,— сказал и на борзого коня своего взлетел без чужой помощи. А конь, как будто веселя всадника, говоря Ломоносовски:

Крутил главой, звучал браздами
И топал бурными ногами,
Столетним всадником гордясь,
А витязь — молодец!

Он был не на коне. В жизни обновленной он летал по поднебесью.

Все то, что относится к этому дню, осталось у нас семейным сокровищем. Доходила ли до половины та бочка, из которой наливался липец для подчиванья царицы, ее тотчас дополняли, и этот неисходимый липец величали царским липцем. Каждый раз, когда съезжались родные и соседи, и когда речь душевная вызывала воспоминание о великой посетительнице, в бокалах и кубках пирующих друзей кипел царский липец и гремели восклицания: «Да здравствует матушка-царица! Да здравствует матушка Екатерина!»

Вечером того же дня князь Репнин, тогдашний смоленский генерал-губернатор, встречал императрицу, и она сказала ему:

— Угадайте, у кого я была сегодня в гостях?— и, не дожидаясь ответа, промолвила,— я была у духовщинского капитан-исправника. Спасибо ему, он понял душу земского учреждения. Он любим поселянами, и он вполне исправник. Я сказала в Наказе моем, что в нашем государстве важнейшая часть — земледелие. Вот почему я приняла все меры, чтобы земское начальство было охранительным щитом земледельцев. Поблагодарите от меня духовщинского капитан-исправника за ревностное исполнение его должности и передайте от меня ему эту золотую табакерку. Я никогда его не забуду. А он пусть привозит в Петербург и кадетов своих, и пажа, записанных мною в корпуса.

Прадед мой, Григорий Андреевич Глинка, после свидания с Екатериною жил еще два года и умер ста двух лет. В путешествии своем по Ладожскому озеру Озерецковский говорит, что он видел стариков, которые умирают костенея. Быв академиком и врачом, он уверяет, что такая смерть есть принадлежность людей близких к природе. Так умер мой прадед, хотя он был небольшого роста и худощав, но жизнь его, не разъединенная с природою, закалила его рамена крепостью булатною. Без всех диетических мудрований, порожденных роскошью, он прожил век. Не посылал за межу родную ни за яствами, ни за напитками; тогда не знали еще у нас на Руси и искусства за одним обедом пресыщаться избытками четырех частей света. За сытым его столом кипели щи, похлебки, рассольники; дымились сальники, жареная баранина; величались огромные караваи и т. п. Вместо вин фряжских шумели мед и липец в стопах исполинских. Я видел стопы, в которые вливалось по нескольку бутылок, и которые, по установленному обычаю, в часы разгульной пирушки, опоражнивались одним духом.

Для приправления сытных яств веселостью при обедах и пирушках проказничали блазни, или домашние скоморохи. Они то дрались на пальцатах, или киях, то поддразнивали друг друга, то выдумывали побасенки. Гости смеялись от доброго сердца, а пища не превращалась в желчь или от язвительных пересудов, или от едких насмешек. Сверх того, старинные блазни не только были шутами, но подобно Кефию, выставленному Нарежным в «Бурсаке», они были и посредниками между властелином и подвластными. Обижал ли сильный слабого, притеснял ли грозный приказчик жениха или невесту, выморачивал ли он что-нибудь обманом,— все это высказывалось блазнями за барским столом в прибаутках и побасенках. Сильного обидчика журили, а притесненную невинность утешали. Тогда крестьяне не указывали со вздохом и сердечным сокрушением на модную карету, стоющую нескольких десятков душ; тогда не указывали на шали барынь и барышень, купленные на слезы и истому сельскую. Помещики и в забавах своих часто уравнивались с крестьянами. Вместе с ними ходили они с тенетами на ловлю зайцев и лисиц. Тогда еще не держали в дворнях по десяткам и сотням борзых и гончих собак, на беду крестьян, особливо в неурожай. Вооружаясь заостренными дрекольями, помещик и удалые крестьяне пускались на медведей и волков. В этой отважной охоте прославились прабабки и бабка моя, гоняясь за хищными зверями на быстром коне или в легких санках при блеске светлого месяца, сыпавшего лучи свои на лес дремучий и на белизну снежных равнин. Почти безболезненно протекла столетняя жизнь прадеда моего, то же можно сказать и о душевной его жизни. По достоверному, а не вымышленному семейственному преданию, в стодвухлетнее пребывание свое на земле испытал он только два горя. Первое, когда по званию хорунжего, т. е. в первом и младшем чине шляхты смоленской, пришла ему очередь из села его Красноселья отправиться верст за 150, на Двинский форпост; тяжело ему было расстаться с домашним кровом. А потому к отводу сего первого горя перекатил он в Смоленск несколько бочек родного меду и от употчиванной шляхты услышал желанный крик: «Увольняем, увольняем». Из-под шума сих криков радостно полетел в приют домовитый. Второе горе была необходимая поездка в Белокаменную. Три недели ехал он на своих лошадях в Москву и, пробыв там несколько дней, в такой же срок совершил путь обратный. Вслед за ним везли живность и все съестные припасы домашние: на чужбине и сладкое чужое было бы горько. Сверх того, поместья его родных рассеяны были от Духовщины почти до самой Гжатской пристани, следственно, было где отдохнуть, побывать в бане и попировать. Невзирая на тесное сближение с крестьянами в образе жизни, было и в то время какое-то чудное, необычайное восстание крестьян. Общий дух волнения обходил деревни и села. Это было около срока жатвы. Помещики с семействами своими укрывались в лесах, а в случае близкой опасности прятались во ржи и кустарниках. В эти дни смятения прадед мой со своею женою и малолетними детьми заперся в свирне, или вышке, отдельной от прочего надворного строения. Ночью застучали в двери: он схватил заряженное ружье. Прабабка моя удержала его руку, чтобы бесполезным преждевременным выстрелом не навлечь на себя беды неизбежной. Не слышно было ни о каком зачинщике бунта; казалось, что какая-то невидимая сила волновала села и деревни. А эта невидимка, как будто чародей, ходит и переходит в поверьях и вековых преданиях. Из туманной дали столетий, вероятно, доносилась еще весть о первобытном состоянии русских земледельцев. Вероятно, и они помнили, как жили они до взятия Казани и Астрахани. Первая перепись для иных из них была очевидною, для других — живою былиною[8]. Упоминая о тех днях, когда жил мой прадед, я не утверждаю, будто бы тогда был золотой век невинности, любви и благодати семейственной. Было и тогда также, что Виктор Гюго мог бы переселить в тьму кромешную драм своих. Словом, был на разные образцы отдельный быт, а не было быта общественного. Спрашивали тогда у одного князя-остряка, возвратившегося из щегольского круга большого света: что он там видел? «Много блеска, а мало людей»,— отвечал он.

ГЛАВА III

Поступление в корпус.— Первая разлука с родиной.— Петербург.— Брат мой Егор.— Первые дни в корпусе.— Отношение Екатерины к кадетам.— Представление моего отца государыне.— Дом первого корпуса.— Меншиков.— Миних.— Румянцев.— Другие воспитанники корпуса.— Первый русский театр.— Бецкий.— Старинное воспитание.— Институтская наивность.— Преобразование корпуса.— Я. Б. Княжнин.— Воспитательный дом.— Привычка к корпусу.— Знакомство с французским языком.— Оспенный зал.— Ученье.— Учитель Афанасьев.— Детские плутни и кощунство.— Влияние музыки.— Отношение Екатерины к музыке.— Воспитательница г-жа Ноден.— Ее дочь.— Физическое воспитание кадет.— Танцевальный учитель.

Чрез год после посещения императрицы, то есть 5-го июля 1785 г., в день моего рождения, положено было везти в кадетский корпус меня и брата моего Николая. Но со старшим нашим братом Василием матушка никак не могла расстаться. Несколько раз благословляла его в путь и несколько раз удерживала; рыдания эти и слезы победили решительность отца нашего. На заре жизни узнал я и слезы разлуки, и горе душевное, и силу той чувствительности, которая так глубоко западает в сердце. Любовь к родине была первою моею любовью, а потому и не могу и не стану описывать разлуку с нею. Отец мой, сопровождавший нас в Петербург, вынес меня на руках из-под благословения матери: я задыхался от слез и рыданий. У конца околицы сельской ожидало меня новое испытание. Никогда не обижал я дворовых ребятишек, любил сам лакомства, но любил и их лакомить.

За воротами плетня сутокского выстроились товарищи игр моих и закричали: «Прощайте, прощайте, барин! Дай Бог вам здоровья!» Не утерпело сердце, и я выскочил из повозки и бросился прощаться с ними. Силою усадили меня в повозку. Слово «барин» осталось для меня навсегда на последнем рубеже родины моей. С простым именем человека легче переходить туда,

Где каждый человек другому будет равен.

---

[8] Тогда было так, а теперь не так: слова волшебные, если остались заветные памятники о прежнем лучшем.

Это стих Хераскова, а истина вековая.

Рассказывал я о сердечном прощании со мною дворовых товарищей моего детства, но они там весьма вредны, где барское и сиятельное чванство столпляет их около несмысленных барчонков, которые, слыша непрестанные величанья, растут вместе с барскою и сиятельною спесью.

Вид Петербурга нисколько не поразил меня. Огромные здания были для меня груды камней. Сердце мое было на родине. Часто снились мне холмы, рощи и сад и очаровательное село Третьяково. Часто казалось мне, что я гуляю по берегу озера и слышу разливы песни вечернего соловья в кустах. Часто также просыпался я со слезами.

По приезде в Петербург отец представил нас в корпус. Нас принимали как спартанских отроков; раздевали, заставляли бегать и прыгать. Мы выдержали всю эту гимнастику. Старший брат наш, Егор, был уже во втором возрасте. Мы встретились с ним как с чужим. И немудрено: привычка сердечная — дело золотое, а этой связи не было между нами. Он жил недолго и умер от чахотки. Не описываю последней моей разлуки с отцом. Грустен, печален был тот вечер, когда пришлось расставаться с домашним платьем, с домашнею рубашкой; в первую ночь я не надел казенной рубашки; я снял с груди благословение матери, осторожно прицепил его над изголовьем так, чтобы оно не прикоснулось к стене длинной спальной камеры нашей. Я сделал это для того, чтобы оно было под домашнею рубашкою и чтобы на другой день поцеловать на нем неостывшее еще прикосновение родительское. Я поступил в кадетский корпус в тот самый год, когда вышел оттуда граф Бобринский. В бытность его Екатерина нередко посещала сие заведение, а граф Григорий Григорьевич Орлов еще чаще. Обходясь с кадетами, как с детьми своими, они отведывали их пищу и брали с собою кадетский хлеб, говоря, что очень, очень хорош; и это сущая правда. Когда императрица прекратила посещения свои в корпус, тогда по воскресным дням, зимою, человек по двадцати малолетних кадет привозили во дворец для различных игр с ее внуками, между прочим в веревочку. На этих играх не видно было Екатерины, царицы полсвета; в лице ее представлялась только нежная мать, веселящаяся весельем детей своих. В тот вечер, когда довелось мне быть на играх, у шестилетнего товарища моего, Фирсова, спустился в игре в веревочки чулок и упала подвязка. Императрица посадила его к себе на колени, подвязала чулок и поцеловала Фирсова. Отпуская нас в корпус, Екатерина раздавала нам по фунту конфет и говорила: «Делитесь, дети, делитесь с товарищами своими! Я спрошу у них, когда они ко мне придут, поделились ли вы с ними».

Накануне отъезда своего из Петербурга отец мой представлен был императрице милостивцем своим, Л. А. Нарышкиным. За ним несли огромный поднос с домашними коврижками и несколько бутылок липца. «Примите, всемилостивейшая государыня,— сказал отец мой,— примите нашу сельскую хлеб-соль. Я подношу вам те коврижки, которые вы изволили у нас кушать, и липец, в напоминание вашего посещения названный мною царским липцом. Каждый раз, когда съезжаются ко мне родные и гости, мы пьем этот липец и восклицаем в радости душевной: «Да здравствует наша императрица, матушка Екатерина Алексеевна».

Приветливо разговаривая с отцом моим, императрица спросила:

— Здоров ли ваш старик?

— Слава Богу,— отвечал он,— он здоров и говорит, что с тех пор, когда удостоился лицезрения вашего, у него спало с плеч несколько десятков лет.

— Пусть он живет,— примолвила Екатерина,— он патриарх Глинок, а я люблю времена патриархальные.

И тут же спросила:

— Всех ли трех правнуков вашего патриарха ты привез с собой?

— Виноват,— воскликнул мой отец,— виноват, слезы матеры выплакали у меня старшего сына, записанного вами в пажи!

— А разве я не мать вам?— спросила императрица с ласковой улыбкой.

— Вы, матушка-царица,— возразил мой отец,— вы общая всем мать!

— Это цель моей жизни,— отвечала Екатерина.

С восторгом и быстрым сердечным порывом отец мой упал на колени, облобызал десницу у благодушной монархини и воскликнул:

— Государыня! Вы общая наша мать и окажите нам новую милость. Вместо моего сына примите старшего сына моего брата, названного в честь нашего патриарха Григорием Андреевичем!

— Согласна,— сказала Екатерина, и тут же вручила Льву Александровичу предписание о принятии его в Пажеский корпус.

Когда отец мой откланялся, то Лев Александрович Нарышкин вышел за ним и, потрепав его по плечу, спросил:

— Ну что, Николай Ильич, доволен ли ты приемом государыни?

— Доволен,— отвечал мой отец,— при ней рад жить, а ее не переживу. Если не умер от радости, то умру с тоски.

И он сдержал свое слово. Весть о смерти Екатерины свела его в гроб.

Дом кадетского корпуса — дом исторический. Первоначально принадлежал он князю Александру Даниловичу Меншикову. После Полтавской битвы, на которой вместе с Петром I Меншиков решил жребий вторжения в Россию Карла XII, в 1709 году, он устроил в этом доме церковь. Здесь было обручение старшей дочери Меншикова Марии Александровны с юным Петром II, и отсюда был Меншиков изгнан, лишен всех почестей и сослан в дальнюю Сибирь на острова Березовы; но там он, так сказать, отыскался в самом себе — и утрату всех блесков заменил именем человека; там, с топором в руках, в крестьянской одежде, забывая славу земную, сооружал церковь во имя Божией Матери; подле этой церкви похоронил он невесту юного императора, и сам сошел в могилу, оплакиваемый оставшимися двумя детьми, для которых он был последнею подпорою в той России, где некогда был всем — и умер только христианином. Но он сдержал свое слово; когда потребовали от него знаков его почестей и заслуг, он сказал: «Я знал, что и на это посягнут мои гонители и заранее уложил их в ящик; возьмите его. Остаюсь с одним крестом на груди — и смирюсь под ним».

Жалеть ли этих честолюбцев, которые в чаду тщеславия не умеют жалеть ни себя, ни других?

Известно, что граф Миних был основателем кадетского корпуса при императрице Анне. Казалось, что судьба Меншикова предостерегла его от порывов властолюбия, но он не остерегся и испытал ссылку в той Сибири, где затмилось столько знаменитостей.

Вначале в кадетский корпус вступали взрослые юноши, с познаниями предварительными. В числе их был Румянцев-Задунайский. Известно, что при Анне Иоанновне, в каком-то порыве негодования, он удалился в Пруссию и под знаменами Фридриха довершил свое военное воспитание. Миних научил русских побеждать кареями, а Румянцев отменил рогатки, которыми солдаты наши ограждались для цельной стрельбы. Но в жизни его всего достопамятнее переписка его с Екатериною, в которой Екатерина и Румянцев предлагали свои правила к устрашению оттоманской державы, особенно сильной тогда войском янычарским. Румянцев перешел за Дунай только с 13000 и потому просил усилить его полки. Екатерина отвечала вследствие своих правил, что не может отделить ни одного человека от сохи до окончания полевых работ, почитая первою своею заботою народное продовольствие. Такой переписки не было ни в одной из европейских летописей. Граф Панин, покоривший Бендеры и нанесший последний удар Пугачеву, князь Прозоровский, образователь легкой конницы; Мелиссино, содействовавший к победам под Ларгою и Кагулом; граф Н. И. Панин, прославившийся в царствование Екатерины таким же подвигом, каким князь Я. Ф. Долгорукий прославился при Петре I, и на поприще государственном неутомимо наблюдавший пользу народную,— все они вышли из кадетского корпуса. Тут же учрежден был первый русский театр. Трагедия «Хорев», сочиненная кадетом Сумароковым, разыграна была товарищами его в корпусе, а потом во дворце императрицы Елизаветы. В то же время учреждалось между кадетами первое общество любителей русской словесности. Председателями его были Сумароков и Херасков. Портреты их и теперь находятся в кадетском зале. Суворов два свои разговора в царстве мертвых (Кортеца с Монтезумою и Александра с Эростратом) читал в кадетском обществе любителей российской словесности, о чем я слышал от самого Хераскова. Постоянным попечителем кадетского корпуса при других начальниках был И. И. Бецкий.

В нашем энциклопедическом словаре поместили какую-то загадочную родословную Бецкого; смешно чваниться родом и вековыми грамотами с заслугами и без заслуг. Наш холмогорский рыбак-поэт сказал:

«Кто родом хвалится, тот хвалится чужим».

Бецкий ничем и не хвалился; в чинах и блестящих почестях он вполне был человеком, и скромное поприще жизни своей означал делами, полезными человечеству, но и он не избегнул укоризны. Легкомысленные его современники, не постигая цели учреждений, говорили: И. И. Бецкий — человек немецкий; в заведениях его и тени не было немецкого. В основании воспитательного общества благородных девиц, или Смольного монастыря, он руководствовался заведениями г-жи Ментенон; а в новом уставе преобразованного кадетского корпуса поместили правило из «Эмиля» Ж.-Ж. Руссо. Но вот что заставило Бецкого учредить воспитательное общество благородных девиц в том Смольном монастыре, откуда вышла Елизавета с крестом в руках, в темную осеннюю ночь и заняла престол отца своего: беспечная рассеянность тогдашнего большого света, где все сходили с ума от французского воспитания (хотя воспитания не было и во Франции).

В столицах наших быт русский вовсе отжил; в городах было уродливое смешение старого с новым. Отцы и матери, затопленные модами и рысканьем в каретах, оставляли дочерей на произвол мадамов, Бог знает, где завербованных. Вот в каких обстоятельствах Бецкий, с согласия Екатерины, ввел в стены Смольного монастыря 100 девиц и поручил их г-же Лафон, отличавшейся умом и нравственными качествами. Эта опытная наставница руководствовала юных питомцев своих по правилам Фенелона, изложенным в прекрасном сочинении «О воспитании девиц». С невинною душою, с просвещенными понятиями, обогащенные познаниями приятных изящных искусств юные россиянки вышли из колыбели своего воспитания и показались наивными и несмышлеными младенцами; и о Бецком разошлась молва, что он «выпустил сто кур, монастырских дур». Но кто был несмышленее — он или те молодые Чванкины, Жеманихи и устарелые прелестницы, которых секретарь Бецкого, поэт Я. Б. Княжнин, осмеивал и на театре, и в посланиях к Екатерине? Из множества примеров, какая несообразность была тогда между воспитанием и понятиями матерей и дочерей, расскажу здесь один: одна мать везла дочь свою, только что выпущенную из монастыря, представить знатной своей покровительнице и дорогой напевала ей: «Она дурная и злая женщина, но тебе должно к ней приласкаться». Еще не кончилось это поучение, когда карета остановилась у крыльца, и мать, торопливо вошед к своей покровительнице, пустилась величать ее всеми льстивыми именами, а монастырка, остановясь у дверей, вскричала: «Ах, маменька! Как же вы ее теперь так хвалите, а вы так ее бранили дорогою!» И сколько было таких обмолвок, и не удивительно: в монастыре между светом и ими была китайская стена, и юные питомки жили мечтами и воображением.

Насмешки бесят мелкую спесь. Бецкий пропускал их мимо

ушей. Он служил добру. В почестях и чинах он был силен на одно добро. При Минихе поступали в корпус взрослые юноши. Бецкий, как будто по степеням новой жизни, разделил корпус на 5 возрастов. Каждый возраст состоял из 5 отделений, заключавших в себе по 20 дворян и 5 гимназистов, из мещанских детей; первых приготовляли к военной службе, а последних — к званию учителей, но в воспитании их не было никакого различия. Кто более успевал в нравственности и науках, тот и получал пальмы наград. Сын мещанина шел наряду с графами и князьями и по достоинству нередко был впереди их. Сближая сословия в общем воспитании, Бецкий желал, так сказать, породнить их навсегда, но это была утопия. Богатство, чины и почетность разделяют все в свете, и на это сердиться нечего; так все размещают или должности, или обстоятельства. Каждому возрасту назначался трехгодичный срок. В первый поступали малолетние и постепенно доходили до 5-го. Первый находился под надзором дам или надзирательниц, второй — под наблюдением гувернеров; а у трех последних были военные начальники. И Бецкий умел выбирать надзирательниц, или, лучше сказать, матерей малолетним питомцам. Они сохраняли здоровье пяти и шестилетним питомцам. В России, в нашем отечестве, мы, дети, удаленные от родины и родных, жили как будто на чуждой стороне, но сердце везде откликается на голос любви, и Бецкий с колыбели нашего воспитания призвал эту душевную любовь. Воспитание юного современного поколения было владычествующею мыслью Бецкого. В половине октября 1788 г. он сказал секретарю своему Княжнину:

— Вы, любезный Яков Борисович, отказались для меня от всех лестных предложений А. А. Безбородко; надобно же и мне приготовить вам награду к вашим именинам.

— Награду,— отвечал Княжнин,— вы обижаете меня; вы знаете мой образ мыслей и удостоверены, что лучшей для себя наградою полагаю то, что вы делаете меня участником в исполнении цели полезной и благотворной для нашего отечества.

— Мы,— возразил Бецкий,— идем оба одинаковым путем, а потому я и приготовил вам награду, соответственную образу ваших мыслей и расположению вашей души.

Тут, взяв исписанный лист, он подал его Княжнину. Яков Борисович, пробежав быстро обе страницы, сказал:

— Это приглашение в Академию Художеств всех родственников воспитанников Академии.

— То есть ко дню ваших именин, но это будет не торжественный акт, а просто семейное собрание, и вы заготовите на этот случай речь «О достоинстве человека и о личной славе просвещенного художника»; в этот же день будет и выпуск воспитанников, окончивших учение в Академии.

— Этот день,— воскликнул Княжнин,— будет счастливейшим днем во всей моей жизни!

Бецкий подал ему руку и поцеловал его.

Речь и послание к воспитанникам Академии первоначально

напечатаны были в «Собеседнике любителей российской словесности». Вот некоторые из них черты: «Часто видимые примеры свидетельствуют о том, что человек, хотя и обогащенный дарами природы, но без воспитания лишенный надежного путеводства; не шествуя, но, так сказать, скитаясь в пустынях света и не умея править собою, падает; и, показав к пущему сожалению сограждан, сколько бы он мог быть полезен, увядает, не оставя по себе ничего или весьма мало плодов, которые каждый гражданин обязан приносить своему отечеству».

А вот что он говорит в послании своем к воспитанникам Академии Художеств о личном достоинстве художника:

Не думайте, чтобы почтение обресть,
Нужна бы вам была чинов степенна честь.
Не занимаяся во век о рангах спором,
Рафаэль не бывал коллежским асессором.
Животворящею он кистию одной
Не меньше славен был, как славен и герой.

Где был Бецкий, там были и отеческая заботливость и привет сердечный. С каким радушием принимал он нас в день своих именин, с какою лаской сам угощал нас и с какою нежною внимательностью расспрашивал нас о предметах нашего учения! Бецкий обладал глубокими сведениями в науках и искусствах. Он подал мысль кисти Лосенко изобразить Екатерину, сожигающею маки на алтаре любви к отечеству, то есть поставить ее на стражу пользе ее народа. На такой страже был и сам Бецкий. Мысль его неусыпная о благе человечества положила основание Сиропитательного, или Воспитательного дома в Москве.

В старинной Руси, в одном только Новгороде был учрежден приют для безродных младенцев. Ежегодное стечение гостей иноземных из восьмидесяти немецких городов на берега Волхова и реки Великой заносило туда две заразы: чуму и своеволие страстей. Первая, известная под названием черной смерти (1352), завезенная из Китая с товарами в Новгород и Псков, долетела оттуда до Москвы, поражала и князей, и бояр, и поселян. Второе зло было постояннее, и предки наши, в предупреждение душегубства, учредили Сиропитательный дом в Новгороде. Но в старинной Москве это пособие не было нужно. Статья о тогдашних московских приказах, помещенная Н. И. Новиковым в Древней Вифлиофике, свидетельствует, что в то время в нашей столице не было праздношатающихся людей, и что в быту семейном соблюдали чистоту нравов. Наш свет стоит на торговле; иноземные гости соединены были взаимными выгодами, получая прибыль от избытков Новгорода, обладавшего тогда торговлею, до рубежей Сибири, не завоеванной еще Ермаком, а Новгород богат был и серебром, и золотом, и всеми драгоценностями мира торгового. Не то было в новой Москве. Туда залетели вдруг две заразы: моды и толпы слуг, гайдуков, официантов, и все это была молодежь, отторгнутая от сохи и затолпившаяся в домах расточительной почетности и на улицах московских. Мотовство разоряло быт сельский; за Москву страдали села и деревни; а в Москве час от часу более умножалось распутство. Что же оставалось делать Бецкому? Он не был законодателем, но он знал мудрое изречение, изображенное и на корпусной нашей стене, что вся мудрость человеческой политики состоит в том, чтобы предвидеть и предупреждать зло. Он предвидел, что от мотовства и неугомонных мод наследственные имущества будут добычею лихоимства, и что своеволие страстей будет доводить до того душегубства, за которое Петр I, несмотря на усиленные просьбы супруги своей, подверг виновную смертной казни. А потому Бецкий учредил Воспитательный дом на двух главных основаниях. Во-первых, чтобы спасать несчастных жертв безродных при первом воззрении их на свет. Во-вторых, чтобы пособием ссудным и сохранным сколько возможно предохранить и помещиков, и крестьян от неизбежного разорения. Сколько невинных младенцев, отринутых людьми и отданных под покров Божий! Вот и родословная, и грамота Бецкого. 1812-го года горела Москва, гибли в ней от голода целые семейства, а малолетнее отделение Воспитательного дома ограждалось и безопасностью, и всеми привольями жизни. Начальником его был тогда отставной полковник Тутолмин. Полагая, что французы зажигают Москву, он вооружил своих людей и стал с ними на стражу Воспитательного дома. Узнав о том, Наполеон потребовал его к себе. Не зная по-французски, Тутолмин взял с собою переводчика. На вопрос Наполеона: «Кто сжег Москву?» — он отвечал: «Французы».— «Ошибаетесь,— возразил Наполеон,— но вы честный и храбрый человек, вас никто не потревожит, Воспитательный дом должен быть под общим покровительством человечества».

Ни один из наших поэтов не славил Бецкого при жизни его. Один только Державин звуками лиры своей почтил его могилу, а архимандрит Анастасий в память его произнес умилительное слово в нашей корпусной церкви, и мы, кадеты, принесли ему в дань благодарности искренние слезы наши. Но если когда-нибудь на берегу Москвы-реки, против Воспитательного дома, воздвигнут памятник Бецкому, то лучшею для него надписью послужат слова Наполеона: «Воспитательный дом состоит под общим покровительством человечества».

Время быстролетящее, повинуясь Провидению заботливому о жребии человечества, завесою со светлою надписью: свычка, отделяет скорбные воспоминания от привязанностей отдаленных. Я говорю свычка, а не привычка. Первая относится к бытию нравственному, вторая — к бытию вещественному. Когда дикарь американских лесов равнодушно обходил великолепные сады версальские, вдруг, увидя родное растение, он бросился к нему с криком, со слезами осыпал его поцелуями: он вспомнил, встретя растение отчизны своей, и ласки, и привет, и разговоры милых и друзей; он забыл тогда все, кроме тех, с кем жил душою и сердцем. Но от нас, птенцов корпусных, далеки уже были все различные кружки кадет, составленных из земляков, окликавших друг друга; тут кружок смолян, там новгородцев, украинцев, саратовцев, сибиряков, словом, там представлялась вся обширная Россия. Мы дышали новым воздухом, мы сошлись с новыми товарищами. Свычка соединила с ними и мысли, и душу, и сердца наши, она породнила нас. Начались детские игры, детское забвение прошедшего, детская беспечность о будущем. Мы думали, что век свекуем в корпусе. Рано познакомились мы с французским языком, но это было действием любви сердечной. Повторяю и здесь, что счастливый выбор Бецкого дал нам в надзирательницах наших вторых матерей. Без книг и перьев их ласковый голос научил нас обыкновенному разговору. Из первых речей, запечатленных в памяти нашей, был сердечный привет Екатерине.

Выше было сказано, что по вечерам в воскресенье отправляемы были из младшего возраста по нескольку кадет для игр с ее внуками. Сверх того, в праздничные дни из дворца присылали на каждое отделение по корзинке конфет. Наши надзирательницы оделяли каждого из нас по порядку и заставляли выговаривать следующие слова:

«Notre tendre mère et notre Auguste Impératrice daigne nous envoyer des bonbons, pour que nous soyons sages et dociles aux bons conseils qu'on nous donne. Nous devons l'aimer et la chérir car elle ne désire que notre bien»*.

В корпусе был учрежден оспенный зал. Хотя у меня еще дома была сильная оспа, но она не оставила никаких следов, а потому в числе 80 кадет поместили туда и меня, тут же был и десятилетний товарищ мой, Головня. По привитии оспы он слег. Видя его страдание, я придвинул свою кровать к его кровати и в полноте здоровья и усердия ухаживал за ним; бросал игры и игрушки, когда он кликал меня голосом слабым и унылым. На руках моих он испускал последнее дыхание с теми словами, которые удивили меня противуположностью своею: «Глинка,— сказал он,— ты будешь или великим бездельником, или великим человеком». Что умирающий товарищ мой понимал под словом великий? Не знаю. Но вскоре буду повествовать о ребяческих моих бездельничествах, а особенной великости за собою до сих пор не замечаю. Но если достоинство человека состоит в том, чтобы не уничижать душу ни раболепством, ни ласкательством, ни происками ползунов, то от этого достоинства и я могу что-нибудь приурочить к своему жребию. Будто можно вменять человеку в достоинство, что он не унижал и не оскорблял человека. Дивлюсь унижению и лицемерию, но живо сочувствую всему, что возвышает душу и сердце.

По окончании оспенного искуса нас усадили на школьные скамьи. Я умел уже читать и потому попал в 1-й, или вышний, класс, где в общее и единораспевочное чтение нам предложили

---

* Наша нежная мать и августейшая императрица соблаговоляет прислать нам конфеты, чтобы мы были скромными и послушными добрым советам, которые нам дают. Мы должны любить и почитать ее, так как она желает нам только блага (фр.— *Ред.*).

Всемирную Лакроциеву историю. И теперь еще помню, как учитель наш Афанасьев, небольшой ростом, но пылкий к своему делу, для мерного распева, притоптывал ногою и прикрикивал: «Громче, громче!» А потому, кому не под лад мой громкий голос, тот пусть жалуется на моего корпусного учителя Афанасьева.

Мы рождаемся не в золотой век Астреи, когда сама природа от колыбели до могилы лелеяла человека с любовью нежной матери. Мы рождаемся среди борьбы добродетели с пороком. Мы должны жить в обществе, следственно, должны знать, как и с кем жить в обществе. Итак, первая для нас наука, наука жизни, наука сохранения того здравого, ясного смысла, который называют правителем мира. То же говорит и вековая наша пословица. Осторожность есть первая добродетель, гласит она. Я, старинный кадет, мечтатель отжившего XVIII столетия, я едва на западе жизни спохватился пораздумать о действительности жизни: мы жили спустя рукава, не зная, что такое жить.

Я читал в одном путешествии, что в знойных степях Африки, как будто на поверхности океана мелькают острова, помещенные роскошною рукой природы. Если страннику доведется достигнуть такого приюта, жители принимают его приветливо, угощают тридцать дней и потом убивают, но последний взор жертвы по крайней мере обращается на красоты природы. А что встречает простодушный жилец света, когда грозный опыт срывает с очей его завесу, скрывавшую от него мир козней, пронырств и разврата? Говорят, что первый шаг в свете есть шаг решительный. Но кто даст неопытности нить Ариаднину, чтобы не запутаться в извилистых путях света? Если правда, что нужны для общества следующие качества: вежливость без двуличия, откровенность без угрюмости, снисхождение без потачливости, внимание без изысканности,— то можно сказать, что существуют и противоположные им недостатки: обман, двуличие, лукавство. А из этой противоположности выходит борьба, борьба ежедневная. Следовательно, должно знать, как и с чем бороться. А этого мы не знали. Я мог бы предложить длинную роспись о кадетах, из которых одни были ограблены плутовством карточным, а другие, не стерпя пронырливых подысков, угасли на заре жизни. Резкая, но правдивая русская речь гласит: простота хуже воровства. Хуже, ибо она производит то, что неопытного выходца в свете хитрые понукают, как хотят, и поворачивают, куда вздумают. Где общество добродетельных граждан? Разве на острове Лоо-Шоо, где нет денег, где все дают без денег, и где, по рассказу мореходца Базиль-Галля, нет ни холодного, ни огнестрельного оружия? Но где звонкие и другие погремушки, там и в большом и в малом объеме закрадываются плутни.

Сбылось надо мною предсказание моего товарища. Не нужно говорить, что у нас, корпусных питомцев, не было никакой недвижимой собственности, но была различная движимость, т. е. перья, бумага, карандаши, краски, книги и проч. Дорого то, кому что мило. Я принялся за следующий торговый промысел: сшив тетрадь из двух или трех листов, я натирал страницы мелом и известью, чтобы они казались толще. Смастеря свой товар, я кричал: кто хочет обменять бумагу на тетрадки? Являлись покупщики, и начиналась купля. Повершая обман обманом, я никогда не давал ощупывать мои тетрадки. А кто оспаривал, я прибегал к той уловке, которая уловляла и богов мифологических — я поддразнивал самолюбие. «Не стыдно ли тебе, брат,— говорил я,— ведь ты не слеп и не близорук, ведь ты умен, а не хочешь разобрать, что правда, и что неправда». Хитрил, плутовал и, тонкие подделывая тетрадки, обменивал на кучу добросовестных листов. Накопив бумаги, я клеил папки, сумки, коробки и пускался в новый торг или грабеж.

Повторяю еще, что кому мило, то тому и дорого. Ребенок плачет, кручинится, если сдунут его карточный домик или окалечат деревянного его коня. Всякое посягательство на чужую собственность — кража. Лесть выкрадывает тайны из сердца, лесть выкрадывает тайны и из кармана. Нынче много пишут о производстве и воспроизводстве промышленности, но чтобы ее производить и распространять, надобно иметь запас и знать, из чего что извлекать. Я уже с верным запасом шел от одной плутни к другой. Однажды няньки наши распустили молву, пойманную ими на улице, будто бы скоро ударит час светопреставления, и будто бы чрез три дня пойдет по небу звезда огромная, которая заденет хвостом землю и умчит ее с собою; я не верил этому, но умышленно поддерживал и усиливал молву. «Братцы,— говорил я товарищам,— бросьте ваши бумагу, перья, карандаши. На что вам это все теперь! Ведь звезда все унесет». Хитрость моя удалась; товарищи мои все бросали, а я все подбирал. Прошли три дня, пролетела и молва о светопреставлении, а у меня и под кроватью, и под соломенным тюфяком сбереглась вымороченная бумага. Товарищи осыпали меня просьбами и укоризнами, но я, подобно Горациеву герою:

> Грохочущим громам бестрепетно внимал
> И волны ярости ногами попирал.

Щеголяя великодушием, я раздавал, что хотел и кому хотел, и узнал, что для плутней не нужно большого ума. Плут — часовой бессменный, а добродушие беспечно. Я плутовал и слыл добропорядочным учеником. У нас, кто попадал впросак, тот оттерпливался, а не жаловался. К означению только, что плутни мои понятны им, товарищи назвали меня Багдадским купцом. Мы тогда уже ознакомились с арабскими сказками. В «Собеседнике» 1783 года, между прочими вопросами, Фон-Визин предложил Екатерине следующий: «Отчего у нас плут идет наряду с честным человеком?» Екатерина отвечала: «Оттого, что первый не уличен на суде». Меня не только не уличали на суде, но в поведении моем писали: Conduite irréprochable*; это, однакоже, меня не успокаивало, и совесть говорила мне, что я делаю дурно. Есть суд мимо всех судов чело-

* Поведения беспорочного (фр.— *Ред.*).

веческих, это суд совести. Никто мне не грозил, но какая-то внутренняя укоризна говорила мне, что я делаю дурно, и я слышал также, что Бог карает за дурные дела. К отражению того, я затеял, подобно древним Титанам, несмотря на мое ребячество, бороться с мыслью о существовании Бога. Не стану об этом распространяться. Часто жалуются, что тот или другой развращают нас. Это вздор. Я кощунствовал и сам себя сбивал с толку, пока необычайные превратности моей жизни не угомонили моей буйной мысли; я самовольничал и впоследствии никого за то не упрекал. Ребяческое мое кощунство скоро унялось, и вот каким образом.

До поступления в корпус мне не случалось никогда слушать оркестра; однажды в воскресенье был я в кадетской церкви. Кадеты двух высших возрастов обыкновенно пели на клиросах с большим искусством и чрезвычайным выражением. Раздалось «Иже херувимы» Бортнянского. Восторг необычный объял и облетел, так сказать, все существо мое. Слезы градом полились из глаз моих. Мне казалось, что душа моя переродилась и устремилась выше земли. Сочетавшись сердцем с этой мыслью, я бросил свои проказы и промыслы, возвратил товарищам отнятую у них движимость и стал переучивать катехизис не памятью, а душою.

Давно сказано, что надо любить детей, чтобы понимать их; сердце угадывает их вернее, чем ум. Этой сердечной догадливостью в полном смысле обладала надзирательница наша, г-жа Нодень. Вот один пример тому. У нее была дочь, которую называли Маделон, сверстница наша. Приступая с нею к ученью, она накануне заговенного воскресенья пригласила человек десять питомцев своих, в числе которых был и я. Комната была освещена необыкновенно ярко. Занавесы окон пестрели разноцветными гирляндами, на всех столиках горели восковые свечи в серебряных подсвечниках, на одном стояла прозрачная корзина с конфетами, на другом — несколько корзин, перевязанных алыми и голубыми лентами. «Дети мои,— сказала г-жа Нодень,— нынешнюю ночь слетел ко мне в спальню гений, державший в одной руке корзину с конфетами, а в другой — розги. Если Маделон,— сказал он,— будет прилежно учиться, то вот для нее конфеты, а если станет лениться — то вот розги. Вы мать. Ваша рука будет наказывать легко, но стыдно будет и ей, и кадетам, если станут лениться и вести себя дурно». В этот вечер наша милая сверстница и сама была ангелом невинности. По белоснежным ее плечикам развивались черные кудри, щеки горели, крупные слезы блистали на густых ресницах ее и падали на трепещущую грудь. Она стала перед матерью на колена и сказала: «Я буду, буду учиться!» Г-жа Нодень знала, что я лучше других читаю по-русски, и она избрала меня в наставники русской грамоты для своей дочери, а ей и мне преподавала сама французскую. Общее наше учение шло быстро. Мне был тогда 8-й год, но я сам придумал способ, как скорее приучить ее к выговору и изображению букв русской азбуки: когда Маделон выучивала название букв, я заставлял ее писать их. Это занятие истребило последние порывы моих торговых шалостей. Однажды пришел я к моей надзирательнице давать и брать урок. Маделон взглянула печально и сказала: «Я слышала, что вы любите обманывать?» Я догадался, что это передано ей няньками; у нас было правило, чтобы все наши шалости, какие бы они ни были, оканчивались между нами, и мы никогда не забегали с жалобами друг на друга. Я отвечал моей ученице, что я обманывал, но теперь никогда уже обманывать не буду. Обратясь к матери, она повторила ей мои слова. Мать отвечала: «Он прекрасно сделает, если не будет обманывать. Обман — гнусный порок».

В малолетнем возрасте нас приучали ко всем воздушным переменам и, для укрепления телесных наших сил, нас заставляли перепрыгивать через рвы, влезать и карабкаться на высокие столбы, прыгать через деревянную лошадь, подниматься на высоты. По выходе моем из корпуса поступил я с товарищем моим, Монахтиным, в число адъютантов князя Ю. В. Долгорукого. Однажды в мороз генварский князь взял нас с собою на садку за Пресненскую заставу; все укутались шубами, а мы пустились в щегольских обтянутых мундирах. Видя, что не мороз нас, а мы проняли мороз, князь сказал: «Это могут вытерпеть только кадеты да черти!» Укрепясь в детстве против суровости наших зим, я и в преклонные мои лета никогда не ношу меховой одежды. Выправкой танцовальной приготовляли нас к выправке фронтовой. Первым нашим танцовальным учителем был г. Нодень, муж моей надзирательницы, г-жи Нодень. Ремесло свое он почитал делом не вещественным, но делом высокой нравственности. Нодень говорил, что вместе с выправкой тела выправляется душа, и что рука граций образует движение ревностного поклонника Терпсихоры. Это напоминает о Мейране, танцмейстере старинного Версальского дворца. В своих «Философских основаниях» д'Аламберт рассказывает, что Мейрань, перенесясь душой в менуэт, называемый ménuet à la Reine, говорил: «Que de choses dans un ménuet»*, сколько огня, сколько ума, сколько жизни в менуэте!

Покойный мой приятель Москвин, воспитанник Академии Художеств, усовершенствовавшийся в Париже в искусстве знаменитого Пигаля, говорил мне, что этот менуэт танцевала тогда королева Мария Антуанетта с графом В. П. Кочубеем.

* Сколько всего в менуэте! (фр.— *Ред.*).

ГЛАВА IV

Переход во второй возраст.— Инспектор Фромандье.— Вольтеров Задиг.— Военный инспектор де Рибас.— Причуды Потемкина.— Поэт Петров.— Письма Бецкого к Потемкину.— Отзыв Княжнина о моих записках, веденных в корпусе.— Французское письмо де Рибаса Княжнину.— Внимание Екатерины к де Рибасу.— Учитель Стратинович.— Мнение его о Гомеровском эпосе.— Понятие о свободе.— Мои литературные опыты и отношение к ним Стратиновича.— Счастливая память его.— Суждение Фромадье о событиях во Франции.— Экзамены.— Увлечение романами.— Смерть Пурпура.— Де Бальмен.— Бунт кадет.— Праздник, данный кадетами графу де Бальмену.— Граф Ф. Е. Ангальт.— Его наружность.— Надпись к его портрету.— Ссора Ангальта с Потемкиным.— Уважение к Румянцеву.— Любовь Ангальта к кадетам.— «Говорящая стена».

Время проходит,
Время летит!
Время проводит
Все, что ни льстит.
Счастье, забавы,
Светлость корон,
Пышность и славы —
Все только сон.

Сумароков.

Быстрыми сновиденьями слетали с лица земли и с поприща политического мелкие события и затеи мелкого восемнадцатого столетия и быстрыми шагами, как привиденье невидимое, выступал исполинский разгром Франции.

На многих челах померкла светлость корон, для многих пышностей ударял час роковой, час могильный!

Между тем, хотя я жил и не в Аркадии, но беспечность аркадская убаюкивала отроческие мои лета, и в то же время и для меня готовился перелом и переворот в тесном объеме умственной моей области.

А вот по каким степеням шел я, так сказать, от прежнего самого себя к другому себе.

Чудное дело! Катехизис познакомил меня с тем Вольтером, который сказал, что катехизис сближает с Богом детей, а Невтон ведет к нему взрослых. Оживляйся, память прошедшего!

Из первого возраста перешел я во второй, где для летних игр был обширный двор, отделенный забором от прежнего нашего сада; часто мы подбегали к нему и в промежуток забора смотрели на липы, под которыми, бывало, играли и сидели; смотрели, не пройдет ли кто из наших надзирательниц или нянек; сердце билось от радости, когда взоры наши встречались с их взорами и когда нам удавалось прокричать:

«Здравствуйте, здравствуйте, мы вас помним, мы вас любим!»

Главный начальник второго возраста и все гувернеры были французы. Кто же в них вложил такое горячее и бескорыстное усердие к пользе нашей? Выбор Бецкого. И там мы встретили новое свидетельство о том, с каким умным рачением он выбирал людей для нашего воспитания. Начну с нашего инспектора, майора Фромандье. Он был человек умный, ловкий и зоркий в делах жизни. Однажды, когда наш иеродиакон объяснял нам катехизис, он принес Вольтерова «Задига», переведенного Смирновым. «Прочитайте,— сказал он иеродиакону,— прочитайте им главу о пустыннике, в которой Вольтер так разительно представил пути Провиденья».

Всем известно, как встретился Задиг с пустынником и как обязался молча смотреть на все, чтобы он ни делал. В начале их путешествия зашли они в замок богача, где хозяин принял их с гордым приветом, однако наряду с другими и угостил их роскошным обедом. Пустыннику удалось запрятать под длинную свою одежду драгоценный сосуд. Задиг заметил это по выходе из замка и молчал. Под вечер пришли они в дом скряги, были приняты грубо и отведены в какое-то захолустье, где предложили им самый скудный ужин. К удивлению Задига, пустынник подарил скупому похищенный сосуд. Задиг и тут молчал. На другой день вечером были они в сельском домике, где хозяин, посвятивший себя для изучения природы и человека, принял их радушно и доставил им все приятности хорошего ночлега. На ранней заре, когда все еще спали в доме, пустынник зажег его и удалился. Задиг выходил из терпения, но властительный взгляд пустынника удерживал его порывы. Последний ночлег их был у вдовы, которая приветливо угостила их и, заботясь о дальнейшем их пути, дала им своего племянника в проводники, чтобы он безопаснее провел их через испорченный мост. Едва сделали они несколько шагов по мосту пустынник схватил юношу за волосы и сильной рукой сбросил его в реку.— «Чудовище, изверг!» — вскричал Задиг.— Чудовище, изверг!— воскликнул я, вскочив с лавки.— «Не горячись, Глинка,— сказал П. П. Фромандье,— не горячись, не умничай, а дослушай повесть».

Вот сущность и развязка этой повести. «При встрече со мной,— сказал пустынник Задигу,— ты застал меня за чтением книги и спросил о заглавии ее. Я отвечал, что это Книга судеб. Ты любопытствовал заглянуть в нее и, долго перебирая листы, признался, что не понимаешь в ней ни одной буквы. Вот почему потребовал я от тебя безусловного молчания на все, что бы я ни делал. Слушай: богач, у которого я похитил драгоценный сосуд, угощает только для того, чтобы блеснуть своей пышностью. Мой урок ускромнит его; я подарил сосуд скупому, и он впредь будет гостеприимнее в ожидании какой-нибудь выгоды. Жаль тебе было, когда я сжег дом умного нашего хозяина, но под развалинами его он найдет клад, который даст ему средство еще более делать добра людям. Ужаснулся ты, когда я сбросил с моста юношу, но знай, что через год он убил бы свою родственницу, а через два года тебя».— «Но кто открыл тебе все это?» — спросил Задиг. «Книга судеб, в которой ты не понял ни одной буквы!— отвечал пустынник,— и мало ли чего вы не понимаете, а по легкомыслию своему отваживаетесь порицать пути того Провидения, которое, вопреки вашей безрассудности, везде и всегда заботится о вас».— «Но кто же сделал тебя вестником Провидения?» — спросил Задиг. Тут, вместо престарелого пустынника, увидел он гения с блестящими крыльями.— «Смиряюсь!» — воскликнул Задиг, и гений исчез. По окончании чтения Фромандье сказал: «Господа, не забывайте никогда нынешней повести. Во всем и всегда покоряйтесь Провидению. Оно лучше нас знает, к чему и куда нас ведет, какой бы ни постиг вас жребий. Храните честь, честность и благородство души, и вы будете счастливы внутренним убеждением своей совести».

В корпусе служил военным инспектором тот де-Рибас, о котором Суворов говорил, что его и Кутузов не обманет. Каким образом поступил он в числе нужных людей под знамена князя Таврического, об этом будет после, а здесь упомяну о том, что называли причудами Потемкина, и кто объяснит мне эту загадку?

В прошедшем веке были два друга. Один занимал блистательнейшую среду в отечестве, а другой жил мирным поэтом, но сила дружбы уничтожила неравенство жребия. Поэт ничего не требовал от знаменитого своего друга, ни даров, ни почестей, а князь убежден был, что поэт дорожит одной его душевной взаимностью. Такая дружба была свыше понятий того света, где все движется по отношениям или кружится в вихре рассеянности. Эти два друга были князь Григорий Александрович Потемкин-Таврический и поэт Василий Петров. С Петровым познакомился я в 1797 году. В это время слава Потемкина промелькнула сном мимолетным. Забыли и бескровное присоединение Крыма к России, и волшебный праздник, данный им Екатерине. Потемкин не делал никакого духовного завещания, но он желал, чтобы в Москве на Никитской, где был скромный деревянный дом отца его, сооружена была церковь.

Наследники, разделив его огромное имущество, не занялись этим делом[9] и не упрочили памяти его никаким полезным заведением. И вот какого человека Державин называл исполином, хотевшим возвести Россию на чреду, с которой древний мир колебал вселенную. Потемкин не умирал только для дружбы. Петров оживлял его и лирою своею, и словом. В первое свидание со мною Петров мне говорил: «И вы, конечно, слышали, что Григорий Александрович по какой-то ребяческой прихоти рассылал гонцов по России, то за калужским тестом, то за икрою, то за солеными огурцами, и в Париж за модными безделками. У него на посылках были люди умные; на вопросы любопытных, куда и зачем они идут?— они отвечали шутками. Князь много читал и умел соображать; но он знал, что от людей сведущих можно иногда заимствовать в один час то, чего в целые месяцы не доищешься в книгах; убежден он был также, что гордостью ни из души, ни из мысли ничего не вызовешь. Я изложил это в послании моем к Екатерине о русском слове. Особенные его посылки были за теми людьми, с которыми ему нужно посоветоваться о том или другом предмете. Приглашая их, он писал: «Если вам досуг, то обяжите меня своим посещением, мне

[9] Завещанный храм окончен был после 1812 года.

нужно с вами посоветоваться». И при этом всегда означал, о чем надобно ему переговорить. Таким образом, каждому можно было надуматься и приготовиться дорогою для совещания с князем, и каждый возвращался домой очарованный его разговором и с каким-нибудь подарком на память свидания. Вот отчего удивлялись разнообразным и основательным сведениям Потемкина»[10]. Говорили, что он презирал людей. Неправда, у него была любимая поговорка: люди — все, а деньги — сор. Обращаюсь к де Рибасу. Он был отправлен с письмом, в котором Бецкий приглашал Потемкина в почетные члены Воспитательного дома.

В ответах своих Бецкому князь Таврический, между прочим, писал: «Благодарю вас за сделанную мне честь; но вы, может быть, и посетуете на меня за то, что я отнял у вас де Рибаса. Он нужен здесь для общего дела и для меня». Длинное письмо Бецкого к Потемкину сочинено было Княжниным, и его можно назвать отчетливым историческим очерком всех учреждений Воспитательного дома. А вот как оно досталось мне.

Еще в бытность мою в корпусе ученическим пером чертил я свои записки. Яков Борисович Княжнин читал мою рукопись. Не знаю, что ему в ней понравилось и что показалось смелым, но сказал мне: «По замашке вашей мысли вижу, что вы охотник до наблюдений. Это хорошо. Воспоминание — запас для старости». В первый приход к нам он подарил список своего письма, который поместил я заглавной статьей в IV-й части моих «Русских анекдотов». Тогда же получил я от него и список французского письма к нему де Рибаса. Оно было вписано у меня вместе с другими статьями в особенной книжке и затерялось в 1812 году. Сколько помню, вот главные его черты: «Вы спрашиваете меня, любезный Яков Борисович, о теперешней моей жизни. Я переселился в мир труда и работы*. Баловни вашего большого света здесь замучились бы от скуки. В Петербурге уверяли, что князь Потемкин убивает здесь время в праздности и роскоши, и он иногда по целым дням лежит полураздетый на диване, грызет ногти и думает.— Если у вас кто-нибудь спросит: «Что делает князь»? Отвечайте просто: «Он думает». Но здесь по его мысли все исполняется, и она передает ему все, что делается на Кавказе, в Константинополе и в Париже. Недавно как-то до него дошла весть, что во Франции, несмотря на мирное время, снаряжают новый конный полк. Он тотчас писал туда к нашему посольству, чтобы его известили о причине этого. У него, кажется, на перечете все ряды войск европейских. Слышал я также в Петербурге, что здесь у Потемкина всем распоряжают Попов и Фалеев; это пустая молва. Здесь нет проволочек, которые убивают дела и людей»**.

«Князь думает за Попова, и он свободно может играть в карты. «Однажды Потемкин заметил какое-то утомление в лице и сказал:

---

[10] См. об этом в записках Михаила Огинского и в моем «Русском чтении».

* Dans le monde du travail.

** Il n'y a point ici de délaie qui tuent les affaires et les hommes.

«Ты, верно, всю ночь напролет проиграл в карты. Береги свои глаза. Когда я умру, ты закупоришься в деревне и будешь от скуки всматриваться в звезды небесные»[11]. Несправедливо судят и о Фалееве: он не только занимается винным откупом в новом краю, но и с чрезвычайною расторопностью содействует к безостановочному продовольствию войск. С чрезвычайным также здравым смыслом говорил он о пользе, которую бы прибрела общая наша промышленность, если бы уничтожены были днепровские пороги, и он об этом так умно и красноречиво рассуждает, что кажется, будто их уже и нет. Говорили и обо мне, что я хитрец, и Суворов, не знаю из-за чего, писал ко мне: «Вы ищете совершенства, но вы не найдете его ни в ком другом». Суворова, видно, напугала настойчивость моя в поручаемой мне работе. Но я стыдился бы потерять и одну минуту безполезно. Мое первое желание быть во всем достойным внимания князя. Доверенность к его уму и славе здесь всех одушевляет, зато и о нем можно сказать, что он бы сам все делал, но он любит делиться своей славой, и в подвигах других утешается уступкой своей славы».

Вскоре после отъезда де Рибаса к Потемкину Екатерина посетила Бецкого. Заметив необыкновенную суетливость в той половине дома, где жило семейство де Рибаса, она спросила: все ли у вас здорово? И услышала, что поехали за повивальной бабкой; она поспешила в спальню жены де Рибаса и прислуживала ей до приезда бабки. Узнав об этом, де Рибас писал к императрице: «Как не посвятить все дни свои службе Вашей и как не желать жертвовать жизнью за Вас и за отечество, видя такую беспредельную заботливость Вашу о наших семействах». Екатерина отвечала: «Мое первое удовольствие делать всегда и при всяком случае добро всем и каждому. Радует меня похвальный об вас отзыв князя Григория Александровича, и я была на крестинах в семействе вашем».

Был у нас учителем французского языка Д. Х. Стратинович; он перешел в наш корпус из Шклова. Стратинович вышел в отставку майором; где и как он служил, об этом мы не справлялись. Но он сказывал, что был в Риме при том посольстве, которое, представляясь папе, отказалось снять сапоги. Не знаю, почему он особенно был со мной разговорчив. «К французской словесности,— говорил он,— пристрастился я, читая курс Баттё». Но сколько переменилось у нас этих курсов? Тогда и в Московском университете Баттё был законодателем словесности; а теперь никто его и не читает. А вот что Стратинович говорил о своем природном греческом языке.

Читая со мной перевод Кострова Гомеровой «Илиады», он одобрял некоторые стихи; но,— прибавлял он,— душа Гомеровой поэзии для нас исчезла; ее можно уподобить картинам Рафаэля и дру-

[11] И это сбылось. Во время отставки, живя в поместье своем Решетиловке, Попов занимался астрономическими наблюдениями. Я узнал это 1805-го года, в бытность мою в Украине, от Х...ва, с детьми которого я занимался русскою словесностью, и мы посвятили Попову перевод речи Бюффона о природе.

гих великих живописцев, с которых время стерло или истребило все оттенки очаровательной кисти, оставя один только абрис. Древние греки чрезвычайно были щекотливы в выговоре своего языка. Известно, каким остроумным пером Аристофан изобразил нравы своего века. Но когда он, по приезде в Афины, покупал у торговки зелень для своего стола, она сказала ему: «Чужеземец, давно ли ты в Афинах?»

Зная, что я кропаю стихи, Стратинович советовал мне вытверживать на память стихи различного размера из наших поэтов. Но минувший век как будто увлек с собой все тогдашнее стихотворство. Если по нынешним требованиям уничтожить в наших стихотворениях усеченные слоги, то что из них останется? Впрочем, поэзия перешла теперь в непоколебимую положительность, где одна она еще скитается в потемках и не находит оседлости. У Д. Х. Стратиновича было свое понятие о свободе: «Прибейте на улице кусок золота,— говорил он,— и если тот прохожий, который явственно его увидит, не захочет оторвать его — он вполне свободен. Я согласен с Ж.-Ж. Руссо,— прибавлял Стратинович,— что прихотливые страсти всегда будут одолевать буквы и слова законоучреждений». Один из просвещеннейших греков полагал, что гражданские общества учреждаются там, где воспитывают всех одинаково, где уравнивают страсти, где закон поощряет добродетель и правосудие, и где богатые не презирают бедных.

По смерти графа Ангальта Стратинович оставил кадетский корпус и был при Павле I в числе цензоров в Москве, но, перестав быть моим учителем, он все еще был наставником. Строго пересматривая и наблюдая мои рукописи и не принимая от меня никаких переводных романов, он одобрил одни только стихи к Хандошкину, при которых был в прозе очерк древней и новой лирической поэзии. Это был первый мой опыт, напечатанный в Москве. Одним только опытам Монтеня посчастливилось в полной жизни переходить из века в век. Во время своего цензорства Стратинович жил у друга моего, А. А. Тучкова, где я почти каждое утро был и всегда заставал Стратиновича за чтением «Вифлиофики» Новикова. Чего он там доискивался, не могу сказать. Памятью своей он удивлял и англичан. 1805 г. за обедом у английского посланника зашел разговор о каком-то древнем законе; посланник признался, что не припомнит, когда и кем он был издан. Тут случился Броневский, который в «Петербургском зрителе» Крылова печатал остроумные статьи о русском театре, и он отвечал, что русский его приятель доставит сведения об этом законе. Посол и гости его удивились; и Броневский написал к Стратиновичу записку, чтобы он сообщил, где находится такой-то закон. Ответ немедленно был с показанием издания и статьи. Знание древних и нескольких новых языков тогда еще удивляло; теперь это дело обыкновенное.

Быстро промелькнули для меня три года в первом возрасте; счастливая звезда блеснула надо мной и во втором: любовь и внимание встретил я в надзирателе нашем, Леблане. Но об нем поговорю далее, а здесь припомню, что когда вышел в счет отчет Неккера о доходах Франции, то Петр Петрович Фромандье, показывая мне эту книгу, сказал: «Во Франции будет нечто необычайное». В ней, действительно, приближался политический перелом; настал перелом и в бытии души моей.

При торжественных наших экзаменах присутствовал и старший внук Екатерины. Готовясь к одному из них, сам тогдашний архимандрит корпусный предоставил мне спрашивать о Богопознании естественном. Учительский подвиг мой увенчался успехом: я не только не робел, но заранее условился с товарищами вместе с вопросами соединять и ответы, и чтобы они только внимательно вслушивались.

Уловка моя вполне удалась. Кончился экзамен; наступил час наград. Совет корпусный за отличие в катехизисе, что присудил мне в подарок! Выслушайте: 1762 г., когда еще не было меня на свете, Харламов, на беду будущей моей жизни, перевел «Житие Клевеланда, побочного сына Кромвеля». Перевод нестерпим, но десятилетний ребенок думает ли о слоге? Давно сказано, что первая попавшаяся в руки книга, в которую закралась любовь, покажется лучшей книгой. Но в Клевеланде не любовь, а бешенство любви; и эта исступленная страсть из бурного сердца Прево, сочинителя романа, вырывалась кипящею лавою в юное мое сердце.

По совести говорю, что начальники наши были очень доброжелательны. Как же судить о такой опрометчивой несообразности? Вместо ответа приведу рассказ о том, что и очень смышленые люди попадают впросак от неспохватливости в соображениях.

Однажды кавалер Фогар, объяснитель Полибия, слишком расхвастался, будто бы он первый выдумал колонны, т. е. столпы, или сонмы. Фельдмаршал Кейт, шутя над ним, сказал:

— Неправда, кавалер, неправда, не вы, а Моисей выдумал колонны!

Фогар не спохватился и отвечал:

— Я не знаю этого офицера, в каком он полку служит?

Перевод Клевенланда печатан был в корпусной типографии. Вероятно, переводчик не сполна заплатил, отчего и удержаны были несколько экземпляров. Куда же их деть? Включить в список подарков и для блеска натиснуть золотые орлы на переплетах, а потом при торжественной выкличке, сопровождаемой звуками труб, подарить роман Сергею Глинке за прилежание и благонравие. И я, впившись в очаровательные россказни романа, прежде богатыря нашего века, прежде Наполеона, сроднился с островом Елены, мыслью перелетал за океан и по вершине скалы Еленской гонялся за Фани, героинею романа, и сердце мое превратилось в роман. Я начал влюбляться в призраки. Мечты любви сблизили меня со слезами; горько плакал я, когда в начале 3-й части романа, читал и перечитывал следующие слова:

«Тут пускаюсь в беспредельный океан моих злоключений. Начинаю повествование, при котором от плача не могу удержаться и которое, конечно, извлечет слезы у моих читателей». Плакал ли переводчик при этих строках, не знаю, но я плакал и рыдал. Прощай, классное ученье, прощайте, карандаши, перья и грифеля!

Мечтательное воображение до того овладело мной, что я заливался слезами от сказки о Бове Королевиче, читая, каким образом девка-чернавка спасла юного королевича от козней и злобы его гонителей; я перестал учиться.

Узнал я, что и на заре жизни, и в лета неопытности голос правоты вступается в сердце человеческом за гонимую невинность.

В этом-то разгроме занятий моих и в этом бурном перевороте души моей приспело время учения грамматики. Как будто бы дикими звуками отзывались в слухе моем склонения и спряжения. Сердце мое склонялось к мечтам и спрягалось с мечтами; разлив моего воображенья час от часу усиливался.

В зимние вечера, когда вой метели и треск морозов сгонял нас со двора, кружок товарищей усаживался около меня для слушанья сказок, собственных моих вымыслов. Услыша призывной звонок к ужину, я говорил: «Ну, братцы, помните, на чем я остановился»,— и на другой вечер пускался в даль небылиц моих.

Распаленному воображению моему часто мечтались по ночам наяву и во сне Бог знает какие призраки и привиденья!

С переменою души моей все во мне переменилось. Сказано в первой части, что я был пролаза-рукодельник и неугомонный торгаш; мечты угомонили и плутни, и рукоделье мое. Я бросил и карандаши, и краски, и бумагу, и все классные наши сокровища; я попрал их ногами, как в Вольтеровой Ельдораде попирали изумруды, яхонты и все вещественно блестящее, приурочиваемое славным Линнеем к царству дикой природы. Словом, ничто вещественное меня не льстило; крайне также я стал небрежен в одежде. За плутни прослыл я Багдадским купцом, а за неряшество — разгильдяем.

Между тем, когда разгуливал в лабиринте романтизма, умер генерал Пурпур, начальник корпуса под ведением Бецкого; для него семейство его и кадеты были одно. Лицо его было отражением его кроткой и безмятежной души. Страсти бурные не бороздили ни чела его, ни ланит. Не заглядывая в пути окольные, он открытым сердцем служил Екатерине и действовал по мысли и сердцу Бецкого. К нему можно применить то, что добрый Лафонтен сказал о смерти мудрого: смерть его была тихим вечером дня ясного.

На место его поступил граф де Бальмен, сановитый и умный. В это время в русских полках военные люди составляли два разряда: одни были приверженцами графа Задунайского, а другие — князя Таврического. Граф де Бальмен был привержен к последнему. Один из сыновей графа де Бальмен был впоследствии в числе хранителей[12] генерала Бонапарта на острове св. Елены и женился на дочери английского наместника острова. Он рассказывал мне, что однажды Наполеон отправлял во Францию запечатанное письмо, в котором просил о присылке ему белья. Требовали вскрытия печати; Наполеон отвечал: «Лишусь последней рубашки, но не со-

---

[12] Секретарей (Русск. Вестн. 1866. № 2).

глашусь на рабское условие». Получа тайком локон сыновних волос, Наполеон целовал его и орошал слезами.

При графе де Бальмен было грозное восстание старших кадет против офицеров. В то же время геркулесами-забияками того же старшего возраста избит был и изувечен кадет Михаил Иванович Полетика. Его гнали в корпусе за то, за что Анаксагор гоним был в Афинах: его называли философом, или умозрителем. Зависть и сила придираются и в тесном объеме, и на обширном театре света. К счастью, Михаил Иванович выздоровел и служил сперва в канцелярии графа П. А. Зубова, а потом был секретарем императрицы Марии Федоровны. На пятнадцатом году жизни он читал наизусть почти всего Руссова «Емиля».

Графу де Бальмен мы, кадеты второго возраста, давали только один детский праздник. Мы подносили ему и венки, и цветы, и прочие изъявления усердия. Я забыл свое приветствие, но у меня осталась в памяти затейливая ария, сочиненная нашим учителем декламации Сюрвилем и пропетая графу младшим из нас кадетом:

C'est bien fort pour nous,
Mais c'est doux pour vous,
De voir un jeune écolier,
Qui veut se méler.
De faire un couplet
Tout comme en ont fait
Tant de gens d'esprit
Qui n'ont pas tout dit*.

Это правда. Всего высказать нельзя. Не могу сказать, почему граф де Бальмен, как будто бы мелькнув в стенах корпуса, отправился или в Крым, или на Кубань. Преемником чреды его был Федор Евстафьевич Ангальт.

В корпусе началась новая жизнь. С графом Ангальтом вступил в него и начальник, и отец, и наставник. Он один желал бы заменить всех, если бы можно было, но зато все шли по следам его в нежной заботливости о кадетах; дела его доказывают истину этих слов. Не знаю, принадлежал ли он к поколению того Ангальта, который с властелином обширных стран европейских и областей заокеанских, с Карлом V, от имени князей имперских заключал условия, но известно, что он был родственником Екатерины и ее генерал-адъютантом. Наружность графа Ангальта была: рост высокий и стройный, прическа короля прусского; зеленый мундир с простыми обшлагами, белые суконные панталоны, ботфорты об одной шпоре. А отчего? От того, что в Семилетнюю войну, спеша к королю, граф не успел надеть другой. «А за это,— говорил он,— я сам

* Тяжело для нас,
Но приятно для вас
Видеть юного ученика,
Который хочет попытаться
Сочинить куплет
Так, как это делали
Столько умных людей,
Которым не удалось
высказать всего.
(фр.— *Ред.*).

наказал себя, чтобы помнить, что надобно всегда быть готовым на свое дело». Кроткая его душа светилась во всех чертах лица его; проглядывал в них и ум Фридриха II, страстно им любимого.

По катонскому владычеству над собой он даже не употреблял и носового платка. Но он строг был только к себе.

Я изобразил это в надписи к его портрету. Вот она:

Как нежный он отец
Кадет всегда любя,
Был Титом для других,
Катоном для себя.

Никогда туманная черта не налегала на лицо его, а я видел его почти каждый день, а иногда и по два раза. Известно только об одной его ссоре с князем Таврическим. Он вызвал его на поединок, а где? Не могу сказать утвердительно. Задунайский был его героем, он первый передал нам имя его. «Запишите,— говорил он,— запишите имя графа Румянцева и в тетрадях ваших, и в памяти, и в сердцах.— Он был кадетом, пусть будет он Фаросом вашим на путях военной вашей службы. Фридрих II любил и уважал его, хотя он и взял Кольберг. Герои уважают героев». Сердце графа Ангальта всегда жило в стенах корпуса, хотя граф Ангальт жил за Невой, в доме графа Г. Г. Орлова, тем только известного, что отважился ехать в Москву, где бродила по стогнам городским чумная смерть. Но, несмотря на свист бури ноябрьской и напор льда от Ладоги, он спешил в корпус. Дневальный у Невы говорил: «Нельзя». Граф показывает свою генерал-адъютантскую трость и возражает: «Можно». Настилают доски, и он первый переходит по зыблющейся поверхности льда. Вот он уже в корпусной зале кадетской; вот он и в торопливом кружку кадет, и говорит: «Дети мои, любезные дети! Товарищи, любезные товарищи! Еду к вам, выхожу из кареты, спускаюсь на Неву; меня останавливают, говорят: «Темно!» Приказываю принести фонарь; говорят: «Лед чуть стал!» Приказываю настилать доски, и я у вас, я с вами. Воет ветер, знобит мороз, но мне не холодно. Любовь все согревает, труд побеждается трудом. Для вас мне все легко. В мире вещественном нет света без тени; в мире нравственном наши обязанности — наше солнце; при блеске его лучей, мы идем с душою, чуждою гордости, а если бы и встретилась тень, то скромность ее отдалит. Одушевляйтесь величием сих нравственных обязанностей, знайте их, понимайте; выражайте их делами, сердцем, умом. Исполин и малютка равны пред Богом. Тигры, хотя и тигры, но хранят мир заветный. Обильный источник обтекает сердце человеческое; черпайте из него. Предусматривайте, предупреждайте. Слово начинает, пример довершает. Солнце светит не для себя, но для вселенной. Все дружбою, все для дружбы и везде дружбою. Заниматься науками и не любить человечества все то же, что зажечь свечу и зажмуриться. Безумец на высокой креде подобен человеку, стоящему на вершине высокой горы. Все кажутся ему оттуда карликами, а он сам карлик. Чваниться породою предков — значит дорываться плодов в корниях, забыв, что они растут на ветвях цветущих, а не во мраке подземельном. Зажигательное стекло воспламеняется огнем небесным; добродетель и просвещение — светильники жизни. Убедитесь, дети мои, в этой мысли. Добрая воля — душа труда. Не расточайте времени, оно ткань жизни».

Courage, le coeur à l'ouvrage, courage*. Страх есть глупость; я люблю русскую поговорку: небось (не бойся). Достоинство, а не порода, не богатство, не степени блистательные составляют человека; прах, поднимаемый ветром, все прах, а алмаз и в пыли не теряет цены своей. Истинная слава — подруга истинного достоинства. Товарищи, любезные товарищи! Воспитание — нежная матерь. Оно усеивает цветами путь учения. Идите за мной этим путем. Мне приятно, мне сладко делиться с вами мыслью, душой, сердцем. Вы в мысли, вы в душе, вы в сердце моем». Так начинал и так оканчивал речи свои граф Федор Евстафьевич Ангальт, и это все изображено на корпусной садовой стене, названной графом «говорящею стеною».

ГЛАВА V

Приезд отца.— Действие времени.— Второе путешествие Екатерины в Белоруссию.— Речь С. Ю. Храповицкого.— Посещение домашнего училища Екатериной.— И. Я. Повало-Швейковский.— Его речь 1776 года.— Представление его императрице в 1787 г.— Девица Повало-Швейковская на балу у императрицы.— Представление моего отца.— Слова Екатерины о судебных учреждениях.— Благоденствие Смоленска.— Жизнь корпусная.— Театр.— Кадеты-актеры: Черныш, Озеров, Железников.— Катон-Гине.— Его смерть.— Петров.— Кульнев.— Величие древнего Рима.— Генерал Сан-Женье.— Увлечение древним Римом.— Хоры в честь Екатерины.— Оправдание графа Ангальта.— Любовь графа к русскому языку и народу.— Анекдот о холостом солдате.— Сюрвил.— Гувернер Леблан.— Кампейские вечера.— «Робинзон Крузе».— «Открытие Америки».— Военные занятия.— Русская история.— Леклерк.— Левек.— Отзыв Левека о Екатерине и о русском народе.

«Радужным лучем яснеет жизнь отрока, лелеемого заботливым руководством отца. Счастлив сей отрок: он растет и стареется среди благ наследственных, под родным небосклоном».

(Одиссея, песнь 1)

Петр Петрович Фромандье, инспектор наш, позвал в комнаты свои меня и брата моего Николая.

— Вот приезжий из Смоленска,— сказал Фромандье,— он хорошо знаком с батюшкой и матушкой вашей.

Мы спросили, здоровы ли наши родители.

— Здоровы,— отвечал он,— и прислали вам письмо и гостинец.

---

* Мужество — сердце труда (фр.— *Ред.*).

Мы взяли письмо и стали читать. Тут ручьи слез брызнули из глаз отца нашего, и мы, бросясь в объятия нашего родителя, плакали и кричали: «Батюшка! Батюшка!»

Припомню здесь и то, что было тогда в родном моем городе Смоленске 1787 года; Екатерина вторично посетила его. Князь Таврический был сделан в то время главным начальником войск и флота. Граф Румянцев возвратился тогда к войску и как будто собственною волею своей, если не подчинился Потемкину, то во всем с ним советовался. За эту скромность Державин назвал его Камиллом. Вместе с Потемкиным возвысилось и дворянство смоленское. Три брата Храповицкие были главными его членами. Старший, Платон Юрьевич, был губернатором, Иван был вице-губернатором, а младший, полковник Степан Юрьевич, с которым я познакомил уже читателей моих, был совестным судьей и приветствовал императрицу следующею речью: «По духу учреждений ваших о губерниях смоленское дворянство избрало меня в совестные судьи. Вы, всемилостивейшая государыня, вы первая из царей земных оказали явную доверенность к совести человеческой. Сей подвиг увековечит имя ваше на трудном поприще законодателей народов. Но пред лицом вашим признаюсь откровенно, что я весьма затруднялся в начале моих действий. По новости необычайного вашего узаконения иным казалось, что кто по совестному суду признает свой иск и свое дело несправедливым, тот виновен и против совести. По возможности разуменья моего я стараюсь убедить тяжущихся, что сила вашего узаконения состоит в том, чтобы совесть была сама себе судьей и, в случае недоумения, помогла бы собственным своим сознанием. Затруднялся я и с другой стороны. Получа воспитание в кадетском корпусе и находясь потом в военной службе, я не мог заняться изучением законов, которые также требуют вашего правила о совестном суде. При первом шаге моем в новую должность я посвятил себя сему учению и чего не мог сообразить сам, о том всегда советовался с людьми опытными. Величайшею для себя наградою почитаю то, что пред лицом вашим и в присутствии всего дворянства могу сказать, что доселе никто не жаловался на совестный суд».— «Благодарю вас,— отвечала Екатерина,— вы поняли мысль мою узаконения и исполняете его».

Между тем императрица, узнав, что пред приездом ее у совестного судьи родился сын, сама вызвалась быть восприемницею его от купели и сказала губернатору: «Я слышала, что у него домашнее училище для бедных дворян, и желаю его видеть. Пусть он едет к себе; завтра в двенадцатом часу буду у него, пусть он по совести оставит все так, как у него идет изо дня в день, а не делает никаких приготовлений. Из этого можно что-нибудь заключить, а из приготовлений увидишь только, что тебя ждали». Так все и было. От купели Екатерина посетила учебную комнату. Урок был русской истории из «Записок касательно русской истории», сочиненных Екатериной и напечатанных в «Собеседнике». Она улыбнулась и сказала: «Ну, где же совесть?» Хозяин отвечал: «Вот роспись нашим учебным дням и часам».— «Итак, это счастливый день для сочинительницы»,— промолвила Екатерина. Храповицкий представил ей тетрадь русской истории, где, сообразно с ее повествованием о каждом русском князе, прибавлены были подробности о современных им чужеземных владельцах. Екатерина осталась очень довольна и пожелала, чтобы и другие достаточные помещики для пользы бедных подражали его примеру. Не забыла Екатерина и первого смоленского губернского предводителя И. Я. Повало-Швейковского. В 1787 г. он был уже в отставке и страдал подагрой, почему и не мог быть при общем представлении дворян императрице. Она немедленно спросила о причине его небытности, и, когда ей доложили, что он слаб ногами, сказала: «Пусть он назначит час, и приедет запросто». Швейковский назначил десять часов утра, что и было утверждено императрицей. Ласково усадя своего прежнего оратора, Екатерина угощала его кофе и шоколадом. Ввечеру был бал; старшая дочь Ивана Яковлевича танцевала. Л. А. Нарышкин подошел к ней и шепнул на ухо: «Императрица на вас смотрит, императрица вами занимается». Известно, что Лев Александрович был остряк и забавник, и слова его часто принимались в шутку. Это происходило у ломберного стола, за которым играл Н. И. Шувалов; видя недоумение девицы Швейковской, он обратился к ней и сказал: «Это правда, государыня на вас смотрит, и вы после танцев подойдите к ней», что и было исполнено, и Екатерина подарила ее ласковым приветом. Был праздник и отцу моему. Накануне отъезда Екатерины из Смоленска Л. А. Нарышкин представил ей отца моего, который явился с сельской хлебом-солью.

— Матушка,— сказал шутя Нарышкин,— бывший капитан-исправник хочет вас задобрить: вы напечатали в «Собеседнике», что, несмотря на учреждение губерний, просителям все еще нужно ездить по делам в Петербург. Он это прочитал и берется быть стряпчим у своих бедных соседей; отобрав у них просительные грамоты, едет туда сам.

— Он хорошо делает,— отвечала Екатерина,— и я благодарю его. Я установила суды не на вечность, а на время[13]. Опыт и время покажут, что надобно отменить. А впрочем, дай Бог более охотников на добрые дела.

Екатерина и судьба лелеяли тогда Смоленск. Отправка хлеба и пеньки в Ригу и за море доставляла средства без крайнего изнурения сохи удовлетворять роскоши и людям, распространившим у нас прихотливое владычество свое.

Так было в свете, а в корпусе все шло своим чередом. Я сказал выше, что в затворнических стенах его был и театр. В нем явилась Вольтерова трагедия «Брут».

В это время наступил мне одиннадцатый год; я узнал тогда и скалу Тарпейскую,— дочь изменница Тарпея пала под грудой золотых щитов; и узнал пресловутую Капитолию, представительницу Рима, провозглашенного городом вечным. Узнал сенат римский, который показался послу неугомонного Пирра сеймом царей, сло-

[13] Известно, что Екатерина дала судам сроку на пятьдесят лет.

вом, ознакомился с летописями римскими и как будто переселился в древний Рим.

Первые лица в трагедиях представляли с жаром, выражением и душой: Черныш, близкий по уму и сердцу графу Безбородко; Владислав Александрович Озеров, переселивший в память и душу свою театр Корнеля, Расина и Вольтера, изучивший французских трагиков и подражавший им в Эдипе, Поликсене; П. С. Железников, переводчик «Телемака» и некоторых произведений итальянской словесности. Екатерина призвала итальянских виртуозов и поручила им хор придворных певчих. Она слышала за это упреки от своих современников и говорила: «Есть люди, которые упрекают меня в пристрастии к иностранным виртуозам. Это неправда. Я выписываю их не для себя, а для тех, которые влюблены в итальянскую музыку; они точно так же промотались бы на виртуозов, как сорят труды земледельцев на безделки заграничные. Природа не дает человеку всех способностей, она не наделила слух мой способностью чувствовать очарование и прелесть музыки. Может быть, от того, что это льстит моему самолюбию, я, как сочинительница, люблю в операх моих русские напевы».— Так думала Екатерина, но, прочитав в ведомостях о чудесном действии Марсельского марша над молодым французским войском в битве Жемапской, она приказала полному оркестру играть этот марш в Эрмитажном театре; чем более вслушивалась она в звуки, тем более изменялось ее лицо; глаза ее пылали, она была вне себя и вдруг, махнув рукой, вскричала: «Полно, полно!». Что тогда волновало ее душу, это осталось тайной.

Екатерина все оживляла, всему давала ход. Все наши любители театра корпусного отличались счастливыми способностями ума, все они пламенели живою чувствительностью и прежде времени сошли с поприща жизни. Железников умер очень молод, он был страстный любитель Расина и Фенелона, Тасса и Петрарки. Черныш был в чужих краях, обещал блистательного дипломата, но пылкие страсти увлекли его, и исчез в буре страстей года через четыре по выходе из корпуса. Озеров, вызвавший на театр и шотландского барда Оссиана и слепца Эдипа, и героя Донского, в живых как будто сошел в могилу или от волнения собственного воображения, или от стрел зависти, неразлучной тени, следующей за достоинством и дарованием. Чудное воспитание! Первый шаг на поприще деятельности общественной был первым шагом к унынию или гробу. Голос добродетелей Древнего Рима, голос Цинциннатов и Катонов громко откликался в пылких и юных душах кадет. Область воображения не может быть пустынею. Были у нас свои Катоны, были подражатели доблестей древних греков, были свои Филопемены. Был у нас Катон-Гине, поступивший из кадет в корпусные офицеры и в учителя математики. Если бы он был на месте Регула, то, вероятно, и ему довелось бы проситься из стана ратного у сената римского распахать и обрабатывать ниву свою. Кроме жалованья не было у него ничего; но был у него брат, ценимый им свыше всех сокровищ. Взаимная их любовь как будто бы осуществила Кастора и Поллукса. Но это герои баснословные. На поприще исторической любви братской Гине стал наряду с Катоном Старшим, который на три предложенные ему вопроса: «Кто лучший друг? Отвечал: «Брат, брат и брат». Брат нашего Катона-офицера служил в Кронштадте и опасно занемог. Весть о болезни брата поразила нашего Катона-Гине.

Свирепствовали трескучие крещенские морозы. Залив крепко смирился под ледяным помостом. Саней не на что было нанять, но была душа, двигавшая и ноги, и сердце, и Гине отправился к брату пешком, в одних сапогах и даже без чулок. Можно было взять у кого-либо теплые сапоги или деньги? Но что такое просить? Одолжиться. Древний римлянин терпел, а не просил. С небольшим в полтора суток Гине перешел залив, навестил, обнял брата и возвратился в корпус к назначенному дню дежурства. Хотя и оказались признаки горячки, хотя и уговаривали его отдохнуть и вызывались отдежурить за него, он отвечал: «Не изменю должности моей». Отдежурил и слег в постель, в бреду жестокой горячки видел непрестанно брата, говорил с ним и с именем его испустил последнее дыханье.

Я был при погребении его, я слышал надгробное слово, произнесенное лютеранским пастором. Проповедник плакал, и мы все, кадеты, плакали. Прими, брат и друг верный, рано отживший для корпуса и для добродетели, прими от меня новую жертву воспоминания!

Сотоварищем Гине был Петров, находившийся в числе гимназистов, которых, как уже сказано, готовили в учителя, не преграждая, однако, и других путей службы. Он очень успел в языках и страстно любил музыку. Часто я с восхищением слушал русские песни, оживляемые смычком его и глубоким чувством. Душе его нужна была душа; сердце и любовь указали ему подругу в весне жизни; природа все дала жене его: ум и душа светились в голубых ее глазах, но у ней не было никакого состояния.

Блаженствуя взаимной любовью, Петров еще более занялся уроками, служившими для него единственным средством жизни. Ходьба по городу и непрестанное напряжение духа повергли его в тяжкую болезнь, а лекарства поглотили выработанное трудом. Живым мертвецом встал он для нового горя! Места его заняты были другими учителями. В эти невзгодные дни он сам носил воду, рубил дрова и продажей последних книг добывал насущный хлеб для себя и для жены своей. Горе жизни испытывает любовь, и если не убьет ее, то даст ей новый полет. Петров отстрадался; лет десять тому назад видел я его, он скромно и благородно продолжал почтенное поприще наставника. Не знаю, в живых ли он теперь, но он жил, он любил и был любим.

И герой 12-го года Кульнев шел в корпусе по следам Фабриция и Эпаминонда. Подробно фивскому Эпаминонду, любил он мать свою и делился с нею жалованьем и, подобно Филопемену, был прост в одежде и в быту общественном.

Я коротко ознакомился с Кульневым, когда (как увидят после) был я в Сумском уезде учителем, а он служил майором в Сумском гусарском полку. Оживляя в лице своем Эпаминонда и Филопемена и породнясь душою с Фабрицием, Кульнев дорожил своею бедностью и называл ее «величием древнего Рима». Когда сослуживцы его напрашивались к нему на обед, он говорил: «Щи и каша есть, а ложки привозите свои». Плутарх был с ним неразлучен: с его «Жизнями великих мужей» отдыхал он на скромном плаще своем и с ними ездил в почтовой повозке, и у них перенял то чувство, которое находило величие в нуждах жизни и бедности.

В чудесную войну 1812 г. на берегах Двины взят был в плен раненый генерал Сен-Женье; Кульнев собственными руками и собственным бельем перевязывал ему раны. Вскоре потом пал Кульнев на поле битвы. Услыша о его смерти, Сен-Женье сказал: «В полках русских не стало героя и человека».

Древний Рим стал и моим кумиром. Не знал я, под каким живу правлением, но знал, что вольность была душою римлян. Не ведал я ничего о состоянии русских крестьян, но читал, что в Риме и диктаторов выбирали от сохи и плуга. Не понимал я различия русских сословий, но знал, что имя римского гражданина стояло почти на череде полубогов. Исполинский призрак Древнего Рима заслонял от нас родную страну — и в России мы как будто видели и знали одну Екатерину.

В честь ее мы пели хоры не русские, а французские. Вот начало одного из сих хоров:

> Aimons, aimons toujours, notre Auguste Souveraine,
> Au temple de la gloire elle n'a point de rivaux* и пр.

Заметят, может быть, что граф Ангальт, очаровывая нас Римом и Грециею, отдалял от отечества. Этого не было. Едва ли кто из иностранцев ездил столько по России, сколько он. Тогда русская история была у нас еще в младенчестве, но мы вычитывали историю о русском народе из примеров и слов графа Ангальта. Он чрезвычайно любил и уважал русский народ; он всегда хвалил его умную во всем спохватливость и отважность духа. У нас и в отделениях, и в классах, и в увеселительной зале были сторожами отставные русские унтер-офицеры и сержанты; мы каждый день видели, как ласково граф обращался с ними. Нередко, приезжая в корпус часу в пятом утра, он заставал в зале одного дневального, старого служивого, и расхаживал с ним рука об руку, и, хотя с трудом, но усиливался говорить по-русски. Гвардейские караулы во дворце всегда радовались его дежурству. Обходя ряды, приветливо он со всеми разговаривал. Однажды он спросил у одного рядового:

— Женат ли ты?

— Холост, ваше сиятельство!— отвечал рядовой.

---

* Любить, любить всегда императрицу будем,
Соперников у ней во храме славы нет.

Не поняв этого слова, граф прибавил:

— А много ли у тебя детей?

— Шесть человек!— сказал спохватливый рядовой.

Граф дал ему пятьдесят рублей. Отыскав дома в словаре, что холост значит неженатый, граф по приезде в корпус говорил нам:

— Любезные дети, я вчера заплатил за невежество мое 50 рублей, и очень рад. Старшего Катона упрекали за то, что он на восьмидесятом году принялся за греческую азбуку. Он отвечал: «Лучше быть старым учеником, нежели быть старым невеждой». Я не только не стыжусь быть учеником в русском языке, но почитаю это учение украшением моей памяти. Укрепляйте сколько возможно вашу память: без нее слабы все другие способности ума. Вот почему древние называли муз богинями памяти. Фридрих II затверживал каждый день по двадцати или по десяти стихов. Подражайте его примеру. Тело требует своей пищи, а ум своей. Огонь гаснет, если под него чего-нибудь не подложат; гаснет душа, если мысль дремлет в праздности. От праздности до порока один шаг. Мне нравятся русские пословицы: «век живи, век учись» и «без труда нет плода». Вы в корпусе учитесь, а вышед из него доучивайтесь».

Сюрвиль, сочинитель французских хоров, был и наставник наш в декламации. В «Мизантропе» Мольера он был истинным мизантропом, но отличался самым кротким нравом. Авторская неудачная попытка заставила его оставить Францию. «В молодости моей,— говорил он,— сочинил я роман и думал, что слава о нем прошумит везде; прихожу однажды к знакомому моему маркизу N, и что же? Вижу, что роман мой превращен в папильотки! Самолюбие мое раздражилось, и я уехал в Россию». Печален был последний год жизни умного и доброго Сюрвиля. Он мучился жестокой простудой в руках и бедностью. Любя Сюрвиля, мы часто навещали его и, видя его нужды, спрашивали, для чего он не просит помощи? Ответ его всегда был одинаковый: «Я не протягивал для милостыни здоровой руки, не протяну и больной».

Между тем Бог знает, куда бы увлекла меня не историческая, а романтическая моя мечтательность, если бы не остановил меня умный и опытный гувернер наш Леблан. Казалось, что он в одно время жил и в России и во Франции. Каждую неделю исписывал он по нескольку листов очень красивым почерком и отправлял на родину. Но это заочное сношение с заграничными друзьями не отдаляло его сердце от кадет. Известно, что у входа храма Дельфийского была надпись: «Познай самого себя», а у входа в комнату Леблана были написаны на большом листе крупными буквами стихи Вольтера, начинающиеся следующими словами:

La raison est de l'homme et le guide et l'appui*.

«Ни пылкое воображение,— говорил Леблан,— ни счастливая память ни к чему не поведут, если рассудок не управляет ими.

* Рассудок смертному и вождь, и подкрепленье (фр.— *Ред.*).

Воображение увлекает в область мечты, а память, поглощая чужое, обременяет ум, не сопровождаемый соображением, т. е. светильником рассудка. Цицерону однажды сказали, что один из граждан римских вытвердил наизусть все его речи. Римский оратор равнодушно отвечал: «Он знает, что я знаю, а я хотел бы занять у него то, чего я не знаю». Это врезалось у меня в памяти, и, как увидят впоследствии, послужило к большой пользе. Леблан не ограничивал себя одной французской словесностью; несколько раз перечитывал он историю «Тридцатилетней войны»— эту живую картину борьбы страстей и мнений.

«Во французской словесности не достает книг для первоначального воспитания,— говорил он.— Германия в этом счастливее Франции: у нее есть Кампе». В честь этого друга воспитания учреждал он кампейские вечера. По будням в шесть часов, после обеденных наших классов, а по праздникам в пять часов пополудни призывал он нас по нескольку человек в свою комнату. Я всегда был на этих незабвенных вечерах. Радужным лучом сливались они с зарею моей жизни. Чтение Кампе началось его «Робинзоном Крузе», извлеченным из «Робинзона» Давида Фое[14] и предложенным в разговорах. «Видите ли,— говорил нам Леблан,— что может сделать один человек, употребляющий все силы телесные и всю деятельность рассудка. Природа мертва, человек ее оживляет. Рука Робинзона преобразила остров, куда занесла его буря. Этого мало. Силой расторопного ума он исторг из рук диких страдальца, которого они готовились поглотить. Где не светит луч рассудка, там цепенеет в одичалости и природа, и человек». Это слова моего наставника. От Робинзона перешли мы к «Открытию Америки», также сочинение Кампе в разговорах. Мы переносились мыслью за океан, по которому летел Колумб к берегам Нового Света. Летели за ним и мысли наши. Каждый из нас порывался в его спутники. В глазах наших боролся он и с бурями морскими, и с грозными воплями отчаянных спутников. Мы содрогались, когда Колумб обрек себя на смерть, если через три дня не увидят земли, а когда загремел радостный клик: «Берег, берег!»— мы единодушно кликнули: «Берег, берег!». Но и в книгах, и на деятельном поприще общественном радость сменяет горе, а горе следит радость. Не миновало это и нас. Вместе с открытием нового света открывался нам новый мир борьбы страстей человеческих. Мы, питомцы неопытные, были поражены, когда изверг Боодило загремел цепями над головой отыскателя нашей земной полвселенной. Товарищи мои плакали, а я рыдал, увидя на ногах Колумба оковы, в которые повергли его ненависть, зависть и мщение за то, что слава его отразила и уничтожила все предубеждения невежества. Не порицая порывов чувствительности нашей, почтенный Леблан говорил: «Не смущайтесь, не жалейте о Колумбе: он не променяет оков своих на все сокровища древнего и нового мира; он не будет выпрашивать никаких великолепных памятников, он прикажет только положить с ним в гроб свои око-

---

[14] Даниэль Дефо (Defoe) *(Прим. ред.)*.

вы». Слабо и темно понимал я тогда, отчего люди гонят друг друга, но и тогда жарко заступался за гонимую невинность и теперь еще дивлюсь, как можно жизнь любви менять на геенное пламя ненависти. Мы ознакомились с Мексиканской державой, павшей не от горсти ратников Кортеца, но от ненависти к мучителю Монтезуме. Мы плакали и оплакивали падение миролюбивой державы Перуванской; мы гнушались завоевателями, не щадившими невинности и добродетели; в памяти нашей запечатлелось имя Монки, названного Капокой, т. е. мужем, богатым добродетелями и душевными способностями; затвердили мы и трудное имя Инки Пакакутеки, или преобразователя мира. Леблан прочитал нам некоторые из нравственных правил его, сохраненных Герерой и Силисом. В числе их было следующее: «Зависть — червь, который гложет и истощает внутренность завистников». Итак, прибавил наставник наш: «Не сердитесь на злобныя их стрелы, казнь в них самих».

Мы знакомились с Америкой и американцами, а Россия все еще скрывалась от нас в каком-то отдаленном тумане. Полюбя страстно французский язык (ибо мы и Кампе читали во французском переводе), я затеял уверять, будто бы родился во Франции, а не в России. Впрочем, и не грех было породниться в Лебланом: он брал жалованье за присмотр за нами, а душу свою передавал по безусловному стремлению благородного духа своего и из усердия делился с нами познаниями своими.

К классному нашему учению присоединилось учение военное. Из нас, т. е. из кадет второго возраста, выбраны были в егеря. Ловко танцуя, мы легко и забавляясь привыкли к выправке и вытяжке. В это самое время раздана была нам с русским переводом речь «Об обязанностях военного человека», до нас еще сочиненная Леклерком, в которой между прочим сказано было: «Сила оружия тогда только защищает отечество, когда оно управляется умом». Леклерк и Левек преподавали некоторое время в кадетском корпусе французскую словесность. Они оба сочинили русскую историю, или, лучше сказать, переделывали своим слогом то, что передавали им старозаветные галломаны XVIII столетия. Я некогда укорял их в «Русском Вестнике», каюсь в этом грехе. Левек не от себя, но, ссылаясь на одного из наших вельмож, напечатал о Екатерине: «Si cette femme vit l'âge d'homme, elle entrainera la Russie dans son tombeau!* Странное дело, это говорили те самые люди, которые жили жизнью Екатерины. Ни Леклерк, ни Левек не заглядывали в русские летописи, но взгляд Левека на коренной дух русского народа делает ему честь. Вот его слова: «Льстят величию, но ни страх, ни надежды не привлекают ласкателей к народам. А потому, все как будто нарочно сговорились злословить народ русский. Личное самолюбие все относит к себе и во всем хочет видеть себя. Англичане, итальянцы, немцы, приезжающие в Россию, порицают народ русский за то, что он на них не похож. Родясь и старея в кре-

* Если эта женщина проживет свой век, она унесет Россию с собой в могилу (фр.— *Ред.*).

постном состоянии, русский крестьянин, как будто бы отчужденный от самого себя, кажется бессмысленным, но рассмотрите его повнимательнее, и вы признаетесь, что он и расторопен, и понятлив, а эти два качества ведут ко всему».

ГЛАВА VI

Переход в третий возраст.— Разлука с добрым Лебланом.— Увеселительная зала.— Увлечение волшебными сказками.— Экзамены и награды.— Знакомство с древним миром.— Хоры спартанцев.— Мои записки.— Библиотека.— Гибельная страсть к чтению.— Излечение от нее.— Отличная моя память.— Внимание ко мне графа Ангальта.— Мое французское сочинение.— Потеря счастья.— Отыскиватель философского камня.— Корпусный сад.— «Говорящая стена».— Ферма.— Беседы графа с детьми. Наставления его.— Речь Я. Б. Княжнина.— Европейские события в 1789 г.— Мнение Екатерины о французской революции.— Меры, принятые графом Ангальтом для ознакомления кадет с современным политическим состоянием Европы.— Братья Людовика XVI.— Отзыв о них графа Ангальта.— Корпусная жизнь в 1790 г.— Расхищение погребов.— Корпусные экономы.

Les seules conquêtes durables
Sont celles qu'on fait sur les coeurs
(Ode de J. B. Rousseau au prince Eugène)*

«Победа первая — победа над сердцами»

В корпусном странствовании моем наступил третий переход из возраста в возраст. В первом расставался я с гувернантшей, во втором расставался с гувернером. Тяжелая скорбь налегла на сердце мое при этом переходе. Добрый Леблан по праву заботливых попечений своих стал родным моего сердца и родным моих мыслей. Он ознакомил глаза мои с новыми понятиями. Говоря словами Ксенофонта: «Он воздвиг в сердце моем живой памятник любви радушным вниманием своим». Победы, одерживаемые любовью, остаются в душе до перелета ее с земли за все земное. Победа первая — победа над сердцами.

Под знаменем этой победы идем за графом Ангальтом в обитель третьего возраста, в огромную залу, названную увеселительною залою.

Смотрите! Вот у средины задней стены величаво возносится мраморный истукан Марса, верховного божества римлян, обладателей древней вселенной. Но не страшитесь его! Это не тот Марс, не тот Гомеров Арей, который криком своим заглушал вопли тысячных ратных сонмов. Это Марс — сблизитель сердец; по одну сторону читаем стихи Фридриха II.

Dans vos moindres croyez voir vos enfants,
Ils aiment leurs pasteurs et non pas leurs tyrans**.

---

* Единственные прочные завоевания — это те, которыми завоевывают сердца (*Ода Ж.-Б. Руссо принцу Евгению*) (фр.— *Ред.*).

** В самых незначительных из ваших солдат вы должны видеть ваших детей. Они любят своих пастырей, а не тиранов (фр.— *Ред.*).

По другую сторону его же стихи:

> Si vous voulez passer sous un arc triomphal
> Campez en Fabius, marchez en Annibal*.

Далее от истукана Марса стояли бюсты: Александра Македонского, Катона Утикского и других знаменитых людей, римских и греческих. У другой стены был образец Вобановой крепости, в огромном ящике с крышкой. Тут проглядывало очень странное сближение разнородных вещей. Под крышкой были все крепостные виды, а на крышке переплета прибиты были для прочности гвоздями 40 частей Cabinet des fèes**. Это французское издание дышало роскошью очаровательных картин. Для чего сближен был Вобан с волшебницами? Вероятно, для приманки.

Романтическое мое воображение впилось в волшебные сказки. Исчез и последний след классных моих тетрадей. Появились у меня кипы бумаг, исчерченных волшебными вымыслами. Как же отделывался я в классах при экзаменах математических? А вот как: на противоположном окне образца крепости Вобановой пригвожден был, подобно волшебным сказкам, французский словарь военных наук; я обращался к этому указателю, и услужливая моя память затверживала то и другое. Нам преподавали в четвертом возрасте военные науки на французском языке, а потому упомянутый словарь всегда выручал меня из беды. Когда наступал срок экзамена, спрашивали, на сколько вопросов я могу отвечать. Убежденный в моем невежестве, я ограничивался всегда самым малым числом. Когда же предлагали вопросы свыше сказанного, моя память подсказывала мне, и я, ученик бестетрадный, попадал в статью прилежных и получал в награду разноцветные банты и звезды. Чего не было и чего не бывает на свете!

Кроме вышепоказанных книг в зале на особом столе лежала Библия на трех языках, поучительные слова русских проповедников и французский перевод творений Василия Великого; тут же были политические сочинения Гроция, Бильфельда и других. Каждый из кадет по своей склонности и понятиям находил пищу для ума своего, а что я увлекался воображением, то этот порыв постиг меня еще до гр. Ангальта и, говоря нынешним выражением, отдалил от всего «положительного».

Трагедия Вольтера ознакомила нас с Древним Римом, а «Жизни великих мужей «Плутарха воскресили в глазах наших дивную Спарту. По приказанию гр. Ангальта иногда по вечерам устраивали скамейки амфитеатром или уступами в три яруса, сообразно хорам спартанским. На первом садились отроки, на втором юноши, на третьем старики, разумеется, мнимые. Хоры возглашали мы по-французски, переведенные из Плутарха Амиотом.

---

* Если вы хотите пройти под Триумфальной аркой, стойте лагерем, как Фабий, передвигайтесь, как Ганнибал (фр.— *Ред.*).

** Кабинет волшебниц (фр.— *Ред.*).

Хор стариков
Nous avons été jadis
Jeunes, vaillants et hardis.
Хор юношей
Nous le sommes maintenant
A l'épreuve de tout-venant.
Отроки
Et nous un jour le serons
Qui tous vous surpasserons!

Вот мой перевод:

Старики
Юность, храбрость, пылкость лет
Нам казали к славе след.
Юноши
В бой готовы сей же час:
Поднимись лишь кто на нас!
Отроки
След ко славе мы найдем,
И всех вас мы превзойдем!

При этом случае граф Ангальт говорил: «Я люблю храбрость и мужество спартанцев, но гнушаюсь поступками их с несчастными илотами. Спартанцы хотели быть героями, но в рабах своих забывали людей. Истинное геройство неразлучно с любовью к человеку. Велик подвиг Леонида, который с 300 воинов обрек себя на жертву, чтобы остановить несметные ополчения Ксеркса; незабвенна надпись на памятнике Фермопильским героям: «Прохожий, скажи Спарте, что мы здесь умерли, повинуясь ее законам». Жаль, однако, что эти самые законы не только не обуздывали спартанцев, но давали им повод силой своей угнетать слабых. Читая историю, любезные дети, не обольщайтесь пустым блеском; старайтесь различить подлинную славу от ложной и, повторяю еще, где нет любви, там нет человеколюбия».

Таким образом, мы почти шутя изучили греческую и римскую истории. Тогда не был еще известен не только новейший историк Нибур, но и Вико. Граф не пускался в разбор критический, а наставлял нас примерами и нравственными замечаниями. Выше сказано было, что я сочинял записки со времени вступления моего в корпус, домогаясь доказать, что ни в одной из европейских областей нет узаконенного воспитания. Некоторые из моих наставников называли мои записки дерзкими; Яков Борисович Княжнин назвал их отважными, и я бросил их в огонь. Юность моя летела от мечты к мечте. К обширному залу нашему прилегала комната, где находилась наша отдельная библиотека, а я был библиотекарем. В то время мучила меня страсть к чтению; я читал все, что ни попадалось мне в руки; читал, чтобы только читать. На беду кровать моя была у ночника, а потому я зачитывался и ночью. От двухлетней сидячей жизни и от напряжения мыслей казалось, что я впал в какую-то чахотку или сухотку. Страшно болела у меня грудь, слышно было в ней беспрерывное хрипенье, и от неугомонного чтения на меня находил столбняк. Иногда стою неподвижно в глубокой думе час и более. Меня расталкивают, колотят в спину, ничего не слышу, ничего не чувствую. Почтенный инспектор наш П. П. Фромандье, ожидавший, что я буду хватать звезды с неба, стал терять надежду, говоря: «Глинку книги испортили». И он был прав. Бестолковое чтение ни к чему не служит. Дело в том, что читать — и как читать. Со мной сбылась поговорка: «Чем ушибешься, тем и вылечишься». Вот как это случилось. Я прочитал в сочинении Шарона, ученика Монтеня, статью о веселости духа, в которой сказано, что глупо и безумно предаваться унынию или хандре. Глупо, подумал я, глупо я делаю, что зачитываю мою юность. Она быстро пролетит, а я читал и слышал, что много горя в жизни. Подумал и на некоторое время бросил истомившие меня книги. Здоровье мое расцвело новой свежестью, сидячая жизнь заменилась пылкой деятельностью. Я не ходил, но бегал; товарищи проименовали меня «летучим». Но и в этом разъяснении услужливая моя память не дремала. За эту способность граф Ангальт очень полюбил меня и давал мне выучивать наизусть отрывки из Фридриха II, то из «Генриады» Вольтера, то из других французских писателей. Прочитать и затвердить было для меня одно и то же. За то граф задарил меня книгами. Однажды он рассказал нам по-французски свое путешествие с Екатериной по Таврическому краю и препоручил нам написать этот рассказ. Мое французское сочинение понравилось ему более других, и он приказал переписать его набело, что я и исполнил. Между тем был класс русской грамматики. Я сам не занимался и другим мешал. Дежурный офицер, грозно прикрикнув на меня, прибавил:

— Ты, Глинка, загордился и от того не слушаешь русского урока, что тебе удалось лучше других сочинить по-французски.

— Неправда,— отвечал я,— стыдно гордиться чернильным мараньем!

С этим словом быстро выхватил я из настольного ящика перебеленное мое сочинение, изорвал его в куски и разметал по полу. Граф приехал в тот же день после обеда, спросил, готов ли мой труд. Притворяясь, что отыскиваю мое сочинение и, поискав его несколько минут в ящике, я отвечал, что потерял его.

— Итак,— сказал граф по-французски,— вы, мой друг, потеряли свое счастье. Я докладывал о вас императрице. Она вспомнила, что сама записала вас в корпус, назвала своим питомцем, приказала представить вас к себе и хотела отправить в чужие края. Но вы сами виноваты, вы потеряли свое счастье.

Признаюсь откровенно: я не потерял и не искал счастья. Да и как искать его? Упомяну здесь, что когда я зачитывался, тогда товарищ мой N хлопотал об отыскании философского камня. Однажды размешивал он в химическом сосуде горячие вещества. Они вспыхнули, пламя бросилось ему в глаза, и он несколько недель лежал слепым, но не понял урока. Впоследствии он вступил в винные откупа и спустил и свое, и братское имение, но у него в запасе оставалась приятная наружность, и он женился на богатой вдове, взял тысячи две душ и множество драгоценностей. Было у него в руках подлинное сокровище, и все досталось в жертву его несбыточных выдумок. Жена его умерла в бедности, и он сам в крайней нужде умер в Петербурге и был погребен на счет полиции. Это не упрек его памяти. Он был умен и сведущ, и я не упрекаю его, но это доказательство, что и мечты вымыслов и властолюбие не знают, чего ищут и на чем остановиться. Обращаюсь к корпусному нашему залу и саду.

В той комнате, где я был библиотекарем, висели по стенам печатные таблицы о всех науках; вся энциклопедия представлялась тут глазам и заманивала мысль в свои пределы. Из увеселительного нашего зала переходили мы в сад юными афинянами, учениками Аристотеля. Вся каменная стена, заслонявшая нас от закорпусного мира, исписана была нравственными изречениями французскими, немецкими и русскими. Там начертаны были различные системы Птоломея, Тихобрага и Коперника. Клушин, бывший некогда сотрудником Крылова в издании журнала, отзывался с большой похвалой о говорящей стене. И она, действительно, говорила и глазам, и уму, и сердцу. Изречения краткие, умные, выбранные из сочинений превосходнейших писателей, врезывались в памяти и вели к отысканию других мыслей и понятий. Душевное чувство нравственности граф предпочитал холодной учености. Далеко за нашу стену, за моря, за океан, повсюду, где только напечатлевался след ноги человеческой, переносили нас следующие слова: «О братья! Мы все вместе отправляемся в путь: одни на север, другие на юг, на восток. Нам нужны и различные одежды и различные запасы жизненные, но по душе и по сердцу мы все дети одного семейства, а вождь и отец его, дав нам различные блага, вложил в душу и в сердце нераздельную любовь к человечеству. Солнце освещает мир вещественный, а любовь освещает мир нравственный, мир человечества».

Объясняясь о цели «говорящей стены», граф говорил: «Кажется, любезные друзья, что с умом надо обходиться, как и с телом, т. е. питать и подкреплять его каждый день. Что делают, чтобы питать ваше тело? Поутру предлагают вам завтрак, а между обедом и ужином полдник. Обед и ужин ума (если допустить это сравнение) есть учение и размышление и прилежание в классах; завтрак и полдник — разговоры и мысли, внушаемые нашей говорящей стеной, когда прогуливаетесь со мной в саду, с вашими наставниками или когда рассуждаете между собой». В большом кадетском саду было и то, что теперь называется фермой. Одна куртина засеяна была рожью, пшеницей и яровым. Прогуливаясь с нами по саду и остановясь у этой куртины, граф Ангальт сказал: «Некоторые из испытателей природы полагают, что рожь — самородное сибирское растение; если это истина, то Сибирь справедливо названа золотым дном. Многие народы обходились без золота и серебра, а хлеб всегда нужен. Было время, когда из мексиканских и перуанских рудников золото лилось реками, но золото часто обманывает роскошь, переходя в чужие руки на потребности, необходимые для жизни. Фабричные изделия английской промышленности переселили в Англию кучи испанского золота. Испанский министр Альберони политикой своей тревожил Европу в 1717 и 18 годах, но он заслужил благодарность испанцев за то, что обращал особенное внимание на земледелие и сельское хозяйство. Он был умен, а потому воспользовался прошедшим и современным уроком. И Сюлли убежден был, что земледелие и скотоводство — два главных источника внутреннего продовольствия и богатства Франции. Министр Кольберт занялся особенно учреждением фабрик и мануфактур, и один год, одна жестокая зима 1709 года доказала его ошибку. От упадка земледелий не стало во Франции хлебных запасов, и в роскошном Версальском дворце нуждались в пшеничном хлебе. Народ, на плечи которого всегда падают бедствия, страдал от голода, и в отчаянии мстил могиле и праху Кольберта. Любезные друзья, в какой бы вы ни были службе, какие бы степени ни занимали, уважайте всегда труды земледельцев: они питают ваше отечество!» На стене у этой хозяйственной куртины были изречения:

> Le bonheur est un bien que nous vend la nature,
> Il n'est point ici — bas de moisson sans culture*.

Несколько подалее — следующее французское изречение: «Дешевизна хлеба всегда полезна: она благоприятствует народонаселению, приглашает иноземцев, движет торговлю». А вслед за этим известие: «Из Венгрии пишут о необычайном событии на нивах, что в Кремнице: одно зерно ржи принесло 35 колосьев и доставило 1037 зерен; а из другого зерна вышло 75 колосьев, из которых 48 созрели и принесли 1454 зерна; третье дало 1313; наконец, четвертое принесло 80 колосьев, из которых 62 дали 1581 зерно; таким образом, из этих четырех зерен вышло 5385, т. е. 1346 на одно». Вот разительное доказательство, какое внимание граф желал внушить нам ко всему тому, что относится к пользам общенародным. Каждая прогулка с нами графа была или историческим, или нравственным уроком. Передав «говорящей стене» какое-нибудь изречение, он всегда прибавлял к нему свои замечания.— «Вот тут, любезные друзья,— говорил он,— только два слова: prévoir et prévenir;** но в них заключается вся политика; главное достоинство и в политике, и в частных обстоятельствах состоит в том, чтобы обдумать, для чего что предпринимают и чем что может кончиться. Мы видим из истории, что одно обстоятельство, которое кажется маловажным, влечет за собой величайшие бедствия. При заключении Утрехтского мира 1713 г. французские и английские политики не определили точно границ ничтожного уголка земли в областях Северной Америки[15] и от этого 1756 года вспыхнула война в Европе. Фридрих II говорил: «Меня обвиняли в том, что я овладел Силезией, но она у нас

---

* Природа счастие за труд нам продает,
Кто поле не вспахал, тот жатвы не сберет.
(фр.— *Ред.*)

** Предвидеть и предупреждать (фр.— *Ред.*).

[15] Тогдашние политики заботились о переторжке негров. Историки века Людовика XV свидетельствуют, что два добросовестные человека могли бы в несколько часов размежевать этот уголок земли.

под рукою, и я взял на себя обязанность доставлять ее жителям всевозможные выгоды, а теперь пришлось воевать за оплошность легкомысленной политики, которая к перьям своим всегда подзывает пушки, от того что сама или не умела, или по каким-нибудь личным выгодам не хотела всего сообразить».

Лейбница называют живою библиотекою; таким был и граф Ангальт. Трудно решить, чему в нем более удивляться: различным ли глубоким познаниям или скромности. Граф был первым наставником и прилежным учеником в русском слове. Некоторые изречения, извлеченные из наших пословиц и из разных сочинений и переданные им говорящей стене, доказывают, как он старался постигать силу русского слова и дух народный. Вот некоторые из этих изречений:

Беда глупости сосед.
Без притчи век не проживешь.
Всяк в обществе живущий подвержен общественным законам.
Все люди слабостьми заражены неложно.
И слабым можно быть, но подлым быть не должно.
Труд преодолевается трудом.
Бережливость лучше прибытка.
Без ума голова шебала.
Для друга и семь верст не околица.
Из одной муки хлеба не испечешь.
Куда игла, туда и нитка.
Клин плотнику товарищ.
Лето собирает, а зима поедает.
Уговор лучше денег.
Мало говоря, больше услышишь.
Слово не стрела, а пуще убивает.
Живи ни шатко, ни валко, ни на сторону.
По нитке дойдешь и до клубка.
Всякое дело мастера боится.
Будь приветлив, да не будь изветлив.
Тише едешь, дальше будешь.
Когда самую истину показывать надлежит, излишних слов не надобно.
Кто говорит, что хочет, услышит, чего не хочет.
Десятью смеряй — однажды отрежь.
Кто нужды не видал, тот счастья не знает.
Век живи — век учись. И проч.

Граф отдавал нам отчет в своих успехах в русском языке и говорил: «Я экзаменую вас, мои добрые дети, экзаменуйте и вы меня в очередь свою». И, занимаясь с нами, он занимался и будущей нашею судьбою. Вот слова его: «Voici des pensées, mes bons amis, qui veulent qu'on les écrive; répétez les, mes bons enfants, un jour à vos enfants, et dites de ma part, qu'ils eu parlent aussi à leurs enfants»*.

«La constance peut avancer lentement, mais elle n'interrrompt jamais l'ouvrage qu'elle a commensé et produit enfin des grandes

---

* «Вот мысли, мои любезные друзья, которые требуют, чтобы их записать; повторите их, мои добрые дети, вашим детям, и скажите им от меня, чтобы они передавали их своим детям» (фр.— *Ред.*).

choses. Apportez chaque jour une corbeille de terre, et vous en ferez une montagne»*.

Об употреблении времени он говорил: «Пусть каждый из вас себе скажет, что хорошее или худое употребление времени, данного нам, делает нашу жизнь очень счастливой или очень несчастной. К верному употреблению этого драгоценного времени желаю всей душой пригласить вас тремя следующими рассуждениями. Касательно прошедшего времени — мы много его потеряли. Первое рассуждение. Касательно настоящего, которым обладаем мы,— оно быстро мчится. Второе рассуждение. Касательно времени как остающегося нам — оно очень неверно и сомнительно. Третье рассуждение».

Эту мысль Я. Б. Княжнин, по поручению графа Ангальта, развил и изложил в речи своей, читанной им в присутствии графа и собраний кадет. В заключение Княжнин сказал: «Полезного употребления времени, которого ущерб ничто не может заменить, требует от вашей чувствительности сердце доброе, нежное и к вам истинно отеческое нашего начальника, здесь присутствующего. Не растерзайте его употреблением во зло вашего времени, чтобы он, видя вас во все течение жизни вашей, какими видеть уповает, с восторгом и гордостью сказал: вот мои дети!»

Между тем, когда у нас в корпусе шли обыкновенные занятия и рассуждали о полезном употреблении времени, для Европы ударил роковой час. С 1789 года поколебались вековые основания ее областей. Все предположения и соображения знаменитых ее политиков исчезли. Вчера почитали они себя распорядителями европейского мира, а проснувшись, увидали, что им надо приняться за новую азбуку. То же случилось и с Екатериной II. Сперва революция Французская казалась ей обыкновенным порывом беспорядка общественного, но потом и она призналась, что ей пришлось закрыть все книги и ожидать, что выйдет из этой бури. За несколько лет пред тем она писала Бюффону: «Вы не доказали нам историю человека». Бюффон радовался, что Екатерина указала ему на то, что ускользнуло от наблюдения целой Французской Академии наук. Но замечание Екатерины касалось только естественной истории, а летописи всемирные, действительно, не представляли еще такого человека, в лице которого совершилась бы тогда судьба Европы и ее народов. Этот человек был Наполеон. Но и события, соединенные с ним, кажутся теперь мифом и басней. И это не удивительно. Если бы кто-нибудь упал с вершины высокой горы и остался бы жив, он в первые мгновения изумился бы, но потом, оправившись, возвратился бы к прежним своим занятиям. Так случилось и с поколением XIX века после необычайных событий. Граф Ангальт не говорил нам ни о каких отдаленных причинах переворота европейского мира, но, чтобы ознакомить нас с тогдашними об-

* «Постоянство может идти медленно, но оно никогда не прерывает начатого им труда и производит наконец великие дела. Приносите каждый день по корзинке земли, и вы наконец составите гору» (фр.— *Ред.*).

стоятельствами, учредил в нашем зале новый стол со всеми повременными заграничными известиями. В корпусе, а не по выходе из него, узнал я о всех лицах, действовавших тогда на обширном европейском театре. На том же столе помещены были ежемесячные русские издания: «Зритель» Крылова, «Меркурий» Клушина, «Академические известия» и Московский журнал Карамзина. Помню, что во всех тогдашних наших срочных изданиях особенно вооружались против козней ябеды и заразы роскоши и мод, истощавших быт сельский, а о политической буре европейской в них не было и помину; она как будто и не существовала для России.

Между тем вихрь Французской революции разметал братьев Людовика XVI по различным странам Европы. Жильцы пышного двора Версальского скитались, как странники бесприютные. Граф Д'Артуа, сильно восставший некогда с графом Шуазелем против двора северной русской столицы, очутился на берегах Невы, был обласкан приветливой Екатериной и посетил кадетский корпус. Граф Ангальт показывал ему наше заведение. В манеже речь коснулась революции. Я стоял подле графа Ангальта и слышал следующие его слова: «Les frères du roi ressemblent aux valets qui crient que la maison de leur maître brûle, et qui s'enfuient au lieu de l'éteindre*.

Граф Ангальт очень хорошо знал светские приличия, а потому и дивлюсь, как он обмолвился так невпопад. С намерением ли это было или укоризна высказалась нечаянно? Не знаю, но убежден, что граф в таком случае не бежал бы, а умер бы со своими братьями.

Обращаюсь к нашему корпусному быту.

3-го августа 1790 года заключен был мир со Швецией. В этот самый день, при первом пушечном выстреле, возвестившем торжество мира, загорелась у нас битва хищничества. Обширная наша столовая переделывалась; пол был в ней взломан. Один из наших товарищей, бегая по перекладинам, вдруг рухнулся и погрузился в кадку патоки. На крик его сбежалось несколько кадет, и я в том числе. Мы вытащили ослащенного товарища. Случай открыл стекла телескопа, сблизившего глаза с горним миром светил воздушных. Случай и нечаянность открыли и у нас подпольный мир лакомства. Быстро бросились мы в погреба, охапками выносили оттуда сушеные яблоки, груши, вишни, изюм, чернослив. Были ошибки, схватки, но ненадолго. Братский дележ вскоре водворял пальму мира. В один час, если не менее, расхищены были сокровища подпольной сладости, о чем на другой день доложено было Екатерине. Императрица улыбнулась и сказала:

— Ну, что ж! Мы праздновали вчера мир; надобно было попраздновать и кадетам.

Подвиг расхищения нашего был более подвигом мщения, а вот от чего.

---

* «Королевские братья похожи на слуг, которые кричат, что дом их господина горит и, чем бы гасить его, они бегут» (фр.— *Ред.*).

Корпусным экономом нашим был чиновник высокого роста, плечистый, с грудью атлетной, в которой жило и билось доброе сердце. Лицо его цвело здоровьем, и он усердно рачил и о нашем здоровье, закупкой свежих запасов и заготовлением здоровой пищи. Но на путях земной жизни и для добрейшего жильца утреннее солнце не целый день сияет! Набежала туча и на нашего радушного эконома. Однажды восьми или девятилетний сын его резвился около огромного котла, в котором кипели щи, подпрыгнул неосторожно и вринулся в эту палящую бездну. Горестный отчаянный отец бросил должность свою и оставил корпус.

На место этого честного человека (которого, к сожалению, забыл имя) поступил к нам чиновник в самом опальном мундире и почти с протертыми локтями. Не забыл я его имени, но не выскажу. Отшатнувшись от бескорыстной стези своего предместника, он запустил хищные руки во все отрасли питательного хозяйства; карман его и он сам тучнел, а мы от пошлой пищи нередко голодали. Худшее отмежевало лучшее. В пылу негодования мы затеяли запустить шаловливые руки и в погреба церковного причта, и в запасницы учителей, приподняли их даже и на чердаки, где развешивались окорока, словом, повсюду, где хранились дары Триптолема и Цереры, сих благодетельных изобретателей сохи и плуга.

ГЛАВА VII

Я. Б. Княжнин.— Юность писателя.— Увлечения.— Успех «Дидоны».— Шекспир и Сумароков.— Актриса Гюс.— Граф А. И. Марков.— Свидание Княжнина с Сумароковым.— Характер Сумарокова.— Брак Княжнина.— Слава Сумарокова.— Ф. Г. Карин.— Обед у Я. Б. Княжнина.— Потемкин.— Неблагодарность Крылова.— Благородный характер Я. Б. Княжнина.— Любовь его к отечественной словесности.— А. А. Петров.— Переимчивость Княжнина.— Обзор произведений Я. Б. Княжнина.— «Дидона».— Титово милосердие.— Росслав.— Владисан.— Владимир и Ярополк.— Софонисба.— Комедии.— Опера: «Несчастье от кареты».— Другие труды Княжнина.— Рукопись: «Горе моему отечеству».— Вадим.— Смерть Княжнина.

> Expliqueur l'homme c'est le faire aimer, c'est rattacher l'étude de la vie d'un homme á l'étude du coeur humain et de faire de l'histoire d'un individu un chapitre de l'histoire de l'humanité*.

В лучах мирных и сердечных побед 1791 года; января 14, сошел с поприща русской словесности и человечества Яков Борисович Княжнин, наставник словесности в кадетском корпусе.

Яков Борисович Княжнин родился 1744 года в стенах древнего Пскова, на берегах реки Великой.

От зари жизни до пятнадцати лет он одушевлял советами и при-

---

* Объяснять существо человека — это значит любить его, это значит связывать изучение жизни человека с изучением человеческого сердца и делать историю одной личности главой в истории человечества (фр.— *Ред.*).

мером своего отца-наставника, а потом на берегах Невы обогащал себя новыми познаниями у Модераха, тогдашнего профессора Академии наук. Ум его свыкался с науками, а душа питалась и расцветала поэзией. Час от часу более юный Княжнин сроднялся с Метастазием, Расином, Галлером и Гнесером. Два первые поэта пролагали ему поприще драматическое, а Галлер, певец гор Альпийских, и Геснер, Феокрит Швейцарии пробудили в нем тихую мечтательность. Воображение Княжнина любило витать по заоблачным вершинам Альпийским и романтическим долинам отечества Вильгельма Телля. «Если б я не родился в России,— говорил он,— то желал бы, чтобы Швейцария была моей колыбелью». Галлеру подражал он в стихотворении своем «Вечер», напечатанном в «Санкт-Петербургском Вестнике», который издавал он вместе с творцом «Душеньки» и где поместил также несколько идиллий Геснера.

Не доверяя одному влечению природных способностей, Княжнин приготовлялся к поприщу словесности и терпеливым трудом, о чем свидетельствуют переведенные им, так называемыми белыми стихами, трагедии Корнеля и Вольтерова «Генриада». Жаль, что на последний труд потерял он время, чернила и бумагу. В «Генриаде» есть прекрасные стихи, но нет искры жизни поэтической.

С знанием нескольких европейских языков поступил Княжнин в иностранную коллегию, где от юнкера до переводчика был для него один шаг.

Давным-давно сказано, что пути пылкой юности так же непостижимы, как размашистый орлиный полет в долинах воздушных и как следы корабля, рассекающего валы морские: вскипят, исчезнут и снова запенятся. Кипела и юность нашего поэта. Неудивительно: такова судьба души пылкой и порывистой.

С поприща дипломатического судьба перевела Княжнина в новый мир. Фельдмаршал Разумовский, полюбя ловкого, расторопного юношу-красавца, переманил его под знамена военные, куда и поступил он в чине капитана. Мир очарований раскинулся перед его глазами. Все лелеяло его: он капитан почетный, он причислен к дежурным генералам. Сама Терпсихора учила его тому, что теперь называют грациозностью. А в этой грациозности он не уступал в стройных танцах славному Пику, корифею театральных балетов в царствование Екатерины, и который вместе с князем Потемкиным устраивал танцы на волшебном празднике, данном императрице в чертогах таврических.

Мудрено ли, что при таких блестящих достоинствах Княжнин беспрестанно переходил с почетного дежурства на вечер, с вечера на бал, с бала в маскарад? Плывя тем берегом, где, напевая очаровательные песни, коварные сирены заманивали в смертные сети, Улисс приказал себя крепко-накрепко привязать к мачте, но и тут едва устоял от восхитительных напевов, а Улисс был Омиров мудрец: где же юноше устоять против напевов обольстительного мира? Попал и наш поэт в тот круг, где, говоря собственными его словами,—

Фортуна, в выборах слепая,
Бумагою судьбу метая,
Невинных яростно разит:
Игрою скрыв приманки льстивы,
Как Сфинкс, опустошивший Фивы,
Гаданьем к гибели ведет.

Княжнин, на беду свою, очень твердо знал математику, а потому и в ставке карт пустился в гадательные исчисления. Он не знал тогда, что в руках банкомета готов громовой отвод против всех гаданий понтера.

Само собой разумеется, что при таких обстоятельствах кануло в бездну кое-что из родового наследства игрока-поэта, но из груди его не выпала ни одна искра прекрасной его души. Все в ней уцелело. А разительным этому доказательством служит то, что в этот бурный разгул страстей он сочинил первую свою трагедию — «Дидону». Он читал ее Екатерине. Императрица одобрила ее и желала видеть на театре[16]. В честь ее гремели рукоплескания в обеих столицах; на Петербургском театре Екатерина увенчала первый опыт нового трагика своим присутствием, но скромность Княжнина была выше всех искушений самолюбия, часто и невольного. Один из его знакомых, по окончании трагедии, побежав к нему, вслух закричал:

— Яков Борисович — наш Расин.

— Молчи!— возразил шепотом Княжнин.— Молчи, братец, а не то, если подслушают такую ложь, то тебе ни в чем не станут верить[17].

Княжнин ни слова не говорил о Шекспире; Сумароков знал английского поэта и голландского трагика Фонделя и Лопе де Вегу, и не шел по стопам Шекспира, даже и в «Гамлете». Он был строгим наблюдателем трех Аристотелевых единств: времени, места и действия. И Княжнин подражал ему в этом. В творениях ума человеческого существует одно только единство — единство мысли. Дивный Шекспир угадал эту тайну и, раскинув мысль на всю вселенную, движет видимую природу и олицетворяет страсти человеческие. Есть легенда, что один какой-то отшельник тысячу лет прослушал пение райской птички, и ему этот ряд десяти веков показался одним днем, одним часом, одним мгновением. Таким очарованием дышат и Шекспировы трагедии. У него годы превращаются в часы, и он прав: в театр ходят не исчислять, а забывать время. Но Сумароков и Княжнин надеялись на другое очарование. Давно сказано: «Голос любви — голос сердца, восхитительная гармония душевная». И они были правы. У лиц, действовавших в их трагеди-

---

[16] В другой редакции Записок С. Н. Глинки читаем: «Княжнин отвечал: «Не могу этого сделать, я должен сперва представить ее А. П. Сумарокову, основателю Российского театра, и узнать его мнение». Екатерина похвалила скромность его, и он с трагедией своей отправился в Москву. Поступок Княжнина чрезвычайно польстил самолюбию Сумарокова, и он бывал у него каждый день».

[17] По другой редакции эти слова приятеля были произнесены после окончания с блистательным успехом трагедии «Рослав».

ях, был душевный голос, заменявший все подстановки того, что теперь называют театром на театр. Вот что говорит Княжнин о силе душевного в послании к Грациям:

Без вас
Актер себя пред зрителем ломает,
Героя делает дугой;
А с вами Гюс, подпора Мельпомены,
Приятная владычица сердец,
От наших слез берет похвал венец
И чувствовать дая страстей премены,
То к трепету, то к плачу приводя,
Пленяет всех ее победой, в грудь входя.

Гюс, действительно, была Мельпоменой французского петербургского театра. Мне было семнадцать лет, когда в первый раз я видел ее в «Альзире». Сильно волновалось сердце мое во время двух действий, но когда в третьем действии, почитая Замора убитым и взывая к тени его, она произнесла:

Le trait est dans mon coeur,*

я думал, что сердце вырвется у меня из груди, выбежал из театра и за трепет душевный заплатил горячкой. Вскоре потом встретил я эту драматическую очаровательницу в Летнем саду, и что же увидел? Женщину небольшого роста, лицо в веснушках... волосы золотистые. «Рима не было уже в Риме!» И к ногам этой драматической красавицы прикован был тот наш граф-дипломат, который выбил из рук Наполеона карту Европы, когда на гробе пожизненного консула предлагал он поделиться с Россией Европой[18].

Восхитителен, очарователен первый успех поэта: новый мир возникает в очах его. Он слышит плески современников, он слышит и вдали плески будущего; он начинает жить и во времени, и в потомстве. Но Княжнин не удовольствовался торжеством своим на петербургском театре; с пальмами драматической славы своей, с берегов Невы, поспешил он на берега Москвы-реки к отцу русского театра, к А. П. Сумарокову. Какое свидание и в какое время! Тогда еще драматическая поэзия была, так сказать, новой гостьей в нашем отечестве, а на поэта смотрели как на какое-то существо необыкновенное.

— Я виноват перед вами,— сказал Княжнин Сумарокову,— мне надлежало до представления трагедии моей отдать ее на ваш суд, но я неосторожно поторопился прочитать ее некоторым моим приятелям. Молва о «Дидоне» дошла до слуха императрицы, и она

---

* Стрела в моем сердце (фр.— *Ред.*).

[18] *Граф А. И. Марков.* Наполеон, взяв в руки карту Европы, сказал русскому посланнику: Je trace la ligne de l'Europe comme le pape a tracé la ligne de demarcation de l'Amérique: moitié à la France; moitié à la Russie,** а наш русский посланник возразил тем, о чем мы сказали.

** Я проведу линию в Европе, как папа провел линию раздела Америки: половину Франции, половину России (фр.— *Ред.*).

требовала, чтоб ее сыграли, между тем, как я переписывал трагедию мою для вас, отца нашего русского театра.

Не нужно говорить, с каким восторгом обнял Сумароков юного соперника своего! Вольтер сказал:

Qu'il est grand, qu'il est beau de se dire à soi-même:
Je n'ai point d'ennemis, j'ai des rivaux que j'aime;
Montrez moi mon rival, et je cours l'embrasser*.

Вольтер как будто высказал в этих стихах сердце Сумарокова: он охотно отдавал справедливость каждому из современников своих. В другом месте я представлю разительные свидетельства о том, что он никогда не был врагом нашего Холмогорского гения. Их ссорили завистники, но Сумароков осыпал цветами и гроб Ломоносова. Предполагают также какую-то гордость в Сумарокове, и это несправедливо. Его величали именем великого современники, а он сам никогда не возводил себя на эту пышную чреду; он даже не почитал себя и беспримерным поэтом.

А вот и доказательство.

Трудится тот вотще,
Кто разумом своим лишь разум заражает;
Не стихотворец тот еще,
Кто только мысль изображает,
Холодную имея кровь.
Но стихотворец тот, кто сердце воспаляет
И чувствие изображает,
И кто умел воспеть царицу муз, любовь.
Парнасским жителем назваться я не смею;
Но сладости любви я чувствовать умею.

Так говорил Сумароков в стихотворении своем под заглавием: «Недостаток изображения». Он убежден был, что и самое живое слово человеческое едва ли может выразить полноту движений сердца. А гордость, в которой напрасно его упрекают, называл он «язвою и занозою душевною»[19]. Княжнин такого же был мнения. «Гордость, говорит он, огромная вывеска самой мелкой души».

Но обратимся к нашему повествованию.

Думал ли Сумароков, обнимая в первый раз Княжнина, что он в лице его обнимает будущего своего зятя — это его тайна. Но то верно, что он так же восхищен был приветствием Княжнина, как и Геродот, отец греческой истории, когда при плесках Олимпийских юный Фукидид подарил его тем, что дороже всех рукоплесканий — слезами душевного восторга.

Вруча трагедию свою Сумарокову, Княжнин сделался в доме его ежедневным гостем. Чрез несколько дней с робостью спросил он у Сумарокова, как показалась ему его трагедия? Сумароков от-

---

* Как он велик, как он прекрасен, когда говорит самому себе:
У меня нет врагов, у меня есть соперники, которых я люблю;
Покажите мне моего соперника, и я поспешу обнять его... (фр.— *Ред.*).

[19] См.: Полн. собр. соч. Сумарокова. Т. X.

вечал, что он снова перечитывает «Энеиду» и «Дидону» Лефрана Помпильяна, чтобы высказать основательно мнение свое. Но вскоре наш поэт забыл трагедию и как будто отыскивал в себе самого себя. Одна из дочерей Сумарокова была в замужестве за графом Головиным, а другая, цветя умом и красотой, ожидала еще суженого, и этот суженый был Я. Б. Княжнин. С поэзией муз в душе его откликнулась и поэзия любви. То же было и в сердце юной дочери Сумарокова. Часто казалось влюбленному поэту, будто в глазах ее он вычитывает то, что Дидона говорила Энею:

Один твой взгляд, твой вздох и слово уст твоих
Долг сердца моего.

Часто и он порывался выговорить:

Кто может так любить, как я тебя люблю?
Все нахожу в тебе!..

Но чрезвычайная скромность Княжнина оковывала уста его робостью.А любовь душевная, любовь, как будто из заветной храмины судьбы переходящая в сердце, и без робости боязлива. Могущественное, сильное ее стремление то верит, то надеется, а то, увлекаясь порывами сомнения, страдает и на пороге счастья, но это страдание для души поэтической — блаженство. Княжнин это чувствовал и выразил в прекрасных стихах, дышащих и вдохновением Сафы, и сердечным словом нашего поэта. Вот они:

Что я, ты чувствуешь ли то же?
Не видя, алчу зреть тебя;
Узрев, забвение себя
Стократно памяти дороже
Объемлет душу, чувство, ум.
В тревоге нежной сладких дум
Душой твои красы лобзаю;
И кровь то мерзнет, то кипит,
И сам себя тогда не знаю.
Мы сердцем лишь тогда живем,
Как сердце чувствуем в другом.

Это было воспоминание. А что кипело в душе поэта в настоящем, в те дни, в те мгновения, когда безмолвная любовь порывалась высказаться! Истомленный страстью, он открылся приятелю своему Федору Григорьевичу Карину, пламенному любителю словесности и искусств. Карин взялся быть посредником и полетел к Сумарокову. У творца Семиры страсть любви была жизнью его жизни. Страдальцы угадывают сердце благотворительное, а кто живет любовью, тому и в другом не трудно разгадать тайну любви.

Сумароков сказал Карину, что и он, и дочь его уважают ум и душевные качества Якова Борисовича, и что он рад увенчать взаимную их склонность. Стремительное нетерпение нашего поэта равнялось порывам его любви. Едва вошел Карин, он вскричал: «Жизнь или смерть?» Карин отвечал ему стихами из «Дидоны», с некоторой переменой:

Се день уже настал, желаемый тобою;
Дидона перстень свой Энею отдает,
И ваши брак сердца на веки сопряжет.

В тот же день голос высказал все той, к кому оно горело. А Сумароков, с восторгом соединяя два сердца, достойные одно другого, надписал на рукописной «Дидоне»:

Мы не в равной доле:
Я тебе мила; а ты — стократ мне боле.

И с этой надписью поручил невесте возвратить жениху трагедию, которую умышленно продержал целый месяц, дожидаясь того, что предвидел.

В это время Сумароков был на высшей степени своей литературной славы. 1767 года, при собрáнии депутатов из всех пределов обширного нашего отечества, проявилось и нáчало оживляться все то, что он высказал Екатерине в слове, в котором предъявил душу ее Наказа. В то же время был он в переписке с философом Фернейским, и трагедии его венчались рукоплесканиями и слезами и на театрах двух столиц, и на театрах народных. Его «Хорев» сблизил народный дух с двором и обществом большого тогдашнего света. Это его лавр: ему одному удалось сблизить такие различные области быта человеческого. В моих «Очерках жизни и сочинений» А. П. Сумарокова, которые выйдут в непродолжительном времени, читатели увидят, как быстро, через один год, то есть 1769 года, грозною тучею затуманилась его счастливая звезда. А по следующим стихам можно судить о душевном его страдании:

Все меры превзошла теперь моя досада;
Ступайте, фурии, ступайте вон из ада,
Грызите жадно грудь, сосите кровь мою![20]

Расскажу здесь и о Федоре Григорьевиче Карине, бывшем сватом у Княжнина. Я познакомился с ним в то уже время, когда от семи тысяч душ у него оставалось только три тысячи; когда за роскошный разгул молодости в старости платил он тяжелую дань докучливой подагре. В цветущие годы жизни своей он не уступал в пышности сатрапам древней Персии. Да и что тогда было в Москве! Улицы ее были блестящим маскарадом, кареты летали великолепными цугами; на запятках гайдуки исполинские; по сторонам карет скороходы, порхавшие зефирами, в шелковых чулках, даже и в трескучие морозы. Кровь, видно, была горячее. А псовая охота!— Целое разноцветное войско. Что за псари! Что за ловчие! Сколько тянется фур со всеми прихотями застольными! Где же все это? Правду сказал Тацит, что «не от каменных стен зависит душа городов». Все приведенное здесь с избытком было у юного Карина. Но я, повторяю еще, познакомился с ним на западе его дней. В доме у него кипела еще чаша пиршественная, но в сердце гнездилась

[20] Полн. собр. соч. Сумарокова. Т. IX.

змея, которая за разлад семейный ссорила его с человечеством. Он любил меня за страсть мою к словесности; нередко утолял я гневные его порывы, и он, вынудив у меня скучный присест для моего портрета, написал к нему следующие стихи:

Младого Глинку зрим лица сего в чертах;
Сей юноша, блистающий ученьем,
Умом и просвещеньем,
Поэт и пламень льет в стихах.
Что ж будет в зрелых он летах?

Я подписал под стихами: Ничто.

Хотя Я. Б. Княжнин и не слишком наделен был дарами своенравного счастья, однако и он, став семьянином, жил в Петербурге открытым домом и был душой своего общества. Однажды обедали у него великолепный князь Таврический и Карин. Остроты сыпались аттической солью, и князь Потемкин не всегда сидел, заключась в глубокую думу и грызя ногти. Развеселясь в гостеприимной беседе и оборотясь к юному Адонису Карину, он сказал:

Ты, Карин,
Райский крин;
Ты лилеи
Нам милее!
Многих умников умнее,
И весенних дней яснее.

Карин не ходил в карман за словами; за привет он тотчас отмахнул приветом:

Не Карин —
Райский крин,
Ты всех роз для нас алее
И милее всех цветов;
В битвах ты — громов страшнее,
А с друзьями — весь любовь!

Спросишь невольно: где все это? В воспоминании старика, отвечает Княжнин; и вот что он говорит:

О память! Прежних дней приятных,
Проникни в томну, слабу мысль
И прежних случаев превратных
Прошедших радостей исчисль.
Когда весна моя блистала,
Сбирал я майские цветы;
Душа как роза расцветала,
Не знав, что горесть, что беды.
Бывало с милою Авророй
Встречал я первый Фебов въезд,
И в мысли восхищенной, новой
Сиял, как искра в сонме звезд,
Бывало — ранних птичек пенье
И громкой голос соловья,
Шум водопадов, их стремленье
Внимал с живейшим чувством я,

Бывало — пляски, хороводы
Веселых добрых поселян,
Где без искусства вид природы
Для блага общего им дан,
Меня в младенчестве питали;
Я с ними радости делил;
Резвились, пели и играли:
Кто прожил так, тот прямо жил.

Вот как описывает Княжнин отроческие свои лета, проведенные на берегах реки Великой, в кругу трудолюбивых поселян. Тут сам Княжнин всего себя высказал. И на поэзию, и на прозу у нас, как и везде, есть какая-то мода, но, несмотря на все превратности различных мнений, доблести душевные никогда не теряют своей цены. Вот неотъемлемая собственность Княжнина. Его любил и посещал князь Потемкин, но Яков Борисович никогда в нем не искал, а сам всегда был готов на услуги другим. Баснописец наш, Иван Андреевич Крылов, окончив воспитание в Тверском училище, приехал в Петербург круглым сиротой. Княжнин дал ему приют в своем доме и первый открыл ему поприще тогдашней словесности, но он об этом никогда не говорил. Ознакомясь с Петербургом, Крылов оставил Княжнина и шутливым пером, в комедии своей «Таратор», описал в смешном виде домашний быт своего хозяина. Он жил человеколюбием и ясными душевными воспоминаниями. Он не вспоминает ни о пирах роскошных, ни о собраниях блестящих; он не вспоминает даже и о торжествах своих драматических. Заря жизни была бытием его души; и по привычному чувству любви к человечеству он у себя в доме не мог видеть печального лица. Часто случалось с ним, что в дождливую погоду, взяв денег, чтобы отправиться на дрожках в кадетский корпус, где он был учителем словесности в старшем возрасте, он отдавал те деньги бедняку-просителю или слуге, который или по какой-либо причине, или и умышленно, казался печальным. «На, братец!— говорил он,— будь повеселее!». И в корпус, на кафедру словесности приходил в скромном сюртуке, запрысканным дождем. «Что такое добродетель?— говорит Лабрюер.— Человеколюбие». «А что такое человеколюбие?» Он же отвечает: «Первая душевная добродетель». И потом прибавляет: «Счастливцы света! Вы, которых судьба осыпала всеми дарами своими! Не замки сооружайте — сооружайте памятники благодетельные: когда следы ваших поколений затеряются в книге знаменитостей, вас вспомнят, если и вы помнили, что одно добро бессмертно».

К числу прекрасных душевных качеств Я. Б. Княжнина принадлежит беспристрастная его любовь к отечественной словесности. Охотно отдавал Яков Борисович справедливость другим и радовался успехам отечественной словесности. Всем известен Петров, друг юности Карамзина, с которым сей последний начал свое литературное поприще в «Детском чтении», издававшемся Н. И. Новиковым. Осыпая гроб его цветами, Карамзин назвал его Агатоном; этот друг нашего историографа был приятелем Княжнина и показывал ему все письма, получаемые от русского путешественника. В один свой приход в кадетский корпус Яков Борисович, перечитывая их нам, с восторгом сказал: «Приветствую русскую словесность с новым писателем. Юный Карамзин создает новый, живой, одушевленный слог и проложит новое поприще русской словесности». Любил и Карамзин Княжнина; особенно нравилось ему из сочинений Якова Борисовича послание: «От дяди стихотворца-рифмоскрипа». Никто из наших писателей не уважал трудов земледельцев более Княжнина.

Вот его слова:

> Почтен питатель смертных рода!
> На нивы тучные спешит;
> Чтя труд его, сама природа
> Согбенны класы золотит.
> Он смертных жизнь с полей сбирает
> И униженье презирает,
> Чем пышность гордая претит
> Его полезнейшей заботе;
> В священной рук его работе
> Блаженство мира состоит.

С таким же чувством ценил он и услуги домашних людей своих: никто из них не слыхал на себе окрика и не погоревал от него. В жизни его были черты, достойные Плутарха и Ж.-Ж. Руссо.

По свойству души своей вот как он в «Толковом словаре» определяет уважение. «Уважение,— говорит он,— разделено по состоянию богатства». Но он во всех речах, говоренных им в Академии художеств и в корпусе, доказывал, что истинное достоинство человека заключается в нем самом. В том же словаре он называет историю архивом тщеславия. Это не совсем справедливо. История оказывает часто пагубные следствия тщеславных замыслов, но правда и то, что эти уроки иногда ветер разносит, и если смотреть на историю как на хронологию неудачных царствований и на заблуждения народов, оно может быть и справедливо. Там же, говоря о чернильнице, он сказал: «Чернильница — малая причина больших действий». Тут почти вся история XVIII столетия от 1713 до 1788 года.

В «Отечественных Записках» 1840 года Княжнина сопричислили к каким-то труженикам. И я готов назвать Я. Б. тружеником, но в чем? В неустанном стремлении к подвигам добра и к благу общественному, во время служения своего при Иване Ивановиче Бецком. Дай Бог, чтобы таких тружеников у нас было побольше!

Пушкин в «Онегине» своем называет Княжнина переимчивым». Согласен. Но то, что он перенимал от других, все то выражено творческим русским словом.

Напр., Вейссе говорит:

> Ohne Glück in unsern Tagen,
> Hielt Vernünfst und Klugheit nicht;

Glück fährt auf einen gold'nen Wagen,
Wer vernünftig zu Füssen kriecht*.

А вот как Княжнин это перевел:

Счастье строит все на свете,
Без него — куда с умом?
Счастье едет и в карете,
А с умом идет пешком.

В послании «Ты и Вы» Княжнин подражал Вольтеру, но как? Он оживлял там чувством, где поэт Фернейский шутил.

Напр., Вольтер говорит:

Ah! madame, que votre vie
D'honneurs aujourd'hui si remplie,
Diffère de nos doux instans.
Le large suisse à cheveux blancs,
Qui mène sans cesse à votre porte,
Philis! est l'image de temps,
Il semble qu'il chasse l'escorte
Des tendres amours et des ris**.

А у Княжнина:

В восторгах наших я и ты, забыв весь свет,
Мы думали, что нас счастливей в свете нет.
И в самом деле так! Кто мог быть нас блаженней;
И чем же генерал в веселии отменней?
Отменней? Быть нельзя; безмерно ниже нас.
Не по природе он, по этикету вас
Любя, нахмуряся к вам важно подступает.
Утехи, смехи прочь и игры отгоняет.
Боясь знатность он и блеск свой уронить,
Он может ли вас так, как я тебя любить.
Превосходительством природу отягчая,
И в сердце гордость он с любовью к вам мешая,
Вас любит, помня то, что он и генерал;
А я тебя любя, себя позабывал?
Все были чувствия, вся мысль полна тобою,
И весь я занят был лишь Лизою одною.
Тобою слышал все, тобой на все взирал,
Тобою жил, твоим дыханием дышал...

И потом:

---

* Без счастья в наши дни
Не удержатся разум и мудрость.

Счастье едет в золотой карете,
А благоразумный тащится пешком.
(нем.— *Ред.*).

** Ах! мадам, как ваша жизнь,
Сегодня столь полная почестей,
Отличается от наших сладких мгновений!
Большой привратник с седыми волосами,
Который ходит беспрестанно у вашей двери,
Филида! Это образ времени,
Кажется, что он гонит прочь эскорт
Нежных страстей и улыбок.
(фр.— *Ред.*).

У нас лишь только два часа бывали в сутки:
Один чтоб вместе свет и время забывать;
Другой — не видяся, увидеться желать.

Тут все чувство, вся тайна, вся поэма любви!

Заглавие сказки своей: «Попугай» Княжнин заимствовал у Грессета, но весь русский рассказ его. И какой рассказ! Послушайте. Старушка и прекрасная дочь, в разлуке с сыном, бывшим в полку, купила попугая и ревностно занимается его воспитанием. И поэт говорит:

Большое дело воспитанье!
Ласкаем и любим заморской кавалер.
Как нравиться — давал и щеголям пример.
Его прелестно лепетанье,
Пристойно завсегда.
Не допускало никогда
Тех слов, которые стыда наводят краску.
В беседах, ласкою платя за ласку,
Красавицам кричал:
Цалующим: цалуй меня
Старушкам: Ну, подите с Богом!
Вот так-то отвечал разумник разным слогом.
Подобно, Цесарь вдруг и сам писал,
И сказывал другим совсем иные строки,
Так и Жако свои выказывал уроки.
Мать с дочерью в награду за труды
Свой зрели полон дом всечасно.
Знакомства новые, и все несут плоды
Конфеты, сухари, бомбон— как все прекрасно!
Катается Жако, как в масле сыр —
И всякий день такой же пир,
Какой откупщики дают боярам редко,
Однако ж метко.

Повторяю еще: Пушкин называет Княжнина «переимчивым», но разве и его «Онегин» не откликается родством с «Чайльд-Гарольдом?» Байрон говорит: «Переводя, отважною грудью завоевывай дух писателя», а наш А. П. Сумароков сказал:

Не мне, переводя, что смысл в творце готов:
Творец дает нам мысль, но не дает нам слов.

Сущая правда! В чем же состоит тайна поэзии и прозы? В живом сочетании слов своего природного языка. Жуковский, Пушкин и другие наши поэты тем же говорят языком, каким и мы, люди обыкновенные; но отчего же из поэзии их переливается и в слух, и в душу какая-то непостижимая сладость? Оттого, что в сочетании слов отыскали они жизнь души, сердца и мысли. В греческой антологии Венера говорит: «Вулкан и Марс меня видали, но где видал меня Пракситель?» Где? В творческой мысли своей, и резцом своим вывел из мрамора изумительную прелесть. В мысли олицетворил сперва Пракситель свое произведение, а потом представил его взорам. То же делают и чародеи-поэты: они словами олицетворяют свою мысль, движение своей души и сердца, и потом передают нам, в нашем общем слове, свои вдохновения. Так поступал и Княжнин. Скажут, что некоторые из красок его поблекли. А много ли живописцев слова человеческого устояли против грозного напора времени?

Взглянем теперь на полный объем произведений Княжнина. Первым его драматическим опытом была трагедия «Дидона». Основа ее в «Энеиде» Виргилия; но это основа лживая, а потому и что драматические «Дидоны» неудачны. Виргилий представляет, что Купидон, в виде Аскания, юного сына Энея, резвясь на коленях Дидоны, воспламеняет в ней жар страсти к Энею. Я сказал в моей «Сумбеке»:

Кто, кроме сердца, даст любви устав, закон?

И это справедливо не оттого, что мое, но от того, что и природа то же скажет. Истина необходима и в любви. Древние, как будто мимо души человеческой, все относили к какому-то внешнему влиянию. Добрый Жан-Жак Руссо говорит, что «он дал бы юному Эмилю, когда он достигает лет семнадцати, для развития чувствительности его, прочитать четвертую тетрадь Энеиды». Но там не любовь, а исступление страсти. И Руссо в «Новой Элоизе» своей, выдумывая любовь, в лице Сен-Пре говорит: «Могущество небесное! Ты дало мне душу для ощущения скорбей; дай мне другую душу для чувствования блаженства». Это любовь по воображению. А разве Шекспир не выдумывал любви в «Отелло» и в «Джульетте и Ромео»? Нет! Он не умствовал, а изображал природу: он изображал в «Отелло» борьбу ухищрения коварного Яго с пылкой и порывистой душой легковерного супруга; и в «Джульетте и Ромео» представил двух юных, восхитительных любовников, отягченных враждебной ненавистью отцов своих. Тут душа, тут голос природы! Впрочем, в трагедии Княжнина русский трагический слог высказывается уже с бóльшей зрелостью.

Титово милосердие заимствовано Княжниным из «Метастазия». Княжнин сам читал ее в кадетском корпусе. Я был в числе слушателей и теперь повторю с Сен-Ламбером:

Уж соловей умолк, но слышу песнь его.

Из немецких писателей любил он особенно Геснера и перевел несколько его идиллий, напечатанных в «С.-Петербургском Вестнике». «Как счастлив Геснер!» — говорил он: «Кисть его оживляла прелести родных долин, и он был нежным сыном природы».

Часто, очень часто перелетал Княжнин мыслью под небосклон древней Гельвеции, где новый Феокрит дышал горным воздухом страны живописной и обильной напоминаниями родной славы.

«Я люблю древнюю Гельвецию,— говорил Княжнин,— люблю Геснера, и если бы не родился в России, то желал бы быть его соотечественником. В идиллиях его все дышит жизнью золотого века».

Третья трагедия Княжнина — «Росслав». Усиливаясь исторгнуть из души Росслава тайну, где скрывается Густав Ваза, будущий избавитель Швеции, кровожадный Христиерн, говорит Росславу:

Чтобы не трепетать, кто ты таков?
Росслав.
Я Росс.
Христиерн.
Ты пленник дерзостный, ты раб мой!
Росслав.
Тот свободен,
Кто смерти не страшась, тиранам не угоден.
Христиерн.
Чего желаешь ты, скажи?
Росслав.
Чего? Престола.
Христиерн.
Умри, злодей! Мое терпенье истребя,
Надежду на кого взлагаешь?
Росслав.
На себя.

Восхищенные зрители с торжественными рукоплесканиями вызывали поэта, и это было началом вызовов сочинителей драматических. Скромный Княжнин от гремевших кликов опрометью бежал из театра, но вызов продолжался. Дмитревский, игравший Росслава, вышел и сказал: «М. Г., сочинителя нет в театре, но голос ваш, столь для него лестный и перешедший и в мое сердце, передам ему с чувством благодарности за тот торжественный вызов, которым вы увенчали его». Загремели новые рукоплескания. А Княжнин ожидал Дмитревского в доме его. Едва увидев, он бросился его обнимать и с восторгом воскликнул: «Счастлив Княжнин, что родился современником Дмитревского: ему, а не себе обязан он торжеством Росслава».

В трагедии «Владисан» отчасти откликается Вольтерова «Меропа». Разнесся слух, будто бы Владисан погиб в сражении. Витозар, главный вельможа, утешая Пламиру и сына его, преклоняет на свою сторону вельмож славянских. Раболепным поклонением изъявляют они покорность свою Витозару; а Пламира восклицает:

О, малодушные! Под иго уклоненны,
Вы слабых удручать лишь только дерзновенны,
Без чести, без души, народные главы,
Для счастья своего велики только вы!

В «Владисане» есть отчасти и нынешний романтизм, и театр в театре. Славянский князь является в одежде горестного странника в той самой области, где владычествовал и где прослыл убитым. Он видит надгробный памятник, воздвигнутый ему любовью печальной супруги. Наконец, к величайшей скорби своей видит супругу и сына, утесненных наглой силой вельможи. Казалось, как бы всему этому не действовать на сердце? Но я в молодости моей два раза на театрах двух столиц видел представление этой трагедии, и она нисколько не волновала души моей. А отчего? Оттого, что, когда идешь смотреть ее, в памяти не оживляется никакое воспоминание. Герцог Мальборуг, известный и по военному своему поприщу, и по песне, громкой его именем, говорил: «Я в трагедиях Шекспира учусь английской истории». Он мог бы еще прибавить: «и развитию страстей в истине исторической». Сочиняя «Владисана», Княжнин забыл свой стих:

«Воспоминанием живет душа моя,»

«Владимир и Ярополк» — отчасти подражание Расиновой «Андромахе». В ней много сильных, великолепных и сердечных стихов. В ней поэт одним стихом выразил то боевое удельное междоусобие, когда, по словам сочинителя «Слова о полку Игореве»: «Жизнь земли русской гибла в распрях князей». При Княжнине не был отыскан этот памятник нашей старины; он, по собственному вдохновению, сказал:

«Россию русский князь Россией истреблял».

Последняя трагедия Княжнина «Софонисба», заимствованная у Триссионо и у подражателя его Лоре. И в ней также есть сильные стихи. Напр., «Масинисса», истомленный и насилием римлян, и тоской жизни, обращаясь к богам, восклицает:

О боги лютые! Коль жизнь моя ваш дар,
Возьмите вы его: я им себя терзаю,
Я сей несчастный дар вам ныне возвращаю.—
Возьмите вы его!.. Пусть римляне живут,
В злодействах счастливы, пускай несчастных рвут.

Подражал Княжнин в трагедиях классикам европейским, то же делал и в комедиях. Но и в них слово русское — его; это главное дело. Говорили и Мольеру, что он берет у Плавта и Теренция, а он возражал: «Где нахожу хорошее, то почитаю своим». О «Хвастуне» я скажу только, что он отчасти заимствован из Детуша, но приноровлен к русской современности. Не посещая театра около тридцати лет, не знаю, часто ли его играют; но кто видел в «Полисте» Черникова и Сандунова, тот, верно, и теперь поблагодарит Княжнина за это лицо. Комедия его «Чудаки» также отчасти заимствована у Детуша и Мольера. В опере «Сбитеньщик» Степан выведен на степень Фигаро Бомарше, но в нем нет ни одного галлицизма. Он зорким русским взглядом присмотрелся к быту житейскому: знает все его проделки, действует, как опытный жилец мира проделок. В «Сбитеньщике» слышны отголоски и из Мольеровой «Школы Мужей», но Волдырев, Фаддей и Власьевна — собственные лица нашего автора; сверх того и главная, основная мысль принадлежит Княжнину. Он хотел доказать, что есть люди, думающие, будто глупость и бессмыслие необходимы для безусловного повиновения. Так мечтал Волдырев, опекун Паши, и, выходя из дома, оставленного им под надзором ненавистных невежд, он, с важностью таинственных мудрецов древнего Египта, говорил: «Глупый человек гораздо лучше остряка: все делает верно и точно, что ему прикажет хозяин. Ум надобен тому, кто повелевает, а кто исполняет приказания, тому надобна глупая точность!» Так рассуждал Волдырев и через глупцов попал в цех простофиль. Княжнин, под шутливой личиной Сбитеньщика, разрешил задачу, в семнадцатом столетии предъявленную Боссюетом, а в восемнадцатом — Суворовым. «Здравый смысл,— сказал Боссюет,— управляет светом»*. А Суворов говорит: «Точность в одном Боге; в делах же человеческих нужно течение». Вследствие этого правила, отдавая приказания (особенно в Италии), он прибавлял: «Я говорю: иди вправо, а ты, по направлению неприятеля или по какой-нибудь удобности увидя, что нужно идти влево — иди: у тебя есть и свой смысл».

Острые комические шутки Княжнина и теперь еще откликаются. Разговаривая со мной о Княжнине, один из новых комиков сказал: «Хвастун» его дышет веселостью». Прибавляю: «И отважностью». Намекая о быстром возвышении некоторых временщиков и о влиянии их на тогдашнее общество, он резко означил это стихом «Помута», который, хвастая мужественной силой Верхолета, говорил Простодуму:

«Он врютит в канцлеры на вас освирепев!»

С... ванд сказал, что письма Севиньи суть лучшая история двора Людовика XIV и великолепного, и странного, что некоторые драматические произведения восемнадцатого века суть история нравов того времени. К числу их принадлежит опера Княжнина: «Несчастье от кареты».

Не заботясь о своей личности, Княжнин наряду с Фонвизиным не потакал дурачествам своего века. Но он был смелее в своих комедиях. Фонвизин в «Недоросле» представил баловня в семье Скотининых, а в «Бригадире»— баловня скупой бригадирши, который был шутом в Париже и шутом возвратился в семью свою и был соперником батюшки своего в волокитстве за полумодной советницей. Это только смешно, а Княжнин прямо метил в большой свет в опере своей «Несчастье от кареты».

Господин Фирюлин и супруга его, побывав в Париже, наяву и во сне бредят о модах. Наступает праздник, из Парижа привезена новая карета. Денег нет, нет урожая, но есть крестьяне, годные в рекруты. Фирюлин приказчика своего, Клима, переименовывает Клеманом и за эту переименовку требует, чтобы во что бы то ни стало он достал бы денег для покупки кареты. Лукьян, ловкий слуга, живший некогда в городе, влюблен в Анюту, которая приглянулась и приказчику. Лукьяна хватают, оковывают и обрекают в жертву за модную карету. К счастью, на ту пору в деревне случился господский шут Афанасий. Узнав, что Лукьян кое-как налетом нахватал несколько французских слов, он берется выручить его из

* C'est le bon sens qui qouverne le monde.

беды и врютить в беду приказчика. Сделан договор и, как водится, скреплен задатком. Модные помещики нагрянули в деревню. Лукьян бросается к ногам их, возглашая: «Monsieur! Madame!'. От этих волшебных слов мосье и мадам растаяли: Лукьян спасен, в рекруты попал другой. Тут Афанасий, торжествуя победу, поет:

Провал возьми тот свет,
Где столько бед,
То от карет,
То от манжет,
То от Анет,
И где приказчик плут.

Была беда и от смычков гончих и борзых собак, на которые обменивали семьи крестьян; была беда и от торгашей; переселяли на лицо земли русской перекупы негров,

«Искусно в рекруты торгуючи людьми»,—

сказал Княжнин. Говорят, что первое представление оперы «Несчастье от кареты» было в Эрмитажном театре в присутствии Екатерины, а неугомонная роскошь и моды, на беду хижине, кипели в столицах и городах. Были и в деревнях бессовестные корыстолюбцы, которые наживались и добивались чинов, чтобы теснить соседние угодья и:

«Как на собственных, на их косить лугах».

Нынче много писали о вреде чресполосных владений, но Княжнин первый высказал это в «Хвастуне».

Опера «Несчастье от кареты» непосредственно принадлежит Княжнину и его времени. Она была любимой оперой Екатерины. В ней живая картина тех дурачеств, когда суматошный Париж давал законы нашему, так называемому большому свету, и когда мода была все, а человечество — дело постороннее.

При всей остроте ума своего Княжнин не был насмешлив и только раз намекнул о падении драмы какого-то сочинителя, не означая, однако, имени его; он имел завистников и недоброжелателей за то, что ревностно защищал человечество.

Хотя фортуна-мачеха не очень щедро наделила Якова Борисовича дарами своими, но и у него бывали дружеские пирушки; по поверью того времени, литераторы шутили, остроумничали, перекидывались колкими эпиграммами, заносились на Парнас и не заглядывали в область политики, но когда забушевала Французская революция, тогда Княжнин первый понял порыв и полет этой бури.

Но счастлив ли был Княжнин на поприще своих трудов? Вот его ответ:

Одне заслуги чтя, моя не подла муза;
Бежа со лестию порочного союза,
В терпении своем, несчастна, но тверда,
Не приносила жертв Фортуне никогда.

И это сущая правда! А он много трудился. Как член Российской академии он участвовал в составлении «Русского словаря»; а в «Собеседник», где участвовала сама Екатерина, доставлял многие статьи; он также вместе с Фонвизиным переводил словарь, изданный Французской академией.

Наш поэт доказал также, что душа его была выше всех обольщений счастья. Иван Иванович Бецкий принял его в секретари свои и водворил в Кадетский корпус наставником русской словесности. Безбородко, занимавший и при Екатерине чреду блистательную, перезывал его к себе от Бецкого, предлагая и чины, и улучшение состояния. Княжнина ничто не поколебало. Он говорил: «Я чувствую, что я полезен на моем месте, вот моя почесть и награда». Не обольщаясь никакими почестями, он жил сердцем и в стихах своих сказал:

Мы сердцем лишь тогда живем,
Как сердце чувствуем в другом.

И на сердечный его голос откликались сердца воспитанников Академии Художеств, Воспитательного дома и Кадетского корпуса. К очерку жизни его должно прибавить, что В. А. Озеров, сочинитель «Эдипа и Фингала», и Ефимьев, сочинитель комедии «Братом проданная сестра», были его учениками. Первый пожал венцы Мельпомены по смерти его, а второй блеснул на театре при нем.

Рано уклонился Я. Б. Княжнин в могилу: он не дошел и до полвека. Труды и чрезмерная чувствительность ускорили его кончину. Когда зашумела буря Французской революции, он написал почти все то же, что тесть его, Сумароков, высказал Екатерине 1762 года. Но тогда еще Франция, затериваясь в кукольном быту своем, дремала, не слыша отдаленной бури. Правда, ее слышал Жан Жак Руссо еще 1756 года, но его называли безумцем и мечтателем.

Смерть преждевременная постигла Княжнина на сорок восьмом году. Предполагают, что рукопись его под заглавием: «Горе моему отечеству», попавшая в руки посторонние, отуманила последние месяцы его жизни и сильно подействовала на его пылкую чувствительность. В этой рукописи страшно одно только заглавие. Я читал несколько черновых листов. Главная мысль Княжнина была та, что должно сообразоваться с ходом обстоятельств и что для отвращения слишком крутого перелома нужно это предупредить заблаговременным устроением внутреннего быта России, ибо Французская революция дала новое направление веку. Такую же почти мысль изложил он в трагедии «Росслав» и в некоторых других местах сочинений своих. Вероятно, что рукопись умышленно или неумышленно перетолкована была людьми пугливыми, которые видят страх там, где его нет, а не видят его там, куда он действительно затеснился. При бушевании ветра какая сила человеческая воспретит, чтобы колебались леса и не волновались леса? Сумароков, тесть Княжнина, прежде его сказал:

Питай водами лавр, доколе не увянет,
И скройся грозных бурь, доколе гром не грянет.

Патриотические, но не дерзновенные мысли Княжнина оправданы были событиями, быстро изменившими прежний мир политический. Спустя лет десять по смерти его я прочитал в философической истории о Французской революции Фонтена-Дезодоара следующие слова: «Исполинский разгром Французской революции, поколебавший мир политический, долго будет действовать на жребий народов и на судьбу правителей их».

Я читал бумагу Княжнина и повторяю еще: главные мысли, изложенные в ней, читатели увидят в моих «Очерках жизни и сочинений А. П. Сумарокова». Как бы то ни было, но тогда гул бури Французской революции застращал умы, и патриотические мысли Княжнина показались неуместными. Он не пережил этого случая. Полагали, будто бы трагедия его «Вадим» нанесла ему удар преждевременной смерти. Это несправедливо: он скончался в 1791, а трагедия «Вадим» напечатана была княгиней Дашковой в 1792 году. Не берусь описывать свойств прекрасной души Я. Б. Княжнина; он сам высказал их, и вот в каких словах:

Для добродетели на все беды стремиться,
Любить отечество и смерти не страшиться,
Для счастья своего не льстить страстям людей:
Вот что я сохранял всегда в душе моей!

ГЛАВА VIII

Н. Я. Озерецковский.— Ответ его Екатерине.— Наружность Озерецковского.— Мнение его о Карамзине. Последнее свидание мое с Озерецковским.— Актер Офрен.— Анекдот о Вольтере.— Мимо-классные пособия.— Питомцы графа Ангальта.— Я. П. Кульнев.— Воспитательная система графа Ангальта.— Актер Плавильщиков.— Его уроки словесности.— Профессор Х. И. Безак.— Моя ссора с его сыном.— Арест.— Послание к товарищу из-под ареста.— Слова гр. Ангальта.— И. А. Цызырев.— Его увещания.— Письмо мое к графу.— Раскаяние и прощение.— Корпусные партии.— Г. А. Галахов.— Книжная спекуляция.— Аллер — Плавильщиков и Чупятов.— Ф. Ф. Сакен.

Место Княжнина занял у нас Николай Яковлевич Озерецковский, академик, естествослов и врач, словом, муж ученый, обладавший различными сведениями. Он сопровождал в путешествии по чужим краям графа Бобринского. Екатерина, недовольная Телемаком, укоряла Ментора. Озерецковский с добродушной откровенностью отвечал: «Матушка, ведь я человек! Один Бог делает, что хочет; я сделал, что мог». Лицо Озерецковского было здорово и молодо. Он был сутуловат и еще более сгибался, когда, держа в руках табакерку, выхватывал из нее табак, щепотку за щепоткой, торопливо принюхивал, мерными шагами ходил по классу, приискивая надлежащее слово и, отыскав его, приговаривал: «Да, вот так надобно». Тут речь его текла плодовитее и свободнее. Изучая анатомию, он не только объяснял нам смысл фигур риторических, но и действие их на внутренний состав телесный. О Карамзине он был совершенно различного мнения с Княжниным. Видя, с каким жаром читали мы «Письма русского путешественника», он однажды заставил меня прочесть вслух письмо о горах альпийских. Я начал читать. Озерецковский по обыкновению своему расхаживал по комнате, и, когда я кончил чтение подобно восторженной Пифии, он угрюмо и отрывисто сказал: «Ну, что это такое? Пышный, вычурный слог, мыльный пузырь, надутый ветром. Кольни булавкой, ветер вылетит, и останется пустота. Я сам был на Альпах, но не видал того сумбура, который забрел в это письмо». Случилось мне в другой раз читать Озерецковскому перевод Карамзина Вольтерова эклезиаста. При чтении стихов: «Ничто не ново под луной» он вспыхнул от досады и проворчал: «Неправда, не под луной, а под солнцем. На что так срамить землю?» Для дополнения рассказа о Н. Я. Озерецковском сближаю времена и скажу, что 1825 года встретил я его у тогдашнего министра народного просвещения А. С. Шишкова. Он был еще довольно крепок на ногах, но на лице его проглядывало изнеможение, предвестье близкой смерти. Он мне обрадовался и сказал с прежним радушием: «Ты много трудишься, брат, это хорошо».

— Тружусь много,— отвечал я,— потому что привык к труду, да проку мало.

— Нет нужды, брат,— возразил он,— в труде всегда есть прок; труд занимает ум и душу. Я и постарее тебя, но не прочь от труда.

В путешествиях Озерецковского по Руси есть много полезного по части внутреннего хозяйства; слог ясный и приличный рассказу, местами встречаются удачные и счастливые выражения. Например, он говорит, что осматривая Астрахань с окрестных ее возвышений, он любовался ею, но когда вошел в грязные ее улицы, то ему показалось, что вся красота Астрахани осталась на ее холмах.

Заняв от Фридриха II страсть к французскому языку, граф Ангальт пригласил в учители декламации для усовершенствования в произношении тогдашнего французского актера Офрена. Офрен был чрезвычайно даровитый актер. Декламируя рассказ Терамена о смерти Ипполита, из «Федры» Расиновой, он плакал. Плакали и мы, несмотря на длинный и однообразный александрийский стих: в декламации Офрена простота и чувство слышались в выразительном его голосе. Он не выбрасывал ходули декламации своей. Офрен гостил в Фернее у Вольтера и играл с ним на домашнем его театре. «Хотя Вольтер,— говорил он нам,— был иногда вспыльчив, но одушевлял свои трагедии и лица, игравшие с ним в них». Об этом Офрен рассказывал нам следующий анекдот: «В первом представлении «Китайской Сироты» Вольтера Лекен играл Чингисхана. Трагедия принята была холодно.Вольтер бесился и, по обыкновению своему, честил земляков своих именем вельхов-невежд, способных быть только тиграми и обезьянами. Во время бешенства Вольтера Лекен приехал в Ферней. Не дав ему образумиться, Вольтер закричал: «Прочитайте, прочитайте мне, г. Лекен, роль Чингисхана. Посмотрим, как вы ее играли». Лекен начал читать высокопарно, размахивая руками и вытягивая свой небольшой рост. «Скверно, скверно! Вы убили мою трагедию!»— кричал Вольтер, топая ногами; и сам начал читать роль Чингисхана. Лекен не сводил с него глаз, ловил каждый взгляд, каждый звук его голоса, и, когда Вольтер кончил, он повторил роль свою. Вольтер в свою очередь вслушивался и всматривался в Лекена, и вдруг бросился обнимать его, воскликнув: «Браво, браво! Вот как надобно выражать роль умного, скрытного и хитрого Чингисхана! Теперь наши парижане оглушат вас рукоплесканиями». Так и сбылось. Для записывания уроков Офрена граф роздал нам тетради, названные им cahiers surnuméraires (сверхкомплектными); он препоручил, чтобы мы записывали туда и то, что встречали замечательного при собственном нашем чтении. Кому удавалось сделать хороший выбор мыслей, изречений исторических, замысловатых анекдотов, тетрадь того удостаивалась и переплета, и собственноручной рукописи графа. Он очень был доволен, находя у нас извлечения из героя его Фридриха II; впрочем, он выхвалял и мысли, дышавшие Фенелоновой душой. Очень немногие из кадет проходили основательно поприще классного учения. Иные как будто выходили с одним букварем. Вероятно, что мыслящая сила и никогда бы не пробудилась в них без тех мимо-классных пособий, изобретенных графом Ангальтом. Где только недоученным его питомцам предоставлялся случай к действию души, там с удивительной быстротой развивались понятия их. Встретясь с некоторыми из сотоварищей моих после заграничных их походов, начавшихся с 1799 года, я изумился основательному изъяснению их на языках иностранных и обильному богатству их познаний.

Были также и такие кадеты, которые, вышедши из корпуса с полным курсом классического учения и став наряду с обыкновенными офицерами, упадали под бременем учебным и, хватаясь в унынии духа за Бахусову чашу, исчезали прежде времени и для службы, и для света. Были и такие, которые, напитавшись свободой Рима и Афин, оставляли службу, сами не зная, для чего. Но если кому удавалось переломить себя и свыкнуться со шпагой, тот, исполнив обязанности мира существенного, переходил с новой бодростью духа в мир римский и греческий. В числе сих новых жильцов мира древности был Яков Петрович Кульнев. Услыша о его смерти, Сен-Женье пролил слезы и сказал: «В полках русских не стало героя человечества!» Итак, до последнего биения сердца своего Кульнев сохранил правила графа Ангальта, желавшего, чтобы все его питомцы были героями человечества и на поле битв, и на поприще гражданском.

Учение графа Ангальта можно назвать учением предварительным, которое, знакомя исподволь с различными предметами, не изнуряет способностей ума и сберегает полноту их к предлежащему учению. Деспотизм азиатский вреден и в делах человеческих, и в области учения.

Неуместное принуждение раздражает душу и нередко гасит и счастливейшие дарования. Нас в детстве с завязанными глазами вводят в область учения, оттого-то в ней детям и кажется все дико. Развяжите глаза ума, осветите пути, которыми ум должен идти, и питомец смело и радостно бросится в объятия наук. Так думал и действовал граф Федор Евтафьевич Ангальт. Воспитание, повторяю еще, называл он нежной матерью, которая, отдаляя тернии, ведет питомца своего по цветам.

Не теряя из вида и русского языка, гр. Ангальт пригласил и нашего актера Плавильщикова, который громким и ясным голосом читал нам оды и похвальные слова Ломоносова. При этих уроках граф всегда присутствовал. Кроме од Ломоносова Плавильщиков читал сам и рассуждение свое о тогдашней словесности, помещенное в «Зрителе» Крылова. С жаром говорил он о Ломоносове; «Россиаду» называл венцом русской словесности, а «Душеньку» Богдановича неувядаемым цветком нашего Парнаса. Это было давно, в прошедшем столетии, а каждый век налагает свою печать и на дела людей, и на перья писателей, и не оглядываясь идет вперед, чтобы в свою очередь затеряться в будущем веке.

Желая приучить нас к основательному чтению, из первого или высшего класса граф выбрал в 1793 г. для слушания логики несколько учеников, в число которых, не знаю почему, попал и я. Профессор логики был у нас Христиан Иванович Безак, человек благодушный и ученый. Выводы логические объяснял он выкладками или формулами алгебраическими.

Престарелый наш профессор, шутя сам над способом своего преподавания, говорил: «Не бойтесь моих крючков, они не так страшны, как крючки подьяческие. Моими крючками можно ловить мышей». Ретивое мое воображение никак не поддавалось на эти крючки. Я слушал рассеянно, в тетрадь ничего не записывал, и, засунув книгу под стол, читал украдкой то Дидерота, то Буффлера, то Вольтера, то Ж.-Ж. Руссо. Профессор знал это и, не сердясь на меня, почти каждый класс вызывал на словесный бой. Не ведаю, как предлагал я доводы свои, a priori или a posteriori; знаю только, что пылкая моя диалектика очень забавляла доброго профессора. Иногда спорили мы по получасу и более, и нередко открыто изъявлял я несогласие свое. Великодушный мой противник подлинно ли или в шутку уступал мне, приговаривая: «Вам надобно выдержать тридцать походов и тридцать сражений, а без этого у вас все будет в голове стихотворческий ветер». И почтенный профессор был прав. Ветреная моя голова чуть было не погубила меня еще в кадетском корпусе.

Офицером того отделения, в котором я был сержантом, был молодой человек, сын вышеупомянутого профессора логики. Он вместе со мной занимался описанием Петербурга, давно напечатанным и забытым. Мы были с ним приятели, но в неравенстве чинов и от малейшей искры может вспыхнуть пожар. И он вспыхнул от одного неосторожного слова. Летом обыкновенно стояли мы лагерем в саду, по три человека в палатке. Сержантскую кровать всегда ставили в средине. Пока разбивали лагерь, я забирал в библиотеке книги и с этим запасом беспечно бежал в сад, по привычке своей, подпрыгивая и напевая песню. Вдруг слышу голос одного из товарищей моих[21]: «Глинка, твою кровать поставили сбоку!» Вовсе не заботясь о почетности сержантской, я спросил у него: кто велел? Мой товарищ отвечал: «Безак». На это имя вырвалась у меня рифма, которой подчас величают и очень умных людей. Мой офицер-сотрудник был на беду в соседней палатке и в эту минуту забыл и нашу приязнь, и мою для него работу, выскочил и грозно вскричал: «Как ты смеешь меня бранить?» Я сказал очень хладнокровно: «Извините, я и не думал об этом, но мало ли что срывается с языка и что говорится заочно!» Слова мои разнес ветер, закипела сильная борьба, я выхватил у него шпагу, и что сделал я в запальчивости, право, и теперь не могу объяснить. На крик его сбежались офицеры и кадеты, запальчивость моя сделалась явной, и соперник мой поспешил с жалобой на меня к нашим начальникам. Сперва повели меня к нашему инспектору, майору Фромандье. Он приказывал мне просить прощения, я отвечал: «Умру, а не унижусь!» Отводят меня к полковнику Редингеру, кроткому и добрейшему человеку; и он убеждал меня, чтобы я просил прощения, но я отвечал по-прежнему. Около двух часов продолжались начальницкие увещания, но тщетно. Изречен приговор. Нашему трагику, Владиславу Александровичу Озерову, служившему в корпусе поручиком, приказано было вести меня в тюрьму, с замечанием не допускать меня отдаляться от стен корпуса, опасаясь, чтобы я в тревоге духа не бросился в Неву. Я шел и ни в чем не противоречил Озерову. Тюрьма была на верху высокого каменного здания, называемого jeu de paume (т. е. место игры в мяч). Озеров простился со мной и ушел. С шумом захлопнулась за ним дверь тюремная, звонко грянули болты железные. Затих шум шагов сторожа, и все смолкло.

Подвиг Катона, поразившего себя кинжалом, когда Юлий Цезарь сковал его цепями, кружился у меня в голове, я готов был раздробить ее об стену, но и в корпусе и вне его, я никогда не поникал под внезапными ударами судьбы, а быстро оправлялся и возвращался к привычной веселости моей. Не читал ли я в Ж.-Ж. Руссо, сказал я самому себе, что человек во всех случаях должен жить, как будто бы только что упал с облаков? Я здесь один, но мечты мои со мной. Я успокоился. У меня оставили чернильницу, перо и бумагу, предполагая, что я хотя письменно буду просить прощения. Вместо челобитной мне запало в голову послание к одному из моих товарищей. Вот начало:

Из горницы весьма чудесной,
О голых четырех стенах.
Невинный, где сидит и грешный,
Хочу писать к тебе в стихах;
О чем? Того еще не знаю,
А прежде музам поклонюсь, и проч.

---

[21] М. С. Щулепников.

Между тем опомнился мой соперник и в присутствии целого нашего возраста умолял графа Ангальта простить меня. Граф отвечал: «Теперь поздно! Говорящая стена, на которой я написал, что должно соблюдать законы и порядок, уличила бы меня, если б я потакал теперь упорному юноше, но и вы неправы. Сколько раз я говорил и для памяти поместил на стене: «Уважайте юношей; никто не знает, что из них выйдет»*. Вы признаетесь, что и вы разгорячились, это очень похвально; великодушие всегда готово извинять. Однажды шел я с прусским королем по Берлинской площади; на столбе прибит был пасквиль на короля. Он приказал мне прочитать его и, выслушав спокойно, сказал: «Пусть прибьют эту бумагу пониже, чтобы всякий мог ее читать». Вслед почти за нами приехал в Сансуси один из жителей берлинских с доносом на пасквиль. В этот день я был дежурным и пошел доложить о нем королю. Он отвечал: «Скажите этому господину, что Фридрих забывает то в Sans-Souci, что молва разглашает о нем в городе. Пусть он едет к себе, а я в своем уголке займусь чем-нибудь полезным для блага народного». «Будем подражать этому примеру,— прибавил граф,— в жизни много может случиться; но, любезные мои дети, кто забывает обиду и помнит добро, тот истинный герой!»

Чрез три дня со мной, неугомонным узником, начались переговоры и пересылки. Я упорствовал; мне угрожали, что отдадут в солдаты.

— А разве солдаты не люди,— возражал я,— да еще, может быть, и лучше нас!

Наконец, дней через десять посетил мою тюрьму Иван Алексеевич Цызырев. При входе его я лежал на голой скамье и читал Тита Ливия. От внезапного его посещения я вскочил и несколько смутился. Он, ласково подав мне руку, сказал, чтобы я сел, и сам сел подле меня. И. А. Цызырев был по корпусу старшим капитаном, а по армии полковником. Душа его отражалась в прекрасной наружности. В сердцах юношей есть живое чувство правоты: они по врожденному побуждению уважают высокую нравственность человека. Это чувство питали к нему кадеты. Его слова влетали в душу. Когда другие офицеры, унимая наше бушеванье, выбивались из сил, являлся Цызырев и говорил:

— Господа, как вам не стыдно!

Воцарялась тишина, и все приходило в порядок. Не принуждая меня просить прощения, И. А. Цызырев начал со мной разговор о необходимости повиновения.

— Если и палку поставят,— сказал он,— то, по обязанности службы, ей должно повиноваться.

— Позвольте мне этому не верить,— отвечал я,— палка будет молчать, и ссоры не будет, но вы знаете, впрочем, какого шуму

---

* Respectez la jeunesse, et ne vous précipitez pas la juger, soit en bien, soit en mal.

(см. «Говорящую стену», изданную в Москве. 1828 г.).

наделала та шляпа, перед которой безумец Геслер велел кланяться?

Цызырев улыбнулся и продолжал:

— Но признайтесь, что вы виноваты пред Фромандье и пред почтенным директором Редингером в том, что отвергли дружеские их увещания.

— Признаюсь,— отвечал я,— в этом я чрезвычайно виноват. Я привык быть благодарным и за ласковое слово, и за ласковый взгляд, а при этом случае я до того онемел в исступлении, что не внимал и душевному убеждению.

— Припомните,— прибавил И. А. Цызырев,— припомните, что когда второй раз батюшка ваш приезжал в корпус граф Ангальт сказал ему: «Когда глава ваша покроется сединами, сын ваш будет вам утешением». Что скажет отец, что скажет добрая ваша мать, когда услышат о горестной вашей судьбе? Они не перенесут такого удара!

Слезы лились из глаз ручьями; я долго плакал и не мог промолвить ни слова; наконец сказал:

— Я готов написать к графу Ангальту письмо; но, говоря откровенно, я ни за что не изменю совести, а потому буду писать только в духе христианства.

Цызырев с радостью согласился на это, и я написал следующее письмо по-французски: «Блудный сын в порыве своеволия оставил родительский дом и на чужбине растратил все имущество свое. Но, веря нежности сердца отцовского, он возвратился к нему. Издали увидя преступника-сына, отец устремился к нему с распростертыми объятиями и прижал его к сердцу своему. Юный сын воскликнул: «Я согрешил пред небом и пред тобой. Я недостоин имени твоего сына». И вы, ваше сиятельство, и вы, нежный отец кадет, прострите ко мне объятия отца евангельского; а я — устремлюсь в них с умилением евангельского сына».

На другой день пришел за мной в тюрьму В. А. Озеров. В саду пред лагерем выстроен был кареем весь наш возраст, т. е. до ста двадцати кадет. Граф и все начальники стояли в средине. Озеров ввел меня туда и громко с чувством прочитал мое письмо. Слезы брызнули у меня из глаз. Граф обнял меня и с прежней нежностью назвал своим сыном, своим другом.

Промчалась туча, и прошедшее кануло в бездну забвения. Прошло более пятидесяти лет, но этот случай, может быть, навсегда решивший мою судьбу, все еще живет в моем сердце.

Была у нас и собственная кадетская борьба мнений; и на нашем тесном небосклоне отражался дух XVIII столетия: были у нас и свои материалисты, и спиритуалисты. Я был в числе последних. Вождем первых был Г. А. Галахов. Страстно любил он Омира и Тацита, но Гельвеций был его законодателем. Сильно защищал он систему его вещественных ощущений, а я возражал, что побуждения нравственности и добродетели не могут быть окованы ощущениями вещественными. Сам Гельвеций говорил: «Я делами опровергнул могильную свою систему. Он был нежным другом и защитником человечества. Служа в молодости по соляному откупу и слыша ропот утесняемых покупателей, не он ли в порыве благородного негодования сказал:

«Убейте, убейте меня! Может быть, это уймет других от хищного разбоя!»

Жаркие наши споры иногда оканчивались ручной схваткой. Борьба везде борьба. Сопротивника моих юношеских мнений нет уже на свете. В чине майора отправился он в Корфу и своим каре отразил оттоманскую конницу. Он, верно, не думал тогда о Гельвеции. Забыли его теперь и во Франции. «Tous les systèmes ont régné, et tous les systèmes sont morts»,* говорят французы.

В это самое время собиралось нас человек шесть для книжной спекуляции, или оборота. Мы затеяли скропать «Новый Жилблаз»; и, окончив две части, отправили мы их мимо нашего начальства к тогдашнему цензору-полицеймейстеру Жандру, а он препроводил книжную попытку нашу к директору нашему, Редингеру, добрейшему и честнейшему человеку. Нас пожурили, погоняли, а «Новый Жилблаз» пошел в огонь. Не сооружайте костров инквизиционных на вздор: для него есть печки, очаги и камельки.

Раболепное благоговение к французскому театру внушал нам Аллер, учитель французской риторики. Высокопарным слогом своим он провозглашал нам:

«Корнель владычествует на небесах, Расин на земле, а Кребильон в областях преисподних». Вольтеру в этом разделении не было уголка, ибо он, вопреки чугунным узаконениям школьного Батте, осмелился пленять сердца Заирой и Альзирой.

Аллер до звания учителя риторики был французским адвокатом. Когда он чересчур раздобарствовал, граф Ангальт говорил ему шутя:

— Avocat, taisez vous!**

При этом возгласе малорослый Аллер приосанился и с театральной напыщенностью возглашал:

— «Non, quand un avocat parle, il faut que l'auditoire l'écoute. C'est la règle***.

Граф улыбался и молчал.

Хотя наш адвокат-ритор и не открыл Ньютоновой системы, но подобно ему носил летом и зимой одинаковую одежду — то было полукафтанье, подбитое мехом, и с широкими карманами по обеим сторонам. В жару самодовольствия ударяя по карманам, он говорил:

---

* Все системы господствовали, все системы мертвы» (фр.— *Ред.*).

** Г. стряпчий, молчите! (фр.— *Ред.*).

*** Нет, когда стряпчий говорит, тогда слушатели должны ему внимать. Это правило (фр.— *Ред.*).

— У меня в карманах вся французская словесность.

Аллер читал нам «Ифигению» и «Федру», а Плавильщиков, окончив с нами Ломоносова, читал трагедии Княжнина и Сумарокова и все вышедшие тогда стихотворения Державина. Когда звучным голосом прочел нам «Вельможу», где сказано:

Всяк думает, что я Чупятов
В Марокских лентах и звездах,

мы спросили у него: да кто же этот Чупятов? Он отвечал:

— Говорят, что Чупятов был некогда богатым купцом, торговал за морем, но одна сильная буря лишила его состояния и затмила его ум. Не могу сказать, торговал ли он с Африкой, но в помешательстве рассудка ему мечтается, что им пленилась Марокская принцесса, и он горит к ней взаимной страстью, и что в награду за его постоянство она присылает те почетные знаки, о которых упоминает Державин. Я познакомлю его с вами.

Плавильщиков сдержал слово, и на другой день, часу в шестом вечера, пришел к нам в сад с марокским кавалером. Я смотрел на Чупятова с большим вниманием. Он был высокого роста, во французском кафтане и с мишурными знаками отличия. Лицо его было здоровое и свежее, хотя и проглядывала в выражении какая-то грусть. Более всего удивляла меня его скромность; он шел тихо и так вежливо нам кланялся, что мы от доброго сердца и без всякой улыбки платили ему взаимным поклоном.

К особенным нашим занятиям с графом Ангальтом принадлежало чтение военных записок и жизни древних и новых полководцев. Этим предметом занимался с нами Ф. Ф. Сакен, бывший потом фельдмаршалом.

ГЛАВА IX

Охлаждение Екатерины к графу Ангальту.— Последние дни графа.— Его погребение.— Благотворительность графа.— Захаров.— Письмо Ангальта к Румянцеву.— Заботливость графа Ангальта о кадетах.— Мысли его о смерти.— Питомцы графа.— Монахин.— Толь.— Память об Ангальте.— Поступок Редингера.— М. И. Кутузов.— Прием, сделанный ему в корпусе.— Моя речь и ответ на нее.

«Переменяются обстоятельства, а вместе с ними переменяются иногда и люди; в превратности света трудно сохранять непоколебимость душевную; но кто утвердил деяния свои на совести, тот не отдаст их на произвол легкомысленного мнения: нравственную жизнь свою ставит он выше всего земного.»

Так говорил граф Ангальт и никогда не изменял этому правилу. Месяца за три до кончины своей подвергся он какой-то опале при дворе, где никогда он не был уклончивым царедворцем. Вместе с охлаждением Екатерины все к нему переменилось, но он оставался всегда тем же, чем и прежде: ревностно исполнял свою генерал-адъютантскую должность, ни от кого из придворных не допытывался об этой перемене, а к нам был еще приветливее и, чувствуя изнеможение сил своих, он как будто хотел, чтобы в кругу нашем пресеклось последнее биение его сердца. В половине 1794 г. скончался граф Федор Евстафьевич Ангальт. За два дня до смерти он медленными шагами обходил сад и с отеческим вниманием беседовал с нами о «Говорящей стене», и последним приветом его было не прощание, а надежда на скорое свидание.

— Слабеет тело мое,— сказал он,— но не душа. Вы, мои любезные дети и друзья, всегда были в ней, и она никогда не расстанется с вами.

Мы не знали, что это было последнее прощание с нами его отцовской любви. Бледностью было подернуто лицо его, но в глазах светилась приветливость подобно лучам солнечным, безмятежно угасающим на западном небе.

Граф не призывал ни корпусных, ни посторонних врачей. Ни жизнию, ни смертию своей он не хотел никого беспокоить. Но каким мы были поражены ударом, когда директор наш, К. Ф. Редингер, заливаясь слезами, сказал:

— Общего нашего отца нет. Граф Ангальт умер!

Целый корпус готов был двинуться к гробу его. Около семи лет был он начальником и никого не огорчил ни делом, ни словом; кроткие выговоры его были отцовскими наставлениями. Из старшего нашего возраста назначили 20 человек в дом покойного графа. В числе их был и я[22]. Умилительное зрелище представилось глазам нашим в простой комнате, где стоял гроб его. В предсмертный час свой он поручил, чтобы все было как можно проще. Гроб не был окружен никакой выставкой знаков почетных, но тут были уже и непрестанно приходили вдовы, сироты и люди разных состояний; с рыданьями их раздавались восклицания: «Отец наш, благодетель наш! Кто будет без тебя нашим кормильцем?» У гроба только его открылась тайна неистощимых его благодеяний. При вступлении в корпус графа Ангальта императрица подарила ему серебряный столовый прибор. У него пиров не было, и никто не знал, куда исчез этот подарок. Тут узнали от его камердинера, что граф его продал, и что полученные за него деньги и часть своего жалованья употреблял он для вспоможения нуждающимся. При жизни своей, рассуждая с нами о различных свойствах человеческих, он говорил:

— Любезные дети и друзья! Есть чудные люди, которые, имея все, не делают добра ни себе, ни другим; и только смерть вырывает у них то, чем не умели делиться, пока были на свете. Скупость наполняла их сундуки, а сердца их были пусты. Будем де-

---

[22] Вариант: «К телу его был назначен поручик В. А. Озеров и двенадцать человек кадет, в числе которых был и я. Около полудня пришли мы в бывший дом графа Г. Г. Орлова, где жил граф Ангальт и умер на простой постели».

лать добро, пока мы живем, и, доставляя отраду другим, мы будем чувствовать в сердце нашем еще лучшую награду.

Так и поступал граф Ангальт. Поутру, до отъезда своего в корпус, он каждый день приказывал своему камердинеру справляться о всех бедных и больных той части, где он жил, а вечером посылал к ним пособия от неизвестного. Мы плакали при этом рассказе, и трагик наш В. А. Озеров, бывший с нами дежурным при гробе, тут же написал в память графа французские стихи, помещенные покойным цензором П. А. Корсаковым в первой книжке «Маяка».

Зало, где мелькали остатки великолепия, отворилось в первый раз и приняло гроб графа Ангальта. А при прежнем его хозяине, графе Г. Г. Орлове, какое тут было стечение и вельмож, и людей чиновных!

Но тут можно припомнить, что отсюда и граф Орлов отправился в Москву не на радостные дни, но когда зараза угрожала там повсеместной смертью. И где укрыться от неизбежного предела? Жизнь исчезает, добро остается, и оно привело к гробу покойного графа Ангальта страдальцев, и в их сердцах он жил и будет жить своими благодеяниями.

Из посторонних был у гроба с семейством только Захаров, переводчик книги под заглавием: «Советы военного человека, отца — сыну, посвященные графу Ангальту». Но и он не был для него чужим человеком: Захаров был учителем графа русского языка. Вместе с ним пошли мы в кабинет графа, служивший для него и спальней. На письменном столике на одной стороне лежали три евангелия: славянское, французское и немецкое и русские пословицы; на другой — поэтическая практика Фридриха II и «Генриада», из которых граф доставлял нам выписки. Скромный Захаров говорил нам, что он учил и учился вместе с ним, читая славянское евангелие и сравнивая его с переводами.

— Граф,— говорил он,— очень любил русские пословицы и называл их указателями русского народного духа.

Тут же Захаров рассказал нам, что граф каждый год к Рождеству и к Светлому Воскресению поручал ему выкупать по нескольку человек, содержавшихся в остроге за долги.

— И мне,— прибавил он,— оставил граф незабвенный памятник: он подарил мне золотую табакерку со своим портретом, нарисованным вашим товарищем, кадетом Дербуном. Вызывались и академики писать его портрет, но он говорил:

— Кисть сына лучше других изобразит лицо и душу своего отца.

Узнали мы также от Захарова, что почти накануне своей смерти граф писал к П. А. Румянцеву письмо. Оно не было еще запечатано, и вот его перевод: «При вступлении моем в начальники кадетского корпуса, где вы, любезный друг, были старинным кадетом, я писал к вам, что желал бы иметь при себе какого-нибудь заслуженного солдата из числа тех, которые были с вами в походах и живут у вас в деревне. Вы удовлетворили мою просьбу, и присланный вами сержант, возвратясь к вам, скажет, что до последнего дня моей жизни мы вспоминали и ваши походы, и вашу славу. Он и вам и мне был предан душой, и я любил простую русскую его речь и рассказы о ваших подвигах. Час от часу более чувствую изнеможение телесных сил моих, но живо еще воображаю то время, когда в молодости своей вы были у нас, в Берлине, и с таким жаром читали, в присутствии короля, отрывки из тактики его. Давно это было! Я умираю, а вы долго еще живите и для отечества, и для примера детям моим, кадетам, а вашим внукам. С первого шага моего в корпусе я познакомил их с вашей славой и с вашими подвигами. Любите их моей любовью».

Товарищи мои сменялись, а я до самого погребения оставался у гроба покойного графа. Час от часу более стекались туда бедняки, которым помогал он при жизни своей. Он делал добро тайно, но сердце страдальцев угадывает своих благотворителей. Они узнали, что их помощником был тот, чья карета летела в корпус тогда, когда ни одни дрожки не показывались на улицах. Бывают мгновенные порывы любви и внимания, а у графа Ангальта это было чувство постоянное, он им жил и жил для кадет. Каждое утро, каждый день после обеда он спешил к нам с какой-нибудь выпиской, с подарками книг или с новым открытием в области наук. Помню и теперь, с каким удовольствием известил он нас, что наконец научились смягчать морскую воду, и с каким чувством он прибавил:

— Как бы счастливы были люди, если бы научились смягчать все то, что огорчает человечество.

И у этого человека, когда затуманился его жребий, не было у гроба ни одного временного любимца счастья. Но он знал свет и, передавая нам свой опыт, написал на «говорящей стене»: «Перелетные птицы торопятся туда, где блеснет луч весны, и спешат оттуда, где повеет зимний холод. Солнечные часы светятся в ясный день, меркнут вместе с ним. Вот, мои любезные дети, образ ложных друзей. Все переменяется, кроме совести. Берегите это сокровище, и оно будет вашей отрадой во всех обстоятельствах вашей жизни».

Упомянуто уже было, что граф был и начальником корпуса, и генерал-адъютантом. Не знаю, отчего за несколько месяцев до кончины своей впал он в глубокую опалу при дворе. Один только раз в продолжение семи месяцев, при разговоре о семилетней войне, императрица внимательно к нему обратилась с вопросом:

— Граф! Так ли это было?

Общая любовь петербургских жителей, несмотря на опалу его при дворе, провожала его в могилу. Улицы, по которым везли на Волково поле тело графа Ангальта, затеснялись народом. Кровли усеяны были зрителями; повсюду раздавались восклицания: «Он был отцом кадет!», а бедные семейства, провожавшие его, прибавляли: «Он был и нашим отцом!»

По отеческой любви своей к кадетам граф желал, чтобы и прах его покоился в саду кадетского корпуса. В средине, пред кадетским лагерем врыта была мраморная доска с надписью, кто под ней лежит.

Вот что об этом говорил граф:

— Я по двум причинам поместил надгробный свой камень в саду кадетском. Во-первых, по праводушию, во-вторых, по обязанности. По праводушию в изъявление привязанности моей к ним, оставаясь и после смерти с ними, или родственниками их, или с их детьми; по обязанности — чтобы примером моим, так сказать, сроднить их с последним явлением жизни человеческой. Ибо, поверьте мне, мои юные и любезные друзья! Страх смерти есть страх пустой, бесполезный и ничтожный, страх, свойственный людям робким и слабоумным и приковавший свой ум к одному праху земному. «Любезные дети! Вот четвероугольник, где поместится мой прах. Около него плющ и незабудки с надписью: не забудь меня! К ним привьются мирты, гирлянды цветов. Мирта,— эмблема мертвой природы, плющ — приязни, он льнет и обвивается, незабудки — душа этой картины; листья плющевые — чувств погребаемого. Мирта — окончательное действие картины». На другой день после великолепных похорон графа Брюса граф Ангальт сказал нам: «Меня будут погребать не так пышно; кадеты попросят своих кроликов подрыться под мой надгробный камень, а старшие сержанты положат меня под него, и дело будет в шляпе. «Cela va fort bien, la montagne est passée!»*.

В XVIII столетии уверяли, что воспитание не достигло своей цели оттого, что в училище надобно забывать занятое в свете, а в свете отбрасывать приобретенное в училище. Но учение графа Ангальта развивалось в понятиях его питомцев на всех путях жизни. Не упомяну здесь о тех кадетах, которые так рано исчезли 1799 года в войне, кипевшей в Швеции, Италии и Голландии. С 1812 года особенно известны стали: Монахтин, Толь (впоследствии граф) и Полетика. Первый, управляя штабом корпуса Дохтурова, вывел наши полки, со всех сторон непрестанно тревожимые неприятелем, и на военном совете под Смоленском в числе трех голосов был и его голос. Толь был дежурным полковником при Кутузове, а Полетика в Лондоне, напечатав на английском языке статью о тогдашнем состоянии России, был послом в области Северной Америки; речь, произнесенная им там, была напечатана в заграничных ведомостях. Монахтин пал жертвой Бородинской битвы в чине генерала. Ум его был обогащен глубокими познаниями, и он удивлял природных германцев и французов знанием их языков. По окончании заграничной войны 1815 года французские историки называли Толя первым русским тактиком. Отчего им так казалось, не разбираю этого. Скажу только, что ни Монахтин, ни Толь, ни Полетика не занимали ни в одном из корпусных классов первых мест. В последний год жизни графа Ангальта шесть кадет награждены были звездами; они не были в числе их, а я был; впрочем, они получили потом звезды на служ-

---

* «Дело идет прекрасно, гора преодолена» (фр.— *Ред.*).

бе, но я их не домогался заслужить; моя звезда блеснула и померкла в стенах корпуса. Но две памяти о графе Ангальте живут и теперь в душе моей: сердечная память о любви его к нам и умственная память, укрепленная его руководством и до сих пор еще помогающая мне в соображении моих мыслей. Он спас мою пылкую юность и в этом деле был единственным моим наставником. В вышеприведенной надписи моей к портрету незабвенного графа Ангальта я сказал, что для других он был Титом, а для себя Катоном. Захаров, прочитав мою надпись, возразил: «Граф Ангальт был счастливее Тита: император римский с горестью признавался, что он потерял один день, не сделав добра, а в жизни графа и каждый час, и каждый день посвящен был добру». Наш директор, полковник Редингер, вполне делил с нами скорбь о потере нашего отца и по движению собственного своего сердца сохранял его правила. Однажды при мне явился к нему богатый отец одного из наших кадет (имя его скрываю) с низким поклоном и, робкой рукой подавая ему сверток, сказал: «Тут пятьсот рублей».— «Вы,— возразил Редингер,— конечно, назначили это для того, чтобы показать сыну вашему, как должно употреблять излишние деньги». Товарищ мой был тотчас призван, и директор сказал ему: «Вот, мой друг, батюшка твой дарит тебе пятьсот рублей на добрые дела, и мы исполним его желание. На триста рублей в память графа Ангальта мы выкупим из острога несколько человек, а двести рублей доставим в городскую больницу». С этими деньгами отправлен был офицер, которому поручено было взять расписку из острога и больницы. Богач краснел и не знал, что говорить; сын, ничего не зная, от доброго сердца целовал его руки, а я в восторге сказал Редингеру: «Вы оживляете графа Ангальта чувствительностью и делами вашими!» Офицер возвратился. Расписки отданы были отцу; товарищ мой, простясь с отцом, вышел вместе со мной, повторяя одно из любимых изречений графа Ангальта:

Le bien que l'on a fait la veille,
Fait le bonheur du lendemain*.

«Я счастлив сегодня,— говорил он мне,— счастлив буду завтра и всегда напоминанием об этом дне».

Неизвестность и ожидание всегда волнуют умы. Долго допытывались мы и наконец узнали, что к нам назначен начальником Михаил Илларионович Кутузов. Мы уже слышали о его чудесных ранах, о его подвигах под Измаилом, о его быстром движении за Дунаем на высотах Мачинских, которое решило победу и было первым шагом к заключению мира с Портой Оттоманской в исходе 1791 года. В половине 1794 года был он чрезвычайным послом в Константинополь, где ловкой политикой возбудил общее внимание послов европейских, а остроумием своим развеселял важный

* Добро, сделанное накануне, принесет завтра счастье (фр.— *Ред.*).

диван и султана. В блестящих лаврах вступил он к нам в корпус, и тут встретило его новое торжество, как будто нарочно приготовленное для него рукой графа Ангальта. Вошед в нашу залу, Кутузов остановился там, где была высокая статуя Марса, по одну сторону которой, как уже выше было сказано, начертана была выписка из тактики Фридриха II: «Будь в стане Фабием, а в поле Ганнибалом», а по другую сторону стоял бюст Юлия Кесаря. Если бы какая-нибудь волшебная сила вскрыла тогда звезду будущего, тот тут представилась бы живая летопись всех военных событий 1812 года. Но тогда в нашей великой России никто об этом не думал; все в ней пировало и ликовало, только мы были в унынии. Кутузов молча стоял пред Марсом, и я чрез ряды моих товарищей подошел к нему и сказал: «Ваше высокопревосходительство! В лице графа Ангальта мы лишились нашего нежного отца, но мы надеемся, что и вы с отеческим чувством примете нас к своему сердцу. Душа и мысль графа Ангальта жила для нас, и благодарность запечатлела в душах наших любовь его к нам. На полях битв слава увенчала вас лаврами, а здесь любовь ваша к нам будет одушевлять нас такой же признательностью, какую питали мы и к прежнему нашему отцу». Когда я кончил, Кутузов, окинув нас грозным взглядом, возразил:

— Граф Ангальт обходился с вами, как с детьми, а я буду обходиться с вами, как с солдатами.

Мертвое молчание было единственным на это ответом. Он понял, что мы догадались, что слова его были посторонним внушением.

ГЛАВА X

Политические события.— Недоверие Екатерины к гр. Ангальту.— Француз Паш.— Марсельеза.— Дух времени.— Оправдание гр. Ангальта от взводимых на него обвинений.— Его питомцы.— Образ жизни кадет при гр. Ангальте.— Почитатели графа.— Деятельность его питомцев.— Наставления графа Ангальта.— Памятник ему.— Кутузов.— Буйство кадет.— Спасение Толя.— Мое стихотворение.— Экзамены.— Русское сочинение.— Предсказание Кутузова.— Отношение его к кадетам.— Преждевременный выпуск.— Толь.— Речь Кутузова.— Мой ответ по тактике.— Л. А. Нарышкин.— Песнь Великой Екатерине.— Приемная временщика.— Отзыв Державина о моих стихах.— Совет Л. А. Нарышкина.

Было время испытания для всех и для всего. С одной стороны, буря революции шумела во Франции, а с другой — запылала война в Польше от тщеславного порыва нового временщика! Для взволнованных страстей нет ни уроков истории, ни опыта, тут нужен светильник истины. Но где его взять среди кружения наших обществ? Усомнилась и Екатерина в учении графа Ангальта: ей показалось, что он какое-то необыкновенное направление дает умам нашим. А я по совести скажу, что он даже никогда не произносил слово «революция». Он предлагал нам тогдашние напечатанные известия в виде только современной истории. «L'ignorance de ce qui est, entraine l'esprit dans les ténèbres»,* — говорил он.

Между тем какая-то невидимая рука в нашей зале с окон и столов отбирала книги и газеты и снимала со стен все собственноручные памятники графа Ангальта. Постепенно исчезли со стен нашего сада и надписи, и эмблемы, и изображение систем Тихобрага, Птоломея и Коперника; вместе с ними отживали и пирамиды, и стены Вавилонские, и все чудеса древнего мира. И в стенах залы, и в саду все для нас переменилось, кроме напоминания о том человеке, который в тесные пределы корпуса отцовски старался переселить все то, что непрерывный ряд веков передавал мысли человеческой. Не стало у нас ни французских журналов и никаких заграничных газет, но в это время вступил учителем французского языка в младший возраст швейцарец Паш. Моя французская болтливость скоро меня с ним познакомила. Не знаю, родственник ли он того Паша, который был в числе республиканских министров и завлек умных, но опрометчивых жирондистов сперва в сети свои, а потом на гильотину. Упомяну только, что он передавал мне вести о Французской революции и что от него получил я Марсельезу, которую тогда перевел; в необычайное время не люди — воздух высказывает события. Опустела учебная область графа Ангальта; Кутузов переселился в корпус, но жил в нем невидимкой. Это было в исходе тринадцатого года бытности нашей в корпусе. Мы чувствовали, что нам настало время отворить из него ворота. Так и сбылось. И потому предложу несколько слов о предубеждении, которое и до сих пор еще существует, насчет хода учения при графе Ангальте. Полагают, будто бы оно поселяло в умы наши какую-то изнеженность, отвращавшую от работ и трудов обыкновенной службы[23]. Отвечаю, на это примерами и начну с моих товарищей, а потом с кадет старших возрастов, вышедших из корпуса при графе Ангальте. Покойный граф Толь дослужился до всех военных почестей, кроме фельдмаршала; сенатор Полетика достиг также всех почестей и продолжает службу. П. П. Турчанинов служил постоянно и умер генерал-лейтенантом. М. С. Щулепников служил в гражданской службе, но участвовал в Бородинской битве и от полученной там раны умер. А. А. Писарев известен по военной части и продолжает службу в звании сенатора. А. Х. Востоков занимается постоянно словесностью и исследованием отечественных древностей. Н. В. Арсеньев проходил поприще военной и гражданской службы и учредил дом для лишенных ума, заслуживающий внимания всех приезжающих в Петербург иностранцев. 1846 года праздновал был в корпусе пятидесятилетний юбилей полковника Севербрика, который постоянно занимался фехтовальным искусством и в чертогах царских, и в корпусе, и в других учебных заведениях;

---

* «Незнание существующего увлекает ум в потемки» (фр.— *Ред.*).

[23] См. 2-ю книжку «Москвитянина» 1846 года.

он некогда в борьбе на рапирах победил Поликучи, который уступал в этом искусстве одному только И. С. Горголли. Обращаюсь к кадетам старших возрастов: 1799 года много было из них генералов в Италии с Суворовым; и он послал к императору Павлу с известием о первых своих победах полковника Кушникова, вышедшего из корпуса при графе Ангальте, и писал к графу Ростопчину: «Кушников все знает, пером напишет, карандашом нарисует, циркулем измерит мои шаги. Он всему научился в корпусе. Ура!» Несмотря на огромное состояние, приобретенное им по женитьбе, он умер на службе александровским кавалером. Товарищи Кушникова, Салтыков и Меркулов служат сенаторами в московских департаментах. Упомянул я, что трагик наш, Озеров, умер прежде времени и в припадке уныния бросил в огонь последнюю свою трагедию — «Медею». Поэзия нераздельна с чувствительностью: Расин умер от косого взгляда Людовика XIV, а Мильтон, гонимый Карлом II, не упадал духом. Но все это не зависит от воспитания. Полагают также, будто бы при графе Ангальте была в корпусе какая-то затворническая жизнь[24]. Не говоря о том, что у нас был и свой театр, и карусель, и что граф Ангальт приглашал тогдашних виртуозов: Хандошкина, Жерновика и других, чтобы увеселять нас концертами, скажу, что мы посещали и общественные театры и концерты, и в праздники выезжали в город к нашим знакомым. Но что можно было занять тогда в большом свете, где женщины забавлялись рулеткой, где около них кривлялись петиметры и где были и пожилые люди, которые не понимали ни Спинозы, ни Ламетри, ни Вольтера, щеголяли пустым вольнодумством. А я в это время читал в корпусе, что в той же Франции, где восставали и против Бога, и против бессмертия души пред лицом целого народа и пред лицом неба, призывали Высшее Существо и говорили: нам нужны правота и добродетель. При жизни графа Ангальта были порицатели его учения, но были и достойные ценители его. Князь Н. В. Репнин препоручил двух своих родных внуков Фогелю, преподававшему нам историю на французском языке, с тем чтобы они пользовались наставлениями графа Ангальта. Вслед за этим явился граф М. Ф. Каменский с двумя своими сыновьями и сказал графу Ангальту: «Вы пролагаете юношам вашим путь к славе и трудам; вы и в стенах кадетского корпуса продолжаете те подвиги, которыми увековечили имя ваше в борьбе вашего короля с саксонцами; шпагою своею вы пожинали лавры, а человеколюбием привлекли сердца. Примите и моих сыновей под свое руководство». Обратясь к сыновьям, прибавил: «Поцелуйте руку, которая всегда миловала побежденных неприятелей!» Граф обнял их, и они часто вместе с нами обходили садовую нашу стену и слушали отеческие его уроки. Князь Репнин и граф Каменский были первыми старинными кадетами; стало быть, они умели и могли ценить все переходы корпусного воспитания. Наконец, предполагают также, что юные кадеты

[24] См.: «Москвитянин» 1846 года.

по причине изнеженной мысли сделались неспособными к трудам службы, спешили на покой в свои поместья. Но и это было бы небесполезно. Кто воспитан любовью и вниманием, чье сердце не окаменело от роскоши и тщеславия, тот будет и там полезен. В начале 1796 года воспоследовала война с Персией, и некоторые из моих товарищей были в этом походе. В исходе того же года, при вступлении на престол императора Павла, так называемые матушкины сынки, в колыбели записанные в гвардию и жившие тунеядцами в поместьях своих отцов, потребованы были на действительную службу, от которой некогда было уже отбиваться кадетам. В архаровском полку, в восьми батальонах, многие из моих товарищей были моими сослуживцами. 1799 года происходили военные действия русских в Италии, в Швейцарии, в Голландии и на прибрежных островах Англии. Сколько же кадет трех последних выпусков графа Ангальта исчезло в этой обширной войне! 1805 года русские войска спешили на помощь австрийцам. И тут были мои товарищи. В конце 1806 года русские ополчились за Пруссию; в то время составилось 600000 земских войск, куда поступили и пожилые кадеты. 1807 года продолжались две войны: в Пруссии и в Турции. 1808 года к войне с Портой Оттоманской присоединилась война со Швецией и продолжалась до исхода 1809 г. От 1810 до половины 1812 года, когда полки Наполеона двигались уже во внутренность России, мор остановил действия русских в Турции. Сколько было под знаменами войны отечественной кадет, близких к выпускам графа Ангальта; участвовали они в трехлетней заграничной войне. Из этого очерка военных годов видно, что тогда ни в России, ни в Европе некогда было нежиться на розах. Некоторые из товарищей моих после общего мира служили в канцелярии вдовствующей императрицы. Следственно, кадеты графа Ангальта способны были и к письменным занятиям. И граф оставил воспитанникам своим душевные и бессмертные наставления, как быть полезным отечеству и человечеству.

Вот подлинник и перевод их:

«Mes chers enfants, mes amis, mes compagnons! Il y a de grandes ressources dans le coeur de l'homme»*.

«Nous ne voyons ordinairement que quelques détails et non pas le tout. Soyons donc modestes et réservés dans nos jugements»**.

«Le jour viendra, mes chers amis, oui, il viendra, que vous dever ordonner; alors, je vous en prie, avec un maintien tranquille et doux, et d'un ton ferme et assuré; tout cela agit plus qu'on ne pense sur l'âme de celui qui obéit. Point de coléré, point d'emportement, sans orgueil, sans arrogance, et n'humiliez point — car cela

* Много жизни в сердце человека.

** (Мы видим только некоторые подробности, но не все. А потому будем скромны и осторожны в наших суждениях).

révolte. N'oubliez pas, mes bons enfants, ce qu'on vous dit, c'est un ami véritable et sincère qui s'entretient avec vous»*.

Вот памятник графа Ангальта, другого не ищите. На Волковом поле прах его скрыт под тем камнем, под которым он хотел покоиться в стенах корпуса, а подле этого смиренного памятника возносится великолепный камень немецкому столяру.

Предпринимали подписку на памятник, но она не состоялась. Граф Ангальт подавал руку каждому русскому человеку, но не уступал ни шагу временной спеси. Верил ли Кутузов молве о графе и о корпусе, не знаю. Но он был вполне светским человеком и в этом резкой чертой отличался от Суворова. Отделяясь от света, Суворов, как будто опасаясь, чтобы слава его подвигов не затмилась, набивался с письмами ко всем значащим своим современникам. Кто чего-нибудь ищет и домогается, тот не хочет быть забытым. «Не покажись раза три в театре,— говорил Наполеон после первой войны в Италии,— и слава твоя расстелется дымом». Кутузов не вел переписки, но ввиду общества действовал своим лицом, кланялся и уклонялся, выжидал и не упускал выжданного, оттерпливался и после сумрачных дней выходил блистательнее.

В корпус вступил он во всем сиянии славы своей. Он жил в стенах корпуса, но не с нами. Незадолго до своей кончины граф Ангальт подарил мне полное издание Плутарха Амиотова перевода. Замечу здесь, что все то, что граф нам дарил, и все, что было в нашей увеселительной зале, он покупал на собственное иждивение и сверх того доставлял всевозможные льготы корпусным учителям. Граф Ангальт был мот и расточитель на добрые дела.

Беспечная веселость моя исчезла. Уныло бродя по саду, я то перечитывал изречения нашей стены, то читал «Юнговы ночи» Лаво, то проливал слезы вместе с Доддом, читая его размышления в темнице. Додд был духовник и наставник графа Честерфильда. В отсутствие своего воспитанника, увлекаясь благотворением, он составил доверенность за ложной подписью для получения из банка около 100000 рублей на наши деньги. Подлог открылся. Додд был взят под суд; были неопровержимые доказательства, что деньги разошлись по рукам бедных, сам граф ревностно за него ходатайствовал, но по английским законам был он казнен.

В это же почти время и в силу тех же законов адмирала Биха расстреляли за то, что противные ветры вырвали из рук его победу. Такие ветры бушуют часто и на твердой земле. После графа Ангальта забушевали у нас человек шесть силачей: они задирали и обижали слабых, в числе которых был и Толь. Однажды забияки условились потешиться над ним. Для меня тогда была един-

---

* (Наступит день, любезные друзья, когда вы должны будете повелевать; тогда, прошу вас, повелевайте с видом безмятежным и кротким, голосом твердым и спокойным; все это сильнее, нежели предполагают, действует на душу подчиненных. Не увлекайтесь ни гневом, ни пылкостью, ни гордостью и никогда не унижайтесь, ибо это возмущает душу. Не забывайте, мои добрые дети, не забывайте моих слов. С вами беседует искренний и истинный друг).

ственная отрада отстаивать тех, кому грозила беда. Я присоветовал Толю спрятаться, а сам не пошел ужинать, занялся переводом мессинских элегий из «Анахарзиса» Бартелеми. Не отыскав Толя, забияки налетели на меня и кричали: «Ты его запрятал, где он?» — «На что он вам,— возразил я,— и долго ли вы еще будете тешить свои кулаки?» Вместо ответа кулаки застучали на моей голове, кровь хлынула у меня из носа. Я хотел выскочить в окно и стеклами изранил себе правую руку. На ней и теперь еще остались эти следы. Мой товарищ Толь в чинах и почестях забыл об этом. Да я ему ни о чем не докучал, потому что никогда не искал милостивого внимания важных лиц. Дело кончилось тем, что я за разбитое стекло и за шум был посажен на сутки в карцер.

Скажу по совести, что из всех моих товарищей один только я был мечтателем, и что часто воображение заполняло все способности моего ума. Увлекаясь порывом воображения, я сочинил стихи на тогдашние военные действия республиканского оружия, прибавя к тому и мысли мои о новой нашей борьбе в Польше. Трагик Озеров, все еще служивший в корпусе, показал мои стихи Державину, и лирик наш поручил ему сказать мне, чтобы я не давал волю воображению. Но в этом подействовал не он. Незадолго пред тем отец мой писал ко мне, что желает, чтобы я поступил в артиллерию, где служил наш родственник. Я отвечал, что всем наукам нельзя выучиться, что гнавшись за двумя зайцами — ни одного не поймаешь, и я к артиллерийской службе не способен.

В ответ отец мой писал, что до него дошел слух, будто я сочиняю стихи и советовал мне в изъявление благодарности за оказанные нам благодеяния написать послание к императрице, прибавляя, что об этом уже отнесся к Л. А. Нарышкину, и что он обещал довести мои стихи до сведения императрицы. Вот что было поводом к сочинению песни Великой Екатерине. Но об этом будет далее.

Между тем поразило нас необычайное обстоятельство. При вступлении в корпус графа Ангальта Екатерина до переезда своего в Царское Село и по возвращении оттуда проезжала мимо корпуса и дарила приветливой улыбкой кадет, сбегавшихся взглянуть на нее, но это прекратилось за год до кончины графа, и к удивлению нашему в начале декабря Екатерина опять проехала мимо корпуса. Эта загадка скоро объяснилась и предвестила преждевременный выпуск наш из корпуса. На другой день по проезде императрицы был повещен, а чрез два дня воспоследовал экзамен, всегда происходивший по вечерам. Началось с русской словесности. Николай Яковлевич Озерецковский задал нам сочинить письмо, будто бы препровожденное к отцу раненым сыном с поля сражения.

Кадет Егоров был первым по классу, Калатинский вторым, а я третьим. Два первые сочинения Кутузов слушал без особенного внимания. Дошла очередь до меня. Я читал с жаром и громко, Кутузов вслушивался в мое чтение. Лицо его постепенно изменялось, и на щеках вспыхнул яркий румянец при следующих словах: «Я ранен, но кровь моя лилась за отечество, и рана увенчала меня лаврами! Когда же сын ваш приедет к вам, когда вы примете его в свои объятия, тогда радостное биение сердца вашего скажет: «Твой сын не изменил ожиданиям отца своего!» У Кутузова блеснули на глазах слезы, он обнял меня и произнес этот роковой и бедоносный приговор: «Нет, брат! Ты не будешь служить, ты будешь писателем!»

Недавно еще слышал я, будто бы Кутузов обходился с нами сурово. Это неправда; правда только то, что между им и нами было какое-то безмолвное недоверие, но это недоверие рушилось и разрешилось случайно. Кутузов пожал тогда такие лавры, каких не пожинал ни на высотах Мачинских, ни под стенами Измаила, ни на поле Бородинском — он победил самого себя.

Два вечера прошли спокойно. На третий спрашивали у нас всемирную историю, которая как будто нарочно подоспела с великими своими превратностями к важнейшему обстоятельству нашей кадетской жизни. Мы начали шепотом разговаривать между собой, и голоса 120-ти кадет слились в один жужжащий гул.— «Тише, господа!» — сказал Кутузов. Мы смолкли и чрез несколько минут опять заговорили. «Тише, говорю вам!» — грозно повторил Михаил Илларионович. Мы замолчали, но не надолго. «Тише!» — закричал он еще грознее и при этом третьем «тише» прибавил несколько слов, от которых мы замолчали. Ударило восемь часов; Кутузов вышел. Мы все пошли за ним. Каждый вечер Кутузов ездил к тогдашнему временщику. Слуга сказал, куда ехать, а мы закричали:

— Подлец, хвост Зубова!

В наше время о каждом экзамене начальник корпуса лично доносил императрице. На другой день Кутузов явился к ней.

— Каковы твои молодцы? — спросила Екатерина.

— Прекрасны, Ваше Величество,— отвечал он,— они слишком учены, им недостает только военной дисциплины. А потому, хотя они не дожили еще до сорока двух лет, но позвольте их выпустить.

Екатерина согласилась и сказала:

— Постарайся отдать твоих молодцов на руки таких полковников, которые бы не застращали их службой. Юношей надобно беречь, они пригодятся.

Кутузов объявил нам решение Екатерины. При появлении его нынешний граф Толь и я, мы стояли возле него. Кутузов любил Толя за искусные чертежи и за охоту к военным наукам.

— Послушай, брат,— сказал он Толю,— чины не уйдут, науки не пропадут. Останься да поучись еще.

Толь остался, и Кутузов ознакомил его со своими военными правилами и познаниями.

Шесть человек выпущены были капитанами, а все прочие поручиками. Кутузов созвал к себе наших офицеров и сказал им: «Господа, разведайте, кто из кадет не в состоянии обмундироваться, да сделайте это под рукой. Наши юноши пресамолюбивые, они явно ничего от меня не возьмут». С мундиров недостаточных кадет мерки сняты были ночью: чрез три дня мундиры были готовы и отданы им, будто бы от имени их отцов и родных. Ударил час прощания. Мы составили круг. Кутузов вошел в него и сказал: «Господа, вы не полюбили меня за то, что я сказал вам, что буду обходиться с вами, как с солдатами. Но знаете ли вы, что такое солдат? Я получил и чины, и ленты, и раны; но лучшей наградой почитаю то, когда обо мне говорят: он настоящий русский солдат. Господа! где бы вы ни были, вы всегда найдете во мне человека, искренно желающего вам счастья, и который совершенно награжден за любовь к вам вашей славой, вашей честью, вашей любовью к отечеству». За день до выхода из корпуса, когда надели мы мундиры, Кутузов поодиночке призывал нас к себе и предлагал нам тактические вопросы. Мне задал он вопрос о полевых укреплениях. Чувствуя, что по строгим правилам науки не могу отвечать, я спросил: как прикажете мне объясниться, тактически или исторически? Он взглянул на меня и сказал: «Ну, посмотрим, отвечай исторически». Я начал: «Полевые укрепления устраиваются для остановления первых напоров неприятеля. Известнейшие из таких укреплений устроены были Петром I на поле Полтавском, и граф Де Сакс в сочинении своем о военном искусстве приписывает им победу русских над Карлом XII. В древние времена афинский полководец Ификрат при всяком случае укреплял свои войска и, когда его упрекали в излишней осторожности, он говорил: «В военное время неприятель везде. Он не там нападает, где его остерегаешься, но там, где его не ждут». Но никакие укрепления не могут устоять пред отважной решимостью войска. Граф Ангальт рассказывал нам о вашем движении на высотах Мачинских, споспешествовавшем к заключению мира с Портой Оттоманской 1791 года». Кутузов был доволен моим ответом.

Теперь скажу несколько слов о Л. А. Нарышкине. Лев Александрович Нарышкин, как говорилось, был столповой вельможа двора Екатерины, посредник между ею и мнением народным. Приготовляясь издать какой-нибудь указ, она поручала ему узнать: что скажет о том народ? Нарышкин знал дух народный и острыми замысловатыми шутками умел вызвать мысль народную. В простой одежде ходил он по площадям, протирался, никого не толкая, везде, где был народ, заводил речь, как бы неумышленно, о том, то нужно было ему выведать. Люди русские любили его. Затейливым балагурством и радушной лаской приманивал он сердца их. Однажды при мне сходил он с крыльца к карете. Его встретил хлебник с корзинкой и говорит: «Батюшка, Лев Александрович! Прикажите выдать за хлебы деньги».— «Скрипку, скорее скрипку!» — закричал он. Принесли скрипку.— «Ну, брат! Ты славный парень; пропляши бычка!» Тут вельможа-скрипач засучил рукава, заиграл, загудел и запел, словом, как говорилось, отодрал бычка, а хлебник удалой выкинул лихую выпляску. «Славно! Славно, брат!» — вскричал Лев Александрович. «Вот мы и расплатились. Я играл, ты плясал». Разумеется, что деньги были отданы. Лев Александрович был обер-шталмейстером. Однажды Екатерина ехала из Петербурга в Царское Село, до которого верстах в двух сломалось колесо в ее карете. Императрица, выглянув из кареты, громко сказала: «Уж я Левушке (так называла она Л. А.) вымою голову». Лев Александрович выпрыгнул из коляски, прокрался стороной до въезда в Царское Село, вылил на голову ведро воды и стал, как вкопанный. Между тем колесо уладили, Екатерина подъезжает, видит Нарышкина, с которого струилась вода и говорит: «Что ты это, Левушка?» — «А что, матушка! Ведь ты хотела мне вымыть голову. Зная, что у тебя и без моей головы много забот, я сам вымыл ее»! Все кончилось смехом. В другой раз пришел он во дворец, прикинувшись чрезвычайно встревоженным.— «Что с тобой сделалось, Левушка? — спросила Екатерина.— Ты так грустен!» — «Матушка! — отвечал он.— Жена меня гонит с белого света! Она требует, чтобы я платил долги! Да где это видано, матушка, чтоб придворный платил долги? От этого со стыда умрешь. Разведусь, разведусь с женой!» Долг был заплачен. Но какой? Екатерина возвращала ему только то, что он расточительной рукой рассыпал для народных увеселений.

Лев Александрович был еще гостеприимцем и угостителем всех азиатских народных старшин, приезжавших с поклоном к Екатерине или по делам. За столом было для каждого родное, любимое его блюдо. По пестроте разнообразных одежд различных племен, казалось, видишь не обед, а какой-то волшебный съезд из «Тысячи одной ночи». Хозяин азиатских своих гостей осыпал приветами и ласками, шутил, смешил их, забавлял музыкой и плясками. А они, возвратясь восвояси, говорили своим друзьям и родным: «Какая царица! Какие у нее бояре!»

Такой голос раздавался и в кочевье калмыков и в степях киргиз-кайсаков. Чувство достоинства души своей глубоко запало в сердца тех племен кочующих, которые сказали: «Лучше пальме быть вырванной с корнем, нежели переломленной: лучше человеку умереть, нежели жить в уничтожении». Ловила и Екатерина все случаи, чтобы торжественно показывать ему свой радушный привет. Был у него однажды бал и маскарад. Гремела музыка, танцевали под звуки польских Козловского, положенных на слова Державина; гремели клики:

Славься сим, Екатерина,
Славься, нежная к нам мать!

Внезапно и неожиданно является Екатерина в полном наряде царицы Натальи Кирилловны, подходит к хозяину и ласково приветствует его. Восхищенный хозяин бросается на колени, целует руку Екатерины и в слезах восклицает: «Матушка! Матушка!»

По выходе моем из корпуса я при первом шаге в большой свет увидел, что буду в нем пришельцем и гостем.

По приказанию милостивца нашего семейства Л. А. Нарышкина я напечатал в корпусной типографии упомянутую песнь Великой Екатерине, переплел в голубой атлас и представил ему первое мое печатное сочинение. В то же утро отправил он меня к князю П. А. Зубову с майором Петровым, служившим при дворцовой конюшне. В приемной князя было уже множество лиц и в мундирах, и во фраках. Нисколько не робея, но укрываясь от любопытных взоров, я стал в угол комнаты и закрыл шляпой мое сочинение, а мой услужливый путеводитель, как опытный знакомец с передними знатных, подбегал то к тому, то к другому с приветствиями и расспросами.

Я много уже читал о передних временщиках и думал: чего от них добиваются? Сегодня они все, а завтра вместе с их случайностью все исчезнет, и те самые раболепные поклонники, которые с такой жадностью ловили каждый его взгляд, первые забудут их. Кроме этого кружились в голове моей и Рим, и Спарта, и Афины, где не знали передних и где, по словам одного французского поэта, «не нужно было ждать приказа молвить слово».

Тут нечаянно оглянувшись, я увидел М. И. Кутузова, который стоял недалеко от дверей. В то время от князя вышел камердинер с подносом и с пустой шоколадной чашкой в руках. Кутузов поспешно подошел к нему и спросил по-французски: «Скоро ли выйдет князь?» — «Часа через два»,— отвечал с важностью камердинер. А Кутузов, не отступавший от стен Очакова, ни от стен Измаила, смиренно стал на прежнее место. Досада закипела в моем юном сердце; я подошел к Петрову и сказал: «Я не стану более ждать!» Оторопев от этих слов, Петров спросил: «А что же я доложу Льву Александровичу?» — «Что вам угодно,— отвечал я,— Кутузов, герой Мачинский и Измаильский, здесь ждет и не дождется, а я что такое?» И я ушел. Часу в шестом вечера пришел я к Нарышкину. Он сидел на софе с каким-то незнакомым человеком: то был Державин. Увидя меня, Лев Александрович захохотал и сказал: «Гаврило Романович! Посмотрите, вот этот Вольтеров Гурон, который убежал из приемной князя, он затеял там высчитывать послужной список Кутузова. Понатрется в свете — перестанет балагурить. Однако в песне его к Екатерине есть хорошие стихи»; и Лев Александрович прочитал наизусть следующее:

Ты отроком меня приляла,
Ты разум мой образовала,
Ты в сердце чувствия влила;
Благотворительной рукою
Ты правила моей душою,
Ты жизнь мне новую дала!

Державин похвалил эти стихи. Я был очень рад, и благодаря моей памяти с восторгом начал наизусть читать его Фелицу. Лев Александрович приговаривал: «Продолжай, продолжай, брат!» Лицо Державина дышало удовольствием, и слезы брызнули из глаз его при строфе:

Стремятся слез приятных реки
Из глубины души моей;
О, коль счастливы человеки
Там должны быть судьбой своей,
Где ангел кроткий, ангел мирный,
Сокрытый в светлости порфирной,
С небес ниспослан скипетр несть.

Державин поцеловал меня и сказал: «Питайте всегда эти чувства к государыне, это делает честь вам и вашему сердцу; но,— прибавил он,— передал ли вам В. А. Озеров мнение мое о ваших стихах?» Но, не дождавшись ответа, Лев Александрович спросил: «А что он, видно, и там что-нибудь напроказил? Уж не ударился ли он в политику?» Державин отвечал, что стихи мои не предосудительны, но что я часто слишком неосторожно увлекаюсь порывом воображения.— «То-то, брат,— сказал Лев Александрович,— воображение бред; а до политики не касайся, это не твое дело. Наша политика в кабинете Екатерины. Она за нас думает и заботится. А наше дело пировать да веселиться!» Был я в нескольких домах так называемого большого света, но нигде не слыхал ни слова о делах европейских. Мысли и душа моя летели на родину.

ГЛАВА XI

Поездка на родину в 1795 году.— Картина зимы.— Остановка в Чудове.— Рассказы ветеранов.— Новгород.— Исторические воспоминания.— Патриархальное семейство.— Бедность народа.— Дорожные разговоры.— Мой старший брат. Матушкины сынки.— Карты.— Упадок родового дворянства.— Зорич.— Шкловский корпус.— Радость свидания с родными.— Пребывание на родине.— Первое знакомство с большим светом.— Смоленск.— Поездка в Москву.— В. С. Ваксель.— Д. П. Беклемишев.— Письмо А. Г. Орлова.— Обратный путь.— Смерть брата.— Эпитафия.— Поездка в Петербург.— Возвращение в Москву.— Князь Ю. В. Долгорукий.— Его экспедиция в Италию и Черногорию.— Чесменский бой.— Штат князя. Князь П. П. Долгорукий.— С. Н. Сандунов.— Лиза Сандунова.— Померанцев.— Шушерин.— Плавильщиков.

«Везде я направлял мысль мою к сему вечному влиянию, которое видимая природа производит на расположение духа и на судьбу человека.»

Александр Гумбольдт

«Toute ma jeunesse est réfugiée dans mon coeur»*.

Шатобриан

В 1795 году, в половине января, по выходе из тогдашнего сухопутного кадетского корпуса, отправился я на родину, в Духовщинский уезд, со старшим братом моим, Василием, и с младшим,

* «Вся юность моя переселилась в сердце мое» (фр.— *Ред.*).

Николаем, корпусным моим сопитомцем. Из нас, трех братьев, один я остался на шатких колеях нашего мира, так часто и в таких различных объемах кружащегося без мира. Мне было тогда девятнадцать лет. Зима роскошествовала во всем великолепии своем. В стенах нашего училища бегали мы по двору и в саду в легоньких курточках, без шляп и в башмаках, подчас с такими же подметками, какими отличались сапоги бедняка Наполеона Бонапарта до 1793 года, то есть до первого удачного его батарейного выстрела под Тулоном. На все время и все на время! Но бегая и по двору, и по саду, я видел снег, но не зиму. А за заставой, под ясным, голубым небосклоном, мелькнули в глазах моих и рощи, и поля, и луга, и долины, блиставшие и изумрудами, и яхонтами, и топазами, словом,— очаровательными отблесками всех тех цветов, которые Ньютон с таким усилием заманивал в окна своего кабинета, но которые слово Божие сотворило в одно быстрое мгновение.

Удивительная была картина зимы! То был блистательный праздник, которым она дарит глаза безденежно. Но когда один из таких зимних праздников пооцарапал нос Дидероту, который перечитывал «Наказ» с Екатериной, он писал в Париж, к приятелям своим: «Если будете на берегах Невы, то окутывайте плотнее лицо: русский мороз невежлив». Живи Дидерот в наш двенадцатый год, и он был назвал наш мороз — морозом убийственным. Но разве мороз заманивал к себе громы и молнии ратные? Разве пески знойной Ливии виной, что они засыпали войско Камбиза? Разве ветры виноваты, что грозные порывы их разметали так называемый «непобедимый» флот гордого Филиппа?

Как бы то ни было теперь рассуждая, я в январе 1795 года с восторгом наслаждался полным разгулом зимы, которая блеском цветов своих не лелеяла глаз моих тринадцать лет. Мне и брату моему Николаю, нам душно было в кибитке. Новое зрелище земли и неба непрестанно заманивало нас к себе. Особенно мой сопитомец, как будто предчувствуя, что весна дней его померкнет с будущей весной, почти не заглядывал в повозку. На свободе, под открытым небом хотел он надышаться жизнью. А у него в этой жизни была и душа, и жаркое чувство, и ум, и мысль зоркая; все это было и все промелькнуло мгновенным лучом в апреле того же 1795 года. Ему удалось только взглянуть на мать, на отца, услышать слова их любви, услышать первую песнь весеннего соловья, помолиться в родном храме и лечь у стен его, подле праха наших праотцев.

Быстро на светлый небосклон налетает грозная туча! То же бывает и на небосклоне нашей жизни. Едва блеснет улыбка на устах, а в глазах сверкают слезы. Но тогда сквозь радужное сияние восхитительной надежды не проглядывала к нам ни одна черта туманная. Сердца наши ликовали и летели на родину. В таком расположении духа остановились на покормку наших лошадей в селе Чудове. Старший наш брат был в бекеше, а мы в военных зеленых курточках. Неподалеку от нас сидели на полатях два отставных солдата, обросшие уже бородами. В это время и в северной столице, и в окрестностях ее витала какая-то молва о новой войне. Поглядывая на нас, старые служивые (тогда слово «ветеран» не было еще в ходу) между собой говорили: «Вот и эту молодежь туда же отправят».

Тут вдруг один спросил товарища своего: «Да когда же кончится этот мятеж?» Другой, не запинаясь, наотрез отвечал: «Да как людей не будет!» И теперь еще не надивлюсь этому быстрому, этому громоносному ответу. Сберите всех мыслителей нашего мира земного — они будут рассуждать о превратностях политических, о кипении страстей человеческих, о порывах духа завоевательного и так далее. Но человек безграмотный, простым смыслом, без всяких околичностей к укрощению мятежа и волнению страстей превращает нашу земную вселенную в пустыню безлюдную. Поэзия ужасная! Но рассказ мой не выдумка, он напечатан был в 1805 году в журнале Брусилова в то самое время, когда наш Михаил Илларионович Кутузов, первый из русских полководцев, начал борьбу с Наполеоном в стране германской, где судьба определила ему и 1813 года продолжать такую же борьбу, и кончить жизнь.

С теплого их приюта мы пригласили добрых ветеранов к нам на чай. С нами, юношами, разгулялось воображение их, и память былого громко откликнулась. «Нам обоим,— сказал один из них,— довелось быть под Кагулом, в карее генерала Племянникова, в которое тучей ястребиной влетели толпы янычар, поджидавшие нас в лощинах. Вскрикнув: «Алла! Алла!», они бросились на нас в кинжалы. Мы не то, чтобы дрогнули, но некогда было спохватиться. Вдруг, откуда ни возьмись, на коне богатырском взвился граф Петр Александрович полетом соколиным, подскакал к нам и воскликнул: «Ребята, стой!» И душа у нас встрепенулась, и ноги как будто к земле приросли, и ни одна чалма не выбилась из карея».

Так говорил первый, а вот рассказ его товарища.

«С нашими русскими полками как будто нагрянула под Очаков и зима русская: лиман замерз; в день великого угодника Божьего Николая сказан был штурм. Мороз был трескучий, но сердца кипели отвагой. Вдруг раздалось в рядах наших: «Князь Григорий Александрович молится на батарее и плачет: ему жаль нас, солдатушек». Загремело: «Ура! С нами!» Мы полетели на валы, на стены — и крепости как будто и не было. А летом, когда еще турки храбрились, наш батюшка князь Григорий Александрович как будто для прогулки разъезжал под их батареями. Ядра сыпались, а он себе и не поморщится. Однажды подле него, рука об руку, убило ядром наповал генерала Синельникова, а на отца нашего не пала и порошина. Видно, Бог его за то и берег, что он себя нигде не берег, а об нас всегда жалел».

И это истина историческая. По случаю взятия Исакчи князь Таврический в тогдашних военных известиях писал: «При столь важном происшествии милость к нам Господня тем паче видна, что у нас не было ни одного убитого, ни раненого».

Рассказы наших чайных собеседников-ветеранов были, так сказать, продолжением и дополнением того, что мы слышали в стенах нашего корпуса. Были у нас старые служивые в прислугах при пушках, на учениях. Мы были окружены олицетворенными летописями времен Румянцева, Потемкина и Суворова. Разумеется, что эти летописи кипели рассказами о взятии крепостей и о сражениях, иногда и с перемолвкой, но мы слушали с восхищением. Очаков и Кинбурнская Коса особенно были нам знакомы. В честь взятия Очакова сочинена была кадриль, которую мы танцевали в торжественные собрания, а с Кинбурном сблизило нас письмо Суворова к дочери его. Поздравляя ее «графиней двух империй», он между прочим препоручал ей при встрече с графом Безбородкой во дворце целовать у него руку. Случайность — лестница. Один с нее сходит, другой восходит — Безбородко восходил, а звезда князя Таврического начинала тускнеть.

Продолжаю свой рассказ.

Утреннее солнце блеснуло над Новгородом, когда мы к нему подъехали. Волшебное имя его было мне известно не из преданий исторических, но из трагедии «Вадим» Якова Борисовича Княжнина. Мысль моя залетела в даль веков, и я воскликнул с Вадимом:

О! Новгород, что ты был и что ты стал теперь!

Теперь, то есть, когда мнимый или подлинный Вадим вступил в борьбу с Рюриком. А чем он был до Рюрика? Ничем. Ибо он еще и не существовал. Повторяю, мне было тогда девятнадцать лет, а я о летописце Несторе и слухом не слыхал. Была у нас какая-то краткая русская история, сочиненная Вегеленом с вопросами и ответами на русском и французском языках. Эти сухие, краткие, так сказать, выжимки из историй истомляют только память, а душе ничего не передают. История отечественная — новый мир для каждого юного сына отечества. Из нее переходит в жизнь его бытие жизни вековой. Мне неоткуда было усвоить себе эту жизнь; зато какой был разгул юному моему воображению!

Но простите мне, и дом Ярослава, и дом Марфы Посадницы! Мне тогда в ум не приходило спросить: где вы? Русская старина была от меня тогда, говоря русским словом, «за тридевять земель». Да и теперь мы все еще выкликиваем ее из дали туманной. Когда же блеснет солнце над полным объемом отечественной истории, откуда ждем самобытной ее жизни!

Мы приехали в Новгород в воскресенье и, помолясь в первом храме Божьем, пустились через Ильмень за Ильмень.

И в какой приют привела нас счастливая судьба! Шести лет расстался я с родиной. Быт земледельческий как будто заслонен был от нас дремучими лесами, раскинутыми природой по берегам Ореноко. Из-под морозного небосклона вошли мы в просторную избу, чистую, теплую и светлую. Хозяева обедали. Патриарх семьи, старец маститый, сидел у образного киота. По сторонам сидели сыновья, невестки и внучата. Хозяйка была в другом прию-

5—6233

те — в тихой могиле. На столе, на скатерти белой, как снег, дымилась чаша со щами и лежали пироги, светящиеся отливом яхонтов. Все, говоря нынешним словом, все обличало тут обилие привольной сельской жизни; и ласковый, радушный хозяин пригласил нас к трапезе своей. Старший наш брат отнекивался, а мы и с добрым позывом на пищу, и с простосердечием юношеских лет приняли привет без всех околичностей. Приказав своим поотодвинуться, хозяин усадил нас подле. Тут и в памяти, и в душе моей откликнулись стихи, напечатанные в тогдашнем московском журнале:

Русь блаженная стократно!
Как душе моей приятно,
Что в родной стране моей
В селах можно с счастьем знаться,
С ним в углу твоем встречаться!

Не знаю, что понравилось в нас гостеприимному нашему хозяину; то ли, что, смотря на нас, юношей, он припоминал свои весенние дни или наше простосердечие, но у него от избытка сердечного лился разговор, и между прочим он рассказал нам следующее любопытное обстоятельство:

«Я не здешний уроженец,— сказал он,— с отцом моим я приехал в эти места по нашим промыслам в то самое время, когда при государе Петре I происходила первая поголовная перепись всему русскому народу и когда каждый остался крепким земле там, где застала его перепись. Я было сильно пригрустнул, но родитель мой, человек смышленый и грамотный, сказал мне: «Разве ты не видел, как великий государь работал в Воронеже, снаряжая сухопутное и судоходное войско под Азов? Он был и на пристани с топором в руках, и в кузнице, и в воеводской канцелярии, и везде на работе; не всласть ему ни сон, ни пища: вся мысль его в труде. Трудно нашему брату и избу перестроить, а ему, отцу нашему, довелось перестраивать целое царство. Ему нужно и свое родное войско, и свой флот. Но для этого нужны во всем порядок и черед. Вот для чего и перепись крепит нас с землей. Он трудится для всех; как же и нам не потрудиться для него? Тысячи рук наших не сделают того, что делают одни его руки; тысяча глаз не увидят того, что одни глаза видят и распоряжают. Нам будет и здесь житье привольное. Лесов оком не окинешь; земли, слава Богу, досталось нам вдоволь. Не давай только потачки лени, и будь сам готов на службу, когда востребует того государь. Будем крепко держаться за землю, а душой за Творца Небесного, так Бог и благословит нас; руки у нас не связаны, и наше останется при нас».

«Так,— прибавил наш хозяин,— говорил мой отец, и Бог на самом деле благословил и нас всех. Пока шла перепись — смуты не было никакой. По всем приходам повещена была сходка, и в храмах вразумляли нас, что для чего делается. А мы молились Богу, да просили у Него, Царя Небесного, земному нашему царю здравия и долголетия. Велся порядок — и все велось порядком».

Выезжая из сельского гостеприимного приюта нашего хозяина, мне казалось, что выезжаю из страны счастливой Аркадии. После уже я читал, что датчанин Флеминг, бывший в России при царе Михаиле Феодоровиче и проживший некоторое время в селениях новгородских, говорит, что он встретил там и Аркадию, и мир патриархальный, где душа и сердце обнимались с чистой совестью. Дары душевные наш хозяин заимствовал не из преданий — они были его собственностью. В силу требований нынешней статистики мне бы следовало означить и урочище приозерное, и имя хозяина, но весь письменный мой запас остался в стенах нашего училища. Не было у меня ни карандаша, ни записной книжки. Все тогдашнее мое сокровище состояло в «Вадиме» Княжнина, в «Путешествии из Петербурга в Москву», наделавшем тогда много шума, а теперь уснувшем сном непробудным, и «Чувствительном путешествии» Стерна, в котором сердце и мысль всегда что-нибудь отыщут. С этим запасом и с мечтами романической юности ехал я на родину. Но чем более отдалялись мы от жилища нашего приильменского гостеприимца, тем более казалось, что мы заезжаем в какие-то дымные, курные дебри. Это бедные хижины. Войдем. Двери настежь; с двух сторон прорубы, названные окнами, открыты; сверху, в отверстие трубы, бьет дым и заполняет избу. Ветер разгуливает в стенах, дымная мгла слепит глаза. Это бы еще ничего, но тут и колыбели младенцев, тут и животные, гнездящиеся по углам или расхаживающие по тинистому полу, зараженному тлетворной сыростью. Некоторые предполагают, что в хижине, отданной на произвол смрада и дыма, ходячий ветер прочищает воздух. Но каково пришельцам колыбельным в этом дымном и ветреном мире! Не того желал Петр I. В одном из достопамятных указов своих он предписывает, чтобы избу одну от другой разделять садами и в охранение от пожарных случаев, и для соблюдения чистоты, необходимой для здоровья. И Екатерина II, рассуждая о том, отчего у крестьян от двадцати и пятнадцати детей едва ли остается четвертая часть, говорит: «Должен быть тут какой-нибудь порок или в пище, или в образе их жизни, или в воспитании, который причиняет гибель сей надежды государства. Какое цветущее состояние было бы России, если бы могли благоразумными учреждениями отвратить или предупредить сию пагубу»[25].

Следственно, по мнению Екатерины, и для крестьян необходимое воспитание, охраняющее душевные и телесные способности. Но какое впечатление производили над нами эти приюты бедности, это высказать не могу! На покормке лошадей мы шли на улицу на борьбу с морозом, чтобы не глотать тлетворных испарений. Тут встречали мы мальчишек, бегавших и подле, и мимо нас в скудных лохмотьях. С плеч наших порывались к ним наши легкие тулупы; но других у нас не было, и мы поневоле укрощали

---

[25] Наказ. § 266.

стремление сердечное; зато тайком вытаскивали из наших чемоданов то чулки, то платки, торопливой рукой раздавали мы и то, и другое; еще торопливее бросались они к нашим подаркам, и когда садились мы в кибитку и трогались в путь, они бежали за нами с восклицаниями: «Благодарим вас!» И это слово громко откликалось в душе нашей. По приезде на родину, когда старший наш брат должен был представить опись во всем выданном нам, мы чистосердечно покаялись родительнице нашей в похищениях наших у нас самих. Она поцеловала нас и перекрестила.

Воспоминания юных лет! Вы волшебный, очаровательный голос той райской птички, который тысячу лет превращает в один день, в одного мгновение!

Как бы то ни было, но и тогда я заметил, что у жильцов этих дымных приютов есть какая-то речь самобытная и сильные обороты в выражении мысли. Наставники их — природа, сердце и здравый смысл, а нередко и горе жизни. В наш девятнадцатый век оповестили, что нет девяти муз, но есть одна только муза — скорбь душевная*.

Чудное дело! При блеске кружащегося мира, при чудесах образованности надобно душе тонуть в скорби душевной, чтобы вызывать оттуда бессмертные напевы и передавать их в даль веков!

Но эта скорбь душевная и объясняет гений Омира. Внешний объем его «Илиады» весь заимствован из памятников кисти и резца, уцелевших в храмах и чертогах, покоющихся и теперь еще в развалинах стовратных Фив. Омир, польстя «Илиадой» тщеславию греков, сам издевался над витязями ее в шутливой своей поэме. Но «Одиссея» — создание его сердца и глубокое выражение превратностей жребия человеческого; и в наших глазах, и в наш век повторилась целая «Одиссея» и в каком исполинском объеме!

В ночь звездную, когда свод небесный полным блеском светил своих, как будто всматривался во что-то необычайное на земле, ему, вчерашнему повелителю народов и властелину их жребия, ему дозволено было пройтись по большой Лионской дороге. Медленно и уныло идет он и вдруг встречает сельского священника. Остановя его, он спрашивает: «Скажи мне, служитель Божий, под какой я теперь стою звездой?» Скромный пастырь отвечал: «Не знаю».— «А я,— возразил он,— вчера еще я знал и небо, и землю, а теперь все забыл».

Поэт Поп говорит, что сквозь всю «Одиссею» пролегает живая струя любви к человечеству. С восхищением читал в колыбели воспитания моего «Одиссею», переведенную Рошфором. А по выходе оттуда на первые деньги, выработанные у театра москов-

---

* Presque tous les chefs d'oeuvre dans tous les arts sont dus à quelque souffrance connue ou secrètte. Il n'y a pas neuf Musées, cela est faux: il yen a une — la douleur**.

** Почти всем шедеврам любых искусств должно быть свойственно страдание, явное или тайное. Нет девяти Муз, это выдумка: есть только одна Муза — душевная скорбь (фр.— *Ред.*).

ского, я купил этот перевод и под портретом Омира подписал следующие его стихи:

> Songez qu'un suppliant, que le malheur accable,
> Est aux yeux des dieux mêmes un objet respectable*.

«На просителя-страдальца и небо смотрит с умилением».

Испытал Одиссей или Улисс бури морские, испытала грозное ненастье и моя «Одиссея». 1812 года переплыла она море огненное и остановилась под скромным балаганом там, где эта буря нашествия уравняла и сокровища палат, и пожитки мелких приютов; там отыскал я «Одиссею» моею юности и перекупил ее. Уцелел портрет Омира, уцелела и надпись: «На просителя-страдальца и небо смотрит с умилением».

Омир прав. Любовь к человечеству — солнце мира духовного. А если оно не согревает души, то что такое жизнь и для чего жить?

Непрестанно отуманиваемые дымом и опальным видом хижин, мы с меньшим братом для рассеяния переселились мыслью в область историческую. Брат мой знал наизусть почти всю ту древнюю Ролленеву историю, которую сочинитель по мере отпечатания частей препровождал Фридерику Второму, когда он был еще наследным принцем, и к которому писал по вступлении его на престол: «Желаю быть вашим другом, но не в этом бренном мире, а там — в вечности. Это великая тайна».

В дорожную кибитку нашу по очереди переселялись и Вавилон, и Экбатана, и Персеполис, и развалины Пальмиры, и всемирная держава римская. Прислушиваясь к жарким рассказам и к ребяческим мечтам неопытности нашей, наш старший брат и тогдашний ментор тихомолком улыбался, покачивая головой. От различного воспитания были у нас и различные понятия.

Главным впечатлением юности моей почитаю то, что в первый проезд мой из училища на родину я получил первый урок в исследовании духа народного. Я вычитывал душу народа русского не из книг, но под сводом неба и прислушиваясь к душе русского слова. Вот что было впоследствии основанием «Русского Вестника».

Пустясь в дальнейший путь, мы повстречали крестьянина-Цицерона. Вот каким образом. Дорога была изрыта выбоями, тянулся воз и опрокинулся. Мы с братом Николаем выскочили из кибитки и помогали бедняку приподнять воз. Попытка наша была удачна. Видя, что лошадь чуть передвигает ноги, мы спросили у крестьянина, зачем впрягает он такую измученную лошадь.— «Что делать? — отвечал он,— у нас в целой деревне не сыщешь лучше этой. Коли увидите по здешним деревням нищих, спросите: чьи крестьяне? Вам скажут: такого-то (крестьянин каждый раз

---

* Верьте, что проситель, подавленный несчастьем, в глазах самих богов есть фигура, достойная уважения (фр.— *Ред.*).

повторял имя, довольно тогда громозвучное); если встретите клячонку, спросите: откуда она? Вам скажут: из такой-то деревни. Если б проезжали летом и увидели бы испитой скот, вы спросили б: чей скот? Вам бы отвечали: крестьян такого-то. Если б увидели убогую пашню и спросили бы: чьи пашни? Вам сказали б: крестьян такого-то».

Эта крестьянская риторика ринула в сильный разгул память и воображение мое. Дюмарсе, думал я, правду сказал, что на площадях и на рынках услышишь такие метафоры и фигуры риторические, каких не встретишь и в лучших риториках. Есть сердечное, есть душевное витийство, выкликаемое чувством из глубокого чувства. «От избытка сердца,— сказал небесный Благовеститель,— глаголят уста». Гремело витийство на стогнах Рима и Афин. Раздавался голос душевный и под тенью дремучих лесов древней Германии и Северной Америки. Всем известна речь поселянина, отправленного с берегов Дуная в Рим послом. Разительны и слова дикарей американских, вызываемых европейцами к переселению. «Можем ли мы, воскликнули они, можем ли мы сказать праху отцов наших: «Встань и следуй за нами!» Перикл, сорок лет владычествовавший над афинянами силой красноречия, каждый раз, готовясь говорить перед народом, молил богов, чтобы не обмолвиться и не сказать глупости. Питайте душу мыслями, животворными для человечества, и тогда, по выражению Лонгина, мысли наши будут отголосками души вашей».

Есть набор слов и есть слово жизни, которое никогда не пролетит мимо сердца. Упрекая юного Леостена, щеголявшего высокопарной речью, Фокион сказал: «Твои речи подобны кипарисным деревьям: они высоки, но бесплодны».

Возвратясь в кибитку, с удивлением пересказал я старшему нашему брату о жалобе бедного крестьянина. Как можно так сурово обходиться с людьми, которых Я. Б. Княжнин называл «почтенными питателями рода человеческого!» И, не дождавшись ответа, прочитал стихи:

Почтен питатель смертных рода,
К надежде нив своих спешит;
Чтя труды его — сама природа
Согбенны класы золотит.

Брат мой пожимал плечами и улыбался: он знал все то, что от меня закинуто было завесой неопытности.

По обычаю того времени старший брат мой, Василий, записан был в гвардию числиться, а не служить. Множество молодых дворян также льготно числились и, подобно брату моему, наслаждались отпуском; иные мелькали во фрунте, другие доучивались слегка в гвардейских школах и выходили капитанами и поручиками. Перед новым годом начиналось назначение. Секретарю гвардии отбою тогда не давали с запросами: «Будет ли назначен мой сын? Внесен ли в список мой племянник?» и т. д. В первый день нового года новопроизведенных офицеров представляли

Екатерине. Ласково приветствовала она их и называла юный офицерский рассадник запасным своим войском. А когда, вынырнув из этого войска, капитаны и поручики, не окурясь военным порохом, спешили на битву с зайцами, тогда по вдохновению Екатерины сочиняли послания к трусам, которые, гоняясь за зайцами, не щадя ни рук, ни ног, ни головы, а за отечество боятся выглянуть из захолустья своего. В смысле вещественном новички-офицеры не могли вредить службе, во-первых, потому, что, числясь сверхкомплектными, не получали жалованья; во-вторых, потому, что им в пестуны давали старинных и заслуженных капитанов; наконец, и потому, что они мелькали только перед рядами и скрывались, как молодой месяц. Старые служивцы не слишком сердились на молодежь, слывшую тогда под названием матушкиных сынков, ибо эти баловни привозили обилие благ земных туда, где фортуна была мачехой. Особенно пятьдесят два богатыря, то есть карты, угождали звонкостью и бумажностью новичков.

В разгуле тогдашнего быта дворянского молодые дворяне бегали от чернил и перьев, как от пугалищ. Зато люди деловые, по праву способностей своих и по знанию русского языка, не заталкивая двсрян, из которых одни гонялись за зайцами, а другие офранцуживались в Париже, но выслуживаясь, занимали значительную чреду в службе гражданской. А от этого нередко князьям и боярам доводилось обивать пороги и стоять в передних новых чиновников, вышедших, как говорится, в люди не по грамотам предков, но по личным достоинствам.

Упадок родового дворянства происходил, во-первых, от ранней отставки дворян, ибо отдаточные в рекруты обгоняли юных помещиков своих чинами; во-вторых, от уклонения от службы гражданской, в-третьих, от обстоятельств побочных. Наконец игра карточная сильно потрясла и опрокинула старинный быт дворянский. Игроки-систематики говорили: «Какая до того нужда, что имения переходят из рук в руки? Тем лучше: один промотался, а многие нажились. Следственно, деньги не станут залеживаться в могильных сундуках; оборот их будет деятельнее и быстрее». Не знаю, что сказал бы Сидней и Адам Смит об этих оборотах и изворотах денежных. Карточный долг почитался долгом святым и вывеской чести. Горе тому, кто, проиграв вечером на честное слово, не уплачивал поутру! Продай, заложи крестьян, пусти по миру легковерных заимодавцев, а плати или со всех ломберных столов грянет на тебя проклятие. При князе Прозоровском, тогдашнем московском градоначальнике, запрещен был банк. Встретясь на гулянье с Анакреоном своего времени Ю. А. Нелединским, князь сказал: «Ну сиречь (это было обыкновенною его поговоркою или приговоркою), вы слышали: банк запрещен?» «Благодарим вас, ваше сиятельство»,— отвечал Нелединский,— «перестанут играть на мелок».

Почтенный мой цензор Петр Александрович Корсаков желал, чтобы я выпустил рассказ о брате. Нельзя, ведь мы не в патриархальные живем времена. Разрыв родства — история нашего времени.

Дети одного семейства, на заре жизни рассеянные по различным местам и получившие различное воспитание, после долговременной разлуки встречаются, как будто посторонние и незнакомые. Так и с нами случилось. Я был воспитан в Петербурге, а брат мой, Василий, вырос дома и наездом учился в Шклове, в корпусе, учрежденном Семеном Васильевичем Зоричем, устремленным на путь временного блеска князем Таврическим. Вечером, в первый день случайности своей, Зоричу дан был бал на одной петергофской даче. Гусар-удалец и красавец шутил, забрасывал турецкими словами, которые уловил в отважных схватках с оттоманскими наездниками, очаровывал всех ловкими движениями в венгерке, и мазурке, и сам был очарован внезапным переходом из рядов гусарских в чертоги. Случайность его протекла, как тихая струя бесшумного ручейка. Ни при себе, ни после себя не оставил он никакого следа на поприще тогдашней политики, которая, повторяю слова Державина, не выходила из мощных дланей того исполина, который осмелился взвесить силу Росса и дух Екатерины. Но уклоняясь в круг жизни частной, Зорич сделал то, чего не сделал ни один из временщиков ни прежде, ни после него. Он завел в Шклове корпус и этим заведением сблизил с собой дворян смоленских и белорусских. Труднее всего соблюдать во всем надлежащую середину. Китайцы, по их мнению, тысячи и тысячи лет доискиваются этой надлежащей середины. А потому и неудивительно, что ее не было ни в сухопутном корпусе, где я воспитывался, ни в корпусе шкловском, куда брат мой наезжал для мимолетного ученья. Сухопутный кадетский корпус был слишком затеснен стенами от большого и малого света, а корпус шкловский, подобно древней Спарте, вовсе был без стен. Корпус Зорича был и садом Гесперидским, и волшебным замком Тассовой Армиды. У роскошного владельца Шклова был непрестанный прилив и отлив гостей. Гремели концерты, шумели балы, были театральные представления, проскакивали и романические приключения. Из Шклова можно было отправляться в столицы, в полном смысле, человеком модного света. Но брат мой, заглядывая только в Шклов, свыкся с деревней для деревни.

Между тем час от часу более приближались мы к родине нашей. 8-го февраля 1795 года мы увидели с окрестной высоты нашу родину. Светилось прекраснейшее зимнее утро. После тринадцатилетней разлуки с родным пепелищем завидеть над кровлей отцовской струящийся дым в отблеске багряном — это можно чувствовать, а не описывать. Вот мы уже спускаемся с горы, и на звон колокольчика сбегаются и из деревни, и люди дворовые. Гремит общий голос: «Едут! Едут!» В ожидании нас, тринадцатилетних птенцов, слетевших с гнезда родного, съехались родные и родственницы. У крыльца быстрее молнии вылетел я из кибитки. В волнении душевном бегу в комнату. Никто не указал мне на родительницу мою. А каким образом очутился я у ног ее, и теперь не мог этого объяснить. Думаю только, что сердце мое угадало бы и среди тысячи женщин, хотя глаза мои простились с нею на шестом году жизни моей. С того восхитительного мгновения прошли десятки лет, но и теперь еще вполне живет оно в душе моей. Ни корпусная жизнь, ни смерть моих родителей не истребили их из моей памяти. Среди различных превратностей судьбы я счастлив в тот день, когда они мелькнут мне в сновидении. После первых восторгов свидания, когда я вышел в другую комнату, меня окружили прежние мои дворовые-сверстники, с которыми в ребячестве моем делил я игры и все, что у меня было. Тут же бросилась обнимать меня моя кормилица и, указывая на своего сына, сказала: «Вот, батюшка, твой братец». И тогда же я породнился с ним этим чувством. И мне, и ему нужна была взаимная любовь, но я не мог так безусловно сблизиться с моим родным братом.

Я дышал новою жизнию, жизнию родственною. Небосклон родной был пределом и мыслей, и желаний моих. Видеть отца, мать, сестру, любоваться семилетним братом Федором, который, вытвердя многие места из «Владимира», трагедии Ф. П. Ключарева, читал их с жаром и с размашкой детских рук: вот что было тогда радостью обновленных моих дней.

«Где лучше, как в семье своей!»,—

сказал И. И. Дмитриев. Я вполне это тогда чувствовал. Не заботился ни о службе, ни о будущем жребии моей жизни, ни о почестях, которые служа можно заслужить. Не так думали добрые родители мои: они предполагали, что сын их, девятнадцатилетний поручик, выйдет, как говорилось, в люди и будет чем-нибудь в свете. Так они думали, а эта мысль даже и мимоходом не западала в мой юношеский, в мой романический ум. Душа моя, так сказать, поглощена была одним родственным чувством: ничто другое не примешивалось к нему. Иногда мной забавлялись, как ребенком; я походил на выходца из какого-то другого света, откуда появился, не ведая и не зная, что делают и как живут в подлинном свете.

Сердце, полное жизни и любви, дорожит каждою ласкою, каждым словом радушным. Однажды шел я по деревне. Кормилица моя бросилась ко мне из избы, запросила к себе и усердно потчевала блинами, приправляя потчеванье веселостию и приветною речью. Убедила она меня завернуть к ней и на другой, и на третий день. Родительница моя узнала об этом и, смеясь, сказала: «Ведь ты этим отобьешь от дела и работы». Рубль серебряный был наградою кормилице за блины.

В первый раз познакомился с большим светом в Смоленске и там же в первый раз увидел у коменданта бал. Зрелищем волшебным показался он мне, и я написал следующие стихи:

Великолепием прославлен град Петров,
Москва веселия жилищем учинилась,

А обладающа сердцами всех любовь
С прелестной красотой — в Смоленске поселилась.

Этот привет в один вечер ознакомил меня со всеми. В стихах моих не было лжи! Смоленск, действительно, величался тогда красотой жительниц своих. Но, как говорит песня:

Все со временем проходит.

Сверх того, Смоленск, сближенный с Екатериною, уроженцем своим, князем Таврическим, цвел тогда двумя отраслями сельского хозяйства: продажей в Ригу хлеба и пеньки, особенно закупаемыми англичанами.

Но ветвь этой последней промышленности весьма поблекла с 1800 года, когда после войны итальянской воспоследовал разрыв с Англией. Расчетливые островитяне обратились за этим избытком в другую сторону. А как дорожили тогда англичане нашею пенькою, о том будет далее рассказ княгини Дашковой.

Хотя родители мои были не в числе богачей, но я видел, что в первый приезд мой отправляли они домашние избытки к тем из соседей, которые не могли сами приехать, а другие получали пособие лично. И это происходило тогда по всем годовым праздникам. Быстро прошло двадцать дней со времени приезда нашего на родину и на второй неделе Великого поста попечительный мой отец со мною и братом, моим корпусным сопитомцем, решился ехать в Москву, чтобы выпросить нас в отпуск. На Дорогобужской дороге завернули мы в село в Залежье[26], достойное своего названия и по прекрасному дому, и по очаровательным окрестностям, где Днепр величаво извивается. Но в этом свете постоянство — гость мимолетный. По прихотям своенравной фортуны, перетасовавшей и растасовавшей у нас столько движимых и недвижимых имуществ, родственники сперва выиграли у родственника село Залежье, а потом оно перешло к бедному смоленскому шляхтичу, Василию Савельевичу Вакселю, который некогда по бесприютности своей проживал у моего прадеда, упомянутого в первой части записок. Не знаю, где Ваксель учился математике, но известно, что при сметливом уме и искусном межевании сдружился он с тем талисманом, который называем счастием. Богатство лилось к нему рекой. К селу Залежью приурочилось Заборье в Вяземском уезде и т. д. Был ли он в Москве одним из главных членов межевой канцелярии или после Апрелева был начальником оной — не помню.

Хотя в наш девятнадцатый век порываются выхватить быт и варяжский, и казарский, и санскритский из челюстей едкой древности, но она многое и многое перемежевывает к туманной области забвения. Как бы то ни было, а расторопный землемежеватель прослыл в Москве Вольтером, по каламбурному или загадочному знанию (Vol-terre). Упоминаю об этом шутя, потому что

[26] По другой рукописи «Засижье».

и он сам говорил мне смеючись: «Вот добился же и я до чего-нибудь на свете! Меня называют Вольтером, хотя я от роду не был грешен ни в одном стишке».

Акциденции, или взятки прокрадывались и в девяностых годах. Неудивительно. Поэт сказал:

И в солнце, и в луне есть темные места.

Но тогда была своя сноровка: «Бери ловко в руки, выдавай ловко из рук, и все сойдет с рук; делись — говорили остряки — взятками, своди концы с концами, и дело будет в шляпе». Я. Б. Княжнин высказал это в «Сбитеньщике» своем таким образом:

Кажется не ложно,
Все на свете можно:
Покупать, продавать;
Только должно осторожно поступать.

По большей части так и делали. Притом же роскошь и мода в семействах среднего состояния не требовали еще шалей, с которыми князь Таврический ознакомил большой свет, после второй турецкой войны; в каретах щеголяли тогда князья, графы и бояре. Следовательно, то, что переходило в руки по делам и тяжбам, сокровенно сохранялось в шкатулках, которые отверзали недра свои по выходе в отставку владельца своего; тогда на сбереженные акциденции покупались или деревни, или домишки.

В первых числах марта 1795 года в первый раз въехал я в Москву, но в какую? Не ехал Христофор Колумб по наклонению магнитной стрелки: сперва мысленно отыскал Новый Свет, потом открыл его. Ни по какому наклонению мыслей моих не мог я тогда отыскать Москвы в Москве. Прочитал я в корпусе в «Наталье боярской дочери» о граде престольном. Но это чтение быстро промелькнуло в памяти моей, загроможденной памятниками Рима и Афин. Счастливая звезда, которая сопровождала меня от Петербурга до родины, встретила меня и при первом шаге моем в Москве. Если бы я в отроческих летах наслышался о Кремле, о Красной площади, если бы слышал, что в Москве почти каждая улица есть страница историческая, то, верно, порывался бы взглянуть на нее с Поклонной еще горы, откуда представляется она в обширном объеме своем. Но я преспокойно сидел в углу кибитки и думал о родине. Ни большой колокол, ни исполинская пушка, ни колокольня Ивана Великого, ничто не возбуждало и не занимало моего любопытства. Несмотря на пустынное отношение памяти и мыслей моих к старинной и заветной матушке-Москве, сердце мое породнилось с ее гостеприимством. Приближаясь к церкви Смоленской Божьей Матери, мы вышли из кибитки; отец наш остановился у наружной иконы Николая Чудотворца и осенился крестом; мы также перекрестились и вслед за ним пошли на Смоленский рынок осведомиться, где можно остановиться. Тут к нам подошел незнакомец в большой медвежьей шубе и сказал, обращаясь к отцу нашему:

— Вы, конечно, приезжие, вам нужна квартира?

— Точно так,— отвечал мой отец.

— Милости просим ко мне,— продолжал незнакомец,— у меня как будто бы нарочно для вашего приезда теперь опростались комнаты.

И радушный незнакомец взял отца под руку и повел к себе. Имя его Д. П. Беклемишев. Этот почтенный человек пострадал впоследствии от неудачных оборотов и от непомерного усердия своего. Он тогда рассказывал мне, что родственник его, Беклемишев, имел жаркую схватку в собрании депутатов в Москве с одним из сильных тогдашних временщиков. Одушевляясь званием депутата, Беклемишев праводушно объяснялся о необходимости твердого и положительного законоучреждения. Временщик закричал:

— Молчи, дерзкий!

— Молчи сам,— возразил Беклемишев,— жизнь мою оставил я за порогом палаты депутатской, и здесь вещаю слова правды, ибо от нас требуют правды.

Следовало бы мне об этом расспросить подробнее, но мне тогда и во сне не снилось, что буду когда-нибудь писать в России об России.

Беклемишев сообщил мне письменный отзыв графа А. Г. Орлова по случаю отказа его быть председателем палаты депутатов. Вот сущность этого отзыва: «Милостивые Государи! Приношу вам глубочайшую благодарность за оказанную мне честь избранием меня в председатели палаты депутатов. Сия величайшая для меня почесть доказывает, что вы обращаете внимание на скромную мою жизнь, но чем более уважаю сие избрание, тем более испытываю мою совесть и убеждаюсь, что я не способен поддерживать столь важное звание и признаю себя недостойным высокой чреды, на которую вы меня вызываете. Но вместе с вами и со всеми сынами России буду молить Провидение, да увенчает Оно трудное ваше дело повсеместным водворением правды и святости законов, споспешествующих общему нашему счастью, и дабы тем исполнилось намерение нашей монархини, предпочитающей счастие России собственной жизни».

Тогда ходила молва, будто бы жители отдаленных стран нашего отечества, прибывшие в Москву для присутствия в собрании, простодушно удивлялись, для чего нужны законы. Это просто шутка; о законах не думали тогда роскошные богачи, проматывавшие на прихоти пустого тщеславия труды поселян своих, но действия законов всегда страшились те, которые, заглушив голос совести, опасались, что рано или поздно правосудие сорвет личину с пронырливой их корысти.

Как сон, как сладкая мечта,
Исчезла и моя уж младость.

Но она некогда была. Итак, продолжаю об ней рассказ.

К счастью, безостановочно дали нам отпуск, и мы выехали из Москвы. Но несчастный ушиб, принудивший отца открыть кровь, задержал нас несколько под Вязьмой у одного из родных наших, от которого мы выехали на Страстной неделе. Дорога была несносная; по утру, в самое Светлое Воскресение мы не приехали, а по непроходимой почти ростепели шагом черепашьим притащились в деревню нашу Пологи, бывшую верстах в двадцати от Суток. Тринадцать лет не встречали мы этого дня с матерью, а потому и просили отца нашего, чтобы поспешить в родные Сутоки. Он не мог удовлетворить нашей просьбы и по слабости здоровья, и по причине ужасной дороги. Но мы говорили, что пойдем пешком, что пролетим двадцать верст, чтобы только похристосоваться с матушкой.

Видя неотступную нашу просьбу, родитель мой сказал мне:

— Сергей! Я заказал в Москве чугунную доску для памятника, который хочу поставить на том месте, где императрица удостоила нас посещением своим, и где она соблаговолила собственною рукою записать в корпус тебя и брата твоего.

Быстро схватил я перо и написал следующее:

Дражайший памятник благополучных дней,
Когда монархиня, достойна алтарей,
Родителей моих жилище посетила
И благости на них несметные излила!
Ты будешь возвещать грядущим временам,
Сколь снисходительна была царица к нам.

Мечта! Мечта! И этот памятник при пожарных заревах 1812 года в прах земной. Но и тридцать четыре года не изгладили из души моей того восторга, когда мы с братом не пошли, а полетели на крыльях любви торопливой. На топких лугах мы увязали по колени; порыв сердечный все преодолевал. В полверсте от дома нашего кровь брызнула у меня из горла. Я остановился, обмылся из ручья, и мы, так сказать, перелетным взмахом влетели в комнаты и воскликнули:

— Христос воскрес, матушка!

Не требуйте от пера того, чего и сердце не может высказать!

Напрасно многие уверяют, что порывы душевные — бред и мечта. В глазах моих в зале корпусной умер один отец, обнимая сына своего после десятилетней разлуки.

Не знаю, как я не умер от радости, празднуя великий день на родине. Я тогда так был счастлив!..

На возвратном нашем пути на родину у брата Николая оказалось какое-то неодолимое влечение к воде. На Днепре, переходя по льду, он едва не утонул. В тот год весна была ранняя, и брат мой, отправляясь в гости к кому-нибудь из родных, всегда спрашивал: есть ли там речка? Наступил весенний праздник Георгия, храмовой праздник в нашем селе. Погода была ясная, хотя веял холодный ветерок. Мать наша, по слабости здоровья, легла после обеда отдохнуть. Отец мой ходил по двору и курил трубку. А я, гуляя под горой, на берегу ручья, мечтал о Стерном. Вдруг среди общего безмолвия раздался страшный крик: «Утонул, утонул! Николай Николаевич утонул!» Сестра моя гуляла в саду: ее несли в обмороке. Родитель мой молнией полетел к озеру, в отчаянии душевном бросился в него и был уже в нем по грудь. Насилу могли его удержать. «Где он? Где он?» — вопиял горестный наш отец. Служитель мой, Иван Яковлев, которому впоследствии дал я свободу и определил к московскому театру, объяснил мне, что погибший брат мой зазвал его купаться и, едва спустился с берега, пошел ко дну, и что он несколько раз нырял за ним, но тщетно. Раскинули невод, принесли багры, достали тело. Между тем от шума и смятения мать наша выбежала на крыльцо, и что же увидела она? Мертвое тело юного сына ее, несомое на руках, того сына, который после тринадцати лет разлуки для того возвратился на родину, чтобы взглянуть на мать, на отца и умереть! Приехал врач, но было уже поздно. Не было и искры жизни.

Я окаменел от глубокой скорби, слезы замерли у меня в груди. Врач отворил мне кровь, которая едва струилась.

Разнеслась плачевная молва по соседству, съехались родные. Положено было предать тело земле на другой день. Мать наша лежала полумертвой; по временам туманно поглядывала и с тяжелым стоном вопияла: «Где он! Где он! Жив ли он?» И опять смыкала очи. Скрытно от нее, рано по утру повезли тленные останки в церковь. Я остался при матери, остались и некоторые родные. Несколько раз, приходя в себя, порывалась она в столовую, предполагая, что там тело покойника. Ее удерживали и говорили, что она еще успеет проститься. Ударил час по полудни. Лицо ее покрылось ярким румянцем. «Вы обманываете меня! — сказала она.— Вы обманываете меня! Николая погребают!» Она поверглась стремительно на колени, положила три земных поклона и прочитала «Отче наш»! Я слышал голос сердца, голос души! Я слышал моление матери. Я упал на колени, молился, рыдал, и мне казалось, что камень оторвался от стесненной груди моей. Кто сказал матери, что в тот самый миг сына ее опускали в могилу? Кто сказал ей о том? Сердце матери! Милый брат и сопитомец! Не стану оплакивать ранней твоей кончины; ты много не испытал, не боролся ни с собственным своим сердцем, ни с превратностями судьбы; не испытал ты и горестного гонения страстей человеческих. Брат мой был моложе меня годом и питал в душе чувствительность добродетели. Никогда не огорчал он меня, но я в стенах корпуса огорчал его иногда упреками за пренебрежение французского языка. Читая одни русские книги, он ознакомился с душой родного слова. Я мечтал, а он рассуждал. Постоянное чтение истории сблизило с ним предварительный опыт. Я смотрел на все сквозь лучи радужные; взгляд его на общество был верный, но не порицательный.

В это время родственник мой, занимавший в Смоленске чреду почетного чиновника, отправлялся на берега Невы по делу, в которое вовлекли его неприязненные попреки. Нужно было лично поклониться сильному временщику и отыскать благоволение. Повторяю и здесь, что Екатерина сама сознавалась, что и после издания «Учреждения о губерниях» все еще настояла нужда ездить в северную столицу для отыскания покровительства[27].

Для рассеяния меня отпустили с родственником моим. В это счастливое время и слухом еще не слыхал я, что такое суды и для чего они существуют? Роковой жребий знакомства с ними таился вдали будущего, откуда, как после увидят, таким ударил налетом перунным, что я не в стихах, а просто в прозе завидовал брату моему, отошедшему в могилу до встречи с тяжбою и ябедою. Но, повторяю еще, тогда все это скрывалось вдали недоступной мысли моей.

Горе тому, кому довелось на туманном западе жизни искать и отыскивать. Под бременем этой пытки родственник мой изнемог и умер. Он меня любил и уверял, будто бы я не разбогатею и от золотого руна. Простясь с прахом его, я отправился в Москву, где находились вновь составленные московские батальоны, куда я назначен был при выпуске из корпуса. Во второй раз для меня Москвы не было в Москве. Русское было далеко от моих мыслей, а в настоящем затерялся я в области так называемого большого света, также далеко от древней Москвы и от старобытной России.

Войска, бывшие тогда в Москве, состояли под начальством князя Юрия Владимировича Долгорукова. Являюсь к князю. Лицо его показалось мне угрюмым, но радушная ласка осветила его: «Останься, брат, при мне,— сказал князь,— а я дам сведение в ваш батальон, что оставляю тебя при себе. Твой корпусный однокорытник Монахтин у меня живет».

В первую еще битву в семилетнюю войну, то есть в августе 1756 года, князь Юрий служил в гвардии и был ранен. Не величаю личной его храбрости. Скажу только, что в свое время отличался он и сведениями военными, и знанием языков, и расторопностью дипломатической, а потому по настоянию графа Алексея Григорьевича Орлова и был употреблен он в тайную экспедицию военно-дипломатических посольств в Черную гору.

1769 года сделалось движение к первой турецкой войне. Князь просился в Армению. Екатерина удержала его. В это время граф А. Г. Орлов, под предлогом болезни, находился в Италии. Были о том и догадки, и предложения. Рассказывали, будто бы он из Ливорны отправил какую-то таинственную девицу в России, где будто бы и отдана она была в один из женских монастырей. Странствуя на досуге по Италии, граф завернул в Венецию.

В прежней европейской дипломатике были пройдохи или спекуляторы политические, уловлявшие все случаи выставлять себя людьми нужными, необходимыми, чтобы тем удобнее ловить рыбу в мутной воде. Нашлись такие удальцы из наших единоверцев,

---

[27] См.: «Собеседник» 1783 года и «Были и Небылицы» Екатерины Второй, изданные сочинителем «Записок 1830 года».

славян-венецианцев. Они уверили графа Орлова, будто бы славяне-венецианцы недовольны правительством и будто бы и соседи их, черногорцы, ждут и не дождутся, когда ударит для них час избавления от ига оттоманского; наконец, они уверяли, что по первому воззванию российского двора вспыхнет общее восстание в Архипелаге. Полагаясь на эти уверения, граф убеждал Екатерину немедленно отправить флот, но с тем, чтобы князь Юрий Долгорукий участвовал в экспедиции, а иначе не примет начальства. Составилась тайная экспедиция для отправления к берегам Италии. Князь Юрий назначен был главой ее под именем купца Барышникова. Получа изустные наставления от императрицы, князь вышел из кабинета, а граф Григорий Григорьевич Орлов вынес к нему Аннинскую ленту и сказал:

— Императрица дозволяет вам ее надеть, когда захотите, и дает вам двадцать тысяч рублей.

Князь отвечал:

— Не возьму ни ленты, ни денег, а звание купца принял я на себя в той надежде, что буду чем-нибудь полезен отечеству.

Прибыв в Италию, князь Юрий встретил графа Орлова в Пизе и вручил ему бумаги от императрицы. Ждали флота, ждали войска. Но флот семь месяцев простоял у берегов Англии, будто бы для починки, а в самом деле для того, чтобы адмирал думал и твердил: «Авось помирятся!» Но авось в политике, говоря словами Суворова, то же, что и авось в военном деле. Это обманчивый оборотень. Начались приготовления к достижению туманной, неопределенной цели. В этой попытке политической князь Юрий был гласом (sic) страдательным. Но и невольно подчиняясь чужим предположениям, он выпутывался из затруднительных обстоятельств собственной расторопностью.

Надлежало спешить на Семигальскую ярмарку. Двадцать шесть бродяг славян из различных мест Италии отправились в Семигалию к Драговичу, а князь Юрий пустился в Анкону за деньгами к Маруцию. Из военных чиновников был с князем Долгоруким майор Розенберг, который впоследствии, то есть 1799 года, в чине полного генерала, отразил на горах в Швейцарии Массену и поразил Лекурба. Секретарем при экспедиции был Миловский. Предприимчивую дружину вел в Черную гору черногорец, служивший капитаном в России. Вторым лицом по князю был граф Войнович, подданный венецианский. Были еще два гвардейские офицера, дворецкий князя и слуга итальянец Лукезини, плут записной и проворный.

— Вот,— говорил князь,— вот вся моя армия, с которой я отправился на Семигальскую ярмарку.

Труден был переход через горы: несли на себе свинец, порох, медали и под этой ношей вскарабкивались на горы, пробирались через стремнины и пропасти, уцепляясь за терновник.

— Смерть,— прибавляет князь,— была пред нами, около нас и под нами. Наконец с руками, исцарапанными и окровавленными, в одежде изорванной странники-дипломаты вошли в черногорскую деревню Черницу, откуда князь Юрий повестил сбор черногорцам в Цетин, где были архиерей и губернатор. На другой день черногорцы хлынули со всех сторон, выслушали манифест, присягнули императрице Екатерине и поступили под начальство князя Юрия. Но флот все еще медлил, а венециане, прислуживаясь туркам, смельчакам нашим раскидывали везде сети и даже покушались отравить их, подкупая слугу итальянца. Наконец турки повестили, что тот полчит пять тысяч червонных, кто представит им князя Юрия живого или мертвого. Звук обещанных червонцев свеял с уст черногорцев мимолетную присягу. Умысля захватить и продать князя туркам, они под разными предлогами домогались отдалить от него стражу славянскую. Князь с сопутниками своими решился бежать. Граф Войнович, переодевшись в турецкую одежду, нанял лодку. Труден был вход в Черногорию, еще труднее был оттуда ночной выход. Из стремнин и пропастей опытный проводник выносил, так сказать, дружину на руках. Заря встретила ее на берегу моря. Славянский патриарх, укрывавшийся от турок с несколькими архимандритами, упросил князя взять их с собой.

— С восторгом,— говорил князь,— отплыли мы. Нас окружали четыре неприятеля: черногорцы, венецианцы, турки и берега моря Адриатического.

А вот рассказ нашего героя о бое Чесменском.

— После моих походов,— пишет князь,— поехал я к князю Алексею Григорьевичу, а флот поплыл искать славы в Архипелаге, оставя один корабль и фрегат, на которых мы с графом отправились в Морею. Появление флота русского нагнало на турок сильный страх: Наварин сдался горсти русских и греков. Русских было только двадцать человек.

Заметим, что в наш век этот самый Наварин решил судьбу Греции. Вскоре подоспел к нам,— продолжает князь,— адмирал Ельфинстон с тремя кораблями и присоединился к прежним нашим шести линейным кораблям. Было также у нас и несколько фрегатов. Долетела весть, что в море пустились шестнадцать турецких кораблей и множество различных судов. Составился на корабле нашем совет, на котором были два графа Орловы, контр-адмирал, капитан нашего корабля, Грейг и я. Начинали колебаться, но мы с Грейгом решительно сказали, что должно плыть к турецкому флоту и напасть на него. Не вдруг, но, наконец, нам удалось вовлечь в мнение наше графа Алексея Григорьевича. К счастью нашему, у нас был капитан Грейг, мореходец искусный, опытный, умный и распорядительный. Он расставил наш флот в следующем порядке. Три корабля в авангарде под начальством адмирала: 1) «Европа»; 2) «Евстафий», на котором был адмирал Спиридов и граф Федор Григорьевич Орлов; 3) «Януарий». Кор-де-батал: 1) «Трех Святителей»; 2) «Три иерарха»; 3) «Ростислав». В арьергарде — адмирал Ельфинстон. Корабли: 1) «Не тронь меня»; 2) осьмидесяти-пушечный «Всеволод»; 3) «Саратов».

Предписано было, чтобы корабли между собой находились на расстоянии полкабельта, чтобы шли один за другим и на пистолетный выстрел от неприятеля ложились в линию и производили пальбу.

Накануне Грейг убеждал меня принять начальство на корабле «Ростиславе». Я смеючись отвечал, что я не моряк. Наконец, по настоянию его, я переехал на корабль «Ростислав», куда последовали за мной генерал Пален, подполковник Перель и еще некоторые. На другой день увидели мы турецкий флот на якоре между островом Хиосом и азиатским берегом. Корабль капитан-паши в той же линии, но отдаленный полкабельтов на шесть или более, на правом крыле всего флота.

Дан знак к нападению. Корабль «Европа», пришед на надлежащее расстояние, поворотил вдоль турецкого флота с пальбой. За ним двинулся «Евстафий», а потом «Януарий». Став перед капитан-пашинским кораблем, «Януарий» встретил мель, и, опасаясь попасть на нее, вернулся назад. То же предпринимал и «Евстафий», но паруса были чрезвычайно повреждены. Задрейфовало его на корабль капитан-пашинский. Полагали, что завяжется ручной бой, но адмирал и граф Федор Григорьевич сели в шлюпку и погребли к фрегату, стоявшему в отдалении от флота. На корабле, второпях, адмирал забыл сына своего, а граф Федор Григорьевич друга своего, князя Козловского. Капитан Круз на последней своей шлюпке послал адмиральского сына к графу Алексею Григорьевичу прокричать: «Ура!», то есть поздравить со взятием турецкого корабля. Горестно было это: «Ура!» Перескочив на заполоненный корабль, наши встретили дым, клубившийся снизу. Бросились опять на свой корабль. Корабль турецкий запылал в огне. Наши люди в изумлении ожидали жребия своего. Вдруг с турецкого корабля упала горящая мачта на наш корабль; искры от него посыпались в пороховую камеру, открытую в сражении. Мгновенно корабль наш взлетел на воздух, спаслись капитан Круз, штурман и еще человека четыре. Все прочие погибли, в том числе и князь Козловский. Очень вероятно, что турки сами зажгли пустой корабль, чтобы подвергнуть наш флот той участи, какую испытали от нас.

Корабль «Трех Святителей» первый перешел сквозь турецкую линию. «Три иерарха» и «Ростислав», повернув против турецкого флота, двинулись к нему как можно ближе и огромляли его пальбой. Флот турецкий, отрубя якорь, стремительно и в расстройстве пустился в глубокий бассейн при Чесме. А наш авангард, убавляя паруса, прибыл тогда, когда уже обложили Чесменский бассейн. В сражении он далеко был от нас и из хвастовства стрелял на воздух из пушек.

Между тем в то самое время, когда взорвало корабль «Евстафий», граф Алексей Григорьевич швырнул на палубу брильянтовую табакерку и вскричал: «Ах! брат!». Неожиданно явившийся адмиральский сын известил, что граф Федор Григорьевич и отец его живы;, граф позвал меня к себе, и мы пустились с ним отыскивать брата его и застали его державшего в одной руке шпагу, а в другой ложку с яичницей. На груди адмирала был большой образ, а в руке рюмка с водкой.

Снова переговоря с Грейгом, немедленно оснастили мы четыре брандера, и ночью, под прикрытием корабля «Европы», Клокачев вплыл в бассейн и сблизился с турецким флотом, который в такой был суматохе, что иной корабль стоял к нам кормой. Несколькими выстрелами брандскугельными отважный Клокачев сжег турецкий флот до тла. Из четырех брандеров один «Ильин» сцепил свой брандер с фланговым турецким кораблем. Разъезжая с Грейгом на шлюпке, мы увидели на рассвете, что один только корабль «Родос» уцелел, и проводили его в русский флот. Домогались вытащить и другой, но с соседнего корабля свалилась на него мачта.

Ужасно, неописанно было зрелище в Чесменском порте! Кровь смешалась с водой; люди обгорелые, в различных положениях лежали между дымившимися корабельными обломками, которыми так затеснен был порт, что едва можно было пробраться на шлюпке.

Угас пламень пожара Чесменского, вспыхнуло новое пламя от порывов щекотливого самолюбия. Подтрунивая над князем Юрием, граф Федор Григорьевич Орлов сказал:

— Ведь мне дадут второй степени Георгия, а вам третьей...

В пылу досады князь возразил:

— Что я заслужил, то все мое, а если меня обойдут, то все-таки мое останется при мне. А что вам дадут, тому не позавидую.

Радушный князь Юрий Владимирович принял меня в число адъютантов своих. И я зажил у князя, как в родном доме. Штат князя Юрия Владимировича составлен был из отличных молодых людей того времени. Два брата Апухтины были из первых остроумников. Алексей Михайлович Пушкин по беглости и гибкости ума своего, говоря тогдашнею речью, был первый хват в Москве. Хват значило в то время молодец на все руки. Он забрасывал и русскими, и французскими bons mots (острыми словами). В этом мире я был совершенно новичком, а потому как можно менее говорил, боясь обмолвиться. Но как ни умудряйся, а под час от беды не уйдешь: попал и я впросак, и вот каким образом. Дочь князя превосходно выучилась у иностранца Кинеля музыке и живописи. Мне вздумалось на одну из ее картин скропать французские стихи, в которых с восточной надутостью слога я назвал ее «la perle des princesses»*. Досталось мне от остряков моих товарищей за эту восточную жемчужину! И поделом.

Чтоб глупо не упасть и чтоб не осрамиться,
Так лучше не в свои нам сани не садиться.

В числе адъютантов князя Юрия Владимировича были два брата Долгорукие, сыновья князя Петра Петровича, который, как

* «Жемчужина среди принцесс» (фр.— *Ред.*).

значится в «Записках» князя Юрия Владимировича, 1770 года заполонил Наварин с двенадцатью русскими рядовыми и горстью греков. Вскоре по восшествии на престол императора Александра старший брат (тоже князь Петр Петрович) поступил к нему в адъютанты. Записки не числительные таблицы, а потому, нарушая ход годов, упомяну о достопамятном случае, относящемся к князю Петру Петровичу Долгорукому. 1805 года, пред Аустерлицким сражением, князь отправлен был к Наполеону для переговоров. В первых параграфах второй части военных записок Монтекукули сказано, что если ожидать переговорщика, то на передовой цепи отдавать приказ, чтобы все часовые кричали, что они изнурены голодом, усталостью и готовы бежать. Наполеон помнил и привел в действие это правило. Молодой князь-переговорщик забыл его. Едва показался он, вдруг раздались громкие восклицания часовых французских: «Куда нас ведет этот император! Он хочет нас переморить с голода и холода! Мы сдадимся! Мы разбежимся!» Князь был умен, но тут не спохватлив. Приняв за чистые деньги ложные возгласы, наш переговорщик представился Наполеону в виде властительного диктатора. Тогда судьба не давала еще Наполеону тех грозных уроков, которые свели его на скалу Елены; тогда чело счастливца обвилось блестящими лучами славы итальянской и египетской. Как будто забыв и это, князь кичливо укорял его в нарушении договоров и занятии Неаполя. Закипел досадой Наполеон, гневной рукой накинул на голову шляпу и гордо сказал: «Eh bien nous nous battrons!»* На обратном пути встретил и провожал князя тот же ложный крик на передовой цепи, и он передал его за подлинный отголосок негодования. Собран был военный совет. Кутузов представлял, что должно пообождать, что мы стоим под стенами Ольмюца, что к нам подходят наши войска. «Правда,— прибавил он,— мы терпим недостаток в продовольствии, но его терпят также и французы». По этим и другим соображениям Кутузов не соглашался на бой. Возвратившийся князь улыбнулся. Кутузов сказал: «Что ты улыбаешься, молодой человек! Не думаешь ли, что трусость удерживает меня от сражения? Мои лета и мои раны за меня говорят». С этими словами он вышел из совета. Часа в четыре государь посетил Кутузова. Сражение было отменено. Михаил Ларионович бросился к ногам императора и сказал: «Государь! Вы спасаете славу России». К несчастью, произошло недоумение между союзниками. Ночь, сменившая день, переменила и обстоятельства. Но на другой день Кутузову доставлен был план битвы. «Не соглашаюсь! — воскликнул он,— это план Наполеона».

Булгарин справедливо заметил, что теперь можно откровенно говорить о первых наших неудачах. Неудачу Аустерлицкую, эту первую попытку русских против Наполеона, кажется, целые столетия отмежевали от нашего времени. Как искры, мимолетные победы сверкали и угасали на полях ратных, но потомство не за-

---

* «Так мы будем сражаться!» (фр.— *Ред.*).

будет, что Александр не возбранил Кутузову напечатать во всеобщее сведение, что «по причине личного присутствия государя не отдает он отчета в Аустерлицком сражении».

Прибыв в Париж под ярким сиянием счастливой своей звезды, Наполеон приказал представить на театре ту тактическую хитрость, которой удалось ему завлечь в сети князя Долгорукого.

П. П. Долгорукий умер перед началом второй войны с французами, т. е. в 1806 г. Умер и Кутузов, не стало Наполеона, не стало и Александра I, и скольких еще не стало! Тут невольно скажешь с Босюетом: «O néant! O mortels, ignorants de leur destinée»*.

В гостеприимном доме князя Юрия Владимировича судьба дала мне в соседи ловкого актера того времени — Силу Николаевича Сандунова. По пылкости, живости, деятельности и изворотливости ума его можно назвать «русским Бомарше». Рассказ о тогдашней Москве начну с нового моего знакомства. Обстоятельства женитьбы его сливаются с напоминаниями века Екатерины II. В молодости своей С. Н. Сандунов был ловким актером и на театре, и в обществе. Не зная французского языка, острыми русскими шутками смешил он бар и большой свет, а иногда и крепко задевал их своими колкостями. Но вдруг впал он в глубокую задумчивость. Лиза, поступившая на Большой Эрмитажный театр императрицы, заполонила его сердце. Но у него был опасный соперник и по важному месту, и по отличным способностям гибкого ума. Но этот делец-вельможа, говоря словами Державина:

> Сегодня обладал собой,
> А завтра прихотям был раб.

Ведя холостую жизнь, он любил на досуге попировать с приятелями в трактире и, оставляя за порогом свою почетность, уравнивал там всех с собой лаской и приветом. Страстно также любил он общественные увеселения, особенно театр и маскарады.

Силен был этот вельможа, но в деле соперничества вышло иначе. Сердце Лизы отдано было Сандунову. «В это ужасное время,— говорил мне Сандунов,— часто приходила мне в голову мысль о самоубийстве; но это пагубное средство я всегда почитал трусостью, а не отважностью. Невольно, однако же, изнемогал я иногда духом и, однажды, когда я читал «Вертера» Гете, торопливо вошла ко мне Лиза, взглянула на книгу, вырвала ее из моих рук и сказала: «Полно тебе дурачиться, может быть, сегодня будем мы счастливы. Вечером я играю в Эрмитаже «Федула с детьми» — сочинение императрицы. Возьми перо и пиши к государыне прошение о нашем браке. Ты знаешь, как государыня любит эту оперу. Может быть, мне удастся ей угодить; подам нашу просьбу, а ты будь в это время за кулисами».

«Федул с детьми» была любимой оперой Екатерины из всех

---

* О суета! О смертные, не ведующие судьбы своей! (фр.— *Ред.*).

театральных представлений. В этот вечер Лиза превзошла сама себя. Сочинительница, очарованная ее игрой, была вне себя от восхищения. Рукоплескания не умолкали. После представления Екатерина допустила Лизу к руке, а она бросилась на колени и вскричала: «Матушка! Матушка-царица! Спаси меня!» С этими словами вручила она Екатерине бумагу, в которой жаловалась, что сильный вельможа, преследующий ее, препятствует ей выйти за С. Н. Сандунова. В этот миг выбежал из-за кулис Сандунов и стал также на колени. Прочитав прошение, Екатерина сказала: «Все уладится, будьте спокойны и не заботьтесь о приданом».

Приданое готовилось, а Екатерина по этому случаю сочинила для Лизы песню:

Как красавица одевалася,
Одевалася, снаряжалася,
Для милого друга
Жданого супруга.
Все подружки
Друг от дружки
Ей старались угодить,
Чтоб скорее снарядить.
Лизу все оне любили,
Сердцем все ее дарили
За ласку, любовь,
За доброе сердце;
А доброе сердце
Всего нам милей!

Трудно жить и уживаться в этом свете не только в горе, но и в радостях и в счастии. Началась новая борьба. Около людей случайных, на посылках их прихотей и страстей, кружится всегда рой раболепных прислужников. На Сандунова нападали со всех сторон, чернили, сердили, выводили из терпения. Но у него были тогда два вспомогательные войска — восторг счастливой любви и театральная слава жены его. Вскоре после этого в особенной чести на театре была опера «Редкая вещь», переведенная с итальянского актером Дмитревским, который в Лондоне удивлял Гаррика, а в Париже играл в Вольтеровой «Заире» Оросмана, дожил до нашего 1812 года, почти ста лет явился на театре в драме «Ополчение» и умер в повторении исторических веков. В этой опере Сандунова представляла крестьянку. Богач, городской волокита, увиваясь около нее, обольщает ее драгоценными подарками. Она взяла из рук его кошелек и отвечала арией:

Престаньте льститься ложно
И думать так безбожно,
Что деньгами возможно
В любовь к себе склонить.
За деньги золотые,
За камни дорогие
Красавицы градские
Вас могут полюбить,
А нас корысть не льстит.

И при этом слове она бросила кошелек к той стороне, где каждый раз сидел в ложе раздосадованный вельможа-обожатель (Безбородко). Громко хлопали зрители, хлопал, сжав сердце, и сиятельный вельможа, который, при обширном уме и удивительной памяти, уподоблялся, в разгуле страстей, современнику своему, Фоксу, который метал пламенные перуны на холодного соперника своего Питта (?). Но всему есть предел. Сандунова до того довели, что он, по собственным словам, решился бежать из Петербурга в Москву; а по этому случаю, прощаясь со зрителями, он отважился прочитать стихи, сочиненные Клушиным, издателем «Меркурия» и сотрудником в «Зрителе» Крылова. Главной мыслью этих стихов было то, что Сандунов не хочет оставаться долее там,

Где бары и бароны
Готовы рассыпать Лизетам миллионы.

Миллионы, вероятно, причтены для рифмы. Переселясь в Москву, Сандунов отдал в Воспитательный Дом, в пользу сирот, все петербургские драгоценности, полученные прежнею Лизою. Его называли скрягою, но это неправда. Скряга прячет за замки и деньги, и душу свою, а Сандунов трудовые свои деньги расточил на пользу общественную.

Напротив дома своего, на Трубе, выстроил он бани на славу, с приличными отделениями для всех сословий, и все его благодарили. Справедливо только то, что он приучал жену свою к самому мелочному хозяйству. В ней как будто были две женщины. Одна — актриса, восхищавшая игрой и голосом зрителей, а другая — в обществе чрезвычайно робкая и безгласная. Однажды, за обедом, князь Юрий Владимирович, указывая на нее, сказал: «Нашу Елизавету Семеновну можно уподобить фельдмаршалу Лаудону. В мирное время он как будто робел пред каждым человеком и не мог промолвить ни одного слова, а в сражениях был герой и летал, как орел. Елизавету Семеновну никто в комнате не узнает, она сидит притаясь и боится промолвить слово, но на театре за ее быстрой игрой и голосом не поспевают наши рукоплескания». А С. Н. Сандунов был ловким, умным и искусным актером и на театре, и в комнате. Казалось, что он никогда не сходил со сцены. Но живая, ловкая Сандунова как будто бы сама в себе исчезала, переходя из театра в комнату. Каждый день виделся я с Сандуновым. Нас разделяла одна только стена. Весело было смотреть на счастливую чету, но грозный приговор судьбы пал и на Сандунова. В вихре нашего света счастье — быстрая перемена театральных декораций.

Сила Николаевич Сандунов, мой первый путеводитель в Москве, познакомил меня с товарищами своими: Померанцевым, Шушериным, Плавильщиковым и другими. Как-то в разговоре Николай Михайлович Карамзин говорил мне, что наш Померанцев сходствовал с французским актером Мале. Не знаю, чем был прежде Мале, но Померанцев из причта церковного перешел на театр и самоучкой сделался в своем роде единственным актером. Он был высокого роста и казался неуклюжим. Но без всех движений он сильно овладевал вниманием зрителей. Вся страсть драматического искусства была в его голосе. Иногда только приподнимал он правую руку и, сжимая в ней все пальцы, кроме указательного, действовал ею чудным образом. В первый раз видел я его в «Отце семейства» (кажется, Иффланда). Пораженный бегством дочери своей с каким-то графом, он говорил: «Ты улетела от меня, милая моя малютка! Я любил, я лелеял тебя! Ты одна была моей жизнью и отрадой! И ты покинула меня, и ты унесла с собой все мои радости; зачем не взяла ты с собой и моего сердца! Оно изноет без тебя и скоро перестанет биться!» Весь театр плакал. Неподражаем он был во всех прозаических драмах, но не умел произнести ни одного стиха, и в роли Гостомысла был даже смешон.

Напротив того, Шушерин был мифическим протеем, или русским оборотнем: от «Ярба» переходил к «Сыну любви», и в «Попугае» Коцебу был простодушным Ксури, а впоследствии в «Эдипе» Озерова оживил страдальца, лишенного зрения и гонимого судьбой. На театр перешел он из лавки, где был простым сидельцем. Он был роста высокого и стройного, лицо его было умное, черты чрезвычайно резкие, но в «Сыне любви» и в других подобных драмах он казался красавцем; у него все было рассчитано: и каждый шаг, и каждое движение, и выражение каждого слова. Роли свои повторял он, обыкновенно, перед зеркалом и был строгим судьей самого себя; в приятельском кругу Шушерин был очень остроумен, но никогда не пересуждал ни товарищей, ни знакомых. Из всех тогдашних актеров один только Плавильщиков поступил на театр из дворян. При самом кротком нраве у него была слабость: он всегда с удовольствием упоминал о своем дворянстве и о том времени, когда, в звании учителя, знакомил слушателей своих с русской историей по портретам ее государей. В ролях отцов семейства он был превосходен в выражении каждого слова. В трагедиях всегда выражал чувство и никогда не звучал рифмами, но иногда увлекался жаркими порывами и вскрикивал. Плавильщиков силой исполинской груди произносил одним духом длинные периоды из похвального слова императрице Елизавете Петровне. Лицо его отличалось необыкновенной свежестью. Чай был любимый его напиток. За чаем он был говорлив и говорил умно и складно, но никогда не вдавался ни в какие споры. В делах театральных мнение его товарищей управляло им.

ГЛАВА XII

Знакомство мое с Шатровым.— Его Камин.— Н. П. Николев.— Обед у Карамзина.— Острый ответ Николева.— Представление Сорены.— Ответ Екатерины графу Брюсу.— Попытка моя печатать свои стихи.— Цензор Х. А. Чеботеров.— Модный свет.— Роскошь.— Князь Ю. В. Долгорукий.— Моя адъютантская должность.— Хозяйственная деятельность князя.— Князь В. Ю. Долгорукий.— Его долги.— Щедрость старого князя.— Слабости князя Ю. В. Долгорукова.— Столкновение Эртеля с Бессоновым.— Суд над Бессоновым.— Отзыв кн. Ю. В. Долгорукова о гр. Зубове.— Отставка князя.— Отпуск мой на родину.

«Везде я направлял мысль мою к сему вечному влиянию, которое видимая природа производит на расположение духа и на судьбу человека».

Александр Гумбольдт

«Toute ma jeunesse s'est réfugiée dans mon coeur*.

Шатобриан

У С. Н. Сандунова познакомился с Н. М. Шатровым. Не учась нигде, он стал на степень поэтов-самоучек. Русское слово, славянское наречье и природа были его наставниками. Напрасно классики затягивают под свои знамена Буало — он наотрез сказал: «Кто не родился под звездой поэзии, тот не будет поэтом». С запасом метафор недалеко уедешь. Ум говорит уму, сердце — сердцу, душа — душе. Простолюдину Шекспиру природа открыла все тайны сердца человеческого. Кому предоставлено читать в великой книге природы, всегда отверстой для духа творческого; кому предоставлено уловлять переливные движения сердца и души человеческой — тот выразится языком вдохновения. Шатров не знает иностранных языков, но в стихотворениях его — общий объем мыслей. Дидерот в бытность свою в Петербурге, где перечитывал с Екатериной Наказ ее, узнав, что Василий Майков, сочинитель проказных поэм, не сведущ ни в живых, ни в мертвых языках, упросил Александра Ильича Бибикова перевесть для него несколько страниц из Майкова.

— Я хочу видеть,— сказал Дидерот,— как предлагает и соображает мысли писатель, не знающий французского языка.

Бибиков перевел, а Дидерот и в переводе нашел тот же ход мыслей, какой и во французском языке.

Различное предложение и соображение мыслей зависят не от мертвых букв, но от различных действий ума, души и сердца. Во всех наречиях, существующих на лице земли, заветным солнцем сияют три слова первородные: Бог, природа, человек. Проявление их в стихотворениях Шатрова везде сливается с целью предположенной. Написал и он «Камин», но не напечатал. А вот почему.

---

* «Вся юность моя переселилась в сердце мое» (фр.— *Ред.*).

Однажды прихожу к нему зимой. Поэт сидел у камина, быстрой рукой рвал листы и бросал в огонь.

Я.— Что ты делаешь?

Он.— Рву мой «Камин».

Я.— За что?

Он.— Пушкина «Камин» ходит по всем рукам.

Я.— Пушкина «Камин» хорош, но рук не обожжет.

Он.— Скажут, что я хотел обезьянить, а я свой «Камин» давно написал.

Я.— Хорош же ты, Николай Михайлович: Герострата укоряют, что он сжег один храм Эфессий, а ты в несколько минут сжег царство Ассирийское и царство Вавилонское, и Персидское, и Мидийское, и древний мир Александра Македонского, и древний мир Рима исполинского.

Мы много шутили и смеялись, но царства каминные истлели в камине. Скажу и теперь: жаль «Камина» Шатрова: ярким огнем горели в нем исполинские царства мира древнего и разлетались, как искры, разносимые дуновением ветра.

Шумят бури ратные, или, говоря словами Гизо, выходят на бой понятия человеческие со штыками и пушками; шумят распри понятий и на вершинах двуххолмистого Парнаса. В свое время Шатров был под знаменами оппозиционной партии, воевавшей против Карамзина. По выходе его безделок Шатров грянул на них следующей эпиграммой:

Собрав свои творенья мелки,
Русак немецкий надписал:
Мои безделки.
А разум, прочитав, сказал:
Ни слова, дива!
Лишь надпись справедлива.

И мгновенно из-под знамен господствующей партии вылетел ответ:

Коль видим разум мы во образе Шатрова,
Помилуй, Боже, нас от разума такова!

Знакомство с Шатровым повело меня к знакомству с Николаем Петровичем Николевым. На заре жизни померкло зрение его, но ум всегда ярко светил. Чем была Антигона для Эдипа, тем Шатров был для Николева: везде он был его вожатым. Врачи говорили ему, что от частого смотрения на слепоту он сам со временем ослепнет. От этого ли, или от чего другого, а предречение сбылось. На западе жизни Шатров погрузился в потемки Оссиановские. Но подвиг его дружбы достоин жить в летописях друзей.

Николева можно назвать поэтом-метафизиком. Он чрезвычайно любил и в произведениях своих, и в разговорах, блиставших какой-то живой новостью, изворачивать и раздроблять мысли. Дурную оказали ему услугу напечатанием сочинений в четырех огромных частях, не отбросив даже и грехов его юности. Но утвердительно можно сказать, что избранные сочинения Н. П. Николева никогда не поблекнут в области русской словесности. О слоге его можно выразиться по-французски: «Son style est nourri de pensées»*. Оболочка мыслей, то есть слог, разнообразится и отцветает; душа мыслей бессмертна, как мысль. Любя раздробление мыслей, Николев называл Державина поэтом внешней природы. Внешнюю же природу называл он корою, по которой ум скользит, но не останавливается. При таком уме Николев старался воздерживаться от острых и язвительных шуток. Однажды только явно изменил он своему правилу. По случаю издания «Аонид» был торжественный обед у Н. М. Карамзина; за столом при заздравном кубке за будущий успех «Аонид» главный издатель Карамзин сказал: «Кто в наше время напишет вялый и водяной стих, тому именным указом должно запретить писать стихи». Николев с хитроумной улыбкой возразил: «Об нас что говорить: мы что за поэты. Но, Николай Михайлович, вам бы надобно пощадить себя».

И Николеву, в свою очередь Мельпомена подносила венцы. Играли трагедию его «Сорену». При резких выходках против тиранов и тиранства раздавались громкие рукоплескания. Но нашлись люди услужливые, которые, приехав из театра к тогдашнему московскому градоначальнику графу Брюсу, так настращали его трагедией Николева, что он запретил вторичное представление и извещал императрицу, что принял эту меру по причине многих стихов о тиранах и тиранстве. Екатерина отвечала графу:

«Запрещение трагедии «Сорены» удивило меня. Вы пишете, что в ней вооружаются против тиранов и тиранства. Но я всегда старалась и стараюсь быть матерью народа. А потому и предписываю отнюдь не запрещать представления «Сорены».

Об этом обстоятельстве предложено было в «Русском моем «Вестнике» 1809 г. при разборе трагедии «Сорены».

Павел I любил Николева и подарил ему трость с золотым набалдашником, осыпанным брильянтами, и с надписью: «A l'aveugle clair-voyant» — слепцу зорковидящему. Сущая правда: Николев далеко заглядывал в мир политический.

Познакомясь с писателями, и я затеял втиснуться в ряды их. С тетрадью из стихов иду в университет к тогдашнему цензору Харитону Андреевичу Чеботареву. Робкою рукою представляю рукопись. На беду мою в ней была ода на суеверие, выкраденная из Вольтера.

— Не пропущу,— сказал мне цензор.

— А почему?— возразил я.

— Да знаешь ли ты, молодой человек! (Скажу мимоходом и я был молод: «Et moi aussi je fus berger en Arcadie!»**. Да знаешь ли ты, что такое суеверие?

— Хотя и не учился в университете,— отвечал я,— но очень знаю различие между верой и суеверием. Вера требует любви,

---

* «Его стиль питают мысли» (фр.— *Ред.*).

** «И я был пастушком в Аркадии счастливой» (фр.— *Ред.*).

милосердия и снисхождения к человечеству. А во имя суеверия инквизитор Торквемада, первый зажигатель костров святотатственных, сожигает тысячи в губительном их пламени. Во имя веры добродетельный Пен покупает в Северной Америке землю, заселяет ее дикими и голосом любви призывает их под знамение креста. Во имя же суеверия Людовик XIV, по внушению духовника своего Ламеза, изгоняет из недр Франции тысячи трудолюбивых протестантов, которые в чужие области перенесли с собой оборотливый ум, промышленность и свет наук.

— Вижу, вижу — вскричал цензор,— что вы хорошо учились истории.

— Нет,— сказал я,— я не учился истории, а читал ее, да и думаю, что и те, которые берутся учить историю, часто лгут на историю. Нельзя смотреть чужими глазами, нельзя слушать чужими ушами, нельзя и чужим умом всматриваться в события минувших веков.

— О, да как же вы речисты,— возразил цензор.— Но я все-таки не пропущу вашей оды. Выбросьте ее, все прочее тотчас подпишу.

Долго еще шли у нас переговоры; окончилось тем, что я не согласился выбросить оды, а цензор не ознаменовал скрепой своей моей тетрадки.

Модный московский свет, наряду с петербургским, размежевался на два отделения: в одном отличались англоманы, в другом галломаны. В Петербурге было более англоманов, то есть любителей поверий английских; в Москве более было галломанов. В модных домах появились будуары, диваны, и с ними начались истерики, мигрени, спазмы и т. д.

Из обветшалой Франции XVIII столетия нахлынуло к нам волокитство, вместе с Доратами, Парни и так называемой любезностью петиметров.

Как будто бы для сбережения своих сердец щеголихи большого света надели золотые цепи. Это, однако же, была не парижская мода, а своя — московская. В утренние разъезды и на обеды ездили с гайдуками, скороходами, на быстрых четвернях и шестернях[28].

Вечером — домашние театры, где большей частью играли французские комедии, балы и маскарады; по воскресеньям и в праздничные дни под Донским были кулачные схватки, пляски, хоры песельников и санный бег. В честь победителя раздавались рукоплескания. По ночам кипел банк. Тогда уже ломбарды более и более затеснялись закладом крестьянских душ. Быстры, внезапны были переходы от роскоши к разорению. И у нас в большом свете завелись менялы. Днем разъезжали они в каретах по домам с корзинками, наполненными разными безделками, и променивали их на чистое золото и драгоценные каменья, а вечером увивались

[28] Тогда езда парой называлась «мещанской ездой».

около тех счастливцев, которые проигрывали свое имение и выманивали у них почетное подаяние.

Один из новых английских писателей представляет роскошь в блестящем головном уборе, в пышной одежде, а под нею голые, изможденные ноги, около которых, с одной стороны, уцепилась женщина, а с другой — глупость. Но этого не замечали в 1795 году. Москва пировала в полном разгуле жизни веселой. В заграничном европейском мире гремело оружие республиканских легионов и на полях Италии, и на берегах Рейна, а в пределах древней Батавии развевались знамена трехцветные, но для нас все это было на краю какого-то другого света.

Князь Юрий Владимирович Долгорукий[29] был государственный и военный человек, но у него в доме не было ни одного иностранного журнала, ни одного листочка заграничных ведомостей. По утрам занимался он своей должностью, знал обо всех происшествиях московских, наблюдал обстоятельства петербургские; после обеда и вечером играл в бостон, и не слышно было ни одного слова о действиях войны европейской. О чем же говорили мы, молодые его адъютанты, между собой? О балах, театрах и маскарадах. Я был у князя Юрия Владимировича на вестях благотворения, принимал прошения от неимущих, представлял общий доклад князю и развозил пособия его.

О доказательстве бедности просителей не нужно было справляться. «У вас в Москве,— писал принц де Линь к Екатерине,— бедные хижины стоят подле великолепных палат и не боятся их». Где теперь эти палаты? Стены их остались, но перешли в руки промышленников, и прежней пышности их как будто не бывало. Возразят, что такой переворот произошел от иноплеменного нашествия двенадцатого года. Но и до этого времени сколько было вторжений роскоши и мод в Москву, и сколько погибло труда земледельческого от расточения и пренебрежения сельского быта! О последнем обстоятельстве приведу свидетельство из собственноручных записок князя Юрия Владимировича.

«Наследственные мои и братьев моих вотчины — говорил он,— почти вовсе разорились от трех посторонних управлений». Вот почему князь взял все под свой собственный надзор, учредил суконную фабрику и винокуренный завод. Уверяли, будто бы Екатерина однажды укоряла князя, что от него отзывается винокурением. Это неправда. Все установленное законом не причастно презрению. Князь Н. В. Репнин в звании начальника Смоленской губернии несправедливо гнал откупщиков; для соблюдения закона нужно было только беспристрастное наблюдение, чтобы предупреждать пронырства, вредные обществу.

Сильные были нападки на князя Юрия Владимировича и за

---

[29] Родился в 1740 г., умер в 1830 г. Автор немного заходит тут вперед. Кн. Ю. В. был главным начальником Москвы уже при Павле I. В конце царствования Екатерины он командовал войском, расположенным в Москве, а потом вышел в отставку (1795).

то, что он не платил долгов своего сына. Я лично знал князя Василия Юрьевича. Он был прекрасный и образованный молодой человек, но стал жертвой игроков и вошел в неоплатные долги. Что же было делать отцу? Отдать ли на новое разорение имение, им самим устроенное? Каково было бы бедным крестьянам переходить из рук в руки, подвергаться непривычным для них работам, тяжелым взысканиям и горестной неизвестности о судьбе своей? Князь поступил обдуманно, но это приписывали его скупости. Это пустая молва и клевета. Он был даже расточителен на пользу и добро. Старшине московских ямщиков Ширяеву на различные его заведения давал он по пятидесяти тысяч и более, без всякого залога и обязательства; а за одного из прежних своих адъютантов А. П. Апухтина, который, в генеральском чине, находясь при строении Нижегородской ярмарки, не представил отчета во ста тысячах, заплатил все сполна и никогда не требовал возврата. Князь и мне давал двадцать тысяч с тем, чтоб я переводил из «Энциклопедии» части, относящиеся к художеству и ремеслам, но я знал, что и Дидро, особенно занимавшийся тем, с трудом доискивался у парижских художников и ремесленников подлинного значения их работ, и потому я отказался.

В доме князя жили две дочери и несколько девиц, дочерей бедных родителей, существовавших его помощью и благодеяниями. В числе их была и дочь актера Померанцева, умная, скромная и к которой можно было применить французское изречение: «La grâce plus belle que la beauté»*. У Юрия Владимировича были две слабости: пристрастие к происхождению от Рюрикова колена и к голубой ленте. Однажды князь Николай Борисович Юсупов звал его на свадебный обед к одному из иностранцев, у которого он был посаженым отцом. Князь отвечал: «Я приеду в голубой ленте, наденьте же и вы свою». Но по любви своей к московским гражданам князь был членом мещанского клуба. Несмотря на то, что ему не по сердцу были неравные браки, Броневский, родной брат того Броневского, который был соучастником Крылова в издании «Зрителя», управляя Никольской суконной фабрикой князя, помолвлен был на дочери актера Померанцева. Князь, который изъявил свое согласие, дал ей приданое и был посаженым отцом. Но когда на другой день свадьбы Броневский пришел его благодарить, князь угрюмо сказал: «Поздравляю тебя, братец! Но всетаки она дочь актера». Я ахнул про себя, ибо, повторяю еще, в семь месяцев бытности моей у князя из уст его вылетело одно только это неприветное слово.

Чему это приписать? Родовую честь называют предрассудком, внушаемым воспитанием и привычкой. Но если мысль о знатности рода переходила из века в век, то как управиться с нею? Не берусь быть стряпчим за князя. Скажу только, что в князе не было ни черты гордости и спеси; он уважал все звания, для него не было так называемого последнего человека. По должности своей и по

* «Грация прекраснее, чем красота» (фр.— *Ред.*).

влечению доброго сердца он выслушивал равно и вельможу, и гражданина, и бедняка в скудной одежде. Душа его всегда готова была спасать страдальцев. Из множества примеров предложу здесь один разительный. При императоре Павле 1797 года снова запрещен был банк и притом поздние вечерние собрания. Часов в десять по улицам водворялось безмолвие, и в домах угасал огонь. Страсть к игре ухитрялась и усыпляла зоркий надзор, что, однако, не всегда удавалось. Тогдашний обер-полицеймейстер Эртель, по личному неудовольствию, подыскивался под князя М. и майора С.

Однажды в полночь подстерег он банк у князя М., влетел к нему с причетом своим. Между тем, когда князь и майор С-ий рубились в карты не на живот, а насмерть, на софе погружен был в глубокий сон сибиряк Бессонов, поручик Архаровского полка, составленного из прежних восьми Московских батальонов (где и я служил), казначей своего батальона, любимый и уважаемый всем полком за честность и добросовестность. Полицеймейстер добирался и до него, предполагая (чего иногда не предполагают!), будто бы он был лазутчиком за полицией. Он будит спящего. Пробудясь второпях и протирая глаза мощными руками, укрепленными родным его сибирским воздухом, он спросил:

— Что вам надобно?

— Ступайте за мной,— отвечал полицейместер,— вы были свидетелем игры.

Бессонов сказал: «Оставьте меня, завтра нашему батальону ранний смотр. Вы видите, что я спал. Не стыдите меня перед начальником. Для меня честь дороже жизни».— «Ступайте»,— грозно прикрикнул обер-полицеймейстер.— «Иду! Но только смотрите, чтобы вы не раскаялись, офицерской моей честью я дорожу свыше жизни...» — Часа в четыре ночи привели игроков и Бессонова в дом начальника полка, где, по тогдашнему обыкновению, стояли и полковые знамена. Выходит Иван Петрович Архаров, разбуженный тревогой, в колпаке и халате. Взглянул на Бессонова и сказал: «Как, и ты здесь?» Посадили приведенных под знамена. На заботливые расспросы человеколюбивого нашего начальника полицейместер волей-неволей признался, что он поручика Бессонова застал спящим. «Грешно было тебе, братец, будить!» Смущенный полицейместер просил дозволения сказать Бессонову, что до него не будет дела.— «Не надобно было и заводить шума,— прибавил Архаров,— от искры пожар загорается. Поди, братец, поправь свой грех».— Полицейместер пошел к Бессонову и сказал, что он свободен. «Поздно!— закричал Бессонов:— я говорил тебе, не води меня сюда. Ты привел — вот тебе!» Отгрянул звук, а чего? Нетрудно отгадать. Разнеслась молва: от искры загорелся пожар. Бессонов отдан был под суд. Офицеры нашего полка были судьями, они плакали, но в силу устава Петра I выставили в приговоре: лишение руки. Все судьи любили, уважали сибиряка и скрепили приговор и пером и слезами. Осужденного в оковах отвели в тюремный замок.

Князь Юрий Владимирович, вышедший в отставку при Екатерине 1795 года, был опять градоначальником московским. Приговор поступил к нему; в ночь рокового происшествия дворецкий князя приехал ко мне в Лефортовский дворец с известием, что князь меня требует. Было три часа ночи. Я застал князя одетым.— «Я не мог уснуть,— сказал он,— надобно спасти Бессонова. Он некстати упрямится и не просит извинения у обер-полицеймейстера. Он тебя любит, поедем к нему». После решения суда Бессонова перевезли в острог, куда мы и поехали часу в пятом. Князь послал унтер-офицера проведать, что делает Бессонов. Услышав, что он спит, князь приказал доложить, когда проснется. Бессонова разбудили, и я от имени князя пошел его уговаривать, но тут не нужно было сильное красноречие. Одно слово: сам князь приехал тебя спасти, все решило. Князь вошел к нему и сказал: «Молись, брат, Богу! Дело еще можно поправить. Дай отзыв, что ты все сделал в пьяном виде. Эта ложь не постыдит тебя, а ты человек добрый и нужный». Бессонов согласился, подал отзыв, и дело перенесено было в гражданский уголовный суд. Князь Юрий и Архаров уговорили полицеймейстера. Сопротивники в суде обнялись, а вне суда увенчали мировую веселой пирушкой.

«В добре весь человек.
И всякий человек есть ложь»

сказал Державин, но подавать руку помощи падающему человеку значит сближать ее с небом. Бессонов служил, жил и умер первым подпоручиком по армии. Но и после упомянутого обстоятельства, вновь поступя в полк, он, в звании полкового казначея, был правой рукой начальников, а товарищей дарил приязнью, советами и участием. Я всегда любил его и как воспреемника от купели старшего моего сына, и как умного и расторопного питомца сибирской природы, и как человека, умевшего любить человечество.

Выше упомянуто, что 1795 года в доме князя Юрия Владимировича не было ни разговора и никаких иностранных известий о происшествиях заграничных.

В первый раз услышал я от него об имени Наполеона, когда он был уже первым консулом и когда разнеслась молва об адской машине[30]. «Англичане,— сказал князь,— нарушили права народные и человека, посягнув так бесчестно на жизнь генерала Бонапарта». Многие у нас приписывали это англичанам, но это событие и теперь еще не разгадано. В исходе 1795 года князь Юрий Владимирович занят был единственно событиями отечественными. Он явно был против похода в Персию.

«Зубов,— говорил он,— хочет вписать брата своего в число героев и всеми силами домогается открыть ему путь туда, где Петр I воевал по нужде и покорил Дербент; но теперь эта война вовсе бесполезна. Если б и родной отец одобрял ее, я бы и с ним не согласился». У Зубова были в Москве свои приверженцы, и молва

---

[30] В 1802 году.

о мнении князя долетела в Петербург. Между ними вспыхнуло неудовольствие, князь подал в отставку и был предварительно извещен об увольнении от свояка своего, графа Н. И. Салтыкова.

Князь стоял у камина, когда получил это известие. «Я бы еще послужил,— сказал он,— но не хочу связываться с Зубовым». Обратясь ко мне, промолвил: «Ты, брат, возьми отпуск, ты давно не был у своих; я знаю, что московские батальоны не пойдут в поход. Княгиня даст гостинец для твоей матери. Стыдно было бы из нашего дома отпустить тебя с пустыми руками». И я получил отпуск.

ГЛАВА XIII

Родина.— Дорохов.— Русская песня.— Лагерная жизнь.— Корпусные воспоминания.— Первый мой поход.— Командировка в Петербург.— Супруги Литвиновы.— Озеров.— А. Н. Нарышкина.— Кончина Екатерины.— Мое знакомство с М. Т. Каченовским.— Дурасов.— Ф. Г. Карин.— Ю. А. Нелединский.— Д. Н. Кашин.— Моя поставка опер на московский театр.— Медокс.— Актеры: Померанцев, Шушерин, Плавильщиков.— Война Троянская на московском театре около 1798—99 гг.— Военные события.— Поход.— Моя рота.— Возвращение в Москву и отставка моя.— Театральные мои сочинения.— Панценбитер.— Перемена домашнего быта.

Снова спешу на родину. Не гонится вслед за мной мысль о весельях московских. 1796 года не наступило еще перерождение души моей в жизнь отечественную, в жизнь русскую. Родина была жизнью души моей. Любил я читать историю, но тогда простился и с ней. Имена отца, брата, сестры сильнее всех имен исторических сливались с новым бытием сердца. Их видеть, дышать одним с ними воздухом было тогда верховным моим благом... Весело жил я на родине, но вдруг пришло известие из Петербурга, что московские батальоны стоят лагерем под Осиновыми рощами, и что батальоны поступили под начальство Кутузова, строгого блюстителя дисциплины воинской. С отставкой князя Юрия Владимировича я снова был откомандирован в полк, и потому на главном смотру, не видя меня при роте, Кутузов сказал: «А, это тот Глинка, которого я называл писателем? Но если он вздумает возиться с пером, то пусть уступит шпагу другому, поревностнее его к службе». Родители мои ужаснулись, и я немедленно должен был ехать в полк. Снова расстался я с родиной. Расстался, как страстный любовник, прощаясь с жизнью души своей. Что занимало меня на родине? Она сама и обитатели ее. Родной небосклон, родные поля и рощи веселили меня более тех зрелищ, которые видел я на театре. Воспоминания о днях жизни на родине и теперь еще, в уединенных мои прогулках, носятся передо мной, как легкие радужные призраки.

Дорогой в первый раз узнал я силу и душу русских песен. Вот каким образом.

На одной станции встретился я с тем Дороховым, который в 1812 году был ранен под Малым Ярославцем, и которому Кутузов приказал сказать: «Ты ранен при взятии укрепления Вереи. Умри, Дорохов! Ты защитил Малороссию!» Дорохов был старее меня несколькими годами и служил тогда майором. В молодости недолго до знакомства: мы скоро с ним сблизились и сели в одну повозку. Был час одиннадцатый; ночь дышала прохладой, луна светила полным блеском; зазвенел колокольчик, и ямщик запел:

Вспомни! Вспомни, мой любезный!...

Русская песня — это голос сердца, которое испрашивает у мысли исхода. Так, среди зимних бурь, метелей и вьюг, глаза выпрашивают у туманного небосклона солнечного луча. С заунывными, томными звуками песни сливались наши слезы. То был отголосок из тех заунывных песен, которые как будто несутся из какой-то вековой дали и всегда щемят сердце. То же чувствовал и спутник мой, будущий герой войны в отечестве за отечество. Но и тут, повторяю, отечество далеко еще было от меня, и я с восхищением также внимал пламенным рассказам Дорохова о швейцарской природе, о вершинах ее гор, где пала гордыня Карла Смелого от пастухов швейцарских, самоотреченных защитников отчизны. Не забыл я и той ночи, когда голос русский сроднил меня с русскими песнями.

«Ты не будешь служить!» — сказал мне Кутузов, как выше упомянуто; он угадал. Вскоре по приезде моем в лагерь гоняли сквозь строй рядового, причем и я был по должности. Едва я услышал вопль и увидел кровь, голова моя закружилась, в глазах потемнело: я упал в обморок и очнулся под арестом. Странное дело! Чужая кровь меня пугала и пугает, собственная моя — никогда. Были и у нас в корпусе силачи, которые тешились тем, чтобы задирать и бить слабых. Бестрепетной грудью я всегда отстаивал последних. Силачи возроптали сильно и условились поколотить меня добрым порядком. Однажды не пошел я ужинать и, сидя на оконце обширной нашей спальни, где была моя постель, занимался я переводом Мессинских элегий из Анахарзиса. Вдруг слышу шум, и шесть силачей ястребиным полетом нагрянули на меня со ставчиками, заменявшими у нас стулья. Посыпались на голову мою удары; кровь хлынула у меня из носу и горлом. Выбиваю окно, чтобы выскочить на галерею; на руках моих и теперь еще остались от этого следы ран. Дежурный офицер, увидя на другой день перевязанные мои руки, спросил: «Отчего это?» Я отвечал, что ушибся. Благодаря Бога! И теперь остался я еще при юношеской моей мысли, что терпи сам, а не обижай других[31].

В мое время в лагерном быту офицеры ни в чем не нуждались. У полковников были тогда хозяйственные суммы от различных денежных статей и употреблялись безотчетно. У нашего баталь-

[31] Ср. выше гл. X. С. 121.

онного начальника, Петра Степановича Бибикова, был каждый день открытый стол для всех офицеров. Кофе, чай, закуска, ужин не сходили со столов. Сверх того, неимущим офицерам покупали шарфы, а иногда снаряжали и полный мундир. Все молодые полковники в московских батальонах были молодцы в полном смысле слова. В числе их находился и князь Сергей Николаевич Долгорукий. Он первый привез в лагерь под Осиновые рощи послание «К женщинам» Карамзина. На подхват летало оно тогда из рук в руки. С поэзией стихотворной сливалась у нас и поэзия военная. Нередко по вечерам, после веселых пирушек, полковники наши приказывали ротам, а иногда батальонам, заряжать ружья (разумеется, холостыми зарядами) и вступать в бой. О стрельбе нашей доходили вести до Екатерины, и она говорила: «Пусть себе веселятся, им скоро будет дело». Познакомясь 1808 года с княгиней Дашковой, я при первом свидании предложил ей вопрос: «Как обозревала Екатерина Французскую революцию, когда она вспыхнула?» Княгиня отвечала: «Привыкнув к учрежденному ходу общества, Екатерина полагала, что революция будет порывом мгновенным». Но этот порыв, который дальновидный Жан-Жак Руссо предсказывал до 1789 года, превратясь в грозную бурю, опрокинул во Францию всю Францию и вринул в области сопредельные. Войска республиканские гремели на берегах Рейна; Бонапарт, по словам Суворова, «смело шагая», обходил исполинские вершины гор Альпийских, чрез которые с таким усилием переходил Аннибал, орлиным полетом с гор Апеннинских изумлял и разил Австрийскую армию. Жаром юности кипело и сердце ветерана славы и побед, сердце Суворова. Непрестанно писал он к Екатерине: «Матушка! Вели идти против французов!» Он хотел обновить жизнь свою борьбой с юным вождем республиканцев, и императрица готовила ополчение на суше и на море, но только готовила не торопясь и, как было сказано, выжидая времени.

Нашим батальонам дан был приказ сперва расположиться в Тверских уездах, а потом идти в Литовские губернии. Это был первый мой поход, или лучше сказать, моя первая военная прогулка. Везде раздавались песни солдат; офицеры гарцевали на конях и бились об заклад, кто кого обгонит. Веселый миг настоящего отдалял от нас будущее. На привалах и ночлегах мы пировали под открытым небом, играли в карты, шутили, смеялись. Хотя я вполне втянулся в вихрь жизни военной, однако же иногда как будто бы украдкой от самого себя читал, кропал стихи, прозу, но вовсе не помышлял о названии писателя; чернильный мой скарб бросал в огонь.

Батальон наш вступил в Ржев, а я отправлен был в Петербург дипломатом в канцелярию князя Зубова и к Николаю Петровичу Архарову, тверскому наместнику, с просьбой, чтобы дозволено было батальону нашему расположиться по сопредельным уездам. В Петербурге остановился я в доме генеральши Лебедниковой, родной сестры Свистунова, переводчика «Детского Чтения» г-жи

Бомонд[32]. Тут жил и зять ее, Литвинов, учивший рапирному искусству внуков Екатерины. Для меня каждый день в семействе Литвинова был праздником гостеприимства, потому что я видел, что сходство нравов, мыслей, все соединяло счастливую чету. Ласка — магнит сердца; и теперь живет в моей памяти их нежная заботливость обо мне. Одно набрасывало тень на жребий: они не веселились улыбкой колыбельных птенцов. Цвела их жизнь и быстро отцвела! Супруга, томимая чахоткой, сошла в могилу. Вместе со смертельной горестью семена той болезни запали в грудь горестного вдовца.

«Я не переживу ее,— говорил Литвинов,— днем и ночью образ ее в глазах моих. Слышу ее голос, она зовет меня». И он через несколько дней умер. А казалось, любви надобно бы было век вековать. Но они:

...в том свете жили,
Где все прекрасное напасти огромили!..

Однажды шел я по Литейной улице мимо каменного дома. Из растворенного окна второго этажа слышу голос: «Сергей Николаевич!» Оглядываюсь. То был голос Владислава Александровича Озерова. Спешу к нему. Он сочинил тогда свою трагедию «Олег». С торопливостью авторской он принялся мне читать ее, прося быть его цензором. В пятом действии я предложил некоторые изменения; сочинитель согласился, и при мне сделал поправки, и подарил десять апельсинов. А я сказал:

Не дари меня ты златом,
Подари меня собой,
Что в подарке мне богатом:
Лучше злата дар мне твой.

Озеров и в лаврах трагика не переменился ко мне. Я узнал Озерова в стенах корпуса; он читал мне там первый свой опыт в русском стихотворстве; то было послание «Абеларда к Элоизе», переведенное из сочинений Коларда. Это был слабый отблеск подлинных писем Абеларда к Элоизе. От «Олега» до «Эдипа» — шаг исполинский. В памяти Озерова вмещался весь театр Корнеля, Расина, Вольтера. Превосходно знал он французский язык, играл французские трагедии в некоторых домах вельмож и с блеском высказывал свои речи. Среди славы своей Озеров безвременно угас от той чувствительности, которая творит писателя, а нередко и ведет его к жребию певца освобожденного Иерусалима.

В бытность мою в Петербурге 1796 года общим предметом было преднамеренное бракосочетание юного короля шведского с великой княгиней Александрой Павловной. Оба цвели весной жизни. Сама любовь возлелеяла дщерь Павла и Марии. Сердце ее сказалось сердцу Густава. Густав пленился в ней ею. От отца наследо-

[32] Напечатано в С.-Петербурге 1783 года.

вал он и престол, и рыцарский его дух, и жребий злополучный.

Политические излучины положили преграду их союзу. Герцог Зюдерманландский, дядя юного короля, настаивал, чтобы предварительные обряды бракосочетания совершались по узаконениям шведским. А граф Аркадий Марков, подкрепляемый князем Платоном Зубовым, вопреки убеждениям опытного графа Безбородко, мечтал, что победят упорство сынов Скандинавии. Назначен был день сговора по русским обрядам; устроилось торжество в чертогах Екатерины, но судьба на западе жизни назначила ей ждать и не успеть. Тщетно Аркадий Марков истощал увертливое свое дипломатическое витийство, герцог неподвижно сидел на стуле, а юный король курил трубку и быстрыми шагами ходил по комнате. Не сбылось, не состоялось. А град Петров говорил: «Судьба определила Екатерине быть великим человеком; принялась за женское дело, а потому и не успела».

Мне случилось обедать у Анны Никитишны Нарышкиной, помещицы села Тарутина, где 1812 года был стан Кутузова и откуда он писал к ней, чтобы сохранены были тамошние укрепления в память потомству. За кофеем хозяйка завела речь о скоротечности временной жизни. Она была очень умна. Казалось, что как будто слышал я, как об этом говорили древние и новые философы.

Из Петербурга в октябре отправился я к батальону и привез дозволение занять уезды, прикосновенные к Ржеву, где первоначально мы остановились. Но вскоре пришло приказание из Тверской губернии выступить нам в Литву. Мы выступили; но один день, один час, одно мгновение — и все переменилось. Не было никакой вести о болезни Екатерины, и 1796 года ноября 6-го ее не стало.

Екатерина Вторая не могла пережить той Екатерины, которая будто бы приковала счастье к колеснице своей. Неудачная помолвка и исполинский разгром держав европейских сильно потрясли и подействовали на ее душу. Казалось, Промысл непостижимый изрек, чтобы конец старобытного существования Европы был предтечей кончины Екатерины. Она сама предвестила ее за несколько дней до шестого ноября, разлучившего Екатерину и с престолом и с Россией. При выходе ее на крыльцо сверкнула молния змееобразно и рассеялась перед нею.

«Это знак близкой моей смерти»,— сказала она,— и шестого ноября, подобно внезапно блеснувшей молнии, внезапно уклонилась она в гробницу.

СЕРГЕЙ АЛЕКСЕЕВИЧ ТУЧКОВ

Записки

ГЛАВА 1

Если найдутся еще таковые из читателей моих, для которых древность дворянских родов что-либо значит, то скажу я, что предки мои назад тому 570 лет поселились в России в достоинстве дворян (что можно видеть в истории сего государства) и почти все по тогдашнему и ныне еще продолжающемуся обычаю служили в военной службе. Отец мой в семилетнюю войну служил против Фридриха II в качестве инженерного офицера, а по заключении мира, возвратясь, женился в Москве на матери моей, девице, также от древнего дворянства происходящей, но как отец ее, а мой дед, также и все предки ее служили больше в службе гражданской.

Здесь скажу я нечто об общественном воспитании, учрежденном еще Петром I, которое получил отец мой. Так как все дворянство непременно обязано было служить в военной службе, то он еще малолетним отвезен был родственниками своими в Петербург и определен в школу инженеров. В его время там ничему не учили как только простой геометрии, военной архитектуре, или фортификации, и артиллерийскому искусству, прочие же науки, входящие в начертание общественного воспитания, равно как и иностранные языки вовсе не преподавались, даже самая грамматика природного языка была пренебрежена. Такова точно была и морская школа. Не доказывает ли сие, что государь сей хотел иметь только, так сказать, ремесленников, а не ученых или просвещенных справедливым воспитанием людей?

Я родился почти в то время, когда отец мой должен был отправиться на войну против турок, происходившую под начальством знаменитого фельдмаршала Румянцева. Он отправился туда в качестве инженера штаб-офицерского звания и оставил меня с матерью моей в доме отца ее.

Мать моя по домашним обстоятельствам скоро поехала в небольшое поместье ее мужа, а я оставлен был на попечение деда и бабки моей.

Здесь начинаются первоначальные стези воспитания моего. Дед мой, бывший тогда уже в глубокой старости, продолжал еще заниматься обязанностями гражданской службы с такою прилежностию, что большую часть дня всегда проводил в присутственном месте, однако ж, не упускал заниматься и мною. На третьем году возраста начали уже меня учить читать по старинному букварю и катихизису, без всяких правил. В то время большая часть среднего дворянства таким образом начинала воспитываться. Между тем не упускали из вида учить меня делать учтивые поклоны, приучали к французской одежде, из маленьких моих волос делали большой тупей, несколько буколь, и привязывали кошелек. Но сие недолго продолжалось. Неискусные парикмахеры выдрали мне все волосы и принуждены были надеть на меня парик; притом французский кафтан, шпага и башмаки представляли из меня какую-то маленькую карикатуру и дурную копию парижского жителя века Людвига XVI.

Едва исполнилось мне четыре года, как отец мой возвратился из Турции в качестве полковника инженеров и поехал в Петербург, взяв с собою мать мою, двух моих старших братьев и меня.

Итак, в столь юном возрасте оставя Москву, место рождения моего, привезен я был в сию столицу Севера. Другой климат, другое предназначение воспитанию моему и другое обращение со мною.

Отец мой был всегда занят предприятиями по службе его, был несколько угрюм и не всегда приветлив; такова была большая часть военных людей его времени; притом и не любил много заниматься своими детьми в малолетстве их. Но он был совсем иначе к ним расположен в другом нашем возрасте.

Здесь отец и мать мои размышляли — отдать ли меня в корпус кадетов, в другое какое общественное учреждение, или воспитывать дома?

Наконец, решились на последнее; вместе с тем определен я был в артиллерию унтер-офицером и отпущен в дом отца моего для обучения наук.

Мне остригли начинавший отрастать тупей, причесали в малые букли, привили длинную сзади косу, надели галстук с пряжкой, колет, тесак, узкое исподнее и сапоги — и так из французской одежды преобразился я в маленького пруссака.

Общественное воспитание, заведенное при императрице Анне, Елизавете и императоре Петре III было несколько исправлено Екатериной II, а особливо так называемый сухопутный кадетский корпус. Там больше идет наук, потребных для общественного воспитания и для военной службы, там же французский и немецкий языки довольно хорошо тогда были преподаваемы. А особливо потому, что известные ученостью своею люди не только в России, но и во всей Европе, находились тогда там в качестве учителей. Но надлежало быть в сем корпусе до 18 лет, чтоб быть выпущенным в чин офицера. Столь долговременная разлука в юном возрасте показалась слишком чувствительной для матери моей, и потому решили воспитывать меня дома.

Отец мой недолго пробыл в Петербурге, но, получа начальство над несколькими крепостями, расположенными по шведской границе, взял меня с собою и отправился в Выборг.

Там увидел я совсем иной образ жизни и впоследствии узнал,

что нравы тамошних жителей представляют смесь немецких с шведскими. Почти не слышно было русского языка во всем городе. Тут отец мой обратил внимание на воспитание мое. Один унтер-офицер, знающий хорошо читать и писать, но без грамматики и орфографии, учил меня читать по псалтыри, а писать с прописей его руки. В последнем он был довольно искусен. Итак, первый мой учитель был дьячок, а второй — солдат. Оба они не имели ни малейшей способности с пользою и привлекательностью преподавать бедные свои познания. Два года продолжалось сие учение, после чего отдан я был в школу одного лютеранского пастора. Сей почтенный муж знал хорошо латинский, французский, немецкий, шведский и российский языки, преподавал богословие, историю и географию. Но я учился у него только одному немецкому языку, продолжая вместе учиться по-русски. Чрез два года оказал я нарочитые успехи. Между тем отец мой произведен был в генерал-майоры и получил начальство над крепостями, расположенными на польской и турецкой границе. Местом же пребывания его был Киев. Итак, с сожалением расставшись с любезным моим пастором, отправился я на девятом году жизни моей почти от одного полюса к другому. Мы должны были проезжать чрез Петербург, где отец мой должен был на некоторое время остановиться, как для получения поручений по службе, так и для того, чтоб найти там хорошего учителя для нас. Вызов как всякого рода людей для услуг, так и учителей, делается там чрез газеты. Отец мой не преминул тотчас по прибытии своем в сию столицу объявить, чтоб человек, знающий хорошо французский и немецкий язык, а также историю и географию и желающий принять на себя должность учителя, явился к нему. Всякий день приходило к нам в дом по нескольку человек иностранцев, но почти ни один из них не знал по-русски, и редкие соглашались на предложение отца моего, чтоб в требуемых от них учениях выдержать экзамен в Академии, где имел он знакомых. Притом ехать в Киев казалось им слишком далеко. Наконец, нашелся один датчанин, или, лучше сказать, природный француз, которого предки с давнего времени удалились из отечества своего в сие государство из-за притеснения протестантской религии. Этот человек согласился на все, и Академия дала свидетельство не только в требуемых от него познаниях, но и сверх того в латинском языке и отчасти в медицине. Кажется, отец мой взял все зависящие от него меры для выбора учителя детям своим. Один недостаток состоял только в том, что он ни слова не знал по-русски. Но сие могло быть заменено тем, что я и братья мои могли уже изъясняться с ним на немецком языке.

Академия могла испытать познания учителя. Но главнейшее, именно поведение, правила нравственности и способность преподавать науки при подобных испытаниях остается сокрыто. Учитель мой много путешествовал, был несколько раз в Америке, Индии и в Африке. Два раза проезжал он экватор; одарен был острою памятью, но, казалось, был несколько помешан в разуме, что обнаруживалось странностью его поступков и некоторыми предрассудками. Он был членом одного тайного общества и упражнялся иногда в алхимии, но не имел почти никаких познаний в химии, все время занимался он неудачными опытами, однако ж никогда не терял надежды. Он был человек довольно кроткого нрава и хорошего поведения и нравственности. Но имел самую трудную методу преподавать свои познания ученикам.

Вместо того чтоб родить охоту к словесности иностранной, мучил он выписками из Священного писания и речами своего сочинения, которые заставлял выучивать на память. На уроке географическом был он довольно привлекателен, ибо о многих городах рассказывал исторические анекдоты, но прибавлял иногда и свои приключения, в некоторых из оных с ним последовавшие, что очень казалось занимательным для детей моего возраста.

Итак, отец мой, со всем семейством и наставником отправился в Киев. Никогда не забуду я, сколько детские мои чувства поражены были переменою климата, положением мест, приятностью и чистотою жилища простых поселян, их одеждой и образом жизни. Вместо полей, покрытых глубокими снегами, или скучных сосновых лесов, болот и бедных пажитей, между колосьев которых проглядывали куски камней, глины или лесов, взору моему встретились при въезде в Малороссию нивы, исполненные изобилия, целые поля, засеянные арбузами и дынями, прекрасные дубовые рощи, между которыми попадаются плодоносные деревья, и, наконец, сады у каждого поселянина. Вместо нечистых и закоптелых изб северной России, в которых в самые жестокие морозы должно открывать двери и окна, когда топят печь, потому что оные не имеют труб, и где поселяне живут вместе с домашним своим скотом, нашел я жилья чистые, выбеленные внутри и снаружи, расписанные разных цветов глиной, которой тамошний край изобилует, чистые столы и лавки; самые потолки и углы украшены привешенными пучками разных цветов и благовонных трав. Вместо мелкого и едва дышащего от изнурения скота, увидал я ужасной для меня величины волов, коров и овец, пасущихся на наилучших пажитях. Чрезвычайное изобилие разных вкуснейших плодов еще больше меня удивило. Вместо унылых русских песней, раздирающих слух, и рожков, и сиповатых дудок услышал я скрипки, гусли и цимбалы, притом пение молодых людей и девок, совсем отличное от диких тонов русских песней. Эти малороссийские песни, без всякой науки во всех правилах музыки сочиненные, поразили мой слух.

По прибытии в Киев начал я учиться французскому языку, продолжая изучать немецкий и русский, а с тем вместе историю и географию. Но тот, кто преподавал мне русский язык, ни малейшего понятия не имел ни о грамматике, ни о правописании, а старался только научить меня бегло читать и чисто ставить буквы.

Отец мой имел в доме своем большую чертежную канцелярию, в которой занимались составлением и отделкою планов разных инженерных работ многие офицеры и унтер-офицеры сего корпуса. Он склонил некоторых из них обучать меня и братьев моих арифметике, геометрии, фортификации, артиллерии и рисованию. Один немец содержал там пансион и учил танцевать — и сие искусство не было забыто отцом моим, он заставил меня и там брать уроки. Но фехтовальное искусство и верховую езду почитал ненужными и говорил нередко: «Я не хочу, чтобы дети мои выходили на поединок», а о верховой езде судил он так: «Наши казаки не знают манежа, а крепче других народов сидят на лошадях и умеют ими управлять, не учась». Физику и химию, а наипаче механику хотя и почитал он нужными, но не имел случая преподавать нам сии науки. Словесность, а наипаче стихотворство почитал он совершенно пустым делом, равно как и музыку.

Надобно сказать, что музыка у всех азиатских народов в большом пренебрежении, и хотя многие даже знатные люди любят слушать оную, но занимаются ею люди самого низкого состояния, равно как и пением. Я приметил сие впоследствии жизни моей в Грузии, Персии, Армении, Молдавии, Валахии, Сербии, Турции, в нынешней Греции, у татар и даже у калмыков и у башкирцев. Многие следы татарских обычаев и по сие время остались в России, а наипаче приметно было сие назад тому лет сорок. Почтенные люди даже стыдились брать в руки музыкальные орудия. А которые по природе любили музыку, те или нанимали для удовольствия своего иностранцев, или обучали крепостных людей. Не говорю о военной музыке, которая всегда была и будет даже у варварских народов. Мне никогда не случалось слышать от стариков, чтоб кто-либо из благородных людей в царствование Петра I, Екатерины I и даже Анны занимался музыкой: кажется, что сделалось сие обыкновеннее со времен Петра III, потому что он сам любил играть на скрипке и знал музыку, и то, может быть, из подражания Фридриху II, которого он до безрассудности почитал.

Отец мой не хотел также, чтобы кто из нас учился латинскому языку и говорил, что он нужен только для попов и лекарей. О греческом мало кто имел тогда в России понятие, да и теперь немногие. Теология и философия казались ему совсем неприличными науками для военного человека. Он хотел, чтоб все дети его служили в военной службе, в чем и успел. Впрочем, мнение сие и поныне господствует между дворянством российским.

Отец мой мало имел времени рассматривать склонности детей своих и заниматься их образованием. Образ жизни его был следующий: вставал он довольно рано, рассматривал свои планы, прожекты, отчеты или ходил смотреть направление инженерных работ; это было занятием его до обеда. После сего отдыхал, а потом занимался письменными делами, а иногда, особливо в праздничные дни, принимал у себя старых своих сослуживцев, разговаривал с ними о семилетней войне и о турках. Под старость же любил играть в карты на малые суммы в коммерческие игры.

Некоторые из молодых офицеров, составлявших его чертежную канцелярию, в которой получал я уроки поименованных мною математических наук, любили стихотворство. Они приносили с собою разные сочинения и читали оные вслух один другому. Более всего понравились мне сочинения Ломоносова и масонские песни, сочиненные на русском языке. Я не только их читал по нескольку раз, но даже многое списывал своею рукою, так что и теперь помню наизусть. Сии сочинения родили во мне охоту к стихотворству; не взирая на то, что я совсем не учился сей науке и только несколько раз прочитал Ломоносова грамматику и риторику, я начал сочинять стихи по слуху. Мне было тогда лет 12 от роду, стихотворец-ребенок. Но я не первый, и с подобными мне случается то же самое, что с людьми совершенного возраста: большая часть моих сверстников надо мной смеялась, а другие хвалили мои стихи.

Один монах, ректор академии, с давних времен учрежденной при одном монастыре в Киеве, известном под названием братского, посещал иногда дом отца моего. Прочитав некоторые из моих стихов, он поправил их и отослал в Москву для напечатания в издаваемом тогда при Московском университете журнале, и сверх того, просил меня, чтоб я бывал у него и брал уроки в риторике, поэзии и в началах латинского языка, чем и пользовался я всегда, когда он и я имели свободное время.

Я не могу молчать о том, что некогда отец мой, смотревший всегда с неудовольствием на сие мое упражнение, один раз запретил было мне вовсе писать стихи и вот за что. Я был в юности моей чрезвычайно предприимчив и никакой труд не мог меня устрашить. Не зная по-гречески и не читая никогда в переводе Гомеровой Иллиады, я нашел случайно «Историю о войне Троянской», сочинение Дария Фригия, переведенное на славянский язык. Сия книга столько мне понравилась, что вздумал я переложить оную в стихи и занялся сим трудом. Некоторые из молодых офицеров, смеясь сему занятию, сказали мне: «Разве нельзя найти чего-нибудь повеселее из новых происшествий?». И рассказали мне в смешном виде поступок одного старого и почтенного генерала против некоторых офицеров, служивших под его начальством. Мне тотчас пришло в мысль сделать из содержания сего маленькую комедию в стихах, даже без перемены имен действующих лиц. Едва успел я написать только несколько сцен, как нетерпеливая молодежь подхватила их, отвезла в свой лагерь и начала представлять между собой. Известие о сем дошло до старого генерала, он понял, на чей счет было сделано начало сей комедии. Автор был открыт и наказан.

Я уже сказал, что масонские песни мне очень нравились: многого в них я не понял, но красоты стихотворства и нравоучительные мысли были для меня весьма приятны. Это было около 1780 года, когда узнал я, что в Киеве существует ложа, что некоторые из почтеннейших особ сего города суть члены оной, и даже мой учитель, который всякую субботу неизвестно куда ездил. Хотя я еще слишком был молод, да и невозможно было бы несовершенному человеку что-либо из сих песен понять о таинствах сего общества, однако ж из содержания таковой песни я заключил, что вред сей еще и прежде существовал между русскими, ибо песня сия сочинена была в честь братьев, воздвигших храм дружества за Дунаем во время войны с турками, которая тогда давно уже была окончена.

Вместе со склонностью к стихотворству родилась во мне охота и к музыке. Я начал учиться играть на флейте, но отец мой и то мне запрещал под предлогом, что я имею слабую грудь.

Воспитание мое приходило к окончанию. Отец мой, желая, чтоб я служил в военной службе, начал приучать меня к верховой езде, но без правил, как я уже выше сказал. Я же, желая получить некоторое понятие о сем искусстве, познакомился с гусарским офицером, там находившимся. Их блестящий мундир, рассказы об образе их жизни, службе и самой войне, которая была их наукой, так мне понравились, что я захотел быть непременно гусаром. Отец же мой, напротив, хотел, чтоб я служил в инженерах, и для того говаривал мне: «Зачем же терять то, чему ты учился? Гусар должен знать только саблю и лошадь как земледелец — плуг и волов, прочие же науки вовсе для него не потребны». Но я, напротив, имел великое отвращение от службы инженерной. Отец мой был снисходителен и согласился на то, чтоб вместо инженерства сделался я артиллеристом, что и последовало.

Теперь скажу, в каком виде было тогда войско в России, столь прославившее государство сие военными своими действиями. Императрица Екатерина, как женщина, не могла заниматься устройством во всех частях оного, да если бы и могла, то, конечно, не отвлеклась бы тем от важнейших занятий, посвященных управлению столь обширного государства, а потому попечение о войске она предоставила своим генералам, генералы имели доверенность к полковникам, а полковники к капитанам.

Все военные люди, видевшие тогда российскую армию, согласятся, что пехота была в лучшем виде, нежели конница. Она одета была по-французски, а обучалась на образец прусский с некоторыми переменами в тактике, достигнутыми путем опыта в войнах против разных народов. Но излишнее щегольство, выправка и стягивание солдат доведены были до крайности. Я застал еще, что голова солдата причесана была в несколько буколь. Красивая гренадерская шапка и мушкетерская шляпа были только для виду, а не для пользы. Они были высоки, но так узки, что едва держались на голове, и потому их прикалывали проволочной шпилькой к волосам, завитым в косу. Ружья, для того чтобы они прямо стояли, когда солдаты держат их на плече, имели прямые ложа, что было совсем неудобно для стрельбы. Приклады были выдолблены и положено было в оные несколько стекол и звучащих черепков, а сие для того, чтобы при исполнении разных ружейных приемов, чем больше всего тогда занимались, каждый удар производил звук. Сумы, перевязи и портупеи были под лаком, безрукавные плащи скатывались весьма фигурно в тонкие трубки и носились на спине сверх сумы. Весь медный прибор был как можно яснее вычищен, а гербы на шапках вызолочены, я не говорю уже об узких для лучшего вида мундирах, исподних платьях и сапогах. Сверх того, каждый полк имел огромный хор музыки, и музыканты были одеты великолепно. Во всем этом заключалось великое злоупотребление. Например, полковник получал от казны весьма малое жалованье и почти все вещи для полка получал из комиссариата готовыми, кроме сукна на мундиры, подкладки и холста на рубашки и прочие потребности, и кроме полотна на палатки и летнее платье. Все отпускалось штуками, или, как говорится, половинками по положению. Цены на отпускаемые в готовности вещи были весьма низки, и потому принимали их в полки в таком виде, что надлежало одни переделывать, а другие совсем вновь исправлять. Содержание музыки и других украшений стоило полковникам весьма дорого, но они нашли средство не только содержать все сие в наилучшем виде, но и самим жить в совершенной роскоши и помогать бедным офицерам. И вот как это делалось.

1. Экономия состояла в остатках сукон, полотна и холста, употребляемых на одежду солдат. 2. Экономия получалась от несодержания полковых лошадей под обоз и полковую артиллерию, между тем как получались деньги на продовольствие оных. 3. От солдатского провианта, потому что в сие время полки каждый год в мае месяце выходили в лагерь и стояли там до сентября, прочее же время года располагались в деревнях по квартирам, и там довольствовались они от жителей, провиант же оставался в пользу полка. 4. Солдат отпускали в отпуск, а провиант и жалование их оставались у полковника. 5. Самое позволительное было то, что по нескольку лет не выключали умерших и получали за них жалованье, провиант и амуницию. И наконец, 6. Они брали из полка людей в свою услугу, сколько хотели, обучали разным мастерствам и пользовались их заработками. Вообще отпускаемые для собственной их пользы на разные работы солдаты должны были часть заработанных ими денег отдавать в полк. Но всего несноснее была бесчеловечная выправка солдат; были такие полковники, которые, отдавая капитану трех рекрут, говаривали: «Вот тебе три мужика, сделай из них одного солдата».

Но должно сказать, к удивлению, что полковые и ротные начальники не виноваты в сих злоупотреблениях: от них требовали пышности и великолепия в содержании полков, а денег не давали. Не значит ли сие поставлять все полки в необходимость покушаться на злоупотребления? Не подобие ли сие тому, как если бы кто поставил человека стеречь большой запас хлеба, не давал, однако, ему есть, а требовал бы притом, чтоб он был сыт и здоров. Виноват ли он будет, если изобретет средство искусным образом что-нибудь украсть для своего существования? Таково-то российское правительство, военная и гражданская служба. Чиновники малым жалованьем и лишением всех средств к содержанию себя приводимы бывают в необходимость делать злоупотребления. Вот что наиболее развращает нравы всех состояний. Все нуждаются, от всех много требуют и, наконец, все поставлены в необходимость обманывать один другого, а чрез то наипаче в нынешнее время и при нынешней строгости сколько несчастных! Это то же, что спартанское воспитание детей — тем не давали есть и заставляли красть, если же поймают — секут немилосердно. Точная правда. Я знаю множество несчастных, но знаю много и таких, которые, обкрадывая государство и притесняя других, сделали себе большое состояние и сверх того награждены и почтены правительством. Какое развращение, какой соблазн!

Но обратимся к армии тогдашнего времени. Пехота разделена была на гренадерские, мускетерские полки и на баталион егерей. Они различались между собою только мундирами; гренадеры не употребляли уже гранат, а мушкетеры действовали наравне с гренадерами. Каждый мускетерский полк состоял из двух баталионов и имел сверх того две роты гренадер. При начале турецкой войны в 1770 году были при полках и егери по 120 человек. Искуснейшие в стрельбе люди выбирались из полка и составляли сей отряд; их потом отделили, составили баталионы, которые впоследствии наполнились рекрутами и, наконец, сделались не лучше прочих в знании стрелять.

Регулярная конница состояла из кирасир, карабинер, драгун, гусар и пикинеров. Кирасиры и карабинеры составляли тяжелую конницу, драгуны сверх обыкновенного кавалерийского вооружения имели ружья со штыками. Гусары и пикинеры составляли легкую конницу, последние имели пики. Те же злоупотребления, те же пустые прикрасы существовали в коннице, как и в пехоте, исключая того, что конные полки приносили полковникам больше дохода, нежели пехотные, потому что имели больше лошадей, а вследствие этого начальствование в этих полках и получалось чрез приписки и покровительства.

Сверх того, Россия имела тогда нерегулярную постоянную конницу, состоявшую из донских, уральских, гребенских, запорожских и малороссийских казаков, калмык и башкир. О сих войсках я буду иметь случай подробнее говорить впоследствии.

Артиллерия состояла из пяти полков, каждый из них имел по десяти рот, в роте десять орудий.

Инженерный корпус имел только одну роту минер и другую пионер; впрочем, достаточное количество по тогдашней армии штаб обер-офицеров, кондукторов и разных мастеровых людей. Но в обоих сих корпусах гораздо меньше было злоупотреблений, нежели в других войсках, потому что меньше требовалось наружного украшения и пустого блеска.

Гарнизоны артиллерийские и пехотные были размещены по крепостям и составляли особое отделение войска.

ГЛАВА 2

Наконец и я на 17 году от рождения, выдержав экзамен, произведен был в офицеры артиллерии. Между тем отец мой, получив чин генерал-поручика инженеров и желая иметь меня при себе для продолжения наук, взял меня к себе в должность младшего адъютанта.

В сие время приготовлялись к войне с турками. Известный подвигами своими фельдмаршал граф Румянцев вначале назначен был к начальствованию армией. Он знал отца моего еще во время семилетней войны с прусаками и потом имел его под начальством своим в славную его войну против турок, и потому он желал теперь иметь отца моего при себе в качестве начальника инженеров. Сей знаменитый вождь жил тогда в деревне своей, Вишенки, в 150 верстах от Киева. Итак, отец мой, взяв меня с собою, отправился туда с разными планами.

Здесь узнал я несколько ближе сего великого мужа, хотя и до сего имел удовольствие видеть его несколько раз в Киеве в доме отца моего. Он был в обращении своем величествен, но не горд, а напротив, приветлив и учтив. Качества его известны свету; мне же остается сказать о нем то, что я узнал в дальнейшей жизни моей. Он имел от природы пылкий разум, был довольно образован науками, для военного искусства потребными, знал хорошо французский, а особливо немецкий язык, много читал, был тверд в предприятиях, великодушен и не мстителен, хотя несколько вспыльчив. Если что можно сказать против него, так это только то, что он слишком любил наружный блеск войска и прусские обряды. Быв весьма богат, скуп был чрезмерно.

Предприятия фельдмаршала Румянцева и отца моего кончились тем, что на место его назначен был к начальствованию армией фельдмаршал князь Потемкин. Сей, также достойный наименования великого мужа, составлял совершенную противоположность в характере своем с графом Румянцевым. Он был не столько сведущ и опытен в военном искусстве, как сей знаменитый и заслуженный воин, и не был столько образован науками; но был предприимчивее его, притом хитрее и пронырливее. Может, Потемкин лучшим был бы министром, нежели Румянцев. Стремясь к предположенной цели, пренебрегал он всеми принятыми системами, методами и порядками, поступал во всем самовластно, не придерживаясь ни правил, ни законов. А в образе жизни своей был столь роскошен, что по справедливости можно назвать его северным Лукуллом. Он был горд и с презрением обращался с подчиненными ему, но со всем тем был неустрашим, великодушен, не мстителен и желал всякому добра, а особливо родственникам своим; словом, он был добрый тиран.

Итак, отец мой, прожив несколько недель в Вишенках, возвратился в Киев к прежней своей должности.

Потемкин, приняв начальство, сделал новое преобразование армии. Он велел всем солдатам смыть пудру с головы и остричь волосы, вместо гренадерских шапок и шляп изобрел особого рода каски, довольно спокойные, вместо французских мундиров — короткие куртки или камзолы с лацканами, довольно спокойные, вместо узкого и короткого исподнего платья — широкие и длинные шаровары, отшитые снизу по самые колена кожей, и легкие сапоги под оными. У мушкетер отнял тесаки и вместо оных вложил штыки в портупею; гренадерам же дал короткие и широкие сабли. Сия перемена одежды весьма была выгодна для войска, исключая касок, которых, если придать хороший вид по образцу его, нельзя почти держать на голове, а если сделать их спокойными, то они никакого вида не составят. И так, наконец, заменяли оные, а особливо в походах, особого рода шапками.

Сия перемена последовала как в пехоте, так в коннице и в артиллерии.

Вот уже приближается время оставить мне Киев и Малороссию. Смерть известного генерала Баура, бывшего начальником всех инженеров в России, была причиною того, что отец мой должен был оставить сии места и отправиться в Петербург для заступления его места. Но прежде должен я сказать о переменах, последовавших во время пребывания моего в Малороссии, как в отношении всего государства, так и в особенности земли сей.

Первой переменой было постановление Екатерины II, повелевающее дворян, служащих в военной и гражданской службе и не имеющих еще обер-офицерских чинов, не наказывать телесно. Равно и все дворянство российское избавлено было от оного за какие бы то ни было преступления; и смертная казнь заменялась ссылкой. До сего же времени дворян за те же вины секли кнутом, а служащих в войске и гражданской службе и не имеющих офицерских чинов начальники могли за самые даже ошибки наказывать военных палками, а гражданских — плетьми. К сему присовокупить должно, однако ж, что дворяне мало служили нижними чинами в гражданской службе, но почти все в военной. Гражданские же должности не только в сем звании, но даже и в секретарском были по большей части занимаемы людьми низкого происхождения.

Кто бы подумал, что многие высшие чиновники, быв сами дворянами, были недовольны сим постановлением, а особенно военные; они говорили, что от того придет в упадок порядок службы и повиновение. Отец мой был против их мнения, и я помню, что он рассказывал в убеждение их один случай, происшедший в царствование императрицы Елизаветы. «Тогда,— говорил он,— служили долго в унтер-офицерских чинах, потому что не было отставок высшим; в сем звании находились многие знатного происхождения и богатые люди. Правила или учреждения об экипажах никакого не было, и богатые унтер-офицеры вне службы могли пользоваться всеми выгодами своего состояния; между тем в высших чинах много уже было происшедших из низкого состояния и из иностранцев, которые не могли найти для себя места в службе своего отечества. Итак, один унтер-офицер знатного происхождения и человек богатый был обручен с одной девицей также знатного рода, которая притом была и богата. Капитан его, какой-то иностранец, также искал руки сей девицы, но ему было в том отказано. Когда дело приходило уже к концу, унтер-офицер в богатом экипаже отправился в церковь. Случилось ему между тем проезжать мимо квартиры капитана своего, который, выслав солдат, велел остановить экипаж и вывести из кареты жениха и тут же дать ему пятьсот палок. Бедный жених, вместо свадьбы, поехал домой лечиться, а капитан отвечал, что наказал его за неисправность по службе. Высшие власти российские от давних времен с удовольствием смотрели на притеснения и обиды, чинимые знатному дворянству и природным сынам отечества.

Второе постановление было о губерниях, которому подпала и Малороссия, а вместе с тем уничтожились все привилегии ее жителей. Из истории российской известно, что Малороссия, быв некогда средоточием России, а Киев столицей государей российских, от стечения разных несчастных происшествий подпала во владение поляков. В то время ревность к религии в народах простиралась до высшей степени.

Малороссия еще в X столетии приняла христианскую веру греческого исповедания, а поляки чрез несколько лет потом сделались христианами римского исповедания. Невежество тех времен, зависть и корыстолюбие духовенства произвело то, что польское правительство, пренебрегая собственную пользу, всеми мерами старалось обратить всех малороссиян в католическую религию римского исповедания. Между прочим всеми средствами сделали они постановление, что тот, кто не обратится в католическую религию, лишится прав и преимуществ дворянства. Что ж от того последовало? Знатнейшие и богатые дворяне все удалились в Россию, самая же малая часть бедных осталась, лишась своих прав, и поступила в состояние народное. Но с народом не так было легко управиться, как с дворянством. Народ, быв тверд в правилах греческой религии, готов был на все. От сего произошли всякие заговоры и бунты. Польша, опасаясь вовсе потерять чрез то Малороссию, бывшую в соседстве с Россией, решилась не только предоставить малороссийскому народу свободное исповедание веры, но и даровала ему полную свободу и многие привилегии. А так как малороссияне были всегда военными людьми, то, обратя их в казаки, избавила от всех податей, разделила земли на десять так называемых малороссийских полков и утвердила над ними гетмана, избираемого казаками из их рода. Он, председательствуя в малороссийской канцелярии, обще с членами оной, управлял всею Малороссией. За все это казаки обязаны были давать Польше в случае войны войско на своем содержании.

Конституция казаков противна постановлениям дворянства; в ней должны быть все равны и свободны, начальника же выбирать всегда большинством голосов; да к тому же, как выше сказано, все дворянство или удалилось оттуда, или поступило в состояние народа.

В Малороссии оставалось тогда много пустых земель, принадлежащих войску, на которые приходили и селились люди из России, Польши и Молдавии. Войско получало от них плату деньгами, скотом и произведениями земли. Чиновники должны были получать для содержания своего жалованье. Но так как денежные доходы, потребные и на другие издержки, были для того недостаточны, то и сделано было постановление о ранговых деревнях, или деревнях по чинам, и все чиновники, пребывающие в звании своем, имели соответственно чинам своим деревни, которые переходили из рук в руки. Но владельцы не только обязаны были не брать с них ничего свыше постановления, но даже не имели права возбранять жителям переселяться из одного места в другое. На сих условиях присоединились малороссы к России в царствование царя Алексея, и сын его Петр I подтвердил сие право, которое продолжалось до времен Екатерины и эпохи пребывания моего в сей стране.

Я уже сказал в статье о музыке, малороссияне вообще имеют к оной склонность и притом у них есть хорошие голоса. Итак, императрица Елизавета, любившая музыку и словесность, притом желая иметь хороший хор певчих в придворной своей церкви, приказала выбрать из Малороссии мальчиков и привозить их к ее двору.

В Малороссии был один пастух, которого жители его деревни за слабость рассудка в ироническом смысле прозвали Розум, или Разум. Сей пастух имел прекрасного сына, одаренного весьма приятным голосом. Еще до Елизаветы выбирали хорошие голоса для придворной церкви, что поручалось архиереям, и сии передавали приказание приходским священникам. Молодой Разум, прозванный потом Разумовский, попал в сей выбор и был в числе певчих. Но как судьба играет людьми! Императрица сильно полюбила его. И так как она была набожна, то, говорят, была венчана с ним. Оставим сие, ибо многие уже о том писали, скажем только, что сей Разумовский имел графское достоинство и был фельдмаршалом.

Сей Разумовский сделан был гетманом Малороссии не из простых казаков по выбору, но человек графского достоинства и фельдмаршал российский. Ранговые гетманские деревни поступили в его владение, сверх того имел он множество деревень в великой России, подаренных ему императрицей Елизаветой.

Вот новое начало дворянства в Малороссии. Гетман казаков не только дворянин, но и граф; между тем родственники его, приближенные из малороссиян, получили все дворянское достоинство. Вот первый удар конституции малороссийских казаков.

Разумовский оставался в сем звании и при Екатерине II, имел свое пребывание в городе Батурине, где и в мое время существовала еще Малороссийская канцелярия. Он был человек весьма добрый и великодушный, хотя и не весьма образован воспитанием, но имел довольно здравого рассудка и потому был любим своими соотечественниками.

По смерти Разумовского возведен был в достоинство гетмана Малороссии фельдмаршал граф Румянцев, который никогда не был ни казаком, ни малороссиянином. Впрочем, разделение Малороссии на десять полков, состояние казаков и поселян оставалось в прежнем виде до известного времени.

Наконец, во время пребывания моего в Киеве Екатерина II уничтожила все их привилегии, из всей Малороссии сделано было три губернии на тех же основаниях, как в остальной России.

Казацкое состоянье было уничтожено; их чиновники всякими средствами выискивали себе дворянское достоинство; да и не трудно сие было, когда по установлению Петра I всякий дослужившийся до офицерского звания пользуется преимуществами дворянства. Итак, сделались они все дворянами, а ранговые их деревни остались за ними в качестве крепостных людей, которых они имеют право покупать и продавать по своему произволенью. Казаки же в качестве казенных крестьян записаны были в подушный оклад и велено было брать с них подати и рекрут.

В одно мгновение вся Малороссия пришла в великую унылость. Но меры были наперед взяты. Целая армия расположена была в их земле, отчего родилась великая ненависть малороссиян к великороссиянам, которых называют они москалями.

Не было ничего несноснее для вольных казаков как слово «подушный оклад». «Как,— говорили они,— и душа наша принадлежит уже не Богу, а Государю? Пускай бы одно тело...» Многие отцы семейств сим доведены были до такого отчаяния, что убивали собственных жен и детей, а потом, приходя к начальству, объявляли о своем преступлении, чтобы умереть под кнутом. И что из сего последовало? Малороссия лишилась множества жителей: всякий, кто имел только средство, бежал в Польшу, Молдавию и Турцию.

Третье постановление касалось запорожских казаков. За несколько лет пред сим уничтожена была Сечь запорожских казаков.

Сечь получила свое наименование от того, что селения сих казаков, или, как они называют, коши, окружены были засеками, а Запорожскою, или Запорогскою, называется потому, что она находилась за порогами реки Днепра, на берегу его.

Сие сословие, или лучше сказать, общество людей, восприяло начало свое тогда, когда Малороссия подпала под владение Польши. Молодые и отважные люди, видя притеснения, чинимые их соотечественникам, удалились за днепровские пороги и составили между собою для собственной своей безопасности особого рода военное общество. Они принимали к себе всякого, кто только согласится исполнять их постановления, то есть вести холостую жизнь, не иметь в жилищах своих женщин, иметь все общее и зависеть от власти кошевого или главного их начальника, по очереди из общества выбираемого.

Сии начальники имели неограниченную власть над подчиненными, но зато и сами подвергались суду народного собрания, смотря по преступлению. Иногда казаки наказывали своих начальников телесно и принуждали потом опять принять правление, иногда же вовсе отрешали их от правления, а иногда наказывали и смертью.

Вначале занимались они разбоями, потом помогали русским и полякам в разных войнах, и до самого уничтожения сей Сечи не переставали делать набеги на земли крымских татар. Всякую добычу, которую получал, казак должен был объявлять своему правительству. Одну часть оной получал кошевой; другая — предназначалась для общества, а третья оставалась в пользу приобретателя. Они не знали никакой роскоши, ели и пили все вместе от первого до последнего, старших называли батько или отец, сверстных себе — братьями. Они не хотели знать никакой учтивости и никому не говорили «вы», но всегда «ты», что примечено было даже в представителях от народа сего к Екатерине II. Она, не взирая на грубость их, приняла сие посольство и щедро одарила, скрывая намерение свое о сем народе до удобного времени.

Во время Петра I общество сие столь увеличилось, что могло выводить в поле до 30 тысяч конницы. В сем состоянии присоединилось оно к России на условии не касаться прав его, а оно со своей стороны обязалось всегда давать определенное число казаков для службы за малую плату,— и то только во время войны и похода.

С того времени перестали они заниматься разбоями и только иногда делали набеги на татар.

Общество сие показалось опасным и, чтоб его вовсе уничтожить, предприяли переселить всех на реку Кубань, протекающую чрез степь, прилежащую к левому берегу Черного моря. А как наперед известно было, что они добровольно на сие не согласятся, то выбрали время, когда знатная часть оных находилась в походе против турок. В это время послали к ним большой отряд войск под начальством генерала графа Теккели, который, не взирая на их сопротивление, принудил их переселиться в назначенное им место.

Со всем тем многие из них успели уйти в Турцию, где и поныне составляют особый род войска, простирающегося до 10 тысяч, под наименованием запорожских казаков и служат они туркам верно в войнах против России. Прочие же должны были переселиться на Кубань, переменить образ жизни, иметь жен, не принимать беглых, служить казаками при войске российском. Вместе с переселением переименованы они были в черноморских казаков.

И наконец, четвертым важным событием было отнятие у монастырей деревень и земель. Монахи, хотя сим огорчились и обеднели, но перенесли сие великодушно.

Я помню богатые их угощения, великолепные столы, великое изобилие разных наилучших плодов во всякое время года и все, что принадлежит к роскошной жизни. Словом, сии монахи со стороны сей ни в чем не уступали католическим в самое лучшее время их жизни.

В сем положении Малороссии должен я был с отцом моим оставить оную. По восьмилетнем пребывании своем там он поехал в Петербург один на почтовых, а мать моя с многочисленным семейством, со мною и с старым учителем отправилась на наемных лошадях в Москву. Пред отъездом моим из Киева не забыл я взять от игумна и ректора братского монастыря письма в Московский университет, куда отсылал он иногда малые мои стихотворения.

Хотя я еще был очень молод, но успел заметить при въезде моем в Малороссию и выезде великую противоположность. Вместо веселостей встречал я везде уныние и неудовольствие; вместо великого во всем изобилия, недостатки во многом; вместо гостеприимства должно было почти насильно вламываться в дома, чтоб переночевать; вместо хлебосольства и щедрого угощения требовали от нас за все вчетверо дороже против обыкновенных цен.

По приезде моем в Москву поехал я в университет и отдал письма некоторым членам оного. Они приняли меня очень ласково и просили, чтоб чрез пять дней в известное время непременно приехал бы я к ним, что я и исполнил. По прибытии моем тот же час предложено мне было: желаю ли я быть членом особого общества, при сем университете, существующего под наименованием «Вольное российское собрание, пекущееся о распространении словесных наук». Таковое предложение, конечно, было лестно для самолюбия молодого человека, начинающего вступать в свет. Я принял сие с благодарностью и в то же время препровожден был с некоторыми из бывших при том в особую комнату. Вскоре потом пришел ко мне один член сего общества, прося, чтоб я вступил в залу собрания. Тотчас дали мне место между сидящими членами, и секретарь собрания объявил, что общество поставляет себе честью иметь меня в числе почетных своих членов, и прочитал постановления оного, которые я должен был потом подписать в качестве почетного члена. После гг. члены начали читать свои сочинения, а прочие предлагали суждения свои, как то обыкновенно делается в собраниях такого рода. За время пребывания моего в Москве не упускал я посещать сие собрание и доставил оному два перевода стихами, один — произведения известного немецкого стихотворца Клейста под названием «Песнь Богу», «Lob der Gottheit», а другой — с французского из сочинений Жан Батиста Руссо под названием «Оставленная Цирцея». Оба сии сочинения приняты были с благодарностью и напечатаны в журнале сего общества.

По письмам, полученным из Петербурга, должен я был с матерью моею ехать туда и оставить Москву, пробыв в оной только несколько месяцев. Я не забыл пред отъездом моим побывать в университете, чтоб проститься с моими сочленами, и получил от них письма в другое такого же рода общество, основанное в Петербурге, под названием «Друзья словесных наук».

Итак, отправился я в сию столицу Севера.

Красота и великолепие сего города, в новейшем вкусе зодчества построенного, и блеск двора Екатерины II суть предметы, о которых много уже писали. Первым попечением моим было отыскать дом собрания «друзей словесных наук» и отдать им письма из университета Московского, по исполнении чего тогда ж принят я был действительным членом сего общества и не оставлял посещать оное всегда, когда имел свободное на то время.

Между тем был я произведен старшим адъютантом, каковой чин равнялся тогда капитану армии, и остался в сей должности при отце моем.

Я жил тогда с ним вместе на берегу реки Невы на известном всем иностранцам Васильевском острове. Тут познакомился я с известными ученостью своею людьми — подполковником Рованцем, профессорами Крафтом и Рожешниковым. Первый возбудил во мне охоте к минералогии и металлургии, второй — к физике, а последний — к химии. Я слушал чтение их курсов, но не с потребною для того точностию, ибо не имел на то довольно времени.

Однако ж, сии науки остались до сего времени моею склонностью, и я с охотой читал потом и слушал людей, рассуждающих о сих предметах.

В то время продолжалась в России война против турок. Славный Потемкин, облеченный всею доверенностию Екатерины II, имевший все способы, не с великим успехом продолжал оную. Доверенность его у двора мало-помалу начинала ослабевать, ибо граф Зубов, облеченный потом в княжеское достоинство, фаворит Екатерины II, искал его падения. Слова людей, имеющих великое значение, далеко достигают. В то время как Зубов был в Петербурге, а Потемкин осаждал без успеха Очаков, что в турецкой Бессарабии, про него носились слухи, что он нездоров и скучен; и на вопрос тех, которые о том спрашивали его, он отвечал: «У меня болит зуб и для этого надобно мне ехать в Петербург, чтоб его вырвать». Эта аллегория была довольно ясна.

Наконец, взятие приступом Очакова, при котором погибло множество войска, поддержало некоторым образом на время славу Потемкина. Он желал даже распространить свой подвиг, но война со шведами и волнения в Польше тому препятствовали.

Я был тогда в Петербурге и не имел достойных примечания занятий, а потому имею время сказать здесь о некоторых особливых учреждениях, касающихся войска и имевших тогда влияние на всю армию российскую.

Молодые дворяне, имевшие некоторое состояние и воспитание, по большей части записывались в полки гвардии, чином унтер-офицера. Нередко начальник оной давал сей чин только что родившимся детям и потом отпускал в дом родителя для обучения наукам. Сии дети, достигнув возраста, приезжали в Петербург и служили в полках гвардии, разделяясь на три степени. Те, которые по недостаточному состоянию своему не в силах были поддерживать блеск двора, служа офицерами в гвардии, выходили в армейские полки из унтер-офицеров в чине капитана в конницу и в пехоту. Другие дожидались производства в офицеры гвардии и служили в оной до капитана, а из сего звания были они выпускаемы полковниками в армию и получали конные и пехотные полки. Третьи же, не имевшие большой охоты к военной службе, оставались в гвардии капитанами и, наконец, брали отставку с достоинством бригадира, вступали тогда в сем звании в гражданскую службу, а по большей части оставались спокойно в имениях своих, пользуясь преимуществами сего чина.

Во время сей турецкой войны Екатерина II решила произвести разделение турецких сил отправлением флота своего в Средиземное море. Она думала иметь такой же, а может быть, и больший успех, как во время войны под начальством фельдмаршала Румянцева, когда граф Орлов, отправясь с флотом из Петербурга, достиг туда и истребил весь турецкий флот при Чесме.

Приготовление флота, назначенного в Средиземное море, произвело великий шум в столице. Начальником оного был назначен адмирал Грейг, родом англичанин, давно служивший в России и бывший с графом Орловым при истреблении им турецкого флота в Средиземном море.

Тогда родилось во мне великое желание просить отца моего, чтоб он позволил мне участвовать в сей экспедиции в качестве волонтера. Но он мне строго в том отказал,— может быть, потому, что был другом адмирала Чичагова, искавшего также славы и не великого приятеля Грейга, а может быть, и по другим причинам...

Сей отказ поверг меня в великое уныние, и я с великим прискорбием, едва не в слезах, смотрел на гвардейские и армейские баталионы, под окном моим на рассвете дня садившихся на транспортные суда, чтобы идти в Кронштадт, а оттуда на линейных кораблях плыть в Италию и далее.

С каким восторгом солдаты, помня еще подвиги графа Орлова, восклицали: «Пойдем в Средиземное море!» Я сидел под окном до того времени, пока все суда скрылись из глаз моих.

На другой день, проснувшись довольно рано, подошел я к окну, выходившему на берег Невы, и крайне удивлен был, приметя множество парусов, идуших от Кронштадта, так что принял сие за целый неприятельский флот, вступающий в реку Неву. Но одно удивление разрушено было другим; я рассмотрел и узнал флаги русские, а вслед за сим увидел те же суда и те же баталионы, пристающие к тому же берегу и выгружающиеся. Солдаты вместо прежних восклицаний говорили между собою: «Проклятый швед не дал сходить в Средиземное море».

Король шведский (убитый потом своим подданным), в противность правил тогдашней политики, без объявления войны, не только воспрепятствовал российскому флоту пройти через Зунд, но послал войско свое и сам предводительствовал оным, осадил русскую крепость Нейшлот.

Гарнизон крепости сей был довольно слаб и состоял по большей части из престарелых и раненых солдат; притом мало было запасов, но крепость имела нарочитые укрепления, а комендантом оной был также старый штаб-офицер, лишенный в войне против турок правой руки. Король, приступя к крепости с значительным войском, послал коменданту письмо, в котором без дальнейших околичностей требовал, чтоб он отворил ему крепостные ворота.

Комендант отвечал ему также в коротких словах: «Служа отечеству, имел я несчастие лишиться на войне правой руки; ворота крепостные слишком тяжелы, чтоб мог я их отворить одной рукой; ваше величество моложе меня, имеете две руки и потому попытайтесь сами их отворить».

Бомбардирование, канонада и приступы, последовавшие за сим

ответом, были бесцельны. И так безрукий комендант защитил сию крепость и был потом щедро награжден Екатериной II.

Другой анекдот состоял в ответе чиновника запорожских казаков князю Потемкину, начальствовавшему все время над армиею против турок. Должно сказать, что при нем находилось из войска сего два наездника, Чапега и Головатый; оба имели чины полковника, но Головатый был уже избран в звание кошевого, т. е. главного начальника войска запорожского, и имел при себе полк свой.

Князь Потемкин, неизвестно для каких видов, до такой степени ласкал запорожских казаков, что сам записался в их общество в звании простого казака и, быв фельдмаршалом, с благодарностью принимал малое жалованье, присылаемое ему из полка, как казаку, на службе находящемуся. Сие давало свободный к нему доступ многим чиновникам его войска, с которыми любил он иногда шутить. Головатый по многим отношениям был из числа таковых. В один день, придя к нему, нашел он князя Потемкина весьма скучным и ходящим по коврам в глубоком размышлении. С обыкновенною своей простотою и грубостью Головатый спросил его:

— О чем ты так задумался?

Потемкин не отвечал ему. Головатый повторил вопрос сей несколько раз, наконец Потемкин сказал ему:

— Как же мне не быть скучным и не задумываться, когда я имею все, чтоб кончить войну с турками самым выгодным образом для России и мне в том препятствуют.

— Кто ж тебе в том мешает?— спросил казак.

— Поляки,— отвечал Потемкин.— они сделали великое возмущение, и армия наша, оставя дела против турок, должна обратиться на них тогда, когда предстоят мне великие успехи.

— В таком случае не возвращайся,— возразил Головатый,— а продолжай здесь твои дела.

— Но кто же пойдет на Польшу?— спросил Потемкин.

— Пошли меня,— сказал он ему.

— С чем? Разве с одним полком, в котором едва 500 казаков.

— Довольно будет для меня,— отвечал Головатый,— я пойду отсюда с 500 казаков, а приду в Варшаву с 500 тысяч войска, но зато ни одного ксендза, ни одного ляха не останется в живых.

Это покажется загадкой для тех, которые не знают хорошо Польшу. Ксендзами называют там попов римского исповедания, а ляхами или панами — помещиков и дворян. Народ из деревни был там греческого исповедания, к которому больше и по сие время оный привязан, потому что вера греческая позволяет отправлять все молитвы и всякую церковную службу на том языке, которым говорит народ. Римское же, вопреки здравому рассудку, требует, чтоб все сие отправлялось на латинском языке, вовсе невразумительном для народа польского. Сие обстоятельство сделало то, что едва с великим насилием успело римское духовенство обратить часть Польши в римскую, а другую — в униатскую веру, которая есть не что иное, как вера греческая, церкви которой, однако, признают главою своею папу римского.

Господа же польские, так называемые паны или ляхи в простом смысле, говоря беспрестанно о вольности и поддерживая оную всеми мерами, самым тиранским образом обращаются с народом. Головатый знал сии струны, был человек народный и потому, разрушая иные, конечно б, успел в своем обещании, но Потемкин рассмеялся, а политика государей тому воспрепятствовала.

Между тем, хотя не теми способами, какие предполагал сей казак, но Екатерина II приступила к исполнению сей мысли уничтожением унии и раздачею польских земель военным и гражданским российским чиновникам. В статье о Польше буду я иметь случай пространнее о сем говорить.

ГЛАВА 3

Пред начатием войны со шведами поехал отец мой для осмотра укреплений Ревеля и Балтийского порта, или Рогервика, и взял меня с собою.

Ревель, построенный немецкими или тевтонскими рыцарями, получил наименование свое от немецкого слова Реефаль, то есть падение дикой козы, или серны, упавшей в стремнину неподалеку от сего города тогда, когда гроссмейстер сих кавалеров забавлялся охотой. Сей небольшой город состоит весь из каменного строения в несколько этажей, хотя в готическом, но довольно приятном вкусе; здесь видны еще остатки огромных стен, окружавших оный. Я видел славящуюся довольно высокой колокольней тамошнюю лютеранскую, так называемую, Олай-церковь. При входе в оную висит вверху кость превеликого ребра, похожего на человеческое. Баснословят, будто бы это ребро мастера, строившего колокольню и упавшего с высоты оной. В другой лютеранской церкви видел я тело какого-то принца Де Круа. Одни говорят, что он был губернатором, а другие — послом и сделал великие долги в сем городе, а так как наследники не хотели заплатить оные, то город взял в залог его тело и объявил, что до тех пор не похоронят оного, пока долги и с процентами не будут уплачены. Уже прошло с лишком двести лет, как никто не думает уплачивать долги сего покойника. Тело его поставлено в небольшом отделении церкви в хорошо убранном открытом гробе и к удивлению нисколько не повредилось, но высохло совершенно подобно многим мощам, хранящимся в Киевских пещерах, о которых буду я еще говорить. Тамошнее мещанство чрез несколько лет переменяет довольно богатое его платье и записывает на счет состоящего на нем долга.

Нечаянное объявление войны шведской, или, лучше сказать, без всякого объявления оной ночное вторжение короля шведского в пределы России, потребовало значительного увеличения войск, как в коннице и пехоте, так и в артиллерии. Не считая гарнизонной и морской, Россия имела только пять полков полевой артиллерии, каждый состоял из десяти рот и каждая рота имела десять орудий.

Потребность в офицерах сделала то, что я произведен был в капитаны артиллерии; мне дали сперва роту в новосформировавшемся втором бомбардирском баталионе. За неприбытием из армии, находившейся против турок, настоящего баталионного начальника, поручено мне было командование и формирование сего баталиона.

В сие время отец мой обременен был многими должностями. Он начальствовал над всеми крепостями и инженерами в России; по отъезде же и наконец по смерти генерала Миллера, убитого при осматривании им турецкой крепости Килии, получил он в управление свое внутреннюю часть артиллерии, состоящую в снабжении обеих армий потребностями по сей части. Хотя любимец Екатерины князь Платон Зубов был уже тогда фельдцейхмейстером, но быв занят важнейшими предметами, не имел времени входить в подробности управления артиллерией. Сверх того, отец мой определен был членом военной коллегии, и при том предписано ему было заседать в сенате по межевому департаменту.

С производством в капитаны артиллерии, каковой чин равен был премиер-маиору армии, поступил я под начальство артиллерии генерал-поручика Мелиссино, бывшего тогда директором артиллерийского и инженерного кадетского корпуса и командовавшего частию артиллерии.

Сей генерал имел многие достоинства. Он был родом грек и, начав воспитание свое в некоторых германских университетах, окончил вступлением в России в так называемый тогда сухопутный кадетский корпус, из которого перешел в артиллерию и отличился в войне против турок во время командования армией фельдмаршала графа Румянцова. Он знал многие языки, как-то: французский, немецкий, итальянский, греческий новый, как грек, и отчасти эллинский, русский совершенно и разумел по-латыни. Был великий любитель словесности, а особливо театра, знал он хорошо математику, артиллерию, физику и механику; алхимия же была его любимой наукой, в которой успел он сделать некоторые открытия и полезнейшее из оных есть изобретенный им состав металла для литья пушек.

Генерал Мелиссино любил роскошь, но не был довольно богат для того, что завело его в долги. Сверх того, он меньше привязан был к наружному блеску; оттого кадеты, под начальством его находившиеся, меньше успевали в науках, нежели в строевых оборотах и в приемах ружейных.

В 1789 году я занимался обучением вверенного мне артиллерийского баталиона, не только в летнее время, но и зимой, обучая стрельбе из пушек в нарочно построенных для того больших залах и имевших окна наподобие крепостных амбразур.

В сем году война против шведов на сухом пути продолжалась не с великим успехом. А на море генерал Грейг, назначенный с большой эскадрой в Средиземное море, встретил флот шведский в Финском проливе, неподалеку от берега, у так называемой Красной Горки. Сраженье было жестокое и продолжалось целые сутки, так что окна во дворце Екатерины II дребезжали, и она уехала в Царское Село. Но адмирал Грейг одержал победу, и шведы отступили.

Галерный же флот наш едва смел показаться между островов Финского залива, как отступил назад к своим портам без потери.

На другой год предписано мне было сдать батальон, вступить с моей ротой в Кронштадт, где должен я был вступить во флотилию, состоявшую из парусных и гребных судов.

Выступя из Петербурга, пошел я сухим путем до загородного дворца Ораниенбаума. Там успел я бросить взгляд на детские укрепления замка и маленькой гавани, снабженных такими же пушками, в которых император Петр III с одним своим голштинским полком думал защищаться против всей гвардии и войск, бывших тогда в Петербурге и присягнувших уже Екатерине II.

Едва пришел я туда, как нашел уже в готовности перевозные баркасы для роты моей. Сев на оный, переправился я через залив, составляемый рекой Невой и на семь верст в широту простирающий, и прибыл в Кронштадт.

Там явился я под начальство старого адмирала Пущина. Кронштадт был тогда уже укреплен, главная гавань была защищаема только одним Кронштадтом, небольшим замком, построенном на маленьком острове. Набережные же его укрепления были построены наскоро в виде временно полевой фортификации.

В сем городе пробыл я более месяца, и хотя эскадра наша стояла уже на рейде, но многое для отправления было не готово. Главный же наш начальник, адмирал принц Нассау, находился там с другою и гораздо сильнейшей эскадрой при крепости Фридрихсгаме.

В конце июля месяца велено мне было с моей ротой сесть на транспортные суда и отправиться на рейд для размещения оной на фрегаты и канонерские лодки.

Я явился к вице-адмиралу Крузе, флагману, командиру оной эскадры. Крузе был родом англичанин, довольно искусный мореходец, отличившийся в сражении при истреблении графом Орловым турецкого флота и во многих других морских баталиях. Он был недоволен своим местом и жаловался на то, что он привык командовать в открытом море линейными кораблями, а не лодками между островов.

Сей почтенный старик принял меня благосклонно, пригласил к обеду и роптал между прочим на неисправность морской артиллерии и на малые познания офицеров оной. После стола представил он мне капитан-лейтенанта морской артиллерии и просил меня поговорить с ним на предмет артиллерийских действий. Я спросил его сперва о роде и калибре орудий, в эскадре нашей находящихся, но достойны примечания из всех были пятипудовые мортиры и трехпудовые гаубицы, находившиеся на двух бомбардирских кораблях при сей эскадре. Адмирал слушал наш разговор и, так же как и я, удивлен был тем, что сей офицер сказал мне, что они кладут в заряд пятипудовой мортиры до 30 фунтов пороху, а в трехпудовую гаубицу от 16 до 20 фунтов, тогда как сильный заряд правильной пятипудовой мортиры не требует больше 10-ти фунтов. Я сказал ему на то: «Может быть, порох у вас слаб? Он отвечал мне на сие, что они получают порох с тех же заводов, как и мы, той же пробы и к тому ж он только что доставлен на флотилию». Разговор сей окончился предложением адмирала ехать на бомбардирский корабль и сделать опыт. Мы отправились с ним туда. Я осмотрел мортиры и гаубицы и нашел их совсем необыкновенной пропорции: неизвестно, когда оные были вылиты. Только мортиры почти не имели котлов и едва малые закругления находились при начале камор, которые слишком были широки и оканчивались при запале не конусом, а цилиндром, как в обыкновенных, так же образованы были и гаубицы. Я признал, что десяти фунтов пороха, конечно, недостаточно для такой мортиры, и велел положить 17. При выстреле бомба упала на половине обыкновенного расстояния. И я принужден был согласиться на 30 фунтов в мортиру и на 16 фунтов в гаубицу. Выстрелили полным зарядом и бомба упала не далее обыкновенного, то же было и с гаубицами; прибавить должно, что более 7 градусов не можно было им дать возвышения, потому что порты или отверстия корабля, сквозь которые выставлялось дуло, недовольно были велики, чтобы дать сим орудиям надлежащее возвышение. Всякий артиллерист знает, что гаубицы требуют от 20 до 35 градусов возвышения. Но что принадлежит до мортир, то оные вылиты были вместе с небольшими медными станками, на 45 градусов возвышения, утверждены были в начале на дубовых цилиндрах, имеющих в диаметре до четырех фут. Сии цилиндры основаны были на самом кубрике или брусе, служащем основанием корабля, и выходили на поверхность палубы. Сверх сих дубов был вылит и утвержден свинцовый круг толщиною дюйма в 4, а над оным такой же из чугуна. В центре была круглая скважина и таковая же в станке мортиры. В кругу утвержден толстый железный стержень, который вкладывался в станок мортиры, через что можно было поворачивать оную во все стороны, и для того винты на мачтах сделаны были на крючьях, и при выстреле в стороны который-нибудь должно было снимать и опять класть на место. Какое затруднение во время действия? При том нельзя было употребить ни штатира, ни отвеса, а действовать глазомером.

Удар при воспалении пороха был столь силен, что корабль при всяком выстреле опускался в море на полтора фута, и не иначе можно было стрелять, как пальником фут в 5 длиною, и причем раздавали всем артиллеристам и матросам хлопчатую бумагу, чтоб затыкать уши. Вот сколь мало обращали тогда внимания на морскую артиллерию. Сколь удобно облегчить все сии затруднения, всякий артиллерист и мореходец может сам домыслиться.

По возвращении от сего опыта адмирал дал мне ведомость о числе судов, качестве, количестве и калибре артиллерийских орудий, на оных находящихся, и велел по оной разместить мне моих и морских артиллеристов. Я же сам должен был выбрать для пребывания своего один из бомбардирских кораблей, в эскадре его находящихся. Эскадра же состояла из двух бомбардирских кораблей под названием «Перун» и «Гром», из шести гребных фрегатов, одного прама, двух пакетботов, 25 канонерских лодок и 6 полугалер. Я избрал для пребывания своего корабль «Перун».

В сем состоянии выступили мы в море и, подойдя к высоте острова Готланда, спустились к берегам Финляндии. Не доезжая еще оных, застала нас в конце июля месяца жестокая буря, настоящий шторм, как называют мореходцы. Мы стояли тогда на якорях и только наш корабль мог удержаться на своем месте, прочие же тащило на якорях к скалам, подводным камням и мелям. Буря продолжалась 24 ч., но благодаря Провидению потеряли мы только одно судно, а именно прам «Гремящий» о 40 пушках большого калибра; он брошен был на мель. И тут-то в первый раз увидал я ужасное действие морских валов противу корабля, стоящего на твердом основании и получающего всю силу ударов оных. Почти всякая волна выбивала доску, чего нельзя произвести ни из каких пушек, и чрез несколько часов показались ребра корабля. Люди и потом пушки были спасены, а корабль погиб.

Впрочем, буря сия не сделала большого вреда эскадре нашей; мы исправились и пошли далее. Наконец, неподалеку от берегов Финляндии при острове Роченсальме и многих других мелких островах, составляющих род архипелага, августа 9-го числа встретили мы неприятельский шведский гребной флот в далеко превосходнейших силах, нежели наша эскадра. Адмирал сделал сношения сухим путем с принцем Нассау, имевшим под начальством своим большую часть гребного флота. Он находился с этой частью флота в том же Финском заливе неподалеку от крепости Фридрихсгама и чрез то самое оказывался позади неприятельского флота.

Мы совсем уже приготовились к сражению, но за два дня пред оным вице-адмирал Крузе сменен был контр-адмиралом Балле.

Балле был родом грек, давно служивший в российском флоте, но находился по большей части при адмиралтействах, членом в морских канцеляриях и даже к сему начальствованию взят был от должности флот-интенданта. Все морские офицеры говорили о нем, что он мало имел опытности в настоящем морском деле.

Как бы то ни было, приняв начальство, сделал он некоторые перемены в плане его предместника. Между прочими бомбардирские корабли и пакетботы, не имеющие весел, поставил он впереди линии по флангам. Все тогда же говорили, что эта была большая его ошибка, ибо при случае отступления или перемены места, наипаче бомбардирские корабли, при противном ветре или при безветрии, или, как говорят моряки, во время штиля, не могут иметь ходу,— разве на заводе или верне, что весьма медленно, или на буксире,— но три 12-весельных баркаса едва в силах с медленностию буксировать такой корабль.

Как бы то ни было 1789 году, августа 13-го дня, в 7 часов пополуночи началось первое для меня морское сражение. Флот неприятельский занимал почти все пространство пролива от одного берега до другого, а сзади имел цепь островов. Мне приказано было открыть сражение бомбардированием из мортир и гаубиц на весьма дальнее расстояние, так что бомбы мои едва до половины оного достигали. Я не мог вначале понять, для чего приказано мне было жечь напрасно порох и бросать бомбы в море. Но это была военная хитрость г-на Балле. Он хотел чрез сие известить принца Нассау, приближавшегося уже к тылу неприятеля, что он начал сражение,— с тем, чтобы и он открыл огонь с своей стороны. В продолжение нескольких часов ничего не было слышно, и мы принуждены были подойти ближе к неприятельской линии. Едва наши ядра и бомбы начали доставать до кораблей, как шведы, снявшись с якоря, еще приблизились к нам и открыли столь сильный огонь, что некоторые фрегаты наши должны были замолчать и выйти за линию. Сражение продолжалось до самого вечера с великим уроном с нашей стороны. Оба пакетбота были потоплены со всем их экипажем. Бомбардирский корабль «Гром», имевший пред собою каменную отсыпь в море или риф, хотя много претерпел, но не столько, как наш «Перун». Мачты и даже борты были совсем сбиты, и он, конечно бы, пошел ко дну, если б в рассуждении тяжелых его орудий не имел такой наружной обшивки или баргаута, как большой линейный корабль, а потому ниже ватерлинии ни одно ядро не могло его пронзить насквозь. Все люди, составлявшие экипаж оного, были убиты или тяжело ранены. При сем случае и я получил три сильные контузии обломками дерева и канатов в ногу, в грудь и в голову. Все посылаемые на помощь оному фрегаты возвращались с большим уроном, быв в опасности сами погибнуть. Наконец адмирал, отступя еще несколько с своей линией, прислал к нам шлюпку, чтобы спасти живых и легко раненых людей, а корабль оставить неприятелю.

Хотя я был очень слаб, но хотел загвоздить пушки, но в таком расстройстве нельзя было ничего найти, и так я, выстреля из заряженных орудий, пустил в запал каждого по ядру. И сие помогло нам несколько при отступлении. Ибо шведы, приметя приставшую к кораблю шлюпку, послали на нескольких баркасах отряд пехоты. Едва успели мы сойти в шлюпку с одного борта, как шведы с другого вошли на корабль, успели сделать по нас несколько ружейных выстрелов и ранили у нас трех матросов.

Я привезен был на флагманский фрегат и представлен адмиралу, покрытый моею и подчиненных моих кровию. Тридцатифунтовые ядра поражали десятками людей, в тесности около меня расположенных, не говоря о щепах и обрывках толстых корабельных канатов. Он, расспрося меня в коротких словах, предложил мне отдохнуть. Матросы сделали мне тотчас постель у мачты из флагов. Но прежде, нежели я лег, я увидел множество тяжело раненых чиновников, в том числе был почтенный бригадир Винтер, отличившийся во многих морских сражениях. Он лишился в сем деле правой руки, от чего и умер на третий день. Полковник Апраксин был убит, и много других штаб и обер-офицеров, о которых не могу я вспомнить, были убиты или тяжело ранены. По числу войска урон наш был весьма велик. Начальствовавший нашим кораблем капитан-лейтенант Синявин был столь тяжко ранен, что мы не могли его взять с собою, и он достался в плен вместе с кораблем. Мы потеряли один бомбардирский корабль, два пакетбота, несколько полугалер и канонерских лодок.

Повидавшись с ранеными моими товарищами, лег я на приготовленную для меня постель и заснул. Но пред полуночью разбужен я был пальбою с неприятельской стороны, шумом и работою на фрегате. Я встал и увидел приближающийся к нам неприятельский флот, который могли узнать мы по фонарям и ночным сигналам. Адмирал велел сняться с якорей и уклониться к берегу направо, шведы же пошли мимо нас в море при беспрестанной пальбе из пушек. Вслед за ними показались другие суда, и мы тотчас узнали, что то была эскадра адмирала принца Нассау. Он должен был по сделанному плану напасть на неприятеля сзади в превосходных силах тогда, когда мы были гораздо слабее неприятельского флота, должны были атаковать оный спереди и обратить на себя весь его огонь. Но неприятельский флот, как я уже выше сказал, отделен был от принца Нассау цепью островов, на которых были поделаны шведами батареи. Но сие не воспрепятствовало бы пройти судам его в три или четыре пролива довольной глубины, если бы шведы пред сражением не заградили оные затопленными судами. А дабы сильным течением, известным между таковыми островами, не были они разделены, то соединили их тоненькими канатами, концы которых укрепили на островах. Принц, услыша нашу канонаду, тогда же снялся с якоря, но, подойдя к островам, нашел проливы оных загражденными по вышесказанному. Целый день тщетно трудился он сыскать проход и потерпел довольное поражение, как с сухопутных батарей, так и с судов, стоявших пред проливами. Наконец, один нечаянный случай открыл ему путь к совершенной победе над неприятелем. Несколько гвардейских солдат при унтер-офицере высажены были на один остров для осмотра и набрания пресной воды. Сии люди, ходя по острову, нашли место, где укреплен был конец каната, соединяющий затопленные суда. Они отрубили оный и дали знать о том принцу, который, воспользовавшись сим открытием, послал небольшие военные отряды и на прочие острова. Канаты удачно были отрублены, быстрое между островов течение разнесло затопленные суда, принц с эскадрою своею прошел в проливы и напал на неприятеля с тылу. Утомленные сражением с нами, шведы обращены были в бегство; взятые в плен наши суда были возвращены, и неприятель лишился нескольких фрегатов и шебек, взятых в плен принцем Нассау. Вот знаменитое сражение 13 августа 1789 года, за которое всем матросам и солдатам выданы были серебряные медали с надписью: «За храбрость на водах финских».

Не должно умолчать о том, что в эскадре нашей больше всех показал неустрашимости наш морской священник. Он во все время плавания нашего до сего сражения проводил целые дни, сидя на юте и смотря на море в подзорную трубу,— и только малейшее что приметит в море, кричал: «Вот неприятель! Время готовиться к сражению». Молодые офицеры смеялись над ним, почитая сие трусостью. Он был вдовец и нередко со слезами на глазах рассказывал нам, что оставил семерых малолетних в крайней бедности. Мы спросили его однажды, случалось ли ему когда бывать в сражении против неприятеля. «Нет,— отвечал он,— и молю Бога, чтоб он избавил меня от сего неприятеля». Сии обстоятельства потом еще более утвердили нас в мнении о его робости. И мы не позабыли из разговоров его сделать предмет шуток.

Но пред начатием сражения, облачася в ризы, собрал он всех бывших на корабле к молитве, после которой сказал прекрасную проповедь насчет неустрашимости в справедливой войне за отечество. И в продолжение всего сражения не сходил с палубы, ободряя сражающихся, исключая того времени, когда требовали его в трюм для исповеди и причащения умирающих от ран, но он всегда скоро возвращался на место сражения. Тщетно капитан корабля и сам адмирал просили его беречь себя, для себя, для семейства его. Он всегда отвечал им текстами из Священного писания, что пастырь не должен оставить овец своих во время опасности и даже просил позволения ехать для спасения нашего корабля, в чем, однако ж, было ему отказано.

Принц не оставил донести о сем Екатерине II и он был награжден соответственно его сану и состоянию, причем и дети его не были забыты. Другое обстоятельство на флоте нашел также достойным примечания. Князь Потемкин при взятии Очакова взял также в плен целую флотилию, стоявшую по причине великих льдов в проливе Очаковском, при стенах оного, а вместе с флотилией взял он и турецких матросов. Сии турки отправлены были в Петербург. Екатерина II за недостатком людей послала их на гребной флот действовать против шведов. В качестве матросов по окончании сего сражения, в котором и они действовали с довольною храбростью, увидали они, что всем нижним чинам были выданы медали, а им вместо того только по серебряному рублю. Они были крайне недовольны этим и просили, чтобы и им даны были знаки отличия. Екатерина прислала им челении, или серебряные перья, с надписью: «За храбрость» для ношения на чалмах, потому что они и в нашей службе одеты были по-турецки. Говорят, что несколько из них по возвращении в отечество свое заплатили головами своими за сии знаки отличия.

На другой день после его сражения соединились мы с эскадрой принца Нассау. Канонерские лодки, полугалеры и другие легкие суда посланы были на поиски за неприятелем. Много мелких шведских судов истреблено было между островами и при берегах, а некоторые взяты в плен.

Наконец, принц Нассау узнал, что остатки неприятельских судов и большая часть сухопутного неприятельского войска, находившаяся на гребном их флоте, пристала к берегу финского залива в границах наших при деревне Старкупицы, где укрепились они батареями и сильным отрядом войск, присланных из сухопутной армии. Он решил сделать высадку на сей берег, но прежде должно было овладеть батареями.

Одиннадцать дней приготовлялись мы к сей экспедиции. Я, отдохнув несколько от полученных мною контузий и узнав, что я за болезнию не назначен в оную, поехал просить о том принца Нассау. Сперва он мне в том отказал потому, что рота моя не имела при себе сухопутных пушек. Но я указал ему на то, что на фрегате нашем есть сухопутные трехфутовые пушки, принадлежащие полкам, находящимся на флотилии, и сверх того таковые же взятые в последнем сражении у шведов, которые полезнее могут быть употреблены при высадке, нежели оружие большого калибра. Принц согласился на мое предложение и велел мне, приняв оные, приготовиться к десанту. Я послал оные на плавучие батареи, но какие это были батареи? Не что иное, как простые плоты с небольшим возвышением по краям, притом и тех было недостаточно для малой моей артиллерии, так что я почти принужден был ставить пушку на пушку и никоим образом невозможно было действовать с оных.

Как бы то ни было к вечеру на 26-е число августа отправились мы к сказанному мною месту. Расстояние было недальнее, и мы прибыли туда часа за два до рассвета. Едва занялся день, как с нашей стороны открыто было действие стрельбою из пушек с галер и канонерских лодок против неприятельских батарей. Шведы ответствовали нам с довольным успехом и сие продолжалось целый день. Еще по утру принц, проезжая мимо моих плотов и видя, что я нахожусь совсем без действия, велел мне, взяв несколько офицеров и бомбардиров, сесть на галеру «Москву», взять еще две другие и расположиться за каменною отсыпью впереди главной неприятельской батареи и действовать через оную навесными выстрелами. Я исполнил его приказание, но успеху было мало. Потом, подъехав ко мне, он сказал: «Дайте мне из роты вашей надежного офицера». Я послал к нему моего поручика. Он привез его на один остров, велел снять с других плавучих батарей два 24-футовых единорога, поставить на оном и действовать во фланг неприятельских батарей. Хотя сие распоряжение имело лучший успех, однако же, неприятель держался на батареях своих до самой темной ночи. За час до света узнали мы, что неприятель, оставя свои батареи, ретировался; нам велено было выйти на берег и преследовать его сухопутными войсками, для того приготовленными.

При этом и я выгрузил на берег десять малых моих орудий с ящиками, но не имел ни одной лошади, а только 80 человек бомбардиров. Я послал просить пособия, и мне прислано было две пехотные роты, чтоб везти сии пушки на людях.

Неприятель с артиллерией своей пошел к селению Питискирхе, лежащему на берегу р. Кюменя, которая составляла тогда границу России с Швецией. Я причислен был тогда к отряду войск, бывших под начальством бригадира князя Мещерского. Между тем главнокомандующий российскою армиею, по сношению с принцем Нассау, не оставил дать ему помощь конными полками его армии, в числе которых были казаки и башкиры.

Придя в селение Питискирхе, отстоящее на 30 верст от места высадки нашей, нашли мы, что неприятель переправился уже через реку и сжег за собою все мосты на оной. Таким образом, остались мы в сей деревне, ожидая дальнейшего повеления от главного начальства. И так стояли мы там три дня без всякого продовольствия.

В сие время принц Нассау лишился лучшего своего помощника, мальтийского кавалера Ваража: он пропал без известия при сей высадке. Отряды, посланные искать его, возвратились без всякого успеха: наконец открылось несчастное приключение, в котором погиб сей опытный и храбрый мореходец. Сойдя на берег, не мог он следовать пешком за войском, так как не имел привычки ходить столь далеко, и потому пошел он в одну чухонскую деревню, чтобы найти для себя лошадь. Не зная ни по-русски, ни по-чухонски и увидав в поле пасущихся крестьянских лошадей, он поймал одну, сел на оную верхом без седла, а вместо узды употребил карманный свой платок. Но, бродя в поле за лошадью, потерял он дорогу, и так, пробираясь через лес, встречен он был башкирами, присланными из сухопутной нашей армии. Сии полудикие воины, увидя на нем знаки иностранных орденов, подъехали к нему поближе, и когда на вопрос их отвечал он им по-французски, то они приняли его за неприятельского офицера и хотели взять в плен, то он вынул саблю, начал защищаться, причем и был убит башкирами. Они сами рассказывали о том, принеся орденские его знаки к принцу Нассау и требуя награждения за то, что они убили знаменитого шведского чиновника.

Через три дня получено было повеление, чтобы отряд наш возвратился на свои суда. Мы пришли на берег моря, увидели стоящий вдали флот наш, но не нашли ни одного перевозочного судна. Мы кричали, стреляли из ружей, зажигали огни, но со всем тем пробыли мы тут целые сутки, и в таком положении пробыли бы, может быть, еще и более, если б я случайно не приметил у берега лодку, на которой никого не было. Несмотря ни на что, взял я с собою двух солдат, поплыл к флоту и пристал к первой встретившейся мне галере. На ней нашел я начальника галер бригадира Слизова, рассказал ему о жалостном положении отряда нашего, что с лишком две тысячи человек уже пятый день находятся без хлеба и довольствуются одними грибами. В тот же час отправил он шлюпки и баркасы, чтобы взять оттуда людей и пушки, а мне предложил ночевать на его галере.

На другой день сделано было расписание по судам для нашего отряда и моей роты, и мое пребывание назначено было на фрегате «Осторожном», как будто тем хотели сделать молодости моей некоторое нравоучение.

В сем месте простояли мы несколько дней. Принц Нассау, узнав, что некоторые парусные гребные суда, составлявшие флотилию шведскую, успели удалиться к шведской крепости Лунье, почему решил идти к оной, дабы истребить остаток неприятельского гребного флота.

Время года было уже довольно позднее и плавание для галер и мелких судов было небезопасно, потому что около берегов Луньи море довольно пространно. Однако же, не взирая на сие, пошли мы туда в половине сентября месяца, и чрез несколько дней прибыли к шведской крепости Швартгольму, где стали на якорь. Но в ночь на 21 число сентября поднялась преужасная буря, многие суда были сорваны с якорей и носимы по морю, некоторые погибли от подводных камней, другие брошены были на мель. Наш фрегат потерял все якоря; мы, видя неминуемую почти опасность, принуждены были снять с лафетов шесть пушек большого калибра, которые, укрепя канатами, бросили в море вместо якоря, и, к неожиданному счастию, удержались на оных.

Буря продолжалась целых двое суток, при сем случае потеряли мы две галеры, три полугалеры и один катер, прочие же суда претерпели довольное повреждение, наипаче в снастях или такелаже. Сие обстоятельство заставило нас возвратиться к крепости нашей, Фридрихсгаму. Всем судам назначено было зимовать в оной гавани, а бригадиру Слизову с восемью фрегатами остаться в проливе Роченсальмском доколе не замерзнет море. Для большей же безопасности со стороны неприятеля положено было построить на острове Роченсальме батареи на двенадцать пушек большого калибра,— в известном пункте, защищающем фарватер.

Принц Нассау, после знаменитого сражения своего 13 августа, в донесении своем к императрице Екатерине II написал, что он, между прочим, взял в плен четыре фрегата и две шебеки; но, к несчастью, одна из оных о 36 пушках большого калибра так была расстреляна, что чрез несколько дней потонула при самом острове Роченсальме. Принц имел довольно неприятелей у двора и для того изобретал всякие средства, чтоб достать оную из воды. Для сего советовался он с контр-адмиралом Балле, почти всю свою службу проводившим при адмиралтейских работах. Но тот сказал ему, что для сего надо бы непременно выписать из Англии мастеров и механиков, а так как время уже позднее и, пока они прибудут, море замерзнет, то не останется никаких средств. В предприятии о построении батареи на известном пункте Роченсальма встретилось подобное же сему затруднение.

Место, на котором должно было строить батарею, состояло из одного сплошного гранитного камня, столь изглаженного морскими волнами, что ни земля, ни дерн на пологости оного никак не могли держаться. Все иностранные инженеры, находившиеся на его флоте, отказались от сей работы, равно как морские офицеры — от поднятия потонувшей шебеки.

Бригадир Слизов, смотревший всегда с негодованием на преимущества, отдаваемые принцем Нассау иностранным офицерам, попросил меня в один день прогуляться с ним на шлюпке. Он привез меня на остров Роченсальм, показал место, назначенное для батареи и спросил: «Неужели нет никакого средства построить тут батарею?» Я, осмотрев оное, отвечал ему: «Если дадут все средства, то не будет невозможности». Слизов пересказал сие принцу, а сей, призвав меня, просил заняться сим построением, обещая мне дать все, что я для того потребую. Слизов искал также человека, который бы взялся достать потонувшую шебеку. Один русский купец по прозванию Сторонкин, торговавший съестными припасами и некоторыми необходимыми для офицеров товарами при нашей флотилии, взялся за сие предприятие. Надобно сказать о нем, что он до сего много торговал на море и упражнялся довольное время в постройке разных купеческих судов у города Архангельска.

Слизов доносил и о нем принцу, который с радостью принял его предложение. Итак, я и Сторонкин должны были заняться работами, которые почитали невозможными.

Мне велено было с ротой моей высадиться на остров Роченсальм, и прислано было ко мне по требованию моему достаточное число мастеровых и рабочих людей. Учредя расположение батареи, приказал я отдельно рубить в ближайшем лесу большие бревна, а другим выдалбливать по протяжению батарей в назначенных местах ямы в камне. Хотя ямы эти не могли быть глубоко выдолблены, но я, поставя в оные потребное количество бревен, утвердил их, хотя на первый раз и слабо, с одной стороны, подпорами, а с другой — канатами к камням, выставленным из моря, ибо место сие имело пред собой в море каменистую мель или натуральную отсыпь. К сим довольно часто поставленным бревнам начал я укреплять не фашины, но связки толстых и прямых сучьев, вдвое или втрое толще обыкновенной фашины. И когда довел сего рода стену до желаемой высоты, тогда велел сыпать к оной мелкий камень, сперва со стороны моря, натягивая всякий раз сколь можно крепче канаты, которыми бревна привязаны были к каменьям. Насыпав фута на три со стороны моря, приказал я то же делать с ветреной стороны и таким способом сделал каменное возвышение на пространство всей батареи, превосходящее высокие камни, находящиеся пред самой батареей в море. После чего на сей каменный хребет приказал я насыпать фута на полтора песку и земли; приметя же на острове моем множество терновых кустов, велел оные рубить и плотно устилать ими обе крутости; потом покрыл оный землею, песком и дерном фута на три. На таком возвышении не трудно уже мне было утверждать фашины, дерн и все, что мне потребно было для батареи. Но другое затруднение состояло в том, что я по краткости времени не мог сделать валганка, а насыпь моя, или брустверк, был слишком высок. К тому ж прислали мне пушки на морских станках без колес, и станины оных были вставлены в толстые доски с желобами, по которым отодвигался станок после выстрела, а для поворачивания во все стороны сделана была в каждой таковой подвижной платформе большая круглая дыра. Такового рода орудие должно непременно быть поставлено на другой платформе, в которой бы был утвержден перпендикулярно большой деревянный цилиндр или бревно, на котором надета была бы сия подвижная платформа, вместе со станком, и переворачивалась бы на нем во все стороны. До сего должен я был под каждое орудие во всю величину на станции платформы делать деревянные срубы нарочито высоко и вставлять в потребном месте кругло отесанные бревна и насыпать мелким камнем и землей оные срубы до самого верху. Сим средством в продолжение двенадцати дней батарея моя была готова и орудия поставлены. А так как Сторонкин работал над утонувшей шебекой недалеко от меня, и я с ним каждый вечер виделся, то и согласились мы окончить вместе работу нашу,— и в одно почти время дали о том знать принцу Нассау. Он тотчас отправился на стоящую уже на якоре шебеку, на палубе которой находились несколько пушек,— и, взяв с собой священника, приказал отслужить молебен. Потом, подняв российский военный флаг, пошел на ней к Фридрихсгаму, проходя же мимо моей батареи, велел салютовать из пушек, а я с моей стороны ответствовал ему также несколькими выстрелами с моей батареи. Принц остановился, сел на шлюпку, приехал ко мне, осмотрел мою работу, был весьма доволен оной и сказал мне как бы в шутку: «Поздравляю вас комендантом сего острова».

В самом деле, по отъезде его прислали мне батальон пехоты в прикрытие и велели оставаться тут впредь до другого повеления.

Между тем все суда, исключая восьми фрегатов, оставленных в море, под начальством Слизова, пошли в Фридрихсгамскую гавань, а принц уехал в Петербург.

Работа моя была совершена в конце октября месяца, весь ноябрь и до половины декабря стоял я лагерем при моей батарее с артиллеристами и прикрытием. Всякий знает о жестокой стуже, свирепствующей в сие время на берегах Швеции. На всем острове не было никакого жилища; берега оного состояли из голых камней, а отступя несколько от оных, весь остров покрыт дремучим лесом. Итак, в сие ужасное время, притом в столь скверном климате, должны мы были жить в палатках, почти не имея зимней одежды. Бригадир Слизов часто нас посещал и для сохранения здоровья людей велел отпускать нам двойную морскую порцию водки и пива. Не забывал также и с офицерами делиться своим погребом. Короткие зимние дни на севере проводили мы, бродя около батареи и лесу, где снег не довольно был глубок. Но для долгих зимних вечеров велел я наделать большое количество деревянных скамеек, так что офицеры и солдаты могли на оных помещаться. Сии скамьи поставлены подле лесу в большой круг, в средине которого на всякий вечер приготовляли превеликий костер дров и каждый вечер зажигали оный. Офицеры разговаривали между собою, а солдаты, употребя двойную порцию, были довольно веселы, пели песни, сказывали сказки и занимались разными шутками. Но от сих вечерних собраний не только все мы, но и палатки наши так закоптели, что лагерь наш походил больше на цыганский табор, нежели на стан военный. Вечер был еще сносен, но по ночам холод жестоко давал себя чувствовать.

Жизнь такого рода скоро всем наскучила. Офицеры мои, по одиночке отпрашиваясь на несколько дней в Фридрихсгам, присылали оттуда рапорт о болезни, так что, наконец, из числа артиллерийских остался я с одним моим поручиком. Сей же, придя ко мне в один день, просил у меня позволения поехать на фрегат к бригадиру; я понял его намерение и сказал ему, что я сам имею надобность быть у него сегодня, а он должен остаться здесь на моем месте. И в самом деле хотел я отпроситься у него на три дня во Фридрихсгам, чтобы запастись теплой одеждой и потом возвратиться на несносную мою батарею. Бригадир позволил мне туда поехать, и я, не заезжал в мой лагерь, пустился на 12-весельной шлюпке в Фридрихсгам, отстоящий от нее на 28 верст. Ветер был попутный и мы шли на парусах, но ветер сделался слишком силен, притом ужасная снеговая метель по морским волнам, и наступила ночь. Мы сами не знали, куда плывем, наконец, пристали к неизвестному для нас берегу. Я, взяв с собою двух солдат, пошел искать какого-нибудь пристанища. И вдруг услышал голоса часовых, отдающих сигналы; я пошел на голоса их и приблизился к крепости Фридрихсгамской. Дороги все были занесены снегом, и я шел иногда по колено, а иногда и по пояс в снегу. Придя к надолбам, окружающим гласис, должно было найти крепостные ворота. Я пошел, придерживаясь за оные, к счастию моему, были оные от меня недалеко, но заперты. Я начал стучать, часовой окликал меня, спросил, что мне надобно?

— Я хочу идти в крепость,— отвечал я ему.

Он продолжал:

— Для проходу оставлены другие ворота, идите к ним, а эти на всю ночь запирают.

Я не в силах был идти вокруг крепости в жестокий холод, ужасную метель и в самую темную ночь.

— Отопри!— кричал я часовому.— Я курьер, присланный от Императрицы с самыми важными депешами.

Часовой вызвал караульного офицера, который, впустив меня и двух моих солдат, спросил у меня:

— К кому имеете вы депеши?

Я отвечал:

— К инженер-полковнику Лаврову.

Тотчас дал он мне солдата с фонарем, чтоб проводить меня до его квартиры.

Полковник Лавров был мне знаком, ибо как до сего времени, так и теперь, находился он в команде отца моего. Придя к нему, нашел я его уже давно в постели. Караульный солдат постучал у дверей и на вопрос «кто там?» сказал:

— Курьер от императрицы.

Я вошел в его спальню. Увидя меня, покрытого льдом, он меня не узнал и притом не мог понять, зачем бы императрица послала к нему курьера? Но он скоро выведен был из заблуждения рассказом о моем приключении. Стакан горячего пуншу подкрепил мои силы, а чарка водки — моих солдат. Время было уже довольно позднее. Лавров велел приготовить для меня постель. Я лег и заснул, как мертвый. Но исправный караульный офицер не упустил отрапортовать коменданту о прибытии курьера к полковнику Лаврову. Я еще крепко спал, как комендант, придя к нему, спрашивал у него, какой курьер к нему прибыл? Полковник рассказал ему мое приключение, а комендант был настолько добр, что не сделал о том донесения.

Итак, пробыв у полковника Лаврова три дня и исправя свои надобности, хотел я с ним проститься, но он просил меня остаться у него на ранний обед; между тем велел приготовить сани, чтоб отвезти меня на пристань, где уже давно находилась моя шлюпка. Квартира его показалась мне раем и одно воображение опять ехать на батарею, терпеть несносную стужу и довольствоваться соленой морской провизиею — повергло меня в скуку. После обеда хозяин мой вышел чем-то заняться, а я, оставшись один в комнате, сидя на стуле и облокотясь на стол, крепко заснул. Слуга его, подошел ко мне, разбудил меня и сказал, что унтер-офицер моей роты пришел ко мне.

При мне был на шлюпке один унтер-офицер, и я подумал, что он пришел сказать мне, что оная готова к отправлению, но, открыв глаза, удивился, увидя моего фельдфебеля.

— Зачем ты здесь?— спросил я его.

— Вся рота следует сюда на перевозных судах,— отвечал он мне.— По отъезде вашем велено было пушки снять и положить на фрегаты, а батарею сжечь.

Не можно себе вообразить, сколько я был обрадован для себя и для роты моей квартиры и расположился в городе.

По прошествии пяти дней получил я повеление идти сухим путем в Петербург, что меня еще больше обрадовало.

Итак, сим походом кончилась первая моя морская кампания.

По прибытии моем в сию столицу первым попечением начальства было укомплектовать мою роту, в которой из 200 бомбардиров осталось только 60 человек.

ГЛАВА 4

После столь трудного похода прибыл я в дом отца моего и, отдохнув несколько дней в моем семействе, вздумал посетить собрание наше любителей словесности. Но приехав в дом, где собирались мои сочлены, нашел оный пуст, и дворник объявил мне, что он не знает, почему, однако, давно уже как запрещено от полиции этим господам собираться.

Во Франции началась уже тогда революция, и дух вольности начал проникать в Россию, а потому не только все иллюминатские, мартинистские и масонские собрания, но даже и собрания любителей словесности были строго запрещены, потому что некоторые члены первых находились членами и в последних, чего никак не можно было избежать.

Некто г. Радищев, член общества нашего, написал одно небольшое сочинение под названием «Беседа о том, что есть сын отечества, или истинный патриот» и хотел поместить в нашем журнале. Члены хотя одобрили оное, но не надеялись, чтоб цензура пропустила сочинение, писанное с такою вольностью духа. Г. Радищев взял на себя отвезти все издание того месяца к цензору и успел в том, что сочинение его вместе с другими было позволено для напечатания. В то же время издал он и напечатал без цензуры в собственной типографии небольшую книгу его сочинения под названием «Езда из Петербурга в Москву», в которой с великою вольностью, в сильных выражениях писал он противу деспотизма. Книга сия написана была прозою, но заключала в себе оду на вольность, сочиненную им стихами. Оная начиналась сими словами:

О, вольность! Вольность дар бесценный!
Позволь, чтоб раб тебя воспел...

и далее:

Да, Брут и Телль еще проснутся,
Сидя во славе, да смутятся
От гласа твоего цари.

Полиция скоро открыла сочинителя оной. Он был взят и отвезен в Тайную канцелярию, которая в царствование Екатерины II самыми жестокими пытками действовала во всей силе. Некто Шешковский, человек, облеченный в генеральское достоинство, самый хладнокровный мучитель, был начальником оной. Радищев, выдержав там многие пристрастные допросы, сослан был, наконец, в Сибирь.

Императрица велела подать себе все списки членов, как тайных, так и вольных ученых собраний, в том числе представлен был список и нашего собрания. По разным видам и обстоятельствам большая часть членов лишены были своих должностей и велено было выехать им из Петербурга. Я не могу умолчать о том, что она, читая список собрания нашего и найдя в нем мое имя, сказала: «На что трогать этого молодого человека, он и так уже на галерах?»

Я надеялся, по крайней мере, пробыть до весны в Петербурге; но едва успел укомплектовать роту мою, как в марте месяце 1790 г. велено мне было, присоединя еще другую, выступить сухим путем и идти чрез Выборг паки в Фридрихсгам.

Но по случаю продолжавшейся еще зимы и мелкости чухонских деревень, в которых должно было останавливаться квартирами во время похода сего, велено было одной роте тремя днями выступить прежде, а я с моей ротой пошел потом.

Вступя в Финляндию, увидел я бедность, невежество, грубость и неопрятность сего народа. Они в сем жестоком климате и по сие время живут еще в черных избах, то есть в которых печи не имеют вовсе труб, и когда их топят, то дым выходит в отворенные двери и маленькие окошки их домов, от чего потолок и стены так закоптели, как бы покрыты были черным лаком. Притом, не зная вовсе употребления свеч, освещаются они в долгие зимние вечера лучиной, то есть тонкими и длинными осколками сухого дерева. Я приметил, что не только многие страдают глазами, но довольно и слепых, что весьма естественно: кроме того, что дым вреден для глаз, они, сидя в зимнее время в черной и темной избе, часто принуждены бывают выходить оттуда, причем зрение их поражается чрезвычайною белизною снега, которым дома и поля их в продолжении восьми месяцев покрыты. Сие поражение зрения еще сильнее при ярком солнечном сиянии, которое зимою нередко в стране их случается.

Уже прошло с лишком сто лет как провинция сия находится в российском подданстве, но и следов оного там неприметно. Почти никто не знает по-русски, должно иметь с собою переводчика, и к тому же не только не терпят они русских, но вообще всякое имеют отвращение от всего, что есть русское. Екатерина II начала стараться приучать их к русским обычаям, но внук ее, Александр I, все уничтожил, как видно будет о том из дальнейшего рассказа моих записок.

Суеверие финнов, или чухонского народа, столь далеко простирается, что они больше боятся черта, нежели Бога. Верят колдунам или чародеям, но что всего удивительнее, что сии чародеи не суть настоящие обманщики, но сами твердо верят, что имеют сношение с дьяволом. Столь велика сила воображения полудикого народа, живущего в глубине севера, среди ужасных лесов, болот и преогромных камней. Я полагаю сие остатками древней их языческой веры, которую лютеранские их пасторы не успели еще истребить. Финны всякое воскресенье ходят в церковь, но как литургия лютеранская весьма сокращена, то пасторы их, как и везде, занимают больше народ проповедями. Они почти все несколько учились в школах, некоторые знают немного по-латыни и все по-немецки, служат же и говорят проповеди на финском языке. Всегда начинает пастор от богословия и христианского нравоучения, в продолжении же проповеди обыкновенно случается, что народ, сидящий на лавках, весь заснет. Проповедник, приметя сие, произнесет громко: «Пегеля! Сатан!» Тогда весь народ вдруг проснется и с тяжким вздохом проворчит сквозь зубы сии слова: «Иезус Христус юмалан пойга». «Пегеля» на финском языке значит «диавол» или «черт», а сатана есть общее его название у всех христианских народов. Слова же «Иезус Христус» и проч. знаменуют: «Иисус Христос, Сын Божий».

Приближаясь к Выборгу, тщетно ласкал я себя надеждой увидеть место, где начал я воспитание мое. Все там переменилось, я не узнал того дома, в котором жил отец мой.

Не нашел уже более в живых любезного моего пастора, а дом, где я у него обучался, превращен в какие-то лавки. Словом, Выборг показался совсем неизвестным мне городом. И я, пробыв там одни сутки, пошел далее к Фридрихсгаму.

На всяком ночлеге получал я рапорты от поручика выступившей предо мною роты, но, пройдя Выборг, я не имел больше никакого от него известия и не знал, чему сие приписать? По дороге нашел я множество чугунных пушек большого калибра, которые везены были из Петербурга на санях, но по причине испортившегося зимнего пути оставлены они были на большой дороге.

Придя в Фридрихсгам, нашел я там принца Нассау в великом неудовольствии, и когда явился я к нему, то спросил он меня:

— Где другая ваша рота?

— Не знаю,— отвечал я,— ибо, следуя от самого Выборга, не имею о ней никакого известия.

— Хорошо,— отвечал он,— я дам вам предписание, чтоб без именного повеления императрицы ни по чьему приказанию не смели вы отдать от себя ни одного солдата.

Причиною сего было то, что некто генерал Нумсен, родом швед, служивший прежде в своем отечестве и потом изменивший оному, хотел показать знание и храбрость свою против своих соотечественников вторжением в пределы Швеции. Но так как на берегу реки Кюменя, чрез которую необходимо должно было ему для того переправиться, шведы построили многие укрепления и батареи, то он, дабы усилить отряд свой, именем императрицы захватывал в начальство свое все встречающиеся ему войска, что последовало не только с ротою, бывшей под моим начальством, но и с одним Фридрихсгамским гарнизоном. Взяв к себе этот гарнизон, он оставил в крепости одного коменданта, так что, прибыв туда, нашелся я в необходимости занять крепостные казармы моими бомбардирами.

В гавани Фридрихсгамской находились тогда два фрегата, одна шебека и до тридцати канонерских лодок, из которых большая часть были строены там и еще не совсем кончены. Не было на них пушек, да и на парусных судах не доставало много матросов и артиллерийских снарядов. Хотя на место матросов было до двухсот вольнонаемных мужиков, но и тех было недостаточно, а войска только шестьсот морских гренадер. Сим небольшим отрядом флотилии командовал бригадир Слизов, к которому опять поступил я под начальство.

Я простоял в сей крепости несколько недель без всякого дела, между тем Слизов ожидал прибытия мастеровых людей, матросов, солдат, вольнонаемных рабочих, пушек и военной амуниции.

Между тем должно сказать, что Екатерина II, узнав о великих приготовлениях короля шведского по флоту, после кончины адмирала Грейга, поручила начальствование над корабельным флотом старому адмиралу Чичагову. В то же время она была весьма обеспокоена помянутым известием и сомневалась в успехах Чичагова. Он, приняв начальство, отправился сперва в Кронштадт, а потом прибыл в Ревель, пред которым соединил весь корабельный флот.

Наконец, получил я повеление от бригадира Слизова, чтоб раскомандировать роту мою на фрегаты и канонерские лодки, по числу орудий, на оных находящихся, оставив при себе только 25 человек при старшем офицере. Сие учинено им было на предмет ожидания других судов и прибытия бывшей под начальством моим роты.

Апреля 26-го исполнил я его повеление, а 30-го приказал он мне поехать и осмотреть мыс, лежащий неподалеку от крепости и составляющий выходящим в море углом правый бок залива Фридрихсгамского, для предполагаемого устроения на оном батареи на двенадцать орудий большого калибра. Коса, простирающаяся на семь верст от мыса сего, покрытая мохом и камнями, соединялась с твердой землей под самой крепостью.

Исполнив повеление и возвратясь к нему, спросил я его: «Во сколько времени желает он, чтоб батарея была готова»? «В три дня»,— отвечал он. «С 25 человеками невозможно произвести работу сию в столь короткое время»,— продолжал я. На сие сказал бригадир: «Дайте мне записку, сколько вам потребно мастеровых и рабочих людей, также инструментов и припасов, а между тем сделайте расположение батарей и прикажите людям вашим перевозить на оную ядра и шанцевый инструмент и самому вам быть там». Распорядясь в полученном мною приказании, просил я его, чтоб он велел дать мне какую-нибудь лодку для сообщения с крепостью, ибо дорога сухим путем далека и затруднительна. На сие дал он мне такой ответ, который изображает характер русских, обвыкших к тираническому правлению. «Где я возьму для вас лодку?» — «А я где?» — отвечал я.— «Там же, где и я,— продолжал он, прибавя — я принужден был украсть у жителей несколько лодок, а чтобы не узнали, велел их выкрасить. Неужели вы не догадаетесь сделать того же?» — «А когда поймают, кто будет за то ответствовать?» — спросил я.— «Делайте так, чтоб не поймали»,— ответил он и пошел от меня прочь.

Подав ему записку о моих потребностях, возвратился я на свою квартиру и послал проворных людей из роты моей красть лодки, выпрося наперед для сего одну у бригадира. Люди отправились по вечеру в тот же день.

Поутру на другой день, то есть 1 мая, явился ко мне по обыкновению мой фельдфебель. Я спросил его, возвратились ли люди, посланные за лодками? «Возвратились,— отвечал он мне,— и привезли две лодки, но едва сами не попали в руки шведов». «Каких шведов?— спросил я его,— и где они?» — «Точно так,— отвечал он мне,— украв лодки и чтоб не быть замеченными с берегов, удалились они на довольное пространство в море и, увидя фонари, почли их за ожидаемые из Кронштадта русские суда и начали приближаться к оным, но, к счастию, шведы издалека окликали их на своем языке. Узнав свою ошибку, поворотили они назад, за ними пустились неприятельские шлюпки, однако ж, темнота ночи помогла им спастись».

Я пошел тотчас к бригадиру и пересказал ему сию повесть. «Не может быть,— отвечал он мне.— Я имел верные сведения, что около Карлскроны и Луизы лед еще не растаял. Как же могли они выйти в море?» Между тем, однако ж, приказал одному морскому офицеру на вооруженном катере выехать из залива в море и посмотреть, разошелся ли вдали лед или еще стоит? А мне советовал переехать на мыс, где назначена батарея. Я сказал ему, что не имею еще ничего по требованию моему. «Это сейчас будет»,— отвечал бригадир. И так остался я еще один день в ожидании рабочих людей, а между тем послал палатку мою и часть экипажа на помянутый мыс.

Мая 3-го встретился я на улице с бригадиром. Он спросил меня: «Вы еще не поехали?» — «Я был там,— отвечал я ему,— но рабочих по сие время нет».— «Поезжайте же опять туда,— продолжал он,— рабочие прибудут вслед за вами». Итак, отправился я на мыс, назначенный для построения батареи, а между тем два фрегата и одна шебека выведены уже были на рейд и поставлены на всем пространстве широты залива. Одно судно посредине, а два по флангам в дальнем расстоянии. Офицеры морские, приметя на берегу мою палатку, приехали меня навестить. И между тем как, сидя в палатке, занимался я разговорами с ними, услышал я голоса солдат: «Это неприятель, точно неприятель!» Мы выскочили вон, стали смотреть на море и в самом деле приметили много судов, но не могли рассмотреть — какие, за неимением подзорных трубок. И для того поехал я на фрегат капитана Гамалея, стоявший на средине вместе с ним, там посредством трубок не только рассмотрели мы, что это шведские военные суда, но даже могли увидеть синий флаг с тремя коронами, означающий присутствие самого короля. Я поспешил возвратиться к малой моей команде и нашел оную в великом смятении. Люди торопились сесть на лодки и бросали привезенные ядра в воду, потому что неприятель сзади их сделал уже высадку на берег, примыкающий к нашей косе. Увидя, что они все поместились в двух лодках, которые так были ими нагружены, что один лишний человек мог бы их потопить, а ялик, на котором прибыл я с фрегата, с поспешностью удалился к своему судну,— я велел им ехать на ближайший фрегат, а сам с моим поручиком и одним унтер-офицером остался на берегу, в надежде по противному занятому неприятелем берегу лесом добраться до крепости пешком. Звук барабанов и крик неприятельских солдат, раздавшиеся по лесу, принудили поспешать, отчего мы скоро так утомились, что едва могли идти. Но, к счастью, приближаясь к берегу, приметили мы небольшую лодку, в которой никого не было; мы сели в оную и поплыли к крепости. Но едва отъехал я несколько сот сажен, как встретил бригадира, едущего в шлюпке. «Куда вы?» — спросил он меня.— «К вам»,— отвечал я ему.— «Видели ли вы неприятеля, в каких он силах?» — «Видел,— отвечал я ему, но счесть судов его не успел, знаю только, что довольно». Вслед за ним шло 16 канонерских лодок. И он, приближась ко мне, сказал: «Поезжайте в гавань, возьмите там остальные 15 канонерских лодок, выведите их за собою и составьте из оных левый фланг линии; за недостатком же морских офицеров поручаю я вам его в начальство».— «Слушаю,— отвечал я,— но знаю, что на тех лодках нет ни людей, ни пушек».— «Что принадлежит до людей, берите всех, кого встретите в городе, а о пушках буду я стараться,— ведите их без пушек. Сами же должны вы находиться на среднем фрегате». Я исполнил это повеление, привел лодки, устроил их на левом фланге, а сам поехал на назначенный мне фрегат к капитану Гамалею. Остаток дня и ночь занимался бригадир наш постановлением привязанных к лодкам пушек и разделением на суда снарядов. Приготовились мы к сражению против короля шведского, не имея больше 15 выстрелов на каждую пушку. Людей у нас было: одна моя рота до 200 матросов, 60 гренадер и до 150 человек вольнонаемных мужиков.

Шведский гребной флот весьма в дальнем расстоянии расположился против нас в линию с отделенными отрядами по флангам и с резервом позади. Мая 4-го поутру в 5 часов разбудил нас шведский зоревой выстрел, и через четверть часа последовал другой, по которому суда их снялись с якорей, приблизились к нам на дальний пушечный выстрел и открыли по нас пальбу ядрами. Мы молчали, сберегая заряды, а неприятельские ядра, хотя и достигали по нас, но не причиняли большого вреда. Сия стрельба с их стороны продолжалась более $1^1/_2$ часа. Приметя сие, неприятель подвинулся к линии нашей гораздо ближе и открыл жестокий огонь ядрами и картечью. Мы начали также пальбу, но вскоре начал сказываться недостаток в снарядах и огонь с нашей стороны стал ослабевать. В сие время бригадир, подъехав к фрегату, на котором я находился, закричал: «Господин капитан Т.! Фланг ваш приходит в смятение». И призвав меня на борт, сказал потихоньку: «Есть ли у вас какой-нибудь ялик?» — «Есть»,— отвечал я ему.— «Итак,— продолжал он,— сядьте на оный и осмотрите лодки ваши; если они подлинно не имеют больше зарядов, то прикажите им ретироваться и притом старайтесь посадить все лодки на мель, подводные камни, прорубать дны и зажигать, а людям спасаться кто как может, сами же поспешайте в крепость». Едва успел я подъехать к трем или четырем лодкам, как весь правый фланг начал отступать в великом смятении, равно и мой левый; не дождавшись еще моего повеления, бросились все к мелям и подводным камням. Шведы пустили множество гребных судов в погоню за людьми, спасающимися на мелких лодках, веслах и вплавь. К счастью, погода была весьма тихая. За неимением достаточного количества людей находились на ялике моем гребцами два молодые унтер-офицера моей роты и один финн, тамошний житель, на рулю. Посреди града ядер и картечи устремился я к крепости, но один из моих гребцов был оглушен летящим ядром, которое сбросило с головы его каску, хотя без большого вреда упал он в лодку, но так побледнел, что не мог больше действовать веслом. Я принужден был занять его место. Тут скоро увидел я, что за мною гонится большая неприятельская шлюпка. Я велел держать на мель, примыкающую к левому берегу залива. Ялик мой еще плыл, как шлюпка неприятельская, требующая бо́льшей воды, нежели оный, в довольном от меня расстоянии села на мель. Скоро потом то же случилось и с нами, и мы бросились в воду, бредя иногда по пояс, а иногда и по самое горло в воде. Таким образом добрались мы до берега, но оный отделен был от крепости довольно глубокой рекой, впадающей в помянутый залив; в ней килевались или починялись наши суда, а для сообщения с крепостью построен был мост. Зная о сем, пошел я к оному, но нашел его сожженным. Несколько мастеровых людей и одна женщина, жена погибшего в моих глазах морского офицера, присоединились ко мне. И мы пошли все в лес искать дороги в крепость. Открыв оную с одного возвышения, прибыли туда в великом изнурении. Там нашел я превеликое смятение. Все кабаки отворены, жители и спасшиеся с флотилии люди пьяны. А женщины, бегая по улицам, плакали и кричали. Встретя одного барабанщика моей роты, приказал я ему бить сбор, на который тотчас собралось до 60 человек моей команды. Из одного переулка появился бригадир наш и спросил меня: «Что вы делаете?» — «Собираю людей»,— отвечал я.— «Хорошо»,— продолжал он. Между тем собрались уже у меня комендант и несколько штаб и обер-офицеров.— «Нам надобно теперь составить военный совет о том, как поступить в сем случае. Пойдемте со мною».

Надобно сказать, что в крепости Фридрихсгамской был тогда большой госпиталь, в котором находились люди разных команд, в том числе один унтер-офицер моей роты и несколько бомбардиров. Выздоравливающие и слабые, в том числе и он с семью человеками моей роты, пред начатием сражения вышли на крепостной вал, любопытствуя знать свою участь, без сомнения, от сражения сего зависящую. Увидя же отступление наше и неприятеля, стремящегося войти в гавань, зарядил он несколько пушек и одну мортиру и начал стрелять. Кто бы мог подумать, что шведы под предводительством короля своего, увидя сие, остановились и стали в линию под крепостью вне дальнего пушечного выстрела.

Между тем собрались мы на совет; комендант и начальник тамошней крепостной артиллерии оба были немцы и оба сказали, что они не имеют никаких средств к защите крепости, комендант — по неимению гарнизона, а начальник артиллерии — за недостатком способов к действованию оной. Тогда бригадир Слизов сказал: «Гарнизон есть у меня, а действовать артиллерией, надеюсь я, найдет способ г. капитан Тучков». Тогда сказал я начальнику артиллерии: «Пушки стоят на валу, неужели нет у вас пороху и ядер».— «Есть,— отвечал он,— но не из чего сделать зарядов. Я несколько раз требовал нужной для сего материи, но мне ничего не отвечали». Обратясь к бригадиру, я сказал: «За этим дело не станет, если только заблагорассудите поручить мне начальство над артиллерией». Весь совет на сие согласился. И я испросил повеление оного, чтоб послать людей во все лавки, брать бумагу, полотно и всякую тонкую материю; послать в каждую лавку по одному артиллеристу и всех женщин заставить шить узкие мешки для насыпания в оные пороху и употребления вместо картузов. Жители не только сему не воспротивились, но исполнили с большою поспешностью. Вдруг известили нас, что шведская шлюпка под белым флагом приближается к пристани. Я послан был для переговоров и встретил на берегу адъютанта короля шведского, который, увидя меня, спросил: «Вы комендант крепости?» — «Нет,— отвечал я ему,— я начальник артиллерии».— «Извините же меня, государь мой,— продолжал он,— что я ничего вам не имею сказать; король мой приказал мне говорить с комендантом, а не с вами». Итак, принужден я был возвратиться, а он остался ожидать на сие ответа на берегу. Когда объявил я сие совету, то приказано было мне и еще одному морскому офицеру опять идти к нему и сказать, что в крепости начальствует не комендант, а военный совет под председательством бригадира Слизова и мы посланы от имени совета. Тогда королевский адъютант г. Розен, с которым был я потом очень хорошо знаком в Петербурге, сказал мне: «Король мой велел мне объявить, чтобы вы сдали эту крепость без всяких условий, для чего дает он вам два часа на размышление. И если в продолжение сего времени не будет с вашей стороны никакого ответа, тогда предпримет он высадку, возьмет оную штурмом и не будет никому пощады. Впрочем, весьма сожалеет он, что столь храбрые и неустрашимые воины, каковы вы, осмелившиеся без всяких способов еще сегодня показать ему столь решительное и сильное сопротивление, должны будете погибнуть чрез сей несчастный для вас случай». На сие отвечал я ему: «Именем совета прошу изъявить Его Величеству признательность нашу за столь хорошее о нас мнение, которое оправдать поставляем за честь — и все средства к тому употребим». Тогда вынул он часы свои, поверил с моими, простился улыбнувшись, и пошел к своей шлюпке, а я возвратился в крепость.

Когда донес я совету его слова, тогда все единодушно подписались защищать крепость, исключая коменданта и начальника крепостной артиллерии. Дарованное нам от короля время употребили мы на распределение начальников и людей на бастионы и прочие крепостные пристройки. По тесноте дома вышли мы на площадь, где продолжали делать разные предложения, рассуждать и спорить. Как вдруг пушечное ядро, пролетевшее через наши головы, заставило нас прервать рассуждения. Каждый из членов ухватился за часы и, взглянув, увидел, что не два, но три часа уже протекло. Все бросились к своим местам. Я побежал в назначенный для пребывания моего, так называемый главный Фридрихсгамский бастион, лежащий против самого фарватера. На нем находилось 17 пушек большого калибра, да на равелине его девять. Неприятель, устроя гребные свои суда в три колонны одна за другою, с музыкой и криком пустился прямо к фарвáтеру. Мы открыли сильный огонь как с главного бастиона, так и с двух соседственных, с равелинов и батарей, в плацдармах гласиса устроенных. Сие сопротивление остановило стремление неприятеля, и он, уклонясь к противному берегу залива, начал изыскивать способ вдоль оного пройти в самую гавань, но по причине множества подводных камней ход его был весьма затруднителен. Впереди ехала небольшая шлюпка, бросавшая беспрестанно лот или промер в воду. Между тем как главные его силы занимались сим медленным ходом, поставлено было с их стороны против бастиона моего шесть бомбардирских гальотов, которые начали бомбардировать оный из мортир. Шведы знали, что в сем бастионе устроен был самый большой пороховой погреб, но, к счастию, ни одна бомба к нам не долетала, их все разрывало на воздухе. Удивительно, что шведы, люди, столь много бывшие на войне, не догадались осмотреть бомбовые трубки, состав которых, как это заключить можно, слишком высох.

В сие время прибыл к нам один пехотный баталион, присланный из сухопутной армии. А мы продолжали взаимную пальбу на дальнее расстояние, почти без всякого урона с нашей стороны, потому что мы закрыты были широкими брустверами долговременной фортификации. Но собственная наша артиллерия причинила нам несравненно больше вреда, нежели неприятельская. По всей крепости находились старинного литья чугунные пушки, которые от долговременности почти насквозь проржавели, а лафеты по большей части сгнили. И в продолжение действия на бастионе моем разорвало три большие пушки, да четыре лафета рассыпались. Было чем переменить. В тамошнем арсенале находилось множество пушек, но почти все такие же. От сего приключения как на моем, так и на других бастионах, потеряли мы 25 человек убитыми и до 70 были тяжело ранены.

Не знаю, какой конец имело бы сражение, если бы не началась вдруг восставшая жестокая буря и ужасный проливной дождь. Не только шведы, бывшие на воде, но даже и мы, находившиеся на валу, не могли действовать из орудий сколько по причине дождя, а более по ужасной темноте. Зажженные на неприятельских судах фонари открыли нам их отступление, они удалились и стали на якорях саженях в 1000 от крепости.

И так кончился для нас столь трудный и опасный день 3 мая 1790 года, в который был я в морском и сухопутном сражении.

По окончании сражения прибыл к нам генерал-поручик граф Буксгевден и, осмотря состояние наше, в ту же ночь уехал. А на другой день прислано было к нам еще два баталиона пехоты.

Поутру нашли мы в заливе пред крепостью затопленные четыре неприятельские канонерские лодки, но пушки с оных были уже сняты, а потому и решились мы оные сжечь.

4 и 5 числа мая неприятель не делал никаких против нас покушений, а мы употребили сие время на построение в самой гавани батареи о 12 пушках большого калибра, которую маскировали поставленными пред оной деревьями. Исправили также лежащий на противном берегу близ гавани давно оставленный редут и поставили в оном 6 пушек.

Мая 6-го поутру в 4 часа с неприятельской стороны дан был знак к нападению на крепость, а мы приготовились к сопротивлению с большей надеждой, имея несравненно более средств к обороне. Мы дали пройти его судам поближе к берегу, противоположному крепости, и когда приблизился он к гавани, тогда с новопостроенной батареи, из редута и с других пристроек произведен был такой сильный огонь, что шведы, потеряв много людей, решились отступить по самому фарва́теру. Они прошли сквозь весь огонь крепости, потеряв пять канонерских лодок и много людей убитыми и ранеными, после чего гребной их флот при благополучном ветре скоро скрылся из наших глаз. Сие сражение продолжалось с небольшим три часа.

После сражения пошли все в церковь и только что начали петь благодарственный молебен, как вошел в оную курьер, прибывший из флота нашего от адмирала Чичагова. Он подал депеши свои бригадиру, который, как скоро открыл оные, поздравил нас с большою победой, одержанной адмиралом Чичаговым над шведским корабельным флотом под Ревелем.

Может быть, полученное королем о сем известие было причиною скорого отступления его от Фридрихсгама.

Реляция адмирала Чичагова в то же время прочитана была в церкви вслух для всех солдат. Надобно было видеть, как в одну минуту большой образ св. Николая освещен был великим множеством маленьких восковых свеч, поставляемых пред оным матросами и солдатами, так что оный казался весь в пламени. Они не упустили обе сии победы приписать чудесам и покровительству сего святого. Ныне мысль сия в народе, а особливо в войске, очень изменилась, что не весьма полезно в народе, не имеющем ни малейшего понятия о нравственных добродетелях и боящемся только бесконечной муки в будущей жизни.

Через несколько дней привезли к нам на почтовых из Петербурга полную одежду и вооружения для солдат и матросов, потому что большая часть оного брошена была людьми, спасавшимися с флотилии вброд и вплавь. Офицерам же, а равно и им, выдано было за потерянные экипажи не в зачет третное жалованье. И более никому никакого награждения не последовало. Причиною же тому было, что принц Нассау, под начальством которого мы находились, имел уже при дворе много неприятелей.

Вслед за сим велено мне было, взяв мою роту, присоединя к оной всех матросов, солдат и вольнонаемных мужиков, оставшихся от истребленной неприятелями флотилии нашей, выступить сухим путем в Выборг, следуя чрез крепость св. Давида, а не прямой дорогой потому, что оная пресечена еще была некоторыми неприятельскими отрядами.

В сем походе имел я случай ближе рассмотреть нравы и обычаи финского народа. Словом сказать, оный находится почти совершенно в варварском состоянии: злонравны, сердиты и не терпят русских. Живут бедно и нечисто, любят водку и табак, впрочем, все потребности их жизни показывают еще начальное и нисколько не улучшенное состояние варварской жизни. Повозки их двухколесные, на которых они редко ездят сами, а употребляют только для перевозки произведений земли своей. Сами же, как мужчины, так и женщины, по большей части ездят верхом, для чего имеют они седла, составленные из двух деревянных дуг, соединенных дощечками, с висящим на веревке с одной только стороны деревянным стременем, помогающим садиться на лошадь. Мужчины сидят на таких седлах обыкновенным образом, а женщины — свеся обе ноги на одну которую-нибудь сторону. Путешествуя таким образом, имеют как мужчины, так и женщины маленькие трубки, вылитые вместе с весьма короткими чубуками из меди. Они пришиты на толстых и коротких ремнях к грубому их платью с левой стороны на груди так, что только стоит ему немного наклониться, то конец чубука попадет ему в рот. В дорогу берут они в котомку, за плечами висящую, кусок черного хлеба и к поясу привязывают маленькую деревянную кадочку с коровьим маслом; тут же укреплен и небольшой нож с деревянным череном в кожаных ножнах. Вот весь их запас.

Почва Финляндии в некоторых местах довольно хлебородна. Производит рожь, овес, лен, пеньку, картофель, репу и другие коренья, также и огородные овощи, как-то: капусту, горох, бобы и проч. Но обрабатывание земли довольно затруднительно в рассуждении по большей части каменистых и болотных мест. Великое множество лесов производит в изобилии многие роды ягод, как-то: малины, земляники, клюквы, морошки, черники и других. Финляндия изобилует также всякого рода грибами, но чухны их не едят, не умея различать ядовитых от полезных.

Пастбища довольно хороши, но скот и лошади вообще мелки. Селения их малы и редко можно найти деревню, в которой было бы более 20 дворов. В Финляндии в сие время мало было дворян и господских имений, и крестьяне принадлежали по большей части казне. Не знаю, чему сие приписать? В таком ли положении была она и под шведским правлением, или при завладении оной Петром I удалилось дворянство в свое отечество? Там есть некоторый особый род дворянства, или свободные люди, пользовавшиеся преимуществами оного, которых называют чухны саксами. Они все говорят по-немецки и по-шведски, даже мало знают по-фински. Слово «сакса» означает саксонца и потому не есть ли это остаток древних тевтонских кавалеров, владевших некогда Финляндией. Надобно полагать, что не только со времен Петра I, но, может быть, еще и при шведах богатые удалились, а бедные остались. Русские называют их «мызниками»; «мыза» же на финском языке означает «владельца землею», на вечном или временном каком праве приобретенною. Сии мызники не имеют крепостных людей, но только домы, хозяйство, занимаются земледелием и скотоводством, для чего нанимают они чухон в работники. Но в последние времена Императрица Екатерина II начала и финские деревни раздавать своим чиновникам в потомственное владение; правда, что мало было охотников на сие, однако ж, начало было и там умножаться дворянство российское. Но со времен Павла и Александра приметным образом уменьшается, потому что первый не давал деревень в Финляндии, а последний никому во всей Российской империи.

Итак, чрез несколько дней прибыл я с командою моею в Выборг и явился к коменданту, который сказал мне, что имеется повеление отправить меня со всеми людьми в эскадру вице-адмирала Козлянинова, и что перевозные суда для меня уже готовы.

На другой день прибытия моего в Выборг сел я с командою

моею на оные и отправился в залив, именуемый Транзунд. Там нашел я стоящую на якоре новую нашу эскадру и явился к вице-адмиралу, начальнику оной. Команда моя распределена была на разные суда, а для пребывания моего назначена была взятая у шведов шебека Рагвальда о 36 пушках.

Сия эскадра состояла из 2 фрегатов, 6 шебек, 2 прамов, 4 больших военных катеров, 2 полубатарей, 12 галер и 40 канонерских лодок. На этой эскадре находились шесть армейских, два морских баталиона солдат. Оная расположена была в устье Транзундского залива, отделяемого от другого, несравненно обширнейшего, цепью больших и малых островов. Лежащий же впереди большой залив также отделен был от открытого моря несколькими островами. На двух больших островах, по обоим флангам эскадры нашей лежащих, построены были две большие батареи: на правом острове, именуемом Транзунд и давшем имя всему проливу,— о 16 крепостных пушках, а на левом — и 12 таковых же. У прочих же островов, отделенных не столь широкими проливами, поставлено было по нескольку канонерских лодок, исключая самых мелких, почитавшихся непроходимыми и для самых малых судов.

Остров Транзунд, на котором была правая и главная наша сухопутная батарея, довольно обширен, имеет лес, пашни, луга и источники пресной воды. На острове, кроме двух небольших деревень, находится еще изрядный трактир, в который собирались иногда офицеры.

В этом положении стояли мы дней восемь. Полковник, командовавший двумя морскими батальонами, составленными почти из рекрут, выпросил у адмирала позволение выйти с оными на помянутый остров и расположиться лагерем для обучения новых его солдат стрельбе из ружей.

Дня три после сего, однажды перед вечером, приметили мы какие-то суда впереди нас на горизонте. Мы смотрели в трубы, примечали и не могли догадаться, что бы сие значило. Но на другой день поутру, к удивлению нашему, открыли весь шведский корабельный и гребной флот, стоящий в противоположном нам заливе. А около полудня приметили другую линию кораблей, стоящую за островами, отделяющими сей большой залив от открытого моря. В тот же день узнали мы, что это был наш корабельный флот, а на другой день прибыл к нам отправленный по берегу и приехавший к нам на рыбачьей лодке курьер от адмирала Чичагова, который уведомил нас, что большой наш флот имел еще одно сражение со шведским. Неприятель был разбит, потерял два линейных корабля и ретировался в сей залив. Условясь о сношении нашей эскадры, курьер отправился обратно.

С того времени почти всякую ночь, а иногда и днем неприятель не переставал нас беспокоить, покушаясь на мелких военных судах пройти между островов и напасть на линию нашу сзади. Но все предприятия его были тщетны, между тем адмирал Чичагов держал оба неприятельские флота в блокаде.

В одну ночь услышали мы на острове Транзунд жестокую ружейную пальбу плутонгами и залпами, и вскоре уведомлены были, что большой отряд неприятельской пехоты, пройдя на мелких лодках неизвестными нам проливами, сделал высадку на сей остров. Он намеревался,— атаковав сзади,— овладеть батареею, на сем острове находившеюся, которая не имела никакого прикрытия. И, без сомнения, сие бы ему удалось, если бы не встретился оный с высаженными для обучения стрельбе морскими баталионами. Как только о сем мы узнали, отправился на помощь помянутым баталионам генерал-майор Буксгевден с тремя баталионами гренадер сухопутной армии. Я был послан с четырьмя вооруженными баркасами, на каждом из которых находилось по две пушки малого калибра, дабы в случае отступления шведов воспрепятствовать им садиться на их лодки. Но это было напрасно: три баталиона королевской гвардии были совершенно поражены, так что ни одна душа не могла достичь до лодок, которые были ближе к берегу, нежели я, и прежде, приметя поражение своих, ушли по столь мелким проливам, что я не мог за ними следовать. В сем деле с нашей стороны убито 2 офицера, ранено 6, нижних чинов убито до 100 человек и ранено до 150 — большей частью из морских баталионов, выдержавших первое стремление неприятеля; в том числе ранен был и их полковник. Шведы потеряли почти все три баталиона убитыми, исключая 250 человек и 4 офицеров, взятых в плен.

Через несколько дней после сего сражения король шведский и принц Зюйдерманландский, начальствуя обоими своими флотами, находясь со всех сторон в блокаде, решились пробиться сквозь флот адмирала Чичагова, дабы уйти пока в открытое море. Адмирал Чичагов, сведав о их намерении, прислал к командовавшему эскадрой нашей вице-адмиралу Козлянинову повеление, в котором написал ему следующее: «Когда увидите вы первый маяк, данный мною, снимитесь с якоря и сильно устремитесь на неприятеля, идя даже на абордаж, не дожидайтесь второго маяка, а если принудите вы меня зажечь третий, тогда строго будете ответствовать за неисполнение повеления».

Повеление сие известно стало всей эскадре нашей потому, что прибывший с оным морской офицер, заехав на шебеку, рассказал вслух многим. По отъезде его, на другой день поутру, часов в пять, услышали мы сильную канонаду шведского и российского флота. Сие побудило многих и даже самого начальника нашего прибыть на главную батарею, находившуюся на острове Транзунде. Мы смотрели спокойно на жестокую пальбу с обеих сторон, продолжавшуюся около трех часов, после чего приметили мы взрыв большого шведского корабля, и вслед за тем увидели мы маяк, данный Чичаговым. Каждый из нас с поспешностью бросился на свое судно, и мы приготовились к снятию с якорей. Но тщетно дожидались мы сигнала о сем от нашего адмирала; более трех часов стояли мы без всякого действия, по прошествии которых увидели мы второй маяк. И сие ни к чему не побудило начальника нашего! В четыре часа пополудни зажжен был трейти маяк. Тогда адмирал нам дал знак сняться с якорей и идти по фигуре, то есть предписанным порядком о расположении судов. Форгелем же, или передовым судном, за которым должны были следовать, назначен был большой прам о нетяжелых пушках. Это было судно, которое по конструкции своей даже и на фордевинд медленно ходило;— между тем, как мы имели самые легкие, взятые у шведов, фрегаты и шебеки, также и галеры наши были довольно быстры в своем ходе. Дабы выйти из пролива нашего в предлежащий, в котором находился шведский флот, должно нам было пройти сквозь узкий, глубокий и имеюший сильное течение пролив. Шебека наша, первая, следовавшая за прамом, по легкости своей почти не несла парусов, но при всем том нанесло ее течением и в самом проливе сцепилась оная с прамом. Адмирал, приметя сие, велел всем судам лечь на якорь, а капитанам прибыть к нему. Прежде, нежели капитан наш и прама успели сесть на шлюпки, оба судна были уже разведены, и некоторые перерванные веревки были исправлены, но со всем тем должно было ехать к адмиралу. Прибыв к нему и донеся, что они уже исправились, требовали повеления следовать; адмирал согласился, и тотчас дан был сигнал сняться с якоря.

Вступив в большой залив, едва могли мы видеть вдали паруса бегущих неприятельских кораблей и флот Чичагова, оные преследующий. Мы шли довольно медленно, пред захождением солнца ветер сделался крепче, хотя и был попутный. Адмирал наш дал знак убавить парусов, а когда ветер начал еще усиливаться, тогда, выстрелив из пушки, выставил он флаг на корабле своем, которым повелевалось всем судам по причине сильного ветра уклониться за острова, стать на якорь, а с галер и других гребных судов желающим сойти на берег и варить кашу.

Исполнив его повеление, стояли мы за островами три дня, где узнали некоторые подробности в сражении адмирала Чичагова с шведским флотом. Когда сей последний вошел в поминаемый залив, то Чичагов расположился с кораблями своими между островов, разделяющих оный от открытого моря. Все вице- и контрадмиралы его флота имели отдельные части, сам же он был посредине залива на 100-пушечном корабле. Адмирал принц Нассау, шедший из Кронштадта, соединился с ним с большой своей эскадрой, из многих гребных и нескольких парусных судов состоящей. Чичагов поставил и его эскадру в одном из проливов, ведущих в открытое море. Шведы, вознамерясь прорваться после сильного действия из пушек, пустили против флота нашего четыре брандера. Прежде, нежели оные могли приблизиться к российским линиям и загореться, они были узнаны. Адмирал вызвал охотников из морских офицеров и матросов, которые, сев на шлюпки и катера, обратили губительные сии суда в шведский флот. Они загорелись и зажгли у неприятеля четыре корабля. Король, увидя сие, велел всеми силами ударить в пролив, защищаемый кораблями вице-адмирала Повалишина. Но так как там были оные отражены и принуждены возвратиться с большим повреждением как в корпусах, так и в снастях, а между тем другие отряды усилили действие артиллерии, то от того флот его пришел в такое замешательство, что многие суда начали спускать флаги. Принц Нассау решил воспользоваться сим случаем и со всею своей эскадрой устремился в средину неприятельского флота, оставя охраняемый им пролив. Шведы, приметя сие, бросились все в оный. Адмирал Чичагов, увидя сие, три раза давал сигнал вице-адмиралу Пушкину, стоявшему в соседственном проливе, но сей замедлил сняться с якоря. Между тем шведы начали проходить пролив, оставленный принцем. Тогда старый Чичагов, отрубя якорь корабля, на котором сам находился, на всех парусах сам устремился на них, но сие уже было поздно, и король с главными силами своими вышел уже в море. Тогда не оставалось ему более ничего делать, как преследовать его, что он и исполнил. Гнался он до самой Карлскроны, на пути потопил четыре корабля и два взял в плен, прочие же в совсем расстроенном состоянии успели уйти в гавань Карлскроны... При начале преследования послал Чичагов повеление к принцу, чтобы он эскадрою своею занял шхеры, то есть собрание малых островов, в окрестностях острова Роченсальма находящихся, о котором я уже писал,— на тот предмет, чтобы шведский гребной флот не успел воспользоваться сим местоположением прежде. Принц его не послушал и устремился с гребной своей эскадрой за неприятелем в открытое море. Между тем сделался такой сильный ветер, что все его канонерские лодки и другие гребные суда разбросал по берегам, так что некоторые попали к Сестребеку, оружейному заводу, неподалеку от Петербурга находящемуся. А король, поруча командование корабельным флотом принцу Зюйдерманландскому, пошел с гребным флотом в шхеры и точно укрепился там, как предвидел адмирал Чичагов.

Между тем погода утихла. Принц Нассау занялся собиранием рассеянных судов его эскадры, а мы, выступя из-за островов, пошли его искать, ибо еще и прежде сего сражения имели мы повеление соединиться с ним.

Плавая трое суток при благоприятном времени по морю, открыли мы вдали военные суда, стоящие при входе в шхеры. Это была эскадра принца, который также узнал нас и послал навстречу к нам шлюпку с повелением, чтобы мы как можно наискорее спешили соединиться с ним. Был ветер тихий, но несколько противный, а потому парусные наши суда не могли поспеть за гребными, идущими на веслах и парусах. Повеление получено было в полдень, а под вечер парусные наши суда начали приближаться к эскадре принца, который, не дождав оных, начал атаковывать неприятеля, стоявшего за островами в пространном заливе и имевшего по берегам сухопутные батареи. Шведы дали сильный отпор, а пред захождением солнца поднялась довольно сильная буря, отчего эскадра принца пришла в замешательство. В самое сие смятение соединилась с ним наша эскадра, исключая восьми парусных судов, которые за противным ветром не могли следовать и стали на якорях в расстоянии дальнего пушечного выстрела. Соединившиеся с принцем гребные наши суда не знали, что делать, за неполучением никаких наставлений. Всякий начальник действовал по своему произволению и умножал замешательство. Пред наступлением ночи буря до того усилилась, что почти все гребные наши суда разбросало по мелям и по берегам разных островов, исключая 16 канонерских лодок, спасшихся к берегу неподалеку от того места, где остановились наши парусные фрегаты. Почти все галеры, большая часть канонерских лодок и других судов достались в руки неприятеля.

На другой день с остатками флотилии нашей расположились мы между островов и укрепились батареями. Принц был в отчаяньи. Но Екатерина II утешила его милостивым письмом, а особливо обещанием скоро прислать к нему сильную помощь и поправить дело. И в самом деле по прошествии двух недель построено было в Петербурге и Кронштадте до 80 канонерских лодок, собраны были всякого рода военные суда, оставшиеся в Петербургской галерной гавани и Кронштадте, наняты купеческие галеоты, в которых нагрузили сухопутную осадную артиллерию: набрали людей всякого звания,— а из военных даже конная гвардия, лейб-кирасиры, сенатский баталион и петербургский гарнизон посажены были на суда. В ожидании их прибытия принц на новопостроенные свои батареи велел привезти пушки из Фридрихсгама. На одном из больших островов сделано было три батареи, одна о 16-ти пушках, другая — о 9-ти и третья — о 7 пушках. За оными расположен был лагерем весь наш бомбардирский баталион, потому что недоставало уже нам дела в остатках флотилии.

Мы стояли спокойно. Принц, занимаясь разными предприятиями, имел при себе множество иностранных шарлатанов, не столько по части морской, ибо там нелегко: грубые наши мореходы требуют от всякого иностранца совершенного познания сферической навигации и астрономии, а это не безделица: поэтому при принце находились иностранцы по части инженерной и артиллерийской. Он сам был человек не весьма ученый, и потому нередко верил их бредням,— и преимущественно отличал их от русских офицеров.

Наконец, прибыла ожидаемая из Петербурга помощь. Назначенный начальствовать десантным войском барон фон дер Пален был лифляндец, облеченный потом в графское достоинство; о нем буду я иметь случай говорить после. В один день, призвав меня к себе, он сказал: «Примите в ведение ваше галеоты, прибывшие с осадной артиллерией; завтрашний день после зоревого выстрела чрез полчаса последует другой, по которому должны вы будете немедленно сняться с якоря и идти к островам, на которые проводит вас присланный к вам морской офицер. Там устроены уже несколько батарей, и пристани готовы; вам останется только поставить на оные находящиеся на галеотах пушки, и вы будете действовать брантскугелями и калеными ядрами во фланге неприятельского флота. Желаю вам счастливого успеха и надеюсь, что вы будете иметь честь истребить оный». И я поехал к галеотам. Весь тот день и большую часть ночи провел в осматривании орудий и в приготовлении способов к скорейшей выгрузке оных.

Утомясь от сего занятия, заснул я, не раздеваясь, на палубе одного большого галеота. Выстрел зоревой пушки разбудил меня, но, в ожидании другого, я опять заснул, как вдруг разбужен я был великими криками: «Виват!», «Ура!» Сии крики раздались и на моем галеоте. Я проснулся, протирая глаза и сам себе не верю, видя множество мелких шведских судов, на которых сидели шведские офицера, матросы и солдаты; они плавали между судов наших и кричали с знаком радости: «Виват, камерад!», а наши кричали «Ура!»... Удивленный сим, сказал я поручику моему: «Поезжайте на яхту принца и узнайте, что сие значит?» И хотя впрочем не трудно было понять, но я мыслил еще надвое: или мир, или только перемирие заключено со шведами. Поручик поехал, возвратился скоро и привез следующее известие: в самую полночь на передовые посты наши прибыла шведская шлюпка под белым флагом, на которой находился шведский адмирал. Он, явясь к первому офицеру, требовал, чтоб тот велел проводить его к принцу Нассау. Офицер, следуя военным правилам, завязал ему глаза, дал свой ялик и, посадя его в оный, отправил к принцу. По прибытии же на его яхту просил он позволить ему говорить с принцем. Он вышел на палубу, а адмирал, услыша его голос, еще с завязанными глазами, бросился к нему, начал его обнимать, говоря: «Поздравляю, любезный принц! Поздравляю вас!» — надобно было видеть, как принц вырывался из объятий его, и первое — велел развязать ему глаза. Тогда адмирал, вынув запечатанный пакет, отдал принцу, и они оба пошли в каюту. Чрез несколько минут велел объявить принц, что Екатерина II заключила мир с королем шведским, и по просьбе адмирала позволил он приготовленным уже невооруженным судам прибыть в наш флот.

Екатерина заключила мир сей без посредства министров обеих сторон, чрез взаимную переписку с королем, и прежде всех его о том уведомила. И так кончилась сия шведская война без всякой выгоды для России. Границы наши остались в прежнем положении, шведский корабельный флот в продолжении сей войны был почти совсем уничтожен; в замену того претерпел большой урон наш гребной флот. Мы возвратились все в Фридрихсгам, а оттуда прибыл я пока с ротою моей в Петербург.

Итак, расстался я с службою на море, сделав две кампании.

Остается мне сказать нечто о начальниках наших.

В начале войны командовал сухопутной армией против шведов славный и толико известный свету генерал Суворов, потом барон Игельштром, о котором буду я иметь случай говорить после, и наконец, генерал граф Салтыков, человек знатного происхождения, весьма богатый, довольно образованный нравственным воспитанием. Он почти всю жизнь свою проводил в военной службе, но мало отличился знаменитыми подвигами, впрочем, он был храбр, великодушен и добр, любил хорошо и пышно жить.

Корабельным флотом начальствовал сперва адмирал Грейг, родом англичанин, славный мореходец, отличный своими знаниями, опытностью и храбростью. Он учинился известным еще под начальством графа Орлова во время экспедиции его в Средиземном море. По смерти же его принял главное начальство над флотом адмирал Чичагов, происшедший от древней, но бедной дворянской фамилии. Он не имел, что называется, блистательного воспитания, знал только в совершенстве искусство морское, имел столько опытности, что говаривали о нем: он, как чайка, состарился на воде. Одарен он был от природы твердым рассудком, постоянен, великодушен, решителен, храбр и хладнокровен. Вице-адмиралы Козлянинов и Пушкин обязаны его великодушию, что не пострадали за поступки свои во время последнего сражения с шведским корабельным флотом, мною описанного, равно как и принц Нассау, доверенность к которому двора после сей войны весьма ослабела.

С начала до конца войны начальствовал гребным флотом адмирал принц Нассау, известный в свете своею храбростью и великодушием, он больше опытен, нежели знающий. Сколько мог я приметить, то со стороны наук много недоставало в нем того, что требуется от великого вождя в образе нынешней войны. Храбрость его была больше храбрость гренадера, нежели генерала; он был скор и часто не довольно осмотрителен. Да позволено мне будет сказать здесь, что из всех известных свету генералов знаю я только одного Суворова, которого необыкновенная быстрота и храбрость соединены были не только с осмотрительностью, но даже с дальновидностью. Нассау отличал себя, начальствуя галерными флотами в Европе и Америке, но в России встретились ему совсем другие обстоятельства. Русский гребной флот почти всегда бывает смешан с парусным, действие же галерами совсем разнится от управления парусными судами. Другая конструкция, другая оснастка, другие названия всякой вещи, другой порядок в плавании и проч., так что офицер, служивший довольно на кораблях, если вступит в галеру, должен учиться узнавать вещи, их употребление и наименование. Не видав галер, всякий мореходец удивится, что для того чтоб остановиться на якоре, бросают с галер два якоря: один — с носу, а другой — с кормы. Большую еще перемену встретит офицер, привыкший к галерной службе, когда случится быть ему на корабле, потому что, кроме разности в вещах, их употреблении и наименовании, несравненно больше потребны познания математических и других наук, соединенных с морским искусством. Сей-то недостаток приводил нередко принца Нассау к великим ошибкам.

ГЛАВА 5

По возвращении моем в Петербург думал я остаться там надолго. В сем мнении предприял я посвятить свободное от службы время на приобретение большого познания в музыке и для того нанял известного своею игрою и сочинениями Ми. Он находился тогда в числе музыкантов камерной придворной музыки и по приказанию Екатерины давал уроки внукам ее, Александру и Константину. Быв родом из Гессен-Касселя, он особенно привязан был к тем своим ученикам, которые любили говорить с ним по-немецки, хотя знал он и другие языки. Тогда еще приметил он в высоких своих учениках многое, что ему не нравилось и, по словам его, ничего доброго не обещало. Приходя ко мне по часам, всегда оставался он еще несколько времени, рассуждая со мной о музыке и о разных предметах. Один раз сказал он мне: «Я напрасно беру деньги за обучение великих князей, никогда не будут они не только знающими в сем, но даже любителями музыки. Старший внук худо слышит аккорд и каданс и притом так нечувствителен, что хотя бы и слышал, то самая трогательная музыка не имеет на чувства его ни малейшего действия. Притом так скрытен в характере своем, что настоящих его склонностей приметить нельзя, а это худо для государя,— прибавлял он.— Младший,— продолжал он,— хотя и имеет изрядный слух, но нет у него никакой склонности к музыке, столько же нечувствителен, как и старший, но вспыльчив, горяч и сердит, притом так ветрен и рассеян, что всякая безделица отвлекает его от предпринятого упражнения. А наипаче если услышит барабан или увидит солдат, то, бросая все, без памяти бежит к окну». Вот первые черты характера сих великих князей, примеченные музыкантом.

Смерть князя Потемкина, которую многие приписывают разным случаям; мир, заключенный князем Репниным с турками, приобретение от Порты части Бессарабии, торжественное ее отречение навсегда от права на остров Крит и наконец, мир со шведами переменили вид политики Европы и России. Франция занята была внутренними мятежами, в которых Австрия показывала вид участия. Екатерина II предприяла внутренние беспокойства Польши окончить разделением сего королевства между Россиею, Австриею и Пруссиею. Хотя на сей предмет прибыли в Петербург польские графы Потоцкий и Ржевуцкий и генерал Косаковский, но сие в начале было для нас непроницаемой тайной.

Я обманулся в надежде долгого пребывания моего в Петербурге. Прибыв туда осенью 1790 года, в конце зимы 1791-го, то есть чрез несколько месяцев, велено мне было, взяв четыре бомбардирские роты без пушек, выступить сухим путем в город Псков. Пятая же рота, составляющая полный баталион с прежними, отправлена была под начальством другого капитана с пушками для всех пяти рот, которые везены были туда на санях наемными лошадьми. Равно и другие многие конные и пехотные полки получили в то же время повеление идти в Псковскую и Полоцкую губернии. Никто не знал подлинного предмета назначения нашего, и, может быть, нарочно распущены были слухи, якобы мы назначены идти в Пруссию.

Город Псков, составлявший в древности особую республику, как и Новгород, построен на выгодном местоположении, при реках Великой и Пскове, дающей оному свое имя. Еще видны там остатки древних стен, окружавших оный, и хотя лишен прежнего своего величия, но имеет еще довольное количество каменных, хорошо построенных церквей, домов и лавок. По прибытии нашем в оный, велено было расположить нас по квартирам в окрестностях сего города,— и потому выступил я с ротою моей в Печерскую округу. Маленький сей город и ничего не значащий получил наименование свое от одного монастыря, неподалеку находящегося, в коем видны еще и поныне остатки древних пещер, где скрывали себя пустынники или, как называются, затворники. Эти пещеры подобны киевским, о которых буду я иметь случай говорить после, только гораздо меньше в продолжении своем, и многие уже обвалились.

Неподалеку от Печерска находится древний, оставленный город Изборск, построенный, может быть, гораздо прежде VII столетия, ибо в половине IX столетия был он уже уделом князя Трувора, брата Рюрика, первого русского государя. Сей город находится при реке Исее, что ныне называют Сливенские ключи, построен на горе, пологость которой окружают три каменные стены, идущие параллельно одна другой. Но должно полагать, что это был замок или цитадель, а не самый город, ибо третье окружение стены, на самой вершине горы находящееся, не довольно обширно. В середине построена каменная церковь, а внизу небольшое селение, в котором живут государственные крестьяне. Каждая стена имеет только одни ворота и, въехав в первые, должно объехать половину горы, чтоб попасть во вторые и таким же образом в третьи. На каждых воротах видны древние украшения, состоящие из разных мраморных и гранитных плит, на которых изображены всадники, звери, птицы и цветы. Но все сие в таком виде, как было в тех веках зодчество северных народов,—то есть весьма безобразно. В окружности северной стены видел я много надгробных камней с украшениями и надписями, которые так изгажены временем, что я не только не мог ничего прочитать, но даже разобрать, на каком языке оные вырезаны. Тамошний священник указал мне одну большую мраморную доску и уверял, что это гробница Трувора. Сомнительно,— потому что древние славяне были еще, как и Трувор, в идолопоклонстве, хоронили великих людей с их лошадью и насыпали сверху высокий холм, каковые и по сие время еще видны во многих местах России. Но Трувор был иностранец и потому, может быть, погребен был по обычаю отечества его иным образом. С большою прилежностью рассматривал я буквы, высеченные на сей плите, и хотя оные были весьма изгажены временем, но приметил я некоторые, похожие на славянские. Славянский же алфавит был известен тогда русским. Он изобретен для перевода священных книг двумя греческими епископами Кириллом и Мефодием. История ничего не упоминает; впрочем, во всяком алфавите можно найти в некоторых буквах некоторое подобие с другими. Однако же, признаюсь я, что сомневаюсь в том, чтобы это была гробница Трувора и не могу утвердительно сказать, на каком языке сделана надпись.

В окрестностях Пскова простояли мы около двух лет без приключений, достойных примечания, кроме поиска моего на разбойников. Если б я намерен был подражать г-же Радклиф, то многое мог бы сказать о непроходимых лесах, о древних развалинах посреди оных, подземных жилищах, о встретившихся нам несчастных молодых девках и прочее. Но как таковые предметы почитаю я не заслуживающими особливого внимания, то скажу только, что маловажная сия экспедиция, десять дней продолжавшаяся, кончилась поимкою до 40 человек разбойников. И когда началось следствие, приметил я великое злоупотребление земской полиции и других судей. Убийцы освобождены были на поручительства, а невинные люди, но такие, от которых надеялись что-нибудь получить по оговору их в пристанодержательстве и за то, что на землях их под снегом, ибо поиск сей был зимою, нашлись мертвые тела, посажены в тюрьму.

Стоя в зимнее время на квартирах по деревням, нередко посещали мы губернский город, а летом располагались лагерем пред самым городом, в котором находилась главная квартира, а главнокомандующим нашей армии был генерал граф Салтыков, тот самый, который начальствовал сухопутной армией против шведов в бывшей пред сим войне. За несколько месяцев пред выступлением нашим из Пскова сменен он был генералом бароном Игельштромом.

В 1792 году в марте месяце вся армия наша приведена была в движение, и я получил повеление с ротою выступить в Полоцк. Он был тогда главным городом губернии сего имени, составляющей часть Белоруссии, в недавнем времени отторгнутой от Польши. При вступлении в сию губернию открылось для меня много нового. Повсеместный католицизм римского исповедания, соединенный со всевозможными предрассудками, ненависть к русским, крайняя бедность и совершенное невежество поселян, плутни и пронырства жидов, гордость и тиранское обращение помещиков с их подданными,— предметы, о которых буду я иметь случай говорить подробнее.

Я не знал ничего ни о какой войне, и по содержанию данного мне предписания думал, что должен буду расположиться квартирами в Полоцке. Но во время приближения моего к сему городу встретил меня посланный вперед мой квартирмейстер. Он вместо квартирной росписи подал мне повеление, по которому должен я, придя на берег реки Двины, составлявшей тогда границу Империи Российской и Польши, тотчас переправляться на противный берег и расположиться только ночлегом в части Полоцка, принадлежавшей Польше, относясь во всем к генерал-поручику Косаковскому. Косаковского знал я по слуху. Он имел особую партию в Польше, чрез которую избран он был в достоинство гетмана Литовского. Но так как противная партия отвергла сей выбор, то он предался Екатерине II и вступил в русскую службу с чином генерал-лейтенанта и тогда же дан ему был орден св. Александра Невского.

Придя к берегу реки Двины, нашел я оную покрытою льдом,

который не был уже довольно крепок, чтоб мог я перевезть по оному мои пушки, а для того прорублены были во льду канавы и приготовлены паромы. Я начал переправляться и с первыми двумя орудиями и ящиками переехал сам на противный берег. Там встретил я стоящего на часах польского солдата: он отдал мне честь, а я спросил у него:

— Что ты тут делаешь?

Солдат отвечал мне:

— Я поставлен при таможне смотреть, чтоб не провозили запрещенных товаров.

— У меня все запрещенный товар,— сказал я ему,— пушки, порох и ядра.

— Вижу,— ответил, улыбаясь, часовой.

А я, возвратясь на наш берег, нашел чиновника, присланного ко мне от губернатора просить меня на обед. Я стал извиняться, что занят переправой и что обязан явиться к моему генералу, которого полагал быть уже на противном берегу. Тогда мне посланный сказал, что и генерал Косаковский у губернатора и желает меня видеть. Я знал, что губернатор служил некогда под начальством отца моего, видел его в нашем доме и потому приятно мне было, поручив дело старшему по себе, поспешить к нему. Хозяин дома и генерал, его гость, приняли весьма ласково, и последний сказал:

— Вот, государь мой, как идут дела в моем отечестве: едва перейдем мы за границу, как присоединятся к нам 20 тыс. конфедератов, противящихся конституции 3-го мая (1791 года).

Я принял сие за истину и по окончании стола хотел поспешить к моей обязанности. Но губернатор уговаривал меня побыть еще у него. Я, поблагодарив, сказал:

— Далеко ехать и темно будет переезжать чрез реку.

— Далеко?— сказал он и, подведя меня к окну, указал мне на противной стороне дом и стоящие перед оным пушки.— Вот ваша квартира и артиллерия. Вы пойдете вместе с генералом через лед, на котором для безопасности велел я положить доски.

Посидев еще несколько, отправился я вместе с генералом. Сей тонкий и высокий старик шел впереди меня в глубокой задумчивости и, войдя на лед, ступал то на доски, то шел по льду, что заставило меня сказать ему:

— Осторожнее, ваше превосходительство, лед слаб и может проломиться.

На сие отвечал он мне польской пословицей следующего содержания:

— Кому быть повешену, тот не утонет.

Я никак не мог подумать тогда, чтоб пророчество сие сбылось с ним через три года после сего, почти в то же время, как я переходил с ним через реку, о чем читатель увидит из последующих моих записок.

На другой день присоединились ко мне два российских полка пехоты и отряд конницы. Мы выступили далее и, оставя Вильну в стороне, пришли в Гродно, не встретя на пути своем никакого неприятеля и ни одного конфедерата, о которых говорил мне генерал Косаковский при первом со мною свидании. Оттуда выступили мы в Белый Сток, небольшой город, в котором королевская сестра имела дворец, с удивлением прославляемый поляками. Тут мы остановились на несколько дней, и я имел время оный осмотреть. Но не меньше, как они, удивился я их хвастовству, найдя выгодно расположенный одноэтажный каменный дом, довольно хорошо убранный. В нем находилась изрядная библиотека, посредственного достоинства кабинет редкостей природы, небольшая галерея картин, составленная из копий известных живописцев. В некоторых покоях, где стены обиты были шелковой материей, находились зеркальные двери, и в одном небольшом кабинете такой же потолок, что больше всего удивляло поляков. И я заключил, что они еще весьма далеки от понятия о совершенной роскоши и изящных украшениях богатства. Сад, в коем находилась хорошая оранжерея, довольное количество иностранных дерев в самом саду, и небольшие пруды, канавы и водометы придавали оному нарядный вид. Было там и довольно статуй, но большая часть оных столь худого резца, что не стоит труда их иметь. Словом сказать, кто видел при Екатерине II Царское Село, Петергоф, или в Москве Кусково, принадлежащее помещику графу Шереметеву, тот почтет все сие за безделицу. Но более всего понравилось мне заведение фазанного сада,— птиц, в этом климате не существующих. Он не что иное, как парк или дикий лес, чрез который протекает небольшая речка, окруженный каменною стеною, на верху которой поделаны решетки из толстой проволоки такой высоты, что фазаны не могут перелететь. В средине на лужайке, окруженной деревьями, находится небольшой трактир, а при оном несколько домиков для егерей, наблюдающих фазанов. Они до такой степени там размножились, что всякий, придя в сей парк и заплатя червонец егерю, мог застрелить пару фазанов и велеть приготовить в упомянутом трактире или за ту же цену поручить труд сей егерям.

Чрез несколько дней оставили мы Белый Сток и пошли к местечку Венгрову, не в дальнем расстоянии находящемуся от Варшавы. Там расположились мы лагерем и простояли несколько недель. Между тем имел я удовольствие увидеться в оном с старшим братом моим, подполковником армии, приехавшим посетить меня из Варшавы. Я узнал от него, что в сем году не будем мы иметь никаких военных действий. И подлинно, чрез несколько дней получили мы повеление идти к Вильне и там, простояв с месяц времени в лагере, велено мне было вступить на зимние квартиры в местечко Новые Троки. Сие небольшое местечко, и в особенности находящееся при оном небольшое селение, именуемое Старые Троки, подле которого видны многие древние развалины, было некогда столицей княжества Литовского еще до построения города Вильны. Достойно примечания, что жиды, не только терпимые, но еще пользующиеся особливыми некоторыми правами во всей Польше, не могли иметь права жить в Троках по причине живу-

8—6233

щих в оном так называемых караимов. Это народ также жидовского племени, но он имеет разницу с ними в религии. Она состоит в перемене некоторых наружных обрядов, непризнания Талмуда, как прочие жиды, последование во всем только одной Библии, в ношении одежды, употребляемой всеми жителями того края, в котором находятся, и в соблюдении большей опрятности в домах своих. Они так же, как и жиды, занимаются торговлей, но притом иногда земледелием и садоводством, чего польские жиды никогда не предпринимают. Запрещение жидам жить в Троках, говорят, сделано было королями польскими в награду караимам за храброе сопротивление и отражение неприятеля от помянутого местечка. Право сие уничтожено Имп. Александром I.

Стоя в Троках и потом в Вильне близ двух лет, имел я время узнать характер народа польского. Народ польский разделяется на дворянство, духовенство, поселян, или земледельцев, и жидов, в великом множестве составляющих из себя купечество и ремесленников.

Поляки вообще привязаны к вольности и республиканскому правлению. Но, рассмотря прилежно образ их правления, найдем, что Польша никогда не была под анархическим правлением. Она имела королей, но достоинство сие не было наследственно, а подвергалось выбору. Законодательная власть зависела от сеймов и сената. Кто ж составлял народ? Одно дворянство; поселяне же и земледельцы, равно как и прочие сословия, не имели сего права и не могли посылать на сеймы своих представителей.

Дворянство польское весьма многочисленно и пользовалось совершенной свободой, но нигде не видал я такого неравенства, как в оном. Редко в каком государстве можно найти столь богатых дворян, как в Польше, которых, однако ж, немного, но большую часть сего состояния составляет совершеннейшая бедность. Пан в переводе «господин», а шляхтич — «дворянин», титул же «господин» принадлежит всякому дворянину, но в Польше, напротив, несмотря на старшинство родов, пан значит — богатого, а шляхтич — бедного. Притом бедное дворянство в такой зависимости у богатых, почти как русские крестьяне у своих помещиков. Бедное дворянство служит в домах богатых не только в самых низких должностях, как-то: конюхами и прочее, но даже работниками у жидов. Итак, в дворянстве польском приметны две крайности: богатства и бедности, среднего же состояния почти вовсе не видно, исключая некоторых, находившихся в гражданских должностях. А потому, кажется мне, что богатые люди, или вельможи польские, имели в том политику свою, дабы не допускать бедное дворянство до среднего состояния и иметь через то оное в своей зависимости. Право первостепенных дворян было столь неограничено, что они бедных людей того же сословия могли наказывать телесно. А над крестьянами или земледельцами имели такую власть, что не только помещики могли их заставлять работать по своему произволению, брать всю их собственность, наказывать телесно, но даже за убийство своего мужика помещик виновный подвергался только легкому денежному взысканию.

Всякий зажиточный польский помещик имел двор и всю услугу его составляла шляхта. У каждого был маршал, управляющий домом, конюший, комиссар, эконом во всякой малой деревне, подскарбий, министр финансов, ловчий, лесничий и тому подобные. Если он был женат, то госпожа имела особый штат, составленный из женщин, как-то: госпожа, или панья гофмейстрина, главная смотрительница, госпожи девицы, или панны резидентки, собеседницы, или служащие для компании, панна гардеробянка, имеющая в заведывании платья. Панна шафарка, имеющая в смотрении своем закуски и лакомства, и наконец, также госпожи девицы панны служонцы, или услужницы. Не говоря о прачках и служащих при кухне, сверх того жены чиновников, составляющих штат мужа, равномерно соединяют услуги свои сей особе.

Гражданские чины в Польше были больше уважаемы, нежели военные, и сие уважение простиралось даже на детей их обоего пола с присовокуплением титула. Например, если отец был сенатором, сын его называется «пан сенаторович», а дочь — «сенаторовна». Если он был судья, по-ихнему «сендзя», то сын пан «сендзиж», а дочь — «сенджанка». Те, кто занимал должности, дающие преимущества только на время отправления оных, как-то, напр., маршал губернский или уездный, в достоинство которых избираются люди, нигде не служившие и не имеющие никаких чинов, по оставлении должности своей называют себя и подписываются маршалами по смерти, а дети — «маршалковичами» и «маршалковнами». Но всего смешнее то, что не только государственные чины, как-то: гетман, сенатор, маршал и прочие имели сии титулы, но даже и слуги частных людей, которых они переменяли по своему произволению, пользовались тем же. Например, кто определит кого комиссаром или экономом, или конюшим в дом свой, хотя на короткое время, тот давал им право уже на всю жизнь пользоваться сим наименованием, а дети их становились уже комиссаровичи, комиссаровны, экономовичи, экономовны, конюшичи и конюшанки.

Самые богатые люди воспитывали детей своих по большей части во Франции, прочие же пользовались школами, заведенными при монастырях. Дворянство не все служило, а только некоторая часть в гражданской и военной службе. Чины военные покупались, а не получались по старшинству и достоинствам, равно и гражданские приобретались по богатству и роду, а наипаче почетные. Прочие же дворяне жили по деревням в своих домах, занимаясь хозяйством, псовой охотой, волокитством и пьянством.

В Польше было тогда только два кавалерственных ордена, не разделенные на степени как ныне, а именно: ордена Белого Орла и св. Станислава. Один король имел только право жаловать оными за отличные заслуги. Сии ордена, кроме некоторого уважения и наружного украшения, ничего с собою не приносили. Но в последние времена в раздаче оных великое было злоупотребление. Король, которого финансы всегда были слабы, вместо денег жаловал вначале сими орденами за заслуги государственные, как то делалось и поныне делается во всей Европе. Но, наконец, став еще беднее, не имел уже более чем награждать своих приближенных и слуг, даже камердинерам своим не в состоянии был платить. И так давал он им вместо денег по несколько рескриптов или грамот, на ордена Белого Орла и Станислава, написанных и подписанных им по обыкновенной форме с оставлением в строках чистого места для вписания имени и прозванья. Сии люди продавали жидам, которые охотно и не дешево их покупали. Жид, имея несколько таких грамот, приезжая на ярмарку, наведывается о богатых и гордых помещиках. С обыкновенною их скромностью и унижением старается он найти доступ к господину, потом в тайне говорит ему: не желает ли он иметь от короля который-нибудь из двух орденов, прибавя, что он имеет у двора знакомство и может ему оный доставить. Господин соглашается, условливается в цене и платит деньги, а жид, вписав его имя в прозванье в имеющуюся у него грамоту, вручает ему оную. Тогда господин, купив в лавке орденские знаки, дожидается какого-нибудь праздника, уверяя всех, что он имеет надежду получить от короля орден. В праздник идет он в церковь, слушает мессу и потом просит священника купленный им у жида рескрипт прочитать всенародно. После сего возлагает на себя знаки, получает от всех титул «ясне-вельможного», а до того был он только «вельможный», принимает поздравления и устраивает большой пир. Не должно, однако ж, думать, что они старались получать таким образом знаки отличия из единого тщеславия. Нет, с оным сопрягались другие виды: человек, украшенный орденами, дает о себе мысль, что он имеет покровителей у двора и потому преимущественнее пред прочим поступает он к выбору в маршалы и другие почетные должности, соединяющие с собою уважение, а равно позволительные и непозволительные, но терпимые доходы. И так весь обман падает только на народ. Жид извещает того, у кого купил грамоты, кому он их продал, а в Варшаве вносят имя его в кавалерский список.

Бедное дворянство, кроме службы у богатых, занималось земледелием и часто по неимению собственной земли нанимало у других, или, лучше сказать, платило подать, известную под названием «чинш». Слово это взято с немецкого Zinse, и оттого таких дворян называли и поныне называют «чиншовая шляхта».

Вельможи занимались интригами государства, каждый хотел быть королем или сам, или доставить этот титул тому, которому он предан. Не только выбор в достоинство короля, в котором всегда участвовали министры иностранных дворов, но даже выбор в министры, сенаторы, маршалы и в другие государственные чины подвержен был всегда согласию сейма или сеймика. Большие сеймы назначались в известных городах, а сеймики, или малые, собирались в каждом уездном городе для двух целей: первое, для избрания представителей от дворянства того уезда к составлению общего сейма; второе — для назначения маршала и судей того уезда. Причем всякий из ищущих какого-нибудь назначения имел свою партию на таковых сеймиках. Они состояли из самой бедной и непросвещенной шляхты, одетой в нижний кафтан и лапти, но при какой-нибудь старой заржавленной сабле. «Я шляхтич,— говаривали они,— и имею право носить кусок железа при бедре моем». Каждый из искателей привозил с собой по нескольку десятков, а иногда и сотен подобных дворян. Во время сейма жили они на его счет, он их кормил и старался всегда поить допьяна, к чему мелкое польское дворянство весьма склонно; впрочем, и сами вельможи любили попить. Я сказал в начале моей книги, что образ правления великое имеет влияние на характеры и нравы наши, оттого-то в то время пьянство по трем причинам весьма господствовало в Польше. Первое, все не только северные, но и прочих стран непросвещенные и дикие народы любят крепкие напитки. Итак, чтоб составить для себя партию, должно делать угощения тем, на которых надеются, поить их, пить с ними вместе. Второе, чтоб узнать что-нибудь и от равных себе, должно также с ними знакомиться, угощать и, если можно, подпаивать в надежде что-либо от них узнать, а сие делается иногда привычкою; и третье, духовенство, которого самую большую часть в Польше составляют монахи, по уставам своим быв лишены всех приятностей жизни и проводя ее в великом единообразии, непременно должны подвергаться ужасной скуке и меланхолии, для разогнания которых стараются они хорошо есть и пить, но поляки больше склонны к последнему. Итак, пьянство есть удел католических монахов во всей Польше. Между тем духовные лица там в великом уважении, как по набожности народа, так больше потому, что все школы находятся у них в руках и они воспитывают все дворянство. Это последнее заимствует от них некоторые слабые и ложные познания, а вместе истинные их пороки, из которых пьянство занимает первую степень.

Дворянство, прибывшее на сеймик для выборов, собирается в назначенный для того дом, в котором двери и окна отворены; партии же их становятся на дворе, по большей части все пьяны. Тут первые дворяне рассуждают о предметах, до выбора касающихся, равно и других, относящихся до правления. В подкрепление же голосов своих каждый дает знак партии своей, которая, не зная, о чем идет дело, кричит: «Згода!», то есть согласны, или «Не позвалям!» — не позволяем. Тут иногда одна партия кричит «согласны», другая — «не позволяем», отчего происходит не только великий шум, но часто драка и смертоубийство. Начальники партий выбегают, стараются усмирить своих клиентов, а иногда, начав спор друг с другом, кончают оный поединком.

Все дела на сеймиках кончаются большинством голосов и потом выбранные в какое-либо достоинство дают еще общие угощения во вкусе земли сей.

Большие, или государственные, сеймы во всем подобны малым, исключая важности предметов, о которых в таковых рассуждают, и лиц, оные составляющих.

Теперь на счет дворянства польского, единственно собою составляющего нацию и республику польскую, ибо простой народ ничего не значит, остается мне сказать нечто об образе жизни оного.

Дворянство польское по справедливости может быть разделено на три степени: магнаты, или вельможи, знатные и богатые люди занимают первую степень. Среднее дворянство, успевшее оградить себя от насилия вельмож приобретенною ими чиновностию и составившее разными способами некоторое состояние, должны занимать вторую степень. Третью же составляет самое бедное дворянство, известное под наименованием шляхты. Люди двух первых степеней называются панами, а третьей — просто шляхтой.

Дворянство первой степени, получив при воспитании своем некоторые познания от своего духовенства и научившись французскому языку от иностранцев, по разным причинам оставивших свое отечество, едет путешествовать по большей части во Францию и Италию. Германия им не столь нравится, как потому, что не имеет разницы с их климатом, так по той причине, что уже католицизм не столь силен, а равно и потому, что характер германцев не весьма им нравится. Поляк высокомерен, хвастлив и расточителен, а немец, напротив, кроток, скромен и бережлив.

Дворянство второй степени, научась грамоте и арифметике у попов, остается в своем отечестве, вступает вначале в должности стряпчих и поверенных, потом делается судьями, а наконец, по большой части живет в своих имениях. Они вообще гостеприимны, и любили в то время угощать своих посетителей. Игра в карты не весьма была употребительна меж ними в то время, но сытные столы, доброе вино, мед, пиво и водка поддерживали беседы и разговоры. Кофе, шеколад и чай мало им были известны, прочие же занятия состояли в хозяйстве и в езде на охоту. Поляки вообще любят лошадей и в заводе находятся весьма изрядные. Хотя они больше русских любят верховую езду и в запряжку стараются щеголять красивыми лошадьми, но им не известна была тогда охота к бегу на рысаках и иноходцах, столь употребительная у русских.

Третья степень дворянства — шляхта — не имела тогда почти никакого воспитания, редкие знали грамоте. Обитали они тогда, как и теперь, в черных избах, наподобие простых земледельцев, нередко вместе с домашним скотом, а особенно в Белоруссии, Литве и северных провинциях Польши. Они по способностям своим служили иногда экономами, слугами и кучерами у богатых людей, вступали также в военную службу рядовыми под названием товарищей в уланские польские полки. Но по большей части оставались в домах своих, занимаясь земледелием и скотоводством.

Народ польский, в особенности же дворянство, имеет много сходства с русским как в языке, так в нравах и обычаях, но питает и будет всегда питать величайшую ненависть к оному. Причиною тому — религия, образ правления и взаимные войны, несчастливые для Польши в последние века. Известны всему свету властолюбивые свойства католического духовенства и с какою жестокостью устремляется оное в гонения прочих христианских вер, наипаче греческой, исповедуемой россиянами. Я уже сказал, что все школы и воспитание польского юношества находятся в руках духовенства. А оное для собственных своих видов старается еще в самых молодых летах поселять в сердцах юношей ненависть ко всему тому, что не подлежит их власти. Наипаче же — ненависть к русским, как к ближайшим соседям из греческого исповедания, тем более им противного, что греки были первые, которые низложили с себя иго папской власти. Кто от кого отложился: папа ли от патриарха Константинопольского или патриарх от папы — многие еще о том спорят. Польша была всегда под республиканским, или, лучше сказать, демократическим правлением, а Россия, напротив, под таким самодержавием, которое превосходит образ деспотического и тиранического правления. Страсть подпасть таковому всегда питала в поляках ненависть к России. Ненависть и злоба суть обыкновенные следствия взаимной войны, а особливо в побежденном народе. Но если б можно было отнять две первые причины, то последняя сама собою уничтожилась бы, и поляки с россиянами составили бы один народ, так как они точно одного происхождения.

Из всех славянских наречий язык польский ближе подходит к русскому и разнится только произношением и множеством латинских и немецких слов, введенных в оный.

Господствующая в Польше вера есть римско-католическая, и духовенство все состоит из природных жителей, в которое вступают люди знатного происхождения. Первые степени наполняются знатными, а прочие людьми разного состояния, только не из народа, потому что крестьяне принадлежат по большей части помещикам и сверх того никто не может вступить в духовное состояние, не зная латинского языка. Всех католических орденов как мужские, так и женские монастыри находились тогда в Польше в великом множестве, не исключая и ордена иезуитов. Приходских же церквей и светских священников в сравнении с монастырями и монахами было весьма мало. И сверх того почти в каждом господском дому были каплицы и монахи. Духовенство пользовалось великим уважением и преимуществами. Монастыри имели большие недвижимые имения для своего содержания, не считая подаяния и платы за обедни, молитвы, отпущение грехов и проч. Но зато знатнейшие из таковых обязаны были содержать при монастырях школы для обучения юношества. Католическое духовенство слишком известно свету, чтоб его здесь описывать. И если б вздумал я исчислять здесь все их пронырства и хитрости, влекущие суеверие народа, то должен был бы написать несколько томов, сколько явленных икон, мощей, чудотворных статуй и проч. Однако ж, хотя Россия и греческого исповедания, но не знаю, уступит ли в сем отношении Польше? Итак, скажу я только о том, что я в сие время видел собственными глазами. Простояв несколько времени в Троках, велено мне было перейти в Вильно. Тут, во-первых, увидел я Чудотворную Икону Богородицы под названием Остробрамской. Остробрамы в русском переводе значат «Острые ворота». Сии ворота устроены в городской стене, как другие, и не знаю, почему называются Острыми. Над сими воротами построена каплица, или часовня. Но каплица не то, что часовня в греческой религии: в часовне отправляются только молитвы, называемые часы, а в каплице служат иногда литургии. Итак, в сей каплице находится превеликий образ Богоматери во вкусе старинной греческой живописи, то есть первых христианских веков, когда наука и художества были в совершенном упадке. Сему образу приписывают разные чудеса. И люди всякого возраста, пола и состояния беспрестанно идут на поклонение оному. Сей образ столько почитаем, что жидам запрещено было тогда проходить в сии ворота.

Другую чудотворную и явленную икону видел я в урочище, или небольшом селении, Антаколь именуемом, лежащем близ Вильны. Там находится хорошей архитектуры церковь и изрядный трактир, в котором собираются благородные люди для прогулки. Мне сказали, что в сей церкви есть икона Иисуса Христа, у которого на голове и бороде растут волосы, сколько бы их ни стригли. Сие побудило меня туда пойти. Надобно было дать несколько денег монахам, чтоб увидеть сие чудо. Войдя в церковь, приметил я, что оная внутри весьма хорошо убрана лепной работой из гипса. Позади алтаря во всю широту и высоту стены построена досчатая стенка, покрытая образами и разными украшениями. Посредине оной, почти в самом верху, нарисован образ Иисуса Христа в древней греческой царской одежде, сидящего на кресле. Один монах пошел в маленькие двери, устроенные в упомянутой стенке, там влез он по лестнице наверх и сперва отсунул доску, на которой написан был Христос. Появился малиновый занавес, который он также открыл, и я увидел деревянную резную статую Иисуса Христа в том же виде, с каким и на доске. Он не оставил приподнять несколько волос на голове и бороде, чтоб показать, что оные совершенно похожи на человеческие. Когда он сошел вниз, то спросил я его: «Можно ли их стричь?» — «Нет,— ответил он мне со вздохом.— Чудеса сии прекратились следующим образом: монах, которому назад сто лет явился сей образ, принес его и поставил здесь. И всякий раз, когда стригли ему волосы, оные вновь вырастали, набожные люди брали оные и делали вклады в церковь. Сей монах ходил только один туда. Почувствовав же приближение своей кончины, избрал по себе преемника сей обязанности и сей перед смертью его делал то же. Это продолжалось до четвертого, который, как видно, в чем-либо согрешил и чудеса пресеклись».

Я позабыл упомянуть о третьем состоянии людей в Польше, называющихся мещанами и живущих по городам и местечкам, потому что сословие сие не весьма велико и состоит из людей разных наций, зашедших и поселившихся в Польше. Они по большей части занимаются разными ремеслами, а некоторые мелкой торговлей. Самое значительное сословие в Польше составляют жиды. По сие время не успел я еще заподлинно узнать эпоху их поселения в сей земле.

Но утвердительно могу сказать, что во всяком городе и местечке число их далеко превосходит христиан. Торговля всякого рода находится в их руках. Все откупы, аренды, корчмы и шинки в их же заведывании. Многие из них в мое время брали в аренду и в залог деревни и изнуряли бедных поселян тяжкими и беспрестанными работами. Винокуренные и пивоваренные заводы, принадлежавшие помещикам, находятся и теперь в их управлении. Сверх того занимаются они всякого рода ремеслами, так что редко можно где-либо встретить христианского ремесленника. И хотя поляки их не терпят, но они до такой степени сделались необходимыми для помещиков, что если б их выгнать из Польши, то оные не в состоянии были бы платить и государственных податей. При всей ненависти к ним поляков пользуются они совершенною их доверенностию, так что ни один помещик не может без жида ничего не продать, не купить. Жиды пользуются в Польше совершенною вольностью и свободным исповеданием своей веры, во всех городах и местечках видны многие синагоги. А как все съестные и прочие жизненные припасы исключительно продаются одними ими, то когда наступает их шабаш или другие праздники, по нескольку дней продолжающиеся, то христианские жители, какого бы они звания не были, принуждены делать запас хлеба и прочего для жизни, не взирая на то, что первый может зачерстветь, а другие испортиться. Мясо всякого рода продают также жиды, причем лучшее оставляют для своего сословия, а худшее для христиан. Так поступают они со всеми жизненными припасами. Они женятся в самой юности, их не берут в рекруты и оттого они ежегодно умножаются. Польские жиды ходят в бородах и носят природную свою одежду, сохраняют все свои обычаи, и правительство не смеет никого переменить. Чиновник, какого бы высокого звания не был, не может в шабаш приказать жиду что-либо сделать, хотя бы крайне необходимо потребно было. Он его не послушает и будет прав, напротив того, если б в самый большой праздник христианин от того отказался, то был бы наказан. Они имеют свой суд, свою расправу, свою казну для платежа податей и на другие потребности и никакой надобности не имеют до казенных судов. Если жид обидит христианина, то он должен идти и просить на него в кагале, то есть в суде жидовском. Если кагал, а паче рабин, согласясь с оным, что-либо в школе прикажет народу, то непременно будет исполнено. Когда же нужно, чтоб это осталось в тайне, то правительство никакими способами узнать того не может. Хотя по сие время ничего вредного для государства от них не замечено, однако ж, они условливаются в таких собраниях и налагают по своему произволению цены на все необходимейшие потребности и учреждают курс денег. За разные преступления, не исключая уголовных, наказывают они своих в обществе так, что никто из христиан узнать о том не может. Редко случается католическому духовенству обращать из них в христианство, а если и случится, то жиды всячески тому препятствуют. Когда же не в силах, то стараются таковово новообращенного украсть, обратить снова в жидовство, истребить или лишить его всех способов к содержанию себя. Словом, жиды господствуют в Польше.

Рассмотрим теперь состояние самых несчастных людей, то

есть польских земледельцев, или крестьян. Они разделяются на казенных и помещичьих, но все находятся в одинаковом положении и управляются одинаким образом потому, что казна отдает их в аренду частным людям. Сии аренды, или староства, даются на разном основании: как-то: за отличие разным людям, одним — в пожизненное владение, другим — на 12, на 20, даже и на 100 лет, без всякого платежа в казну какой-либо подати. А иногда отдаются в аренду с платежом кварты, то есть четвертой части дохода, иногда же три части идут в казну, а четвертая только остается в пользу владельца. Впрочем, все государственные имения отдаются в откуп или в аренду желающим получить оные на год или на пять лет. Причем объявляется доход имения и делается объявление, торгуются с правительством, и кто больше даст, за тем остается оное во владение, несмотря на то, какие предпримет он меры к возвращению с приращением денег своих, вносимых им в казну. Всякий, получивший аренду на каком бы то ни было постановлении, имеет власть продать право свое, кому пожелает, и этот пользуется сим имением, как и помещик, наследственным или благоприобретенным. Помещичьи крестьяне суть приобретенные или по праву наследства, или покупкой, или залогом. Их также отдают владельцы, не желающие сами заниматься распоряжением своего имения, в аренду другим, на известное время, и получают готовые за то деньги. Помещик, имеющий во владении своем одну или несколько десятин, имеет право заставлять мужиков своих работать для него по его усмотрению. Есть такие бесчеловечные люди, что заставляют работать на себя по шести дней в неделю, не платя ему за то ничего и предоставляя ему только одни праздничные и воскресные дни. Не только мужчины, но и все женщины работают на помещика, исключая престарелых и малолетних, которые питаются подаянием. Я знаю одного помещика, именно г. К., владеющего довольно большим имением, точно так поступающего с своими людьми. Если же его спросить, как распоряжается он работою земледельцев в свою и их пользу,— тогда отвечает он: они работают три дня на меня и три дня на себя. Но какие это три дня, предоставленные мужикам? Известно, что в северной Польше почти шесть месяцев нельзя работать, сверх того все полевые работы имеют определенное время. Итак, то время, в которое до́лжно жать, сеять или собирать, предоставляет он себе, а остальное им: собрав их труды, продает, не заботясь нисколько о том, что бедные земледельцы нередко умирают с голоду.

Многие помещики имеют во владении своем местечки; но что такое местечко? Это селение, в котором иногда не больше трех или четырех крестьянских домов, есть церковь и корчма, а без того самая большая деревня не может быть названа местечком. Местечки приносят больше дохода, нежели деревни, потому что в праздничные дни собираются жители окрестных селений в церковь и пьют в корчме, за которую платит жид иногда довольно значительную аренду. Сверх того в храмовые праздники, то есть в день того святого, которому посвящена церковь, бывают небольшие ярмарки, стечение люда увеличивается. А если замысловатые католические попы имеют еще в церкви какую-нибудь явленную или чудотворную икону, тогда аренда корчмы несравненно возвышается и при том ставит помещик не одну, а несколько. Я видел такие корчмы, построение которых стоит не более ста рублей, но жид платит по двести и по триста рублей в год.

Удивительно, что во время польского правления как большие, так и проселочные дороги не были измерены. Хотя расстояние считалось там на мили, но какие это мили? От одной корчмы до другой. Проезжающий не может удовольствоваться тем, когда на вопрос его: далеко ли от такого-то до такого-то селения, ему скажут: одна миля. Он должен будет еще спросить: «какая»? Если поляк скажет: «великая», то будет непременно расстояние от 10 до 12 верст. В ином случае, если скажет он: «две мили», то нужно спросить его: «большие или малые?» Он отвечает иногда: «легкие; прежде считали тут одну милю, но пан посредине поставил корчму и теперь почитается две».

Помещики имеют право гнать водку из разного хлеба и продавать оную, по какой цене они рассудят. И так отдают оную на известных условиях жидам, нанимающим корчмы в их имении. А сии всеми способами стараются вытягивать последнее имущество их крестьян. Сии несчастные люди обоего пола, от притеснения, невежества и нищеты, чрезвычайно преданы пьянству. При отсутствии у них денег, жид дает им в долг, записывая, как хочет, и потом, при наступлении жатвы, берет у них последнее пропитание.

Каждый помещик имеет одного или нескольких экономов из шляхты, которые бьют, мучат и наказывают крестьян самым бесчеловечным образом.

Крестьяне не могут иметь ни водяных, ни ветряных, ни другого рода мельниц: сие предоставлено одним помещикам. Помещик, построив мельницу, отдает оную в аренду жиду, а дабы он заплатил дороже, не позволяет своим крестьянам иметь в домах своих ручные жернова, и они по необходимости должны идти к жиду на мельницу. А тот, по неимению у них денег, берет за то по своему усмотрению некоторую часть его муки или зерна.

Я не знаю, как бедные польские земледельцы могут по сие время существовать. Ежели исчислять всех попов, монахов и монахинь, жидов обоего пола, военно-гражданских чиновников, панов или господ с превеликой их услугой, престарелых с малолетними и прочих, не обрабатывающих землю, то по крайней мере выйдет, что один человек обязан доставить пропитание 25 или 30 душам, если не более.

В российской Польше помещики имеют право продавать людей даже поодиночке. Мужчину можно продать за 200 рублей, а женщину или девку за 100, а иногда и менее, тогда как за посредственной доброты лошадь платится 500. Стечение всех этих несчастных обстоятельств делает то, что мужики в Польше весьма вялы, нерасторопны, ленивы, глупы, пьяны и не имеют никакой нравственности, женский же пол распутство совсем в порок себе не ставит.

В Белоруссии, Литве и некоторых северных провинциях Польши римско-католическая вера не скоро утвердилась, греческая же и потом кальвинская были довольно сильны. Из фамилии столь славных в Польше князей Радзивиллов были многие греческого и некоторые кальвинского. Но кальвинизм никогда не был в такой силе, как вера греческая, которая, как видно, прежде католической утвердилась в сих странах. Доказательством того служит следующее обстоятельство. Почти весь народ, исключая дворянства, а наипаче живущие по деревням, то есть крестьяне или земледельцы, и по сие время суть греческого исповедания. Католическое духовенство, столь привязанное к распространению для собственной пользы исповедуемой ими веры, все средства употребляло к искоренению прочих христианских вер в Польше, а особливо греческой, боясь соседства россиян, где оная господствует. Например, в провинциях, отторгнутых от России в смутные времена оной, всякий, какого бы состояния ни был, лишался в старину права дворянства, если не согласится принять католическую веру. Это не распространилось, однако же, на исповедующих кальвинскую и лютеранскую веры. И потому дворяне тех земель или удалились из оных, или переменили веру. С народом труднее было, нежели с дворянством. Ему нечего было терять. Он никак не соглашался видеть в церквах своих безбородых попов, поющих и читающих на непонимаемом ими латинском языке и слышать музыку, запрещенную в церкви греческой. Употребление насильственных мер угрожало мятежами и опустошением значительнейшей части Польши. Предвидя сие, оставили они народ в покое, но принялись за духовенство, стараясь всеми силами обратить оное в католицизм. В книге об унии, изданной на российском языке, описаны все ужаснейшие мучения, которым подвергали они греческое духовенство за веру. Читая оную, содрогаешься при этих ужасах. Я не хочу повторять здесь того, что написано в оной, скажу только, что весьма малое число священников согласилось переменить веру, прочие же, оставаясь в прежней, терпели ужаснейшее гонение. Довольно того, что польские помещики отдавали греческие церкви на откуп жидам. И вот как сие происходило. Жид, заплатив известную сумму денег за церковь, запирал оную и брал ключи к себе. Причем всякий раз, когда священник обязан был по закону своему служить литургию или отправлять другие какие молитвы, он должен был идти к жиду и за требуемое сим количество денег получал ключи, по совершении же богослужения возвращал ему оные. Сие унизительное и постыдное для всего христианства средство не сильно было поколебать народ в его вере. А потому прибегнули они к другому. Собрав греческое духовенство, предложили, что им позволено будет отправлять богослужение по всем правилам греческой церкви на славянском языке без малейшего притеснения, и возвращены будут им все права и преимущества, если они только согласятся признать главою церкви папу римского и быть подвластными ему епископами. Вот что значит уния или присоединение. Хотя большая часть священников греческого исповедания согласилась на сие, однако же, некоторые не захотели и остались по сие время, не признавая папу своим начальником. Поэтому во всей Белоруссии и Литве видны и по сие время греческие церкви, большая часть которых признала унию. Могилевская, Полоцкая и Минская губернии имеют грекороссийских архиепископов, но количество находящихся в заведывании их церквей невелико, потому что большая часть таковых поступила в унию.

Прозорливая и дальновидная императрица Екатерина II уничтожила унию следующим образом. Она повелела предоставить духовенству и народу полную свободу быть римско-католического или греческого исповедания, сохранив как за теми, так и за другими равные права и преимущества. Но унию совершенно уничтожила. Она знала наперед, что униатское духовенство не знает по-латыни, без чего нельзя быть католическим попом, равно знала твердость и приверженность народа к греческой вере. Таким образом, вовсе уничтожилась было уния, и все сделались паки греческого исповедания. Но сын ее Павел I, вступив на престол и ненавидя все то, что сделано было его матерью, паки позволил католическому духовенству возобновить унию. Всякий просвещенный человек, какой бы земли он ни был, не удивится ли, читая сие, до чего простирается власть государей российских. Сын его Александр I оставил сие в таком виде, как было оное при его отце.

Язык, употребляемый простым народом и земледельцами или крестьянами, весьма разнится от настоящего польского, употребляемого дворянством. Он ближе подходит к русскому и не имеет такого набора латинских и немецких слов. Мужик, не слушая никогда латинских молитв и богослужения, не знает, что значат слова «супликую», «фатыгую», «рекомендую» и пр. Равномерно, не выезжая почти из своего селения, не имеет он случая перенимать и вводить в разговор слов немецких, как-то: денькую от ich danke — благодарю; шацую от ich schaetze — ценю и других, в великом множестве поляками употребляемых.

ГЛАВА 6

Во время пребывания моего в Вильне получено было известие о несчастной кончине Людвига XVI, короля французского. Это произвело великую радость в поляках; тотчас появились новые моды, как-то: фраки а'ла Дюмурие, трости с булавками или шпильками, называемые гильотинами, или деревянными набалдашниками, отделанными, с одной стороны, видом мужского, а с другой — женского лица под названием голова короля и королевы, рулетка и тому подобные мелочи. Но все сии безделицы предзнаменовали революцию.

В 1794 году начало оказываться в Вильне довольно приметное неспокойствие в народе, а в Варшаве еще больше. Удивительно, что начальство российское не могло проникнуть в их заговор. Некоторые осмеливаются утверждать, якобы то была политика Екатерины II, чтоб допустить поляков истребить в ночное время корпус войска российского, в Польше расположенный, дабы иметь предлог к окончательному разделению Польши и совершенному уничтожению сего государства.

В Варшаве над всеми, находившимися тогда в Польше российскими войсками начальствовал генерал барон Игельстром, образованный воспитаньем и опытностью, но не в меру строгий, гордый и самолюбивый человек. О революции Варшавской не намерен я ничего говорить, потому что я там не был, так и потому, что оная многими уже была описана.

В Вильне, где я тогда находился, начальствовал отрядом войск генерал-майор Арсеньев. Хотя я его знал довольно, но могу сказать, что он не имел ничего особенного в своем характере; быв изрядно воспитан и служа довольно, руководствовался он больше предписаниями главного начальства, нежели осмеливался сам на что-либо решиться.

В конце 1793 года находилось в Варшаве пять артиллерийских рот, которыми начальствовал полковник артиллерии Челищев. Но вскоре они потом разосланы были по разным местам и остались только в Вильне полторы роты при 15 пушках. Все же отряд генерала Арсеньева состоял из двух пехотных, одного батальона егерей и одного казацкого полка. Они расположены были по деревням в окрестности города, в который по очереди приходило по одному батальону для содержания караулов и по нескольку десятков казаков для конвоя генерала и разъездов. Артиллеристы же расположены были все в городе, а орудия пред самым городом так же, как и конюшни для их лошадей.

В начале 1794 года наш полковник Челищев произведен был генерал-майором и отправился к назначению своему в Киев. Я принял вместо него начальство над артиллериею, оставшеюся в Вильне, и расположился на его квартире в предместии, примыкающем к самым стенам города.

Пронырливые жиды не переставали тайно извещать некоторых чиновников, в том числе и меня, что между поляками делается заговор, который может иметь худые последствия для русских.

Собрав достаточные о сем сведения, решился я доложить о том генералу и предложить, не прикажет ли он для безопасности вывести войско и расположить в лагере под Вильной, тем больше, что наступил уже март месяц и весна была довольно теплая. Но он обезоружил меня следующим ответом: «Не стыдно ли вам верить больше жидам, нежели мне, которому все обстоятельства больше известны; притом выходить в лагерь в сие время здесь небезопасно в отношении здоровья солдат, погода весьма может перемениться».

В один день довольно рано выйдя поутру из своей квартиры для прогулки, я приметил, что на всех домах, где квартировали русские, написаны были на стенах красным карандашом сии буквы: Rz. Не трудно было догадаться, зная по-польски, какое слово из оных составлено быть может. Rz.— «рзесац» по-польски, а по-русски «резать». Я пошел тотчас к генералу и доложил о том, что видел. На сие сказал он мне: «Разве вы не знаете поляков! Какой-нибудь пьяный повеса написал ночью эти буквы, думая нас тем обеспокоить. Впрочем, если бы и подлинно что было, то зачем писать на стенах? Не значит ли это уведомлять неприятелей своих?» И он велел тотчас полиции стереть оные. Но я, возвратясь домой, принял меры осторожности, велел моим солдатам ночевать не поодиночке на отведенных им квартирах, а в сборных домах по 20 и 30 человек вместе. При всяком таком сборном месте был часовой и слушал барабанного бою в моей квартире, по которому все капральства, не дожидаясь никакого приказания, бежали бы в парк. А там приказал, чтоб при всех пушках ночью горели фитили в ночниках.

Осторожность сия продолжалась суток трое, как однажды ночью русский плац-майор города Вильны, приехав в парк, велел загасить фитили. Я пошел опять к генералу и доложил ему, что г. плац-майор, по мнению моему, мешается не в свое дело. Начальство военной его полиции не простирается за город, где стояли мои пушки. На это генерал отвечал мне: «Кто позволил вам истреблять таким образом фитили? Я велю их положить на ваш счет».— «Это меня не разорит»,— отвечал я ему, и с тем выйдя, подтвердил втайне прежние мои приказания относительно осторожности в ночное время. Занимаемая мною квартира была для меня слишком обширна, а потому и пригласил я моих офицеров жить со мною вместе, имея общий стол. В один день, именно 8-го апреля, поручик мой сказал мне по вечеру, что он пойдет посетить казацкого полковника Киреева. Я спросил его: «Не будете ли вы там ужинать? Не заставьте нас ожидать себя». Тот отвечал мне: «Я иду к нему только на короткое время». Но вместо того пришел он домой уже на другой день поутру, вошел в мою комнату тогда, когда я одевался, причем было несколько наших офицеров и посторонних людей. Я пошутил на счет его, как молодого человека, живущего в Польше. Но он казался мне несколько задумчив и потихоньку делал знаки, что хочет говорить со мною наедине. Окончив одеваться, вышел я с ним в сад. Там он сказал мне: «Что это делают? И для чего не приказывает высшее начальство быть нам осторожными? Вчера, когда я был у полковника Киреева, приехал к нему адъютант генерала Арсеньева и отдал какую-то записку. Прочитав ее про себя, он сказал посланному: «Доложите генералу, что все будет исполнено». Лишь только адъютант вышел от него, то сказал он мне:

«Я получил повеление, чтобы как можно наискорее, собрав

сколько можно больше казаков, немедленно отправиться в имение генерала Косаковского, где он с женою своею теперь находится. Он отстоит в трех милях отсюда. Причиною же тому есть то, что конфедераты намерены напасть на него... Я мало имею при себе казаков и потому должен взять с собою всю мою услугу до последнего человека (известно, что услуга казацких чиновников состоит всегда из лучших казаков). Итак, прошу вас сделать мне дружеское одолжение,— остаться ночевать в моей квартире, а завтра рано надеюсь я возвратиться». И подлинно поутру в 7 часов был он дома и сказал мне: «Я понапрасну ездил, конфедераты еще до прибытия моего успели захватить и увезти с собой жену генерала и сжечь его дом. Он же, как говорят, ускакал верхом в лес в одном шлафроке, и неизвестно где теперь находится». Выслушав сие, поспешил я к нашему генералу для получения от него потребных наставлений при таковых обстоятельствах. Войдя в переднюю, нашел я в оной многих наших военных чиновников, в том числе полковника Киреева. И едва успел я осмотреться, как подъехала к крыльцу карета. Я взглянул в окно и, к удивлению моему, увидел выходящего из оной генерала Косаковского в русском мундире и в орденах всех государств. Он прошел мимо нас прямо в кабинет генерала, а мы остались в передней и дожидались больше двух часов. Наконец, показались из дверей Косаковский и генерал Арсеньев, который, проводя его до крыльца и возвратясь к нам, сказал: «Души нет, души нет у поляков. Будьте спокойны, все это ничего не значит. Это малая толпа неприятелей Косаковского; меры взяты и скоро все придет в порядок». С сими словами удалился он в кабинет, а мы разошлись по домам.

Уже приближалось 11 число апреля 1794 года, день, в который греческая церковь должна была праздновать Воскресение Христово. По обрядам этой церкви все христиане сего исповедания ночью собираются в храм, где продолжается богослужение до самого дня. Сие обыкновение и в войсках наблюдается непременно. Между тем разнесся тайный слух, якобы поляки намерены в сие время сделать на нас нападение. Но и тут со стороны нашей не было взято никаких мер осторожности. Однако же, к счастию, случилось так, что и поляки должны были находиться в сие время в своих церквах. Хотя поляки следуют новому, а русские старому календарю, но поелику время праздника сего переменяется, так как считается оное по лунному обращению, то и пришлось в этот год так, что греческая и римская церковь должны были праздновать этот праздник в один и тот же день, что весьма редко бывает.

На другой день, то есть 12 апреля, поехал я после обеда с офицерами моими для прогулки в Антоколь. Проезжая мимо тамошнего трактира, увидел я экипаж генерала Арсеньева. Мы пошли в рощу, окружающую церковь, там мы увидели множество прогуливающихся особ обоего пола. Между прочими один мало мне знакомый и как видно нескромный человек, офицер польский, пристал ко мне с разговорами. «Знаете ли вы новость? — сказал он мне.— Здесь говорят о революции, но может ли это быть? Вы, я думаю, слышали, что случилось с Косаковским... все это ничего не значит. Право, и здесь в Вильне есть довольно беспокойных людей, но мы ожидаем прибытия преданного гетману нашему Косаковскому 7-го польского пехотного полка, в котором и я имею честь служить. Посмотрите, как все переменится». Такой разговор в собрании поляков, в коем находилось со мною только несколько человек, показался мне неуместным, и я с товарищами моими удалился в трактир, где нашел генерала Арсеньева, занимающегося разговорами с дамами. Увидя меня, предложил он мне партию на биллиарде. Едва занялся я с ним этой игрой, как приметил он человека в артиллерийском мундире, выглядывающего из-за дверей. Тут сказал он мне: «Мне кажется, что кто-то желает говорить с вами». Я оглянулся и узнал моего фельдфебеля. Когда же вышел я к нему, то сказал он мне: «наши бомбардиры поссорились с польскими канонирами и сделали драку. Но, к счастию, случился близко их капитан, и я, мы укротили обе стороны и виновные посажены под арест». Когда возвратился я в биллиардную, то генерал спросил меня, что говорил мне мой фельдфебель. И только успел я на ухо ему о том пересказать, как он велел тотчас подать свою карету и поехал,— не знаю, куда. Садясь в карету, сказал мне: «Советую вам быть при своей роте».

Приехав домой, нашел я моего фельдфебеля, который сказал мне еще другую новость. Гренадерская рота 1-го польского полка пришла и расположилась на наших квартирах. Я стал говорить против сего их майору, но он отвечал мне, что люди его чрезвычайно устали, перейдя в один день семь миль, что по причине праздничного времени не мог он от полиции польской получить квартир, ибо не нашел ни одного чиновника, что он два раза ездил ко мне и не застал дома. Наконец, просил фельдфебеля отдать мне письмо, которое тот мне и вручил. Прочитав оное, нашел я, что командир сей роты майор Тетау, изъясняясь на немецком языке и прописывая все сии обстоятельства, просит меня позволить ему остаться на моих квартирах до другого дня. На все сие сказал я моему фельдфебелю: «Оставь их в покое, но только смеркнется, вели всем нашим потихоньку выйти в сборные дома». К сему разговору присовокупил фельдфебель: «Теперь праздничное время,— люди наши бродят по улицам и ссорятся с поляками. Для прекращения сего нашел я для них занятие: несмотря на праздник, собрал я всю роту в парк и под предлогом, что скоро будет исход, велел им размерить и разрубить новые канаты, недавно доставленные к нам из Москвы для оснастки орудий». Я поехал с ним посмотреть сию работу, которая приходила уже к концу. Начинало уже смеркаться, когда, окончив, пошли они на сборные места, а я возвратился домой. В тот вечер приготовился я принять собрание в моей квартире; несколько русских офицеров и польских обывателей пришли ко мне на ужин. Но все, случившееся со мною в сей день, препятствовало мне быть в веселом расположении духа. Я удалился на короткое время в спальню, а вслед за мной пришли мои поручик и фельдфебель. Первый спросил меня о причине моей задумчивости. И скоро разговор наш склонился на революцию и на меры, какие нам взять должно. «В таком случае велел уже я бить в барабан сбор в парке и в моей квартире»,— сказал я им.— «Правда,— отвечали они,— но в таком случае во всех местах будут бить в барабаны и от того может последовать замешательство».— «Так велите приготовить ракеты,— отвечал я им,— дать часовым, стоящим в парке.— Когда начнется тревога, пускай зажгут их и по этому знаку прикажите поспешить людям в парк». Повеление сие было одобрено, но они не имели времени исполнить оное. И я, также недолго занимаясь с ними, возвратился к моим гостям, которые после ужина скоро разъехались.

Проводя моих гостей и раздевшись, едва успел я заснуть в моей постели, как услыхал пушечный выстрел. Вначале казалось мне, что этот звук произошел от удара ветра в ставни обширных комнат замка, в котором я квартировал. И в сей мысли начал я засыпать, но вдруг совершенно разбудил меня ужасный стук у дверей моей спальни. Вместе с ним услышал я еще несколько пушечных выстрелов, ружейную пальбу, звук барабанов и колоколов, а сквозь неплотные ставни пожары освещали мою комнату. Тут убедился я, что возмущение возгорелось во всей его силе, и я подумал, что поляки ломятся ко мне в дверь, чтобы захватить меня в плен или умертвить, как прочих, ибо о таковом распоряжении их был уже я наслышан. Одно мгновение истребило сию мысль: я узнал голоса моих солдат, ломающих дверь. Я поспешил отворить и спросил их: «Откуда они?» — «С гауптвахты,— ответили мне бомбардиры.— Мы находились там в казарме при двух пушках и едва успели сделать по одному выстрелу, как поляки, бросившись со всех сторон, изрубили гренадер и бомбардир, овладев пушками. Нас спаслось только три человека. Мы видели, что квартиры генералов Косаковского и Арсеньева окружены польским войском и что небольшие толпы солдат и жителей бродят по всем домам, ищут русских и убивают». Слуги мои уже собрались ко мне. Слушая сии слова, поспешил я одеться и, выбежав из дому, нашел у крыльца своего гусара с двумя оседланными лошадьми, велел всем спасаться в парк, а сам поскакал вдоль улицы туда же.

Ночь была так темна, что в трех шагах нельзя было различить даже цвета одежды; это немало послужило к моему спасению, ибо встречал я на улицах толпы русских и поляков, сражающихся меж собою. Я скакал во весь дух, имея в руках обнаженную саблю и кричал по-польски, чтоб давали мне дорогу. По мере приближения моего к выезду из предместия улицы становились пусты, так что напоследок никого уже я не встречал на оных. Но, доехав до рогатки, нашел оную закинутою, и польский часовой окликал меня на своем языке. Я отозвался по-польски, но когда начал он спрашивать у меня пароль и лозунг, тогда, не зная, что отвечать, повернулся я назад. А часовой закричал: «К ружью!», между тем сам приложился, но ружье его осеклось, и я успел скрыться в один пустой переулок. Тут имел я время несколько подумать и предложить гусару моему ломать вместе плетневые заборы огородов, на которых по раннему весеннему времени не мог никто находиться. Итак, принялись мы за сию работу с должной осторожностью; проводя лошадей своих в поводах, выбрались мы таким образом из предместия и прибыли в парк. Там при тринадцати пушках полевой артиллерии (ибо две были взяты вместе с гауптвахтой) и шести полковых малого калибра нашел я только 6 человек бомбардир и 16 человек пехоты при одном офицере и барабанщике. Я велел тотчас зарядить пушки ядрами и картечью чрез орудие. Всех шестнадцать человек пехоты поставил я часовыми, расположа вдоль по трем дорогам, ведущим к городу, в довольном расстоянии один от другого. Я приказал самым дальним часовым, на трех дорогах стоящим, приближающихся к нам людей окликать по-русски. Если откроют своих, то указывать дорогу в парк, а если приметит который-либо из них поляков, то сделать выстрел, по которому все прочие часовые должны бежать к пушкам. Барабанщику же приказал бить сбор с расстоновкою для слушания в тишине приближающихся к нам людей.

Прежде всех явился часовым мой поручик с 25 бомбардирами, одним барабанщиком и с моими слугами. Потом прибыли еще два моих офицера с 60 человеками и вслед за ними 60 человек храбрых егерей, все с неприятельскими ружьями. Их было в городе 120 человек и они отчаянно пробивались на штыках сквозь ворота, занятые неприятелем, имевшим с собою небольшую пушку. Сорок человек и два офицера погибли, а прочие при одном офицере, изломав свои штыки и приклады, хватали ружья от убитых ими неприятелей и с оными вышли. Тридцать донских казаков в то же время присоединились к нам и прибыли ко мне. Поставленные мною часовые еще стояли на своих местах. Едва было один из них не выстрелил, издали приметив приближающуюся большую колонну, если б отделившийся вперед офицер его не удержал. Это был майор Глазенап, вышедший из Вильны с двумя ротами Псковского пехотного полка, успев захватить знамена своего Нарвского полка. Столь сильная помощь весьма меня обрадовала. Только беспокоился я, что нет фельдфебеля моего с целыми тремя капральствами моей роты и лучшими людьми. Хотя число барабанщиков у меня значительно увеличилось и все они били сбор по моему приказанию, но в промежутках, по нескольку минут продолжающихся, сохранялась у нас великая тишина. Вскоре услышали мы стук колес, топот людей и лошадей. Часовые окликали и пропустили; к нам приближалось несколько фур. Это был мой фельдфебель, который с тремя капральствами бомбардир, до 40 человек составляющих, не могши пройти сквозь занятые мятежниками углы, вздумал ломать деревянные заборы. Таким образом, пробираясь из одного двора в другой, достиг он наконец квартиры комиссариатского начальника, у которого хранились казенные деньги в золоте и серебре с запасом разных мундирных вещей на весь корпус войск, в Литве расположенный. При нем было в карауле 40 человек гренадер. Соединясь таким образом с ним, пришел он в парк.

Между тем разных конных и пеших полков и команд офицеры и солдаты, находившиеся в Вильне для принятия амуничных вещей и жалованья, успевшие спастись от неприятеля, приходили по три и по четыре человека и присоединялись ко мне. Отделяя особо офицеров и солдат Нарвского и Псковского пехотного полка, собрал я от них сведения, в каких именно деревнях расположены их батальоны и роты. Самым дальним оказался Нарвского полка батальон и две пушки майора Ротенштерна. Он стоял в местечке Новых Троках, расстоянием четыре мили от Вильны. Тогда, взяв несколько офицеров тех самых команд и дав им лошадей, захваченных нашими при выступлении из предместия, послал я их в селения для уведомления начальников расположенных там рот о сем происшествии и о том, что я принял на себя, по старшинству, главное начальство. Я был тогда еще капитаном артиллерии, но сей чин равнялся старшинством своим с премьер-майором. При том все старшие офицеры, находившиеся в Вильне, были или убиты, или взяты в плен. Главнейший же предмет сей посылки состоял в предписании моем, чтобы с получения оного всякий командир роты, захватив всех лошадей, буде это можно, с хомутами и посадив на оных своих солдат, спешил соединиться со мною.

Все сии распоряжения окончены до рассвета дня. Я счел моих людей и нашел до 700 человек пехоты и конницы разных полков, до 150 артиллеристов и 90 конных казаков.

Имея великую потребность в лошадях, ибо остальные отданы были посланным от меня курьерам, отрядил я в предместье Вильны три колонны, каждая из 100 человек. К каждой колонне присоединил я по четыре казака для открытия и извещения и по четыре бомбардира, умеющих хорошо обращаться с порохом и огнем. Пехота обязана была сколько можно более захватить лошадей и съестных припасов, артиллеристы же зажечь везде пожары. Колонны выступили тремя разными дорогами. И едва они дошли до предместия, как более нежели в десяти местах оказались пожары в предместии. Между тем, выдвинув мои единороги на высоту, я начал бомбардировать самый город. Вдруг услышал я столь сильный удар в предместии, что земля затряслась под ногами и чрез несколько минут покрыты мы были густою тучею порохового дыма. Нетрудно было догадаться, что это был взрыв порохового магазина. Всякий начальник во время военных действий должен сберегать своих людей и без крайней необходимости оными не жертвовать,— а наипаче я, имевший их столь мало. Мысль о том, чтобы какая-нибудь колонна не претерпела опасности от сего взрыва и, с другой стороны, боязнь, что, может быть, солдаты, ободренные успехом, ворвутся в самый город и там, рассеясь, могут все погибнуть,— заставили меня послать казаков ко всем трем колоннам с повелением возвратиться.

Начинало уже рассветать, как приметил я возвращающиеся колонны, но вместо трех было четыре. Я подумал сперва, не присоединилась ли к ним какая-нибудь еще рота, пробившаяся из города, но в одной колонне не видно было ружей. Выехав к ним навстречу, узнал я, что это был польский подполковник Тетау с тремя офицерами, одним знаменем и целой его ротой, расположившейся накануне в квартирах. Услыша стрельбу пушек из парка, он выступил из квартир и построился на улице. Но, быв окружен тремя моими колоннами, принужден был сдаться военнопленным.

От зажженных пожаров и от взрыва порохового магазина сгорел соляной магазин, наконец, все предместие. Посланные колонны мало претерпели. Я продолжал бомбардирование. Поляки, устроив в бывшей моей квартире батарею из четырех пушек малого калибра, открыли по мне огонь. Я, поставя шесть больших пушек, скоро заставил оную замолчать. Между тем появились против меня целые толпы поляков. Перед каждою шел взвод регулярного войска, а позади были обыватели, с оружием разного рода, по сторонам же показывались конные люди в разной одежде, с саблями и пистолетами. Малое число моих казаков выезжало против их и известными нам способами старалось заманивать сию партию поближе к моим пушкам. Всякий раз картечные выстрелы обращали их назад с уроном. Таковые их покушения продолжались не более двух часов, и потом оставили они меня в покое.

Между тем начали прибывать ко мне из ближайших деревень роты с лошадьми, так что иной солдат вместо одной имел две. Наконец, в восемь часов поутру 20 марта явились ко мне из города для переговоров один польский офицер и один пленный русский офицер. Они подали мне письмо от находящегося в плену генерала нашего, которым тот уведомлял меня, что он арестован, что жизнь его в опасности, что все российское войско истреблено, и потому требовал, чтоб я с ротами моими не имел никакого неприятельского действия против войск польских. Прочитав оное, показал и бывшим со мною штаб и обер-офицерам. Они согласились на предложение мое отвечать ему, за общим подписанием не только офицеров, но даже и некоторых нижних чинов и солдат, письмом, которое я тут же написал. Содержанием оного был следующий ответ:

«Я арестовать себя не дам и мятежники не иначе могут получить мою шпагу, как вместе с жизнью моей. Не только я, но все штаб и обер-офицеры, а с ними и нижние чины и солдаты, которыми я ныне имею честь начальствовать, одного со мною мнения».

По окончании подписи, запечатав, отдал я письмо сие посланным. И с возвращением их удвоил бомбардирование города.

Я имел двойной запас зарядов в моем парке, а потому имел средство не показывать слабости своей неприятелю.

После полудня того же дня, исключая батальона, бывшего в Троках, собрались почти все роты, расположенные в деревнях около Вильны. Я сосчитал мой отряд и оказалось 2200 человек пехоты, до 200 артиллеристов и до 70 человек казаков. Лошадей было достаточно для движения всей артиллерии, но мы не имели ни провианту, ни фуража, и даже вода стоила нам крови, притом не доставало еще конской упряжи. Сии обстоятельства заставили меня собрать военный совет, на котором все единогласно приняли предложение мое: с наступлением ночи отступить от Вильны, перейдя две мили и, переправясь чрез реку Ваку, расположиться на несколько дней на выгодном месте для сражения. А как на берегах этой реки находится много деревень и мельниц, то стараться запастись провиантом и фуражем. Оттуда же идти медленно, продолжая запасы, до реки и местечка Мереча. «В продолжении сего времени,— прибавил я,— можем мы от тех или других людей узнать, что последовало с корпусами нашими в Гродне и в Варшаве. Если корпус в Гродне взял надлежащие меры и уцелел при сем возмущении, то пойдем на соединение с оным. Если же, как уведомил нас Арсеньев, все находящееся в Польше войско наше пропало, то, не переправляясь в Мерече, пойдем в местечко Ковно, лежащее на границе Прусской. Там стоит только одна бригада польских войск, о которой я имею верные сведения, что в оной не более 700 человек. Мы довольно сильны, чтобы преодолеть сию преграду и войти в Пруссию, где надеялись мы получить все, что нам нужно, потому что держава сия была тогда в союзе с Россиею».

И так ожидали мы наступления ночи для исполнения своего предприятия. Между тем должен я сказать здесь, что пленный подполковник Тетау, родом пруссак, давно служащий в польском войске, был уже тогда приведен ко мне, как отправил я унтер-офицера моего к батальону, стоявшему в Троках. Пример, о чем идет дело, сказал он мне: «Он может встретиться с четвертым пехотным польским полком, идущим к Вильне. И я бы советовал вам написать письмо к начальнику оного полковнику Мею, он, так же, как и я, пруссак, весьма недовольный сей революцией, предпринятой поляками. Когда узнает он, что вы здесь находитесь, то не замедлит соединиться с вами против них». Я принял его предложение и отправил унтер-офицера моего в Троки.

В продолжении того дня занимались мы перестрелкою с высылаемыми против нас из города партиями и приготовлением к отступлению. Имея недостаток в хомутах, думал я, как запречь лошадей без оных. Хотя некоторые лошади и приведены были с хомутами, но много еще недоставало.

Размышляя о сем, приметил я лежащие на земле солдатские плащи, которые свертывали тогда, как и ныне, наискось и носили через плечо, связывая на концах ремнем. Они имели совершенный вид хомутов. Я велел надеть оные на шею лошадям и привязать по обе стороны свитые вдвое веревки, которые могли бы служить вместо постромок. Сделали опыт — и выдумка оказалась удачна.

Когда окончился день и наступила столь же темная ночь, какова была накануне, отрядил я четыре роты пехоты с четырьмя малыми пушками для занятия так называемой Панарской горы, находящейся на пути моем, в трех верстах от меня. Подъем на сию гору продолжается слишком две версты, довольно крут, и дорога идет по столь узкому ущелью, что две повозки не могут разъехаться. Притом она с обеих сторон покрыта густым лесом, вершина же самой горы представляет открытую плоскость. Итак, для прохода сей опасной дефилеи, велел я двум ротам, рассыпавшись, занять лес по обеим сторонам дороги, а двум с четырьями пушками расположиться на вершине горы. Во все время стояло войско мое в каре, имея в потребных местах батарею. Итак, двинулся сперва к упомянутой дефилее задний фас, потом боковые, а наконец, и передние, оставя на месте горящие огни и отряд для ариергарда. Он до известного времени должен был почти весь расположен быть на часах и давать голосом обыкновенный знак или сигнал. Между тем, как неприятель полагал нас стоящими еще перед Вильной, после полуночи успели мы все собраться на вершину Панарской горы. Учредив передовые посты, дал я людям моим отдохнуть до рассвета. В то же время я послал два малых отряда казаков к двум местам, находящимся на реке Ваке, с тем, что ежели поляки придут истреблять оные, то, не открывая себя, дали бы наискорее мне о том знать. Ежели же никого не будет, то дожидались бы там моего прибытия.

Остаток ночи прошел спокойно, и я, выступив с отрядом моим, благополучно переправился через реку Ваку, избрал выгодное для сражения место и расположился на высоте.

Тут решился я простоять дня три, как для того, чтоб запастись провиантом и фуражем, так и для того, чтоб узнать, что произошло в Вильне и в Гродне. По вечеру в тот же день явилось ко мне несколько человек, бежавших из плена, и жидов, приехавших из Вильны. Они, а особливо жиды, рассказали мне подробно начало и конец сего возмущения, что слышали они потом от военных поляков, рассуждавших о том между собою.

Полковник Ясинский, которого не раз видел я в доме генерала Арсеньева, прислан был нарочно для того из Варшавы. Но мало было для них войска в Вильне, а именно только до 200 артиллеристов и один батальон пехоты. Они дожидались прибытия 7-го полка, на который столь много надеялся их гетман, а наш генерал-поручик, также 1-го и 4-го и двух татарских уланских полков, бывших под начальством генерала Елинского. Но прибыл за несколько времени только один 7-й полк и часть 1-го, прочие же опоздали. А генерал Елинский вовсе не захотел исполнить повеления генерала Костюшки, избранного в Варшаве главным вождем всех польских войск. Не имея об этом никакого подтверждения от короля, Елинский не хотел признать его в сем достоинстве, за что в продолжении всей кампании содержался он под арестом. Между тем поступок его был причиной того, что татары не могли поспеть в назначенное им время в Вильну.

В Вильне на берегу реки Вилии находится небольшой старинный замок, отделенный от города малою площадью. В нем всегда находились польский арсенал и комиссия для продовольствия тамошних войск. Сперва стоял при въезде в оный русский корпус, но он, не знаю почему, за несколько времени до революции сменен был поляками.

Русские привыкли видеть поляков ходящими целыми ротами по нескольку раз в неделю в замок, однако же без оружия,— для получения там жалованья, денег на провиант и порцию. В день, назначенный для осуществления заговора, собрались они таким образом в разное время и разными улицами в замок, так что никто не мог ничего подозревать. Там привели их к присяге, дали каждому ружье и пару пистолетов из арсенала и велели дожидаться ночи. С наступлением оной разделили все войско на разные отряды, назначив каждому идти тихо, по одному человеку около дамбы во время темноты, к русской гауптвахте, к дому генерала Арсеньева, ко всем воротам, словом, туда, где находились русские посты. Между тем поставили на башню замка небольшую пушку.

Им приказано было, собравшись таким образом вблизи постов, стоять скрытно и тихо, не предпринимая ничего, пока не услышат пушечного выстрела из замка. Время было разочтено, в которое самый дальний отряд должен был прийти к назначенному для него месту.

Жителям же втайне приказано было, что когда услышат они тревогу и колокольный звон, то каждый старался бы или убить, или обезоружить своего постояльца. Наконец, последовал выстрел, и в одно мгновенье напали поляки на все русские посты и весьма удачно успели овладеть оными.

Генерал Косаковский для безопасности удвоил при квартире своей караул, состоящий из 7-го польского полка. Но им-то и был он арестован, и на другой день вместе с одним судьею, Швейковским, на которого поляки имели подозрение, был на площади повешен в российском генеральском мундире и в ордене св. Александра. Генерал Арсеньев со всем его штабом, исключая двух адъютантов, успевших спастись ко мне, полковник Псковского полка Языков, комендант полковник Ребок и плац-майор, и многие штаб и обер-офицеры были взяты в плен, а некоторые убиты.

Я потерял при сем случае трех офицеров, до 60 человек артиллеристов, две пушки, стоявшие при гауптвахте, и как я, так все офицеры и солдаты лишились своих экипажей. Солдаты старались только схватить поскорее ружья и сумы, и, накинув на себя плащ или что попалось под руку, спасались в таком виде в парк.

Поутру на другой день привели ко мне казаки польского унтер-офицера, взятого ими в кустах, неподалеку от большой дороги. Он сказал сперва о себе, что он служит в 7 полку, что был в отпуске и, получив приказ, возвращался к оному, приметя же казаков, испугался и хотел спрятаться в кустах. Однако ж, когда начали его обыскивать, то нашли у него записную книжку, в которой довольно верно нарисован был весь мой лагерь с означением постов и положения места. Тут принужден он был признаться, что он инженерный офицер, нарочно для того посланный, и что чрез день генерал Гедрович с отрядом, к которому должен присоединиться полковник Мей с своим полком и еще два татарские полка под начальством генерала Елинского намерены меня атаковать.

Пред полуднем приехал ко мне по проселочной дороге переодетый в партикулярное платье, на жидовской повозке, адъютант генерал-майора Цицианова из Гродны. Он привез мне от него повеление, которым он также спрашивал меня: справедливы ли достигшие до него слухи, якобы я с артиллерию и частью пехоты спасся из Вильны? Затем он требовал, чтобы я уведомил его, какая потребна мне с его стороны помощь, и не имею ли нужды в продовольствии. Я написал ему обо всем происшествии, о количестве войска и артиллерии, при мне находящихся, прося прислать сотни две казаков или другой какой легкой конницы. В то же время просил выслать в местечко Меречь четыре роты пехоты с четырьмя пушками и расположить оные на противоположном мне берегу реки Мереча для занятия переправы, потому что на реке нет моста и я должен буду переправляться на паромах.

По отъезде присланного ко мне адъютанта занялся я распоряжением о продовольствии, а по вечеру, проезжая близ передовых моих постов, приметил в лесу некоторый блеск, почему послал казаков открыть, что там находится. Едва казаки начали приближаться к лесу, как приметил я выходившего к ним навстречу майора Ротенштерна. Я тотчас узнал его и, подъехав к нему, спросил, благополучно ли прибыл к нему мой посланный? «Благополучно,— отвечал он мне,— но все окончилось великим для меня неблагополучием». Мы поехали с ним к лагерю, и он начал мне рассказывать следующее: «Посланный ваш прибыл ко мне поутру часу в десятом, я тогда ни о чем не знал и весьма удивлен был тем, что он мне говорил.

Наконец сказал он, что имеет от вас письмо к полковнику Мею, о котором думаете вы, что он соединится с вами. Я согласен был с мнением вашим, потому что был предварен о том предписанием генерала Арсеньева. Он извещал меня о прибытии в Троки командуемого им четвертого полка и приказывал мне дать ему квартиры и принять с дружеским расположением как человека, преданного пользе России. И как квартирмейстер его был уже у меня, то сказал я вашему унтер-офицеру: «Незачем тебе далее ехать, полк должен скоро прибыть сюда, а ты дождись полковника на гауптвахте и отдай ему письмо».

Вскоре после того дали мне знать, что полк вступает уже в местечко. Я вышел на крыльцо моей квартиры, против которой, в конце небольшой площади, была моя гауптвахта; мимо нее надлежало проходить полку. Наконец, полк показался на улице. Гауптвахтные солдаты стали к ружью для отдания чести знаменам. Полковника самого я не приметил, но только первый взвод миновал гауптвахту, как второй, поворотясь против нее, сделал залп из ружей против караульных и бросился на них в штыки. Я выбежал в сквозные сени моей квартиры на двор, оттуда на улицу и, встретя барабанщика, начал собирать людей, но было уже поздно противиться. Поляки рассыпались по всем квартирам и кололи без милосердия солдат моих поодиночке. Сто человек при одной пушке едва успели со мною спастись в ближайший лес, из которого старался я пробраться на дорогу к местечку Меречу, чтоб соединиться с вами».— «Где же ваш отряд?» — спросил я его.— «В этом лесу»,— отвечал он мне. Я хотел, чтоб отряд его присоединился ко мне в тот же день. Но он сказал мне: «Люди мои очень устали, им гораздо ближе идти оттуда, где они теперь находятся, на почту Гонету, которая отстоит от вас только в пяти верстах по дороге в Гродно, и этот отряд составит вам авангард». Я уже рассказал ему о приезде ко мне адъютанта князя Цицианова, о всем, что произошло в Гродне и в Варшаве, и о намерении моем идти в Гродно. Майор Ротенштерн поехал от меня с тем, чтобы привесть отряд свой в Гонету. А я обещал приехать к нему поутру, чтоб осмотреть с ним положение места на случай неприятельского нападения.

Поутру на другой день услышал я довольно сильную пальбу из ружей на мельницах, в которых солдаты мои мололи хлеб. Я послал туда казаков, и они дали мне знать, что фуражиры наши атакованы неприятельской конницей. Узнав о сем, в подкрепление казакам отрядил я две роты пехоты при одной легкой пушке, неприятель был отражен и фуражиры без значительного урона возвратились ко мне. Но так как весь мой отряд приготовился уже к сражению, и к тому ж я имел в памяти, что поляки намерены атаковать меня на сем пункте, то решил я перейти совсем ближе к почте Гонете. В сем намерении велел я отряду моему выступить, а сам поехал вперед для осмотра положения места. Найдя там майора Ротенштерна, осмотрел я оное с ним вместе и нашел, что положение сие было гораздо выгоднее того, на котором я находился. Поэтому отправился я назад, чтоб поспешить занять оное. Я встретил отряд, проходящий чрез лсс одною колонной. Я поехал далее, до самого ариергарда, и, осмотрев оный, хотел возвратиться к голове колонны, как вдруг два пушечных выстрела меня остановили. Я оглянулся и увидел на оставленном мною месте неприятельскую пехоту, конницу и артиллерию. Остановя весь отряд, и подкрепя ариергард, вступил я в перестрелку с неприятелем. В то самое время уведомил меня майор Ротенштерн, что и он атакован и требовал помощи. Я отдал к нему две роты и две пушки. Между тем неприятель, оставя нападение на ариергард, пошел вправо, дабы обойти лес, встретить меня при выходе из оного и тем пресечь дорогу. В лес же, по которому протекали две небольшие реки, и которые нужно было проходить по мостам, на обе стороны дороги послал он пехоту. Увидя сие, я отрядил на обе стороны моей колонны стрелков, а колонне велел следовать вперед. Стрелки сражались с неприятельской пехотой, а я, взяв с собою четыре роты гренадер и 4 орудия большого калибра, пошел скорым шагом вперед, чтоб, выйдя из лесу и перейдя открытую равнину, занять находящуюся впереди высоту. В правой стороне, с которой неприятель по местоположению должен был атаковать сие отделение, находилась деревня Цвентишки, которой мог он воспользоваться. А потому я послал казаков зажечь оную. Я успел занять высоту; неприятель же должен был обходить помянутую деревню. Между тем все мое войско собралось ко мне, и я расположился в одну линию без резерва, ибо майор Ротенштерн составлял уже оный, быв довольно близко позади меня. Но так как не было в плане моего предприятия защищаться на сем месте, то и начал я действовать, отступая, пока достиг желаемого мною положения.

Придя на оную, построился я в одну линию, имея с правого фланга почту Гонету и майора Ротенштерна, с левого — лес и непроходимое болото, сзади большое озеро, а впереди открытую и отлогую равнину. Она заканчивалась мысом и простиралась на дальний пушечный выстрел большого калибра.

Тут неприятель произвел в разное время три атаки, но всегда был отражаем превосходством моей артиллерии. Ибо, хотя он имел до 6 т⟨ысяч⟩ конницы и пехоты, но артиллерия его состояла только из шести пушек малого калибра, а потому, потеряв немалое количество людей и утомясь движением и нападением, отступил и скрылся в лесу. Я не имел довольно конницы, чтоб преследовать его, брать в плен, который мог бы быть мне в тягость, так как у меня было и без того довольно пленных, не мог я также делать какие-либо поиски. Поэтому я остался отдыхать на избранном мною месте.

На другой день, выступая за час до рассвета, перешли мы четыре мили, и неприятель нас не беспокоил.

На третий день, выступя в намерении достичь до Мереча, встретили мы при самом выступлении два эскадрона карабинер, присланных ко мне на помощь от генерала князя Цицианова. Я требовал легкой кавалерии, а мне прислали, за неимением оной, самую тяжелую, каковы были тогда карабинеры. Ротмистр, начальствовавший оными, сказал мне, что генерал выслал на реку Мinduced четыре роты с пушками, которые и разместились на противном берегу лагерем. Они прибавили, что князь весьма был обеспокоен, когда адъютант его сказал ему, что, по отбытии его от вас, слышал он в дороге сильную пушечную пальбу. Сие обстоятельство заставило меня послать к нему нарочного с донесением о происшедшем сражении.

Не доходя мили до местечка Мереча, появился неприятель с обеих сторон, не в далеком расстоянии. Мы шли в боевом порядке и, придя к местечку, расположились на таковом же лагере. Я везде говорю — лагерь, но мы не имели палаток. Мог бы я сказать — расположились биваком, но мы не имели ни времени, ни способов строить шалаши или бараки, а становились благополучно под открытым небом; к счастью, погода весьма нам благоприятствовала. Появившийся неприятель скоро от нас скрылся, и мы не знали, чему сие приписать, потому что видно было, что он был довольно силен. Некоторые говорили, что они, увидя лагерь и пушки на противном берегу Мереча, подумали, что большая часть отряда моего уже переправилась, или что прибыла ко мне значительная помощь. Как бы то ни было, но поляки оставили нас в покое и мы занимались целый день переправой. Наконец, благополучно переехали на паромах на другой берег.

Во время похода нашего от Мереча до Гродна неприятель уже не показывался. На последнем ночлеге, не доходя сего города, прислал ко мне князь Цицианов спросить, имеют ли мои люди какую-нибудь одежду, есть ли у меня барабаны и музыка? Я отвечал ему: «Одежду успели себе сшить солдаты из всего, что только могли захватить у мятежников, на образец военной; небольшую музыку собрал я из спасшихся от двух полков музыкантов и пленных поляков, а барабанов довольно».

Не доходя до Гродны за пять верст, встретил нас генерал-майор князь Цицианов с несколькими офицерами. Приехав ко мне, поздравил он меня с победами, а осмотрев мое войско и после некоторых расспросов, сказал мне, указав на одного офицера:

— Вот офицер квартирмейстерской части, он покажет вам дорогу; прикажите следовать за ним.

Выговоря сие, поехал он довольно скоро в город.

Приближаясь к Гродне, мы увидели лагерь генерала князя Цицианова; все войско было выведено из оного и устроено в большой баталион каре. Вожатый повел нас прямо к оному. Фас, на который мы шли, раздвинулся при нашем приближении, и весь мой отряд введен был в средину каре, где находился генерал князь Цицианов с иконами и духовенством. При вступлении нашем в оный был отслужен благодарственный молебен, по окончании которого генерал, поздравив всех нас с победою, пригласил меня и всех офицеров к себе на обеденный стол. Солдатам же, расположив их в лагере своего отряда, велел выдать порцию вина.

За обедом пили за здоровье победителей. А по вечеру кроме похвалы, изображенной в приказе, князь Цицианов отдал в ночной пароль мое имя, лозунг притом был: храбрость и мужество, а проходное слово: украшение России. Всякий может себе представить, сколь лестно было для молодого человека моих лет (я тогда имел только 23 года от роду) сей тщетный и скоропроходящий дым славы.

Поутру на другой день велел мне генерал, собрав весь мой отряд с пушками и музыку, какую мог я набрать, устроить пленных поляков с их знаменем позади отряда и пройти по главным улицам Гродны, чтобы переправиться за реку Неман, по исправленному уже мосту. Там приказал он мне обратить все мои пушки против города, а состоящий под начальством его отряд устроил с другой стороны города и обратил на оный всю свою артиллерию, приказав с сим вместе запереть все городские ворота. После этого чрез посланных переговорщиков потребовал он от города контрибуции 30 тыс. серебряных рублей, сукна, полотна, сапожного товара для своего отряда, также лошадей, повозок и упряжи. Все сие в скорости было исполнено и я возвратился с отрядом моим в лагерь князя Цицианова. Там велено было мне сдать людей разных полков и команд по их принадлежности, равно и пленных, а самому с моей ротой следовать в Несвиж и явиться под начальство генерал-поручика Кнорринга.

За все сии подвиги был я награжден от императрицы Екатерины II кавалерским орденом св. Георгия 4-го класса, находясь еще в чине капитана артиллерии; тогда орден сей был в великом уважении в России.

С одной стороны, из Белоруссии, а с другой — из Молдавии пришли в Литву и Польшу два сильные корпуса на помощь оставшимся в Польше российским войскам. Корпусом, назначенным в Литву, командовал генерал князь Репнин, а идущим из Молдавии в Польшу — непобедимый Суворов.

Суворов столь известен всякими его достоинствами, характером и странностью поступков, что мне не остается ничего о нем сказать. Разве только, что когда генерал-майор Арсеньев возвращен был уже из плена и находился при нем некоторое время на должности дежурного генерала, то всякий раз, когда Суворов имел на него какое-нибудь неудовольствие, он говаривал: «Есть такие люди, которые много любят спать, и слышал я, что есть такие, которые никогда не спят». Потом, оборотясь к находившемуся при нем, спрашивал: «Правда ли это, что есть у нас один артиллерийский капитан, человек молодой, о котором говорят, будто он в жизнь свою ни разу не спал?» У него было так заведено, что кто-нибудь из слушающих всегда должен был отвечать: «правда». «О, как я любопытен,— продолжал он,— видеть этого человека и слышать о том от самого его». По окончании войны и по приезде его в Петербург, где я тогда находился, повторял он не раз сии слова, которые дошли до меня и были причиной, что я старался не быть представленным сему великому человеку. Я боялся, чтоб таким необыкновенным вопросом не привел он меня в замешательство.

Генерал князь Репнин больше был политик, нежели военный человек; притом был чрезвычайно горд и вместе пронырлив. В его характере проявлялись по обстоятельствам многие противоположности: иногда был он горд, даже до грубости, иногда же учтив и дружелюбен до уравнения себя с малыми чиновниками. Любил он рассуждать о человеколюбии, братолюбии и равенстве, о мечтаниях и о власти духов; известно также, что он был членом мартинистского собрания. При этом с людьми, от него зависящими, поступал он как деспот. А между тем знают, как унижался он перед князем Потемкиным и Зубовым, наконец, перед Павлом I, чему я сам был свидетель. Какая противоположность с Суворовым! Сей почтенный муж, кроме великих подвигов его в войнах и совершенно христианских добродетелей, сохранил во всех великих оборотах его жизни неизменность стоического характера своего до самой смерти. Суворов не был скуп, но ненавидел роскошь и любил довольствоваться малым. Напротив, Репнин был скуп и расточителен — по обстоятельствам.

О характере генерала князя Цицианова буду я иметь случай много говорить впоследствии, при рассказе о службе моей с ним в Грузии.

Наконец, прибыл я в Несвиж и явился к генерал-поручику Кноррингу. Он в тот же день послал меня с ротою моею в отряд генерал-майора Ланского, расположенный в местечке Новомыше.

Ланской был человек посредственного воспитания и учености, храбр и добр, учтив без большой приветливости, не слишком гонялся за славой, любил кутежи и веселые общества.

В местечке Новомыше простояли мы не более двух дней. После чего весь корпус генерал-лейтенанта Кнорринга, разделенный на три отряда,— один под командою генерал-майора Ланского, другой — под начальством генерал-майора графа Николая Зубова, а третий — под предводительством генерал-майора Бенигсена,— тремя разными дорогами выступил для взятия города Вильны. Все сии отряды, не встретив нигде неприятеля, соединились в селении Медниках, отстоящем от Вильны в пяти милях. Откуда, выступя вместе, стали в лагерь в полутора милях от города.

Вильна построена в низменном месте и окружена довольно высокими и крутыми горами. Она имела много обширных предместий, но большая часть оных со стороны Гродненской и Троицкой дороги были сожжены отрядом моим во время революции. Однако довольно большая часть их осталась еще от дороги, ведущей из Белоруссии к так называемой Острой Браме, или воротам. Там находилось много каменного строенья, расположенного в тесных и кривых улицах. На высотах, окружающих Вильну и имеющих пред собою ровное местоположение, после революции построили поляки ретраншемент с батареями в приличных местах.

Корпус наш состоял из 4 тысяч конницы, 8 тысяч пехоты и 30 пушек полевой артиллерии, не считая находящихся при драгунских и пехотных полках малого калибра 16 орудий. Генерал-поручик Кнорринг, осмотрев неприятельское положение, сделал распоряжение к нападению на неприятельский ретраншемент. Отряды генерал-майора графа Зубова, Бенигсена и часть отряда генерала Ланского назначены были к действию. Сам же генерал Ланской с драгунским полком полковника барона Чесменского, с 3-мя тысячами пехоты и моей артиллерийской ротой оставлены были в резерве, за четыре версты позади места сражения. Генерал Кнорринг, приметя мое неудовольствие при сем случае, сказал мне: «Вы довольно отличились при начале сей кампании, и надобно вам себя поберечь, потому что поляки имеют против вас личную злобу. Я читал это в их газетах и в подброшенных к лагерю нашему письмах. Они положили цену за вашу голову и вместе с генерал-майором Денисовым. Знаете ли вы,— продолжал он, улыбнувшись,— что они даже проклинают вас в публичных своих молитвах». «Много для меня чести,— отвечал я ему,— впрочем, лестно бы было для меня участвовать во взятии того города, из которого в столь трудных обстоятельствах вышел с честью». Сим кончился разговор наш и я остался при сделанном им назначении.

На другой день после сего разговора, поутру, довольно рано, выступили назначенные к действию колонны. Я и полковник Чесменский занимались разговором с генералом нашим, слушая пальбу и расспрашивая у приезжающих, что там делается. После завтрака полковник Чесменский и я стали просить генерала, чтоб он позволил нам поехать посмотреть сражения. Сперва он отговаривался, наконец, согласился с условием, чтоб мы не вдавались в опасность, не имея обязанности там находиться. Итак, поехав по большой дороге к Вильне, прибыли мы на среднюю нашу батарею. Она стояла на открытом месте и старалась выстрелами своими сбить неприятельские пушки, стоящие за бруствером в амбразурах. Посмотрев на сие действие, отправились мы на батарею левого фланга и нашли оную в таковом же занятии. Рассматривая положение места, приметили мы, что батарея эта поставлена близ крутого обрыва или буерака, покрытого в глубине своей густым лесом. Лес этот простирался до правого фланга неприятельского ретраншемента и пересекал его. Если бы неприятель вздумал сделать вылазку из ретраншемента своего, то мог бы не быть никем примечен, пройдя этот лес, ударить во фланг сей батареи и овладеть всеми пушками. Я спросил у начальника батареи: «Есть ли у вас в этом лесу какое-нибудь прикрытие?» — «Нет никакого»,— отвечал он мне.— «Для чего ж не дадите вы знать о сей опасности начальнику корпуса?» — «Некоторые из офицеров его штаба приезжали сюда; я показывал им сие опасное место и просил донести о сем генералу. Но и по сие время ничего нет, а послать к нему никого не имею»,— отвечал он нам. Выслушав сии слова, согласился я с полковником Чесменским ехать к генералу Кноррингу и ему о том доложить. Мы нашли его на правом фланге нашей линии. Увидя нас, сказал он: «Где вы побывали и что видели?» — «Мы были на наших батареях»,— отвечали мы ему.— «Что ж вы там приметили? Скажите мне». Тогда рассказал я ему о положении левого фланга. Выслушав меня, он сказал: «Не может быть!» — «Точно так,— присовокупил полковник Чесменский,— мы оба видели сие». Тут, оборотясь к своему адъютанту, приказал он наискорее отрядить туда баталион егерей. Оставаясь при нем, чрез несколько минут увидели мы подполковника Саккена, идущего с егерским его баталионом мимо генерала. Последний подозвал его и сказал ему: «Идите поскорее и закройте левый фланг последней батареи, там находящейся». Саккен, не отвечая ни слова, пошел от нас с баталионом своим скорым шагом.

Подполковник Саккен, как я после о том узнал, придя к батарее левого фланга и не сказав ничего командиру оной капитану Фоку, прошел мимо него, спустился в крутую лощину и скрылся с баталионом в лесу.

Чрез несколько времени увидели мы, что неприятель начал вывозить пушки свои из амбразур за бруствер.— Все закричали: «Они отступают, они отступают!» Полковник Чесменский сказал генералу: «Позвольте мне взять мой драгунский полк и не дать неприятелю время увезти пушки в город». Когда генерал на сие согласился, тогда и я стал просить, чтобы и мне позволено было хотя частию моей роты подкрепить его полк. Я уверял, что на таком расстоянии я мало могу отстать от конницы.— «Это не нужно,— отвечал генерал,— но если вам непременно хочется участвовать в сем деле, то возьмите только две надежные пушки вашей роты и будьте там, где я буду находиться». Я почел сей ответ за великую для меня милость, и поскакал во весь дух с полковником к резерву. Там, донеся о том генералу Ланскому, в одно мгновение устремились мы к месту сражения.

Расстояние было недальнее и я следовал близко за конницей. Но, подойдя к линии, должно было мне остановиться там, где находился генерал, а Чесменский собрал быстрое нападение на неприятельский ретраншемент. Доскакав до оного, встретил он довольно глубокий и широкий ров. Он велел было драгунам своим спешиться и, примкнув штыки, идти на приступ. Но поляки имели время поставить пушки свои опять в амбразуры и произвели по нем сильный залп картечью и пулями из мелкого ружья. Их находилось там до 4 т⟨ысяч⟩ пехоты. Чесменский принужден был возвратиться назад и удалиться с поспешностью, быв провожаем картечами и ядрами. Здесь должно сказать, для чего поляки начали было вывозить пушки свои из амбразур и потом опять поставили их в оный. Г. Кнорринг приказывал Саккену по-русски: «Подите, закройте фланг левой нашей батареи». Оба они немцы и оба худо знали русский язык, а еще хуже произношение.

И потому, как мне кажется, Саккен ослышался и вместо того, чтобы закрыть, пошел открывать фланг батареи, то есть осматривать, нет ли вблизи неприятеля. Он, войдя с баталионом своим в лес, начал подвигаться вперед, и таким образом подошел к правому флангу неприятельского ретраншемента. Поляки, приметя его, сочли, что мы из сего леса идем их атаковать во фланг. И потому они стали вывозить из амбразур свои пушки — в намерении ли обратить их против нашей колонны или увезти оные в город — неизвестно. Но Саккен, увидя, что он далеко зашел, возвратился назад, а поляки поставили пушки свои опять в амбразуры. Так как конница действующей линии устроена была в колонны, чтобы следовать за полками Чесменского, равно и пехота,— то генерал-поручик Кнорринг велел идти пехоте на штурм тремя колоннами. Сие было в три часа пополудни при самой ясной погоде. Средняя колонна вошла прежде всех на вал, но потерпела сильное поражение и лишилась начальника своего, полковника Короваева, убитого в сем приступе. Я, оставив свои пушки, примкнул к правой колонне (непростительное действие молодости, хорошо, что кончилось для меня счастливо и генерал ничего о том не знал) и вошел вместе с нею в ретраншемент. Увидя там до восьми пушек, оставленных неприятелем, также множество убитых и раненых, поспешил поздравить генерала с победой. Встретя его на пути, поздравил я его не только с оной, но и со взятием Вильны, ибо, прибавил я, город сей, не имея надлежащей обороны, неминуемо должен сдаться. «Дай Бог! — отвечал генерал,— но это еще не верно».

Между тем поляки успели уйти в город и затворили ворота. Ген⟨ерал⟩ Кнорринг послал на возвышенное место трубача и велел трубить для переговоров. Но по нем начали стрелять из ружей и ранили его. Вначале подумали, что это произошло по ошибке, послали другого, но и тот подвергнулся той же участи. Тогда генерал наш приказал приблизить артиллерию и, поставя пушки на высотах между ретраншементом и предместием, велел бомбардировать город. Скоро наступила ночь, и пальба была прекращена. После этого генерал приказал мне поутру на другой день объехать осаждаемую часть города и избрать такое место, с которого мог бы я стрелять в Острые ворота. Я отвечал ему, что все окрестности сего города мне довольно известны. Вильна лежит слишком низко, а окружающие оную места слишком возвышены, притом же ворота сии закрыты домами предместия и едва ли можно будет попадать только в фронтиспис оных. Не взирая на сие, повторил он мне свое приказание. С началом дня объехал я всю приказанную мне часть города, но, не найдя нигде удобного к тому места, возвратился и донес о сем. Тут указал он мне и сказал: «Поставьте две пушки ваши там, я надеюсь, что ворота будут вам оттуда видны». При подъеме на гору убили у меня несколько лошадей под пушками. Я взошел сам и увидел точно только верхнюю часть фронтисписа. Тогда я послал ему сказать, что если он мне не верит, то прислал бы еще кого-нибудь посмотреть. Сие было им исполнено, удостоверились в невозможности и велели мне оставить помянутую высоту. Тогда я сказал ему: «Если нет другого средства занять город, как чрез отбитие ворот, то дайте мне надежное прикрытие и прикажите идти с сими двумя орудиями в улицу предместия. Хотя я знаю, что она весьма излучиста, но, при приближении к стенам, откроется такое место, с которого можно будет выстрелить и разбить ворота». Предложение мое было принято, мне дали в прикрытие баталион егерей и велели идти в улицу.

Все церкви, колокольни, дома и сады, как в той улице, по которой я шел, так и в других, заняты были вооруженными обывателями. Надлежало всякий дом брать штурмом и, таким образом очищая дорогу, подвигаться вперед. Я не успел пройти и половины улицы, как убили майора, начальствовавшего прикрытием, и трех капитанов. Большая часть офицеров была или убита или ранена, от чего егери пришли в замешательство и, оставя меня с пушками на улице, отступили. Я успел сделать то же, потеряв несколько бомбардир. При выходе моем из предместия встретил я генерал-м⟨айора⟩ графа Зубова, который сказал мне: «Как, и вы ретируетесь?» — «Посмотрите, где мое прикрытие»,— сказал я ему; оно находилось тогда в довольном расстоянии впереди меня.— «Я дам вам другое прикрытие, подите с оным и отбейте непременно ворота». В то же время присоединился ко мне Нарвский пехотный полк под командою полковника Миллера. Это был тот самый полк, который со мною во время революции вышел из Вильны, но полковника их тогда при оных не было.

С другой стороны послан был к другим воротам, называемым Заречными, полковник Деев с состоящим под начальством его пехотным полком и двумя пушками.

Мы начали наступать прежним порядком. Не прошли мы еще и половины улицы до ворот, как поляки открыли по нам ружейный огонь из монастыря, находившегося от нас в правой стороне на другой улице. По совету моему послал полковник Миллер две роты, неприятель был выбит, и монастырь был занят нашими. По мере приближения нашего к воротам огонь со стен города усиливался и становился для нас вреднее. Я знал положение сей улицы и надеялся, что скоро достигнем мы такого места, с которого можно будет стрелять в ворота. Но, придя к оному, увидел я, что поляки построили при самых воротах невысокую каменную стену, окружающую оные в виде полумесяца. Чтобы подойти к воротам, надлежало приблизиться к самой стене и через устроенное подле нее отверстие в сем полумесяце подходить к воротам. Как скоро колонна наша стала совершенно открыта с городской стены, то гренадеры бросились вперед и подбежали с малым уроном под неприятельские выстрелы к самой стене, так что они не могли им больше вредить. Я последовал за ними с моими пушками и вошел в полумесяц. Несколько знакомых мне гренадер меня упредили и, подбежав к самым воротам, в затворах которых прорезаны были отверстия для стрельбы из ружей, они положили в них свои и начали стрелять в город. Один гренадер вдруг закричал мне: «Поспешайте, поспешайте стрелять! Неприятель везет пушку и ставит в ворота». Я находился в это время не далее пистолетного выстрела от ворот. Приказав гренадерам отступить, я успел подвинуть орудия еще шагов на десять. И выстрелами из 24-фунтового единорога, заряженного картечью, и из 12-фунтовой пушки — ядром разбились оные затворы на мелкие куски. Таким образом, неприятельское орудие, стоявшее в городской улице, было подбито. Я ввез мои пушки под довольно длинный свод городских ворот и начал стрелять вдоль улицы так, что никто не смел показаться на оной. Но тщетно уговаривал я гренадер, чтоб они вошли в город и заняли находящийся при самом входе Греко-российский монастырь, в который и я хотел за ними последовать. Засев в оном, мы могли бы трактовать о сдаче города, находясь в самом городе и имея открытые ворота для подкрепления. Они несколько раз соглашались на мое предложение, но едва появятся на улицу, увидят неприятеля, выстрелят и возвратятся под свод ворот для заряжений ружей.

Между тем колонна, посланная к Заречным воротам, не имела такой удачи, как наша. Начальствовавший оной полковник Деев был убит, еще не доходя до ворот, колонна много претерпела и отступила. Последствием сего было то, что неприятель обратил все силы против нас. Я отступил несколько за ворота, не удаляясь от стены, ибо единственным моим спасением было то, что неприятель не мог так наклонять ружей, чтоб нам вредить. Но вдруг открылся огонь позади нас. Не знаю почему, полковник Миллер велел двум ротам, бывшим в монастыре, что в предместии, присоединиться к полку,— и неприятель опять занял оный. Он еще лучше сделал: велел ударить сбор, построив людей своих в колонну, начал отступать, оставя меня с пушками у ворот. Над воротами была каплица, или небольшая церковь, где находилась чудотворная икона Богородицы, которую поляки особенно боготворят. Каплица сия наполнена была людьми, производившими против нас сильную ружейную пальбу. Я начал тоже отступать и вынул клинья из-под пушек, дал им тем полное возвышение, и стрелял в каплицу. Как после оказалось, я нечаянно ядром разбил сию икону. После этого ненависть в поляках ко мне еще больше возгорелась. Орудия мои шли одно за другим. Когда отошел я не более 30 сажен от ворот, под пушкой сломился, к несчастию, отвозной крюк при хоботе, за который, зацепя, везли пушку, потому что передки оставлены были в отдаленном переулке. Единорог отступил благополучно, а я с пушкой и с несколькими при оной бомбардирами остался на месте. Тогда было не так, как ныне: в российской службе почиталось великим стыдом оставить пушку неприятелю. Я прижался с людьми моими к одному каменному дому и тут размышлял, как спасти орудие? Мне пришло в мысль снять с моих солдат несколько лосиных портупей, сделать из них большое кольцо, продеть оное в дыру, находящуюся в подушке хобота, куда вкладывается стержень передка, и укрепить в сем кольце кусок крепкого дерева, потом, задев за оные лошадей, отступать. Стоя подле стены, сделали мы кольцо и укрепили дерево, но кто пойдет вложить оное в орудие, стоящее посреди улицы? — Несколько храбрых бомбардир, на сие отважившихся, заплатили за то своею жизнию. Я начинал приходить в отчаяние, как вдруг один мой приятель, которого никогда не могу я забыть, а именно, Козловского пехотного полка капитан Гедеонов, показался с ротою своею на улице. Он бежал с нею прямо к воротам, крича: «Ура, ворота отбиты! Пойдемте занимать город!» Я спросил его: «Что вы намерены делать с одной ротой?» Но он, не отвечая мне ни слова, сказал своим солдатам: «Возьмите прочь эту пушку, она нам мешает». Солдаты ухватились за коней и поспешно вывезли оную в закрытый от неприятеля переулок, где я имел время укрепить мое кольцо под прикрытием его роты и выйти из предместия.

Поступок г. Гедеонова был таков, что за него у римлян определена была большая награда, ибо у них тот, кто спасет одного только гражданина, удостоивался венца. Но у нас совсем иначе: едва не подвергся он ответственности за то, что сам собою решился на спасение своих. Однако ж, после он был награжден за то чином майора.

Я всегда утверждал и буду утверждать, что малые сражения бывают для некоторых несравненно опаснее, труднее и больше требуют неустрашимости, распорядительности и решимости, нежели большие, так называемые генеральные баталии. Во всю жизнь мою, как прежде, так и после, не испытал я такой опасности и трудности, как в сей день при столь малом отряде войск. С семи часов утра до трех пополудни находился я беспрестанно не только под ружейными, но даже под пистолетными выстрелами, не говоря уже о каменьях, которыми неприятели метали в нас, откуда могли. Я потерял в сие время убитыми и ранеными при двух моих пушках три комплекта людей. Всякий раз, когда оставалось у меня не более половины оных, посылал я казаков, данных мне для извещения, требовать подкрепления, и всякий раз присылали мне таковое от других артиллерийских рот. Подо мной убили двух лошадей, а третья была ранена. Итак, я, утомленный сражением, зашибленный во многих местах камнями и от падения лошадей, изнуренный голодом и жаждой, в превеликий жар, едва мог тащиться пешком, отступая из предместья.

Генерал-поручик Кнорринг, стоя на горе, издалека меня увидал и послал сказать, чтоб я пришел к нему. Но я так ослабел, что не мог взойти на гору, и он послал ко мне для того свою лошадь.

По прибытии к нему тотчас начал я жаловаться на тех, которые не исполнили своего дела, в особенности же на полковника Миллера. При этом я прибавил, что если бы не помощь капитана Гедеонова, то я непременно должен бы был остаться в руках неприятеля с моими пушками. «Что делать? — отвечал он мне.— Вы исполнили свой долг как неустрашимый, храбрый и расторопный офицер. Поберегите свое здоровье для других случаев и отдохните, вы ужасно устали». При сем слове подошел ко мне генерал-м⟨айор⟩ Ланской, взял меня за руку, сказав: «Пойдем и отдохнем, любезный друг». Он привел меня в одну лощину, где сели мы с ним и еще несколько особ на траве, выпили водки и съели по куску. Но я чувствовал сильную жажду, он подал мне большой стакан вина. Я, не рассматривая, что в стакане, выпил весь, отчего заснул крепким сном тут же, где сидел. Я спал несколько часов и разбужен был сильным топотом лошадей. Открыв глаза, увидал я моего гусара с двумя верховыми лошадьми и спросил его, что это был за стук, который разбудил меня? «Это проехал мимо вас последний эскадрон гусар нашего ариергарда»,— отвечал он мне.— «Где же генерал и войско?» — продолжал я.— «Все пошли назад, и здесь никого нет»,— сказал он. Тут сел я на лошадь и поскакал догонять мою роту, но нашел уже оную на месте. Лагерь был поставлен несколько подалее прежнего, палатка моя была уже готова, и я пошел в оную, как для распоряжений после такового дела, так и для отдохновения. Итак, все сие довольно кровопролитное и опасное для небольшого корпуса войск дело кончилось только приобретением от неприятеля восьми пушек. А ретраншемент был нами оставлен. Поляки опять заняли его, исправили и вооружили другими пушками.

В российской службе принято ложное правило: как бы кто из подчиненных ни отличался и как бы ни было хорошо о нем представлено,— не награждать того, если дело вообще было неудачно. Итак, при всех похвалах от моих начальников и товарищей остался я без награждения.

В сем месте постояли мы двенадцать дней; между тем присоединились к нам отряды генерал-майоров Германа и князя Цицианова. После такого увеличения сил сделан был новый план к осаде Вильны, согласно во всем преподанному от генерал-майора Германа.

Герман был весьма знающий и опытный тактист, в теоретических же познаниях сей науки едва ли кто из российских генералов того времени мог с ним сравниться, притом был он довольно неустрашим и решителен. Он пред тем одержал с малым числом солдат знаменитую победу над турками на кавказской линии. Туда прислан был от Порты Оттоманской трехбунчужный Батал-паша с корпусом янычар и других турецких войск. К нему еще присоединились все кабардинцы, или черкесы, живущие на кавказской линии. Герман не только совершенно уничтожил все сие ополчение, но взял в плен всю артиллерию и самого пашу. К сожалению, однако ж, многие достоинства сего генерала помрачены были в нем непомерным пристрастием к пьянству. Вследствие этого он был, наконец, в царствовании императора Павла I разбит французами в Голландии, взят в плен и там окончил жизнь.

Итак, план осады, преподанный Германом, был такой. Один отряд из 5 полков пехоты, состоящий под начальством бригадира князя Трубецкого, должен был с рассветом дня произвесть фальшивую атаку на оставленный нами и снова занятый неприятелем ретраншемент. Мы же за несколько часов прежде сего действия, то есть по пробитии вечерней зари, оставя на местах разожженные огни, пошли со всеми остальными войсками тремя колоннами влево. Нам надлежало сделать четыре мили и, придя между дорог, ведущих к Трокам и Гродно, напасть на находившуюся там часть ретраншемента. Мы считали ее слабее прочих. Она отделена была от взятой нами с правой стороны крутыми обрывами, или буераками, простирающимися на расстояние дальнего пушечного выстрела.

Мы подошли к оному на рассвете, и гренадеры наши, отряженные на штурм, встретили вместо ретраншемента только один ложемент, род траншеи или рва, из которого земля выкинута на наружную сторону и сверху оной положено по одной фашине. В сем рве было три тысячи неприятельской пехоты и шесть пушек. Этот ложемент начинался близ помянутых мною обрывов и, проходя по высоте, именуемой Буафоловская гора, оканчивался на оной там, где гора сия примыкала к песчаной равнине, которая тянулась до публичного загородного дома, именуемого Погулянка, и до берега реки Вильны.

Неприятель не ожидал с сей стороны нападения и находился в довольной оплошности, так что гренадеры наши открыты им были только за несколько шагов. Однако ж, они успели сделать залп из ружей и пушек. Потом, бросив свое укрепление и пушки, они спустились с горы и стали в линию на помянутой равнине, отойдя от горы не далее пушечного выстрела.

В самое сие время приехал ко мне адъютант от генерала с повелением, чтоб я, наискорее перейдя ложемент, поставил пушки свои на Буафоловской горе и обратил их против неприятельской линии пехоты. Лишь только успел я занять показанное место, как увидал, что генерал-майор Бенигсен устроил под самой горой, на которой я стоял, три полка конных, а именно: драгунский, карабинерный и легкоконный полки. Он приготовил их к атаке неприятельской пехоты и сделал наперед следующее распоряжение. Один полк казаков послал он вправо, дабы отрезать неприятелю дорогу к Вильне, а другой влево для пресечения гродненской дороги. Трем же полкам регулярной конницы он велел выслать вперед по два ряда от каждого взвода, которые и составили впереди довольно густую цепь, или, лучше сказать, линию фланкеров... По данному знаку поехали они рысью к неприятельской пехоте, державшей заряженные ружья на прикладе. Подступив таким образом довольно близко, начали они стрелять в линию из карабинов и пистолетов; между тем линия конницы приближалась к своим фланкерам. Поляки недолго выдерживали сей огонь и вместо того чтобы против конных выслать пеших стрелков, сделали залп. Бенигсен в то же мгновение приказал как фланкерам, так и всей линии ударить на неприятеля в сабли. Поляки не успели еще зарядить ружей, как были совершенно опрокинуты; он проскакал таким образом почти до берега реки, где, поворотясь, довершил поражение неприятелю, напав с тылу. Итак, весь свой неприятельский отряд из трех тысяч, исключая раненых и взятых в плен, погиб до последнего человека не более как в пять минут.

Остаток дня проводили мы в бомбардировании города, на что неприятель ответствовал нам весьма слабым огнем.

С приближением ночи велел генерал-поручик Кнорринг поставить лагерь саженях в 700 позади моей батареи. Я, оставшись один, без всякого прикрытия, послал ему о том сказать. Поэтому присланы были ко мне баталион гренадер для прикрытия, один эскадрон карабинеров и сотня казаков для составления передовой цепи.

Между тем пошел довольно сильный дождь и весь мой отряд, кроме часовых, расположился в оставленных поляками шалашах или бараках. Около полуночи услышали мы голос труб; часовые закричали: «К ружью!» — и все стали в боевой порядок. Тут начальник баталиона сказал мне: «Верно, поляки узнали, что нас здесь мало и хотят сделать нападение конницею». На сие отвечал я ему: «Когда конница атакует ночью и еще при игре на трубах, то это значит что-нибудь другое». И подлинно, трубы скоро умолкли, и мы, не слыша никакого шума и топота, возвратились в свои шалаши. Но через час услышал я незнакомый голос, зовущий по имени. «Здесь!» — отвечал я ему. Но он, не подъезжая ко мне, сказал: «Генерал приказал сказать вам, чтоб вы не смели делать ни одного выстрела с вашей батареи, потому что идут переговоры о сдаче города».— «Хорошо,— отвечал я ему.— Поздравляю вас и прошу поздравить от меня генерала». С сими словами посланный удалился. На следующий день удостоверился я от приехавших ко мне офицеров в истине слов посланного. Тогда поехал я поздравить лично генерала, который, поздравив меня взаимно, прибавил: «Вы много участвовали в покорении сего города и, конечно, не будете оставлены в представлении к императрице, а на сей раз разделите со мною принадлежащую вам честь, поедемте со мною в город, куда уже посланы баталионы для занятия караулов».

Между тем успел я узнать, что произошло во время прошедшей ночи в городе. Польский гарнизон и все военные люди, там находившиеся, с артиллериею и экипажами выбрались из оного чрез так называемый запасной мост на противный берег реки Вилии и пошли далее. Жители города, не видя ни одного военного человека, вспомнили о генерале Елинском, который сидел в заключении за ослушанье повеления генерала Костюшки. Они нашли на пустой гауптвахте его саблю и орденские знаки, освободили его из заключения, отдали ему оные и просили его, чтоб он, взяв с собою городских трубачей и некоторых членов ратуши, выехал для переговоров с русскими о сдаче города. Это и было исполнено им.

Генерал-поручик Кнорринг с прочими генералами, со мною, с некоторыми другими штаб-офицерами и своим штатом поехал по дороге к той памятной для меня Острой Браме, или воротам. При въезде в предместие встречены мы были сперва греко-российским духовенством, а за оным следовало римско-католическое. Жиды стояли по одну сторону дороги, крича: «Ура!»,— а поляки по другую — на коленях. С приближением нашим к ним они упали ниц; насилу генерал Кнорринг принудил их встать, уверяя их в милосердии императрицы Екатерины II.

Мы продолжали путь свой к городу, а поляки бежали по сторонам. Знакомые и не знакомые мне люди, забыв свое проклятье, подбегали ко мне и, не могши достать руки моей, целовали стремена моего седла.

Въехав в город, увидели мы, что во всех домах окна открыты, дамы и девицы в нарядных платьях стояли подле оных, бросали цветы на улицу и оказывали все знаки дружества. Генерал и все бывшие с ним пошли в Греко-российский монастырь, там отслужено было благодарственное молебствие при залпах всей нашей артиллерии, поставленной около города. Торжество кончилось обеденным столом у генерал-поручика Кнорринга, после которого все войско наше расположено было в лагере при самой Вильне.

Генерал-майор князь Цицианов послан был для преследования польских войск, ушедших из Вильны, и чрез несколько дней возвратился, взяв несколько пленных.

Мы стояли в оном до половины октября месяца. Между тем великий Суворов взял приступом сильные укрепления Праги и принудил Варшаву к сдаче. А генерал-поручик Ферзен, отряженный от него с корпусом войск, разбил главного польского вождя Костюшку и взял самого его в плен. При этом немало участвовал старший брат мой, который послан был с донесением о том к императрице, награжден был за то орденом св. Георгия 4-го класса и чином полковника.

Сим пресеклись все беспокойства в Польше, и приступлено было к разделу сего государства между Россией, Австрией и Пруссией.

За все сии дела награжден я был орденом св. Владимира 4-й степени, и сие было некоторым образом противно принятому порядку в награждениях: мне после старшего ордена дали младший.

Наконец, вступили мы на зимние квартиры в Вильну. Театры, балы, общественные собрания занимали нас в свободное от службы время. Жители Вильны возобновили знакомство с нами, как бы ничего не было. Женщины, по врожденной их склонности, были весьма к нам снисходительны, а мужчины гостеприимны. Сражавшиеся против меня любили со мною разговаривать о прошедших военных происшествиях, рассказывать, какие они брали против меня меры, причем не оставляли они осыпать меня похвалами. Можно бы при сем сказать: таково-то непостоянство рода человеческого: что сегодня ненавидят, то завтра любят. Но нет, это есть отличительная черта характера поляков. Они всегда нас ненавидели, ненавидят и будут ненавидеть; одни только особенные и неожидаемые перевороты в религии и в образе правления могут истребить сию ненависть. Многие называют то подлостью и низостью в поляках, что они при малейшей для них надежде оказывают всю ненависть и презрение к русским. Но едва скроется луч ее, как становятся к ним почтительны, ласковы и учтивы до унижения. Но я скажу на все, что это есть естественное следствие состояния народа, в котором он находится. Как им не ненавидеть лишивших их отечества и как не унижаться притом перед ними, когда многие из их соотечественников за твердость, непреклонность характера и за привязанность к своим правам погибли без пользы.

С наступлением зимы захотелось мне повидаться с моими родителями и братьями; для того и послал я к фельдцейхмейстеру и любимцу Екатерины II князю Зубову просьбу от увольнении меня в отпуск. Позволение на то получил и вместе с повелением сдать мою роту другому капитану, потому что я переведен уже был в конную артиллерию и назначен к новому ее формированию. Хотя известно было всем, что князь Зубов для сего предприятия желал иметь самых лучших и отличных офицеров, но мне весьма прискорбно было расстаться с храбрыми товарищами роты моей, столько лет в двух войнах честно со мною служивших. Едва мог я упросить нашего начальника артиллерии генерал-майора Челищева, чтобы он позволил мне для нового назначения взять с собою двух унтер-офицеров и шесть человек бомбардиров моей роты.

И так оставил я Польшу, Вильну и начальника моего генерал-поручика Кнорринга, о котором могу сказать, что он был человек с довольным просвещением, имел многие сведения по ученой части, потребные для генерала, а наипаче по части квартирмейстерской. Он довольно неустрашим, но робок в ответственности пред начальством, что заставляло его иногда быть нерешительным.

Прибыв в Петербург, нашел я отца своего обремененным многими должностями. Он исправлял должность генерал-инженера по всей России, председательствовал в канцелярии артиллерийской, был членом военной коллегии и присутствовал в Сенате по Межевому департаменту, сверх того имел еще многие особые поручения.

ГЛАВА 7

По смерти князя Потемкина все преданные и облагодетельствованные им люди, обратясь к князю Зубову, были употреблены по их способностям. Хотя он был его неприятелем, так что даже некоторые думают, будто он был причиною преждевременной его смерти, но к чести века Екатерины II можно сказать, что вельможи, следуя ее духу, не придерживались личностей в своих неудовольствиях. Они смотрели больше на достоинства людей, хотя бы те и служили до того их неприятелям.

Безбородко, родившийся в Малороссии, где отец его был войсковым писарем и служивший сначала в канцелярии фельдмаршала Румянцева, был тогда не по чину и месту, а по достоинствам своим первым министром. Екатерина II по слабости, свойственной женскому полу, имела полную доверенность к любимцу своему князю Зубову и хотела, чтоб все важнейшие государственные дела исполнялись чрез него. Зубов не мог обойтись без графа Безбородки. Екатерина то знала и поэтому Безбородко час от часу приобретал все большее значение.

Г. Трощинский и Попов, бывшие в доверенности князя Потемкина, равномерно употреблены были соответственно их способностям и довольно были значительны при дворе.

Да позволено будет мне сказать здесь одно слово о государях монархического правления. Сколь бы ни были они премудры и сколь много ни старались бы о благе своих подданных, всегда случается с ними то, что случилось с Екатериной II. Они обыкновенно, найдя человека великих способностей и достоинств, обременяют его великим множеством поручений. Хотя ум его в состоянии обнять все эти поручения, но исполнение, напоминание и прочее должен он поручать другим.

Трудная наука избирать людей требует времени, которого часто при дворе не достает, а исполнение многих обязанностей, от которых нельзя отказаться, еще более тому препятствует.

Итак, при всем желании быть полезным отечеству, остается людям, находящимся на таковой степени, заниматься только важнейшими государственными предметами, прочие же дела поручать другим. Приходится им иметь, как римские консулы имели, напоминателей, которые не всегда исполняют обязанность свою с должною энергиею и беспристрастием. Вследствие этого происходят неудовольствия частных людей, от которых не был свободен при всех своих добродетелях и граф Безбородко, возведенный императором Павлом в княжеское достоинство. Поэтому многие частные люди имели справедливые причины быть им недовольны.

Что касается меня, то по прибытии моем в Петербург занялся я формированием конной артиллерии, которое производилось под особым начальством князя Платона Зубова.

Но так как он не имел на то достаточного времени, то поручил сие дело особенному попечению артиллерии генерал-поручику Мелиссино. Нам дано было на составление каждой роты по 40 человек старых артиллеристов, по стольку же и конницы и по 40 человек рекрутов. Дело было довольно затруднительно и требовало много работы от начальников роты и офицеров. Артиллеристы должны были учить конных солдат действовать пушками, а сии — учить артиллеристов верховой езде и обращаться с лошадьми. Наконец, те и другие обязаны были обучать рекрут тому и другому искусству. Как бы то ни было, однако же, формирование сие производилось с довольным успехом.

Обратимся на время к императорской российской фамилии. Царствующая императрица Екатерина II, хотя еще не была в глубокой старости, но, как кажется, чувствовала уже приближение своей кончины.

Сын ее и наследник престола Павел Петрович с супругою его Мариею Федоровной жил в Гатчине. Гатчина в начале царствования Екатерины была не что иное, как большая финская деревня, отстоявшая в 30 верстах от Петербурга. Она принадлежала к казенному ведомству и была подарена князю Орлову, который построил в ней довольно огромный загородный дом и разные службы для скотоводства. Потом он возвратил сию деревню Екатерине, а она отдала ее сыну своему. Положение сего селения довольно приятно и выгодно. Великий князь Павел Петрович, получив оное, построил там замок, завел хороший сад, оранжереи, увеличил и украсил свой дом, а крестьянские дома выстроил вновь по своему вкусу. Замок свой он окружил батареями и разными укреплениями.

Император Павел I, когда был наследником престола, имел чин генерал-адмирала российских флотов.

Поэтому под начальством его состояли морские солдатские баталионы, определенные на службу для кораблей и десантов. Он расположил снова в Гатчине несколько баталионов сего войска, из которых, наконец, образовал гренадер, мушкетер, егерей, кирасир, драгун и гусар по одному эскадрону. Притом составил он и небольшой отряд конной и пешей артиллерии. Образ службы, военные действия, мундир и все было совершенно противно введенным в армии Екатерины. Всякому известно, что военные знаки государства, как-то: темляки на шпагах, шарфы, эполеты и банты на шляпах обыкновенно бывают сообразны с цветами государственного герба, и что империи и великие королевства употребляют золото там, где прочие государства серебро. Павел, еще при жизни Екатерины, переменил сии знаки и вместо золота везде употреблял серебро, потому что, будучи наследником императорского престола, был он вместе с тем и наследником герцогства Голштинского. Больше же всего сделал он это для того, чтоб войско его подобно было войску прусскому времени Фридриха II. Желая доказать, что он точно сын Петра III, слепо следовал он его склонностям. Он хотел, по крайней мере по наружности, иметь все то в Гатчине, что было во время великого прусского государя-философа в Потсдаме. С малыми его способами невозможно было ему сего достигнуть. Однако он напестрил такой же, как и в Потсдаме, краской все столбы при въездах, поделал шлагбаумы, перекрасил лафеты пушек, переделал мундиры и шляпы по тому же образцу, привязал солдатам и офицерам длинные косы, а вместо золотых мундирных знаков велел употреблять серебряные. Но никто из офицеров его и солдат не смел появиться в Петербурге и в других городах в сих мундирах, а носил оные только в Гатчине.

Не будучи доволен одною наружностью, хотел он, чтоб военный порядок, тактика, экзерциция и маневры военные производились так, как у Фридриха. Но так как не имел он сам довольно о том понятия, то набирал в войско свое разных бродяг, сказавших о себе, что они служили в прусском войске офицерами или по крайней мере унтер-офицерами. Эти люди показывали ему, как одеть солдата, объясняли прусские барабанные бои, образ развода, экзерцицию ружейную, маневры, но всякий по-своему. Вследствие этого происходили у него беспрестанные перемены, чем он в праздности своей с утра до вечера и занимался. Вот все, в чем способность его позволяла ему уподобиться Фридриху. Он носил такой же мундир и шляпу, ездил на английской лошади и немецком седле с длинной косой и старался наружностью хотя несколько быть на него похожим,— вот в чем подражал он великому Фридриху, а во всем прочем не доставало у него ни ума, ни духа, ни просвещения. Русские офицеры морских баталионов, которые чувствовали себя способными к важнейшим предприятиям, во время военных действий прославивших Россию, старались переходить в другие полки. Он же наполнил свое войско иностранцами, а за недостатком оных русскими, выгнанными из других полков за дурное поведение или за неспособность. Великий князь Павел редко приезжал в Петербург или ко двору Екатерины, который по большей части в летнее время находился в Царском Селе, причем приезжал всегда только на несколько часов, но жил всегда в Гатчине.

Когда сыновья его, Александр и Константин, достигли юношеского возраста, Екатерина наименовала Александра шефом Екатеринославского, а Константина С⟨анкт⟩-Петербургского гренадерского полков. Им позволено было носить мундиры этих полков и от каждого из них послано было к великим князьям по одному штаб-офицеру, несколько оберов и унтер-офицеров и по 60 человек отборных солдат. Александр в юности своей был очень скромен и не весьма ими занимался; напротив, Константин оставил все занятия и привязался к своим гренадерам.

Всякую неделю ездили они к отцу своему в Гатчину, где снимали с себя императорский мундир и надевали великокняжеский. Они были там шефами особых батальонов, и один справа, а другой слева помогали отцу своему делать обороты войск по образцу пруссаков.

Некоторые говорят, будто Екатерина II имела намерение отрешить от наследства престола сына своего, Павла, а на место его возвести Александра, внука своего; Константина же посадить на престол Константинопольский, выгнав турков из Европы. Последнее имело вид некоторого правдоподобия, если принять во внимание великие успехи в войнах против турков, разделение, или, лучше сказать, уничтожение Польши и смут с Швецией. Далее, когда только родился Константин, то определили его кормилицей гречанку, в дальнейшем возрасте его старались окружить молодыми греками. Едва начал он говорить, стали учить его по-гречески, и этот язык и по сие время он хорошо знает. Едва исполнилось им по двадцать лет, как обоих она сочетала браком.

В конце царствования Екатерины II Россия наслаждалась совершенным спокойствием. Но предприятии против турок не были оставлены. Предложено было набрать особое войско в Херсонской и Екатеринославской губерниях под наименованием Вознесенского. Для того же чтобы больше обеспечить себя со стороны севера, Екатерина хотела внучку свою Екатерину, дочь Павла, отдать в супружество королю шведскому Густаву Адольфу.

Известно свету, что Густав III, король шведский, который вел войну против России, в коей и я участвовал, скоро по заключении мира застрелен был на бале в 1792 году, и что сын его Густав-Адольф ему наследовал. За него-то Екатерина II и хотела отдать свою внучку.

В 1796 году сей молодой государь прибыл в Петербург. Я имел честь представлять ему вместе с прочими мою конную роту. Надо сказать, что за несколько времени до сего были у нас многие смотры сей новозаведенной конной артиллерии и за исправность и успехи награжден я был от императрицы орденом св. Владимира 3-й степени. Вскоре потом произвели меня в майоры той же артиллерии, чин этот равен был тогда подполковнику армии.

Густав-Адольф, король шведский, был весьма доволен нашими действиями, и на другой день все наши штаб- и обер-офицеры представлены были к нему на аудиенцию. Сей прекрасный молодой человек приехал в Петербург вместе с дядей своим и опекуном, герцогом Зюйдерманландским, начальствовавшим в последней против России войне шведским гребным флотом. Молодой король Густав-Адольф в обращении своем с Екатериной и при ее дворе показал отличные способности, природные дарования, равно и следы превосходного воспитания. Поздно заметила тогда Екатерина недостатки природных способностей, а особливо воспитания внуков ее, Александра и Константина. Воспитание их поручено было графу Николаю Ивановичу Салтыкову.

Во время пребывания короля в Петербурге, разговаривая с своими придворными о превосходном его воспитании, государыня сказала, что барон Спарре и граф Гилленстолпе, старавшиеся о воспитании сего молодого государя, бессмертную обрели славу своими успехами. На сие сказал один из придворных: «Так, государыня, подданный, старавшийся и доставивший такое воспитание своему государю, поистине достоин, чтобы воздвигли в память его золотую статую».— «Правда!— отвечала императрица,— а нашему графу Салтыкову жаль свинцовой». Но удивительно, как слепое счастие и стечение обстоятельств могут так играть всеми смертными без изъятия. Кто бы мог тогда подумать, чтобы сей юный монарх, за воспитанье которого великая Екатерина согласна была воздвигнуть золотую статую его наставнику, а наставнику внука своего пожалела и свинцовой, чтобы этот монарх был, наконец, в угодность Наполеону свергнут с престола внуком ее и выгнан из отечества, и что на место его возведен был тем же ее внуком некто Бернадотт, о котором говорят, что в то время был он работником на кухне одного французского господина. Слабые дарования ее внука, худые склонности и малые их способности, что Екатерина сама при конце жизни своей приметила, открыла она отцу моему в следующих словах. Когда отец мой благодарил императрицу за награждение старшего брата моего и меня знаками отличия за подвиги в войне против поляков, то она сказала ему: «Я завидую вашему счастию, вы благополучнее меня в сем случае». В сие время, когда пишу я сии строки, живы еще очевидцы-свидетели, в присутствии которых произнесла Екатерина сии слова.

Я уже сказал, что в отношении политических дел Россия тогда была совершенно спокойна. Екатерина никак не хотела мешаться в дела Франции, она равнодушно смотрела на неудачу австрийцев и пруссаков, сохранила союз с Англией, которая, как казалось, не препятствовала ей в предприятиях ее против Турции!

Но обратимся к королю шведскому, жениху великой княжны Екатерины. Он поехал представиться будущему своему тестю, великому князю Павлу. Неизвестно, что между ними там происходило, только король, возвратясь оттуда, отказался от сего супружества и уехал в свое отечество.

Вскоре по его отъезде Императрица Екатерина скончалась от апоплексии.

Жизнь и кончина сей великой государыни описаны многими иностранными писателями. Но раньше не смели и по сие время не смеют за сие взяться,— разве в тайне, и не иначе как в рукописях, существует между ними справедливая история ее жизни. Да позволено будет мне привести здесь некоторые обстоятельства, о которых слышал я от достоверных людей в бытность мою в то время в Петербурге, равно и то, что я сам мог заметить.

За несколько дней до кончины императрицы был я представлен Ее Величеству и благодарил за чин артиллерии майора. Величественный, вместе милостивый ее прием произвел немалое на меня впечатление. Возвратясь от двора к отцу моему, между прочими разговорами сказал я: «О, как, думаю я, была прекрасна императрица в молодых летах, когда и теперь приметил я, что немногие из молодых имеют такой быстрый взгляд и такой прекрасный цвет лица». Отец мой, слыша сии слова, тяжело вздохнул и, по некотором молчании, сказал: «Этот прекрасный цвет лица всех нас заставляет страшиться».

Екатерина пускала иногда кровь из руки или ноги. Это исполнял всегда сам лейб-медик ее доктор Рожерсон, и получал у нее за труд каждый раз по 2 т⟨ысячи⟩ рублей, не взирая на то, что он был весьма богат и что таковая плата вовсе была для него излишня. За несколько времени до ее кончины этот доктор не раз советовал ей отворить кровь; императрица на то не согласилась.

В один день, когда он убедительно ее о том просил, она, обратясь к своему камердинеру, сказала: «Дайте ему 2 т⟨ысячи⟩ рублей»... Огорченный сим, медик вышел с неудовольствием, и вскоре последовало то, что он предвидел.

Екатерина на предмет кончины своей никаких распоряжений не учинила. Великий князь Павел еще при вступлении ее на престол объявлен был наследником, и всему народу было то известно.

Но говорят некоторые, что будто бы сделано завещание, по которому великий князь Павел не должен был царствовать, и наследником престола был назначен сын его, Александр. Завещание сие не было, однако ж, нигде объявлено, но вот что некоторым образом утверждает распространившийся о том слух.

Когда императрица лишилась языка и почти всех чувств, и уже открылись очевидные знаки скорого приближения смерти, сын ее Павел был тогда в Гатчине. Любимец ее, князь Платон Зубов, в такое пришел отчаяние, что не знал, что начать. Тогда брат его, граф Николай Зубов, сказал ему: «Что ты делаешь? Где стоит шкатулка с известными тебе бумагами?» Тут Платон дал ему ключ и указал место. Николай, вынув бумагу, в тот же миг поскакал в Гатчину. Павел занимался тогда катаньем в санях, ибо все сие происходило в начале ноября месяца. Он нашел великого князя в одной роще и пригласил его во дворец, объявил о близкой кончине его матери и отдал какую-то бумагу. Павел взглянул на оную, разорвал ее, обнял Зубова и тут же возложил на него орден св. Андрея. По вступлении же своем на престол Павел сделал его обер-шталмейстером двора.

Вскоре по восшествии на престол Павла видел я сам графа Николая Зубова в мундире обер-шталмейстера и в голубой ленте. За что же сделался Павел столь к нему милостив, когда не мог терпеть всех фаворитов Екатерины, а особливо князя Зубова и его братий?

Еще последнее дыхание оставалось в теле императрицы, как Павел прибыл во дворец, тот же час послал за войском своим в Гатчину. При вступлении оных в первый раз жители Петербурга увидели мундиры по прусскому образцу времени Фридриха II. Бедная одежда офицеров и солдат, эспантоны, алебарды, необыкновенные барабанные бои, командные слова, музыка и прочее,— все показалось мне новым и странным. Но Павел приказал тот же час занять оным все караулы во дворце, в крепости, при въездах в город и в прочих местах, а по улицам производить сильные разъезды и обходы.

Едва последнее дыхание оставило тело императрицы Екатерины, как Павел I, объявив себя императором, повелел тот же час все войска и гражданские чины привести к присяге на подданство ему и верность. Екатерина скончалась ночью. Гвардия тот же час присягнула, а перед рассветом дня вся пешая и конная артиллерия собраны были пред их канцелярией, где все произнесли присягу, и ни малейшего нигде не примечено было замешательства. В Москву послан был гвардии капитан Митусов, в прочие места и к знатным особам — фельдъегери. Фельдъегерь — слово и звание, не известное в России до императора Павла I. Он перенял сие от Фридриха II; в России же для сего употреблялись чиновники, известные под названием сенатских военной и иностранной коллегий курьеров. Это была новая должность без уничтожения, однако ж, прежней. Здесь почитаю приличным упомянуть о кончине великого российского полководца фельдмаршала графа Румянцева, очевидцем которой был в то время старший мой родной брат, служивший тогда полковником в пехоте.

Фельдмаршал Румянцев в престарелых летах сделался пред тем несколько нездоров и не выходил из дома. Брат мой и некоторые другие господа были тогда при нем. Он сидел в креслах и довольно спокойно разговаривал о разных предметах, как вдруг сказали ему: «Приехал к вам фельдъегерь».— «Откуда? — спросил он.— Из Берлина?» — «Нет,— отвечали ему,— из Петербурга». — «Знаю, что это значит, велите ему войти ко мне».

Вслед за сим явился человек в необыкновенной для всех одежде, совершенно в прусском мундире. Он подал письмо графу, который, приняв оное, просил других распечатать и прочитать ему. Оно содержало известие о кончине императрицы и о вступлении на трон Павла I.

Сколько фельдмаршал Румянцев не испытал несправедливостей от Екатерины, а паче от ее любимцев,— но любовь к отечеству была в нем очень сильна. Поэтому, предугадывая духом все несчастия, угрожающие России от Павла и его потомков, он был столь поражен сим предвидением, что во время чтения сего письма постиг его паралич, от которого лишился он жизни.

Хотя императору Павлу подробно было донесено о сем происшествии, однако же, для уважения повелел он почтить память сего полководца общим трехдневным трауром при дворе и в войске.

ФЕДОР НИКОЛАЕВИЧ ГОЛИЦЫН

Записки

10—6233

В 1777 году в сентябре, при царствовании государыни Екатерины Алексеевны, пожалован я камер-юнкером. Я был 23-х лет. Дядя мой, Иван Иванович Шувалов, ей меня представил в будничный день, вечером. До того времени я был около восьми лет в чужих краях. По возвращении (что продолжалось близ полутора года) почти был все в отпуске по Конной гвардии. Сия великая монархиня, прославившаяся уже как законами, так и войною, от всех других европейских держав была уважаема. Двор ее был великолепен. Я нашел при ней князя Потемкина и генерала Зорича. Начало моего служения у двора меня весьма занимало. Я был любопытен рассматривать свойства людей, особливо на такой сцене, где все страсти беспрестанно в сильном волнении и где честолюбие образует каждого человека в притворном ему виде, скрывая природный его характер. Государя можно уподобить общему магниту: он всех к себе притягивает. Надежда возвыситься или желание обогащения суть две сильные пружины, приводящие все в движение.

Двор, описываемый неоднократно и стихотворцами, и другими авторами, для размышляющего человека подлинно представляет важную картину. Если человек, скажу шутливо, захочет себя сохранить нетленным, надобно при входе присвоить себе ненарушимые правила. Без сей предосторожности через год, через два найдешь в себе удивительную перемену. Я сказал: правила,— но какие? Разум, честь и совесть: их должно стараться сохранить. Тут они на сильном опыте. Не знаю, по какому особому счастию я не имел никогда ни ловкости, ни желания подлеститься к случайным людям; думаю, более оттого, что дядя мой, будучи обер-камергером и человеком весьма почтенным, служил для меня единственною подпорою, которою я довольствовался. Я желал быть скорее определенным к месту и надеялся все через него получить, но этот способ не был лучший при государыне. Если кто хотел что получить, тому надлежало непременно просить любимца. Вот сему пример. Вследствие моего желания иметь место и войти в иностранные дела дядя, И. И. Шувалов, обо мне самою государыню просить осмелился, но она заблагорассудить изволила, может быть, из особой милости, вместо иностранных дел приказать мне ездить в Сенат, в 1-й департамент. Если б я попросил тогда бывшего у двора генерала Зорича, все бы сделано было без всякой перемены. Сколь меня неожиданная перемена сия по службе огорчила, можно тому легко поверить. Я приготовлялся, даже с особою прилежностию и охотою, войти со временем в дипломатический корпус, а вдруг меня посадили в Сенат! Сия неудача решила, может быть, по службе судьбу мою, во все течение жизни моей, и сколько я и после ни домогался, не мог никак попасть на желаемую стезю. Но надобно было, хотя по неволе, терпеть, молчать и продолжать свои дежурства. Тут я начал ознакомливаться с придворною жизнию.

Перед моим пожалованием в камер-юнкеры скончалась в⟨еликая⟩ кн⟨ягиня⟩ Наталья Алексеевна (1776 г.), дома Дармштадтского, первая супруга государя Павла I. Мне случилось быть при сем печальном случае в Петербурге; часто я тогда езжал к графу Андрею Петровичу Шувалову: графиню и графа покойница жаловала. Сколь они обрадовались было, ожидая благополучного ее разрешения, столь же чувствительно огорчились, когда узнали, что сей самый случай прекратил жизнь ее.

Великая княгиня одарена была редкими достоинствами в рассуждении разума и сердца. Меня уверяли, что она много подходила к императрице и со временем бы могла соделаться достойною помощницею своего августейшего супруга. Что случилось при сем печальном происшествии с графом Андреем Кирилловичем Разумовским, достойно примечания. Он находился беспрестанно при его императорском высочестве и, по силе его милости, великая княгиня его также очень жаловала. В самый день ее кончины императрица заблагорассудить изволила увезти с собою великого князя в Царское Село, дабы его отдалить от сего трогательного позорища. Все приближенные за нею тотчас поехали, и Разумовский в том же числе. Императрица, желая его отлучить от двора, на другой день приезда своего в Царское Село, вышед, по обыкновению, перед обедом с письмом запечатанным в руке и окинув глазами всех около ее находящихся и подозвав графа, отдавая ему письмо, изволила ему сказать, чтоб он его отвез фельдмаршалу Голицыну в город, и что она не сумневается, что он за священный себе долг почтет соучаствовать в отправлении погребения великой княгини. Но как сильно был Разумовский поражен, когда, по открытии фельдмаршалом повеления, он объявил графу, что ему велено в три дня выехать из резиденции и ехать прямо в Ревель, где и ждать дальнейших повелений. Ссылка его основана была более на придворных соображениях и на той короткости, в какой он находился у их высочества. Он же вел себя несколько гордо и не всем нравился. Государь великий князь никого ни прежде, ни после так не жаловал, как его. У двора нельзя никогда надеяться на что-либо постоянное.

К счастию моему, не быв никогда через меру честолюбив, я ничем у двора не ослеплялся и был спокойным зрителем. Глядя на других я часто делал важные замечания. Но не знаю, все ли были справедливы.

Екатерина II была необыкновенная монархиня. Превосходное ее понятие, точность и справедливость в рассуждениях, большая память и дар объяснять свои мысли самым лучшим и ясным образом, с прочими всеми приятностями женского пола, а при этом, когда ей надлежало, имела самый величественный вид, умела себя воздерживать в первом движении и властвовала во многом собою. Об ней говоря, можно смело сказать, что имела все достоинства, составляющие великого государя. Заключим сие описание превосходнейшим из всех дарований: милосердием. При сем я сделаю важное замечание. Дворянство в ее царствование, если смею сказать, поднялось духом и честию до высокой степени. Врожденная храбрость россиян, предоставившая знаменитые победы над турками, прославила народ российский во всей Европе и ознаменовала царствование сей великой монархини новым блеском. От прочих всех держав она получала особое уважение и держала в руках своих весы политической системы Европы. Слабости ее были сопряжены с ее полом, и хотя некоторые из ее любимцев и во зло употребляли ее милость, но государству ощутительного вреда не наносили. Князь Потемкин был, кажется, один из них, исполненный необыкновенным честолюбием; но он был также превосходного разума, был не мстителен и не зол. Корыстолюбие, кажется, был главный его порок. Он употреблял богатство на пышность и проживал много. Заграбя многие важные должности, он от своей лени слишком на других надеялся, следственно, худо оные исполнял. Быв сластолюбив, не имел нужной в делах деятельности. Военный департамент, ему вверенный, не в самом лучшем был порядке. Ему непременно хотелось начальствовать армиею. На сей конец он восстановил войну против турок, уговорив императрицу требовать от Порты Оттоманской независимости Крыма. Присвоением сего полуострова к Российской империи война загорелась, и ему вручено предводительство армии. Под ним служил князь Репнин, на котором лежали все труды сей кампании. Осадили Очаков. От нерешимости князя Потемкина и от пышной и сладострастной жизни его (ибо он во время осады в шатрах своих златотканых окружен был женщинами и музыкою и нимало не воспользовался удобными случаями завладеть крепостию) армия стала ослабевать. Наступила стужа, и стужа необыкновенная; войско стало нуждаться пищею и претерпевать холод. Завелись, наконец, смертоносные болезни. Князь Репнин, видя такое неустройство и небрежение, решился его усовестить, написал ему письмо в твердых выражениях, где между прочим он ему вспоминает, что он за таковое нерадение будет отвечать Богу, государю и отечеству. Крепость вскоре после того была взята приступом. Я слышал от самого в ней командующего трех-бунчужного паши, которого мне случилось в проезд его через Москву видеть у князя Репнина, что гарнизон в крепости несколько раз почти начинал бунтовать, и что он удивляется, как не воспользовались осаждающие такими случаями. Вот каков был князь Потемкин, начальствуя армиею. За таковую смелость он князя Репнина впоследствии возненавидел и старался всячески ему досаждать. Рассказывали также мне о князе Потемкине, что в сие время любимая его забава по вечерам была пересыпать, при свете многих свеч, большую кучу необделанных бриллиантов. Я его видел в Петербурге последний год жизни его. Он совсем переменился, сделался вежлив, ласков; дамская беседа по вечерам занимала его совершенно и он ни об чем другом не разговаривал, как о нарядах женских. Многое иногда в человеке непонятно, и сие, кажется, в том же числе.

Возвращаюсь теперь к первым временам моего у двора служения. Великий князь вторично браком сочетался с государынею Мариею Федоровною (дома Виртембергского) 1776 года. Бог благословил сей брак: через год родился ныне царствующий император Александр. По выздоровлении ее императорского высочества начались праздники. Я был взят в кадрилию их императорских высочеств и тут я имел счастие узнать короче великого князя и его августейшую супругу. Государь великий князь имел весьма острый и пылкий ум с хорошею памятию; сердце его было чувствительно, но в первом движении он очень был горяч. Обстоятельства ли, в которых он возрастал, другие ли причины поселили в нем большую недоверчивость и также частую перемену в расположениях к людям, его окружающим. Сии недостатки много способствовали повредить его свойства и возродили в нем, когда он принял престол, излишнюю и напрасную суровость. Но о сем до его царствования оставим.

Императрица не всегда обходилась с ним как бы должно было, и при сем случае меня, по молодости, может быть, моей, удивило, между прочим, что он никак в делах не соучаствовал. Она вела его не так, как наследника. Ему было токмо приказано ходить к ней дважды в неделю по утрам, чтобы слушать депеши, полученные от наших при иностранных дворах находящихся министров. Впрочем, он не бывал ни в Совете, ни в Сенате. Почетный чин его великого адмирала был дан ему единственно для наружности, управление же морских сил до него не принадлежало. А наконец, когда у нас завелся флот на Черном море, то сею частию начальствовал князь Потемкин. При вступлении императрицы на престол участвовавшие в сем происшествии вельможи разделились на разные мнения касательно до ее наименования. Иные советовали ей называться единственно правительницею, а государя великого князя объявить императором. Сего мнения был граф Никита Иванович Панин. Но Бестужев-Рюмин был противного мнения, и его мнение было, чтоб она себя объявила императрицею. Лучше ли бы то было для великого князя, о том отдаю судить читателю. Не менее, однако ж, прискорбно было нам всем, придворным, видеть сие неискреннее обхождение и ни малейшей горячности и любви между сими двумя августейшими особами. Великий же князь к родительнице своей всегда был почтителен и послушен. Когда об этом размышляешь, не можешь довольно надивиться, разве токмо подвести ту одну причину, что восшествие императрицы переворотом соделанное, оставило в сердце ее некоторое беспокойство и ненадежность на постоянную к себе преданность от вельмож и народа. Итак, она за правило себе поставила сосредоточить всю власть в единые свои руки. По моему мнению, она бы еще более славы себе прибавила, если б уделила великому князю часть своих трудов. Сколько же бы он пользы от того получил! Сколько Россия от того могла быть счастливее! Я никак не могу верить, что мне тогда сказывали, будто она иногда говаривала: «После меня хоть трава не расти». В подобных случаях иногда удивительно, сколь государи, украшенные впрочем редкими дарованиями, ослеплены личным самолюбием и предпочитают личную свою славу славе общей и своего народа. Петр Великий не таких был мыслей, когда, окружен будучи на Пруте турецкой армиею, он писал в Сенат, что, в случае его кончины, выбрали бы преемника подобного ему по достоинствам и могущего продолжать и усовершенствовать все полезные его заведения. Поступок его с сыном доказывает еще яснее, сколь он был ревнителен к славе своего народа. Но государыня была не русская. Заключали тогда, что любимцы делали преграду между родительницею и сыном и помешательство. Сие, конечно, отчасти правда; но все бы, кажется, не могло воспрепятствовать императрице ввести великого князя в дела государственные и посадить его в Совете. Ежели каждого государя в свете главная цель должна быть общее благо, чего ж ему в прочем опасаться?

Нежность и любовь между великим князем и его супругою были совершенны. Невозможно, кажется, пребывать в сожитии согласнее, как они долгое время пребывали. Мы не могли на столь счастливое супружество довольно нарадоваться, и сие имело великое влияние над петербургскою публикою и усугубило во всех усердие и любовь к их будущему государю.

Во время случая графа Мамонова их императорские высочества, по их собственному желанию и по ходатайству сего любимца, получили дозволение обозреть некоторые в Европе государства и отправились сперва в Вену, где царствовал Иосиф II. В самое сие время принцесса Виртембергская, родная сестра государыни Марии Федоровны, помолвлена была за ныне царствующего императора Франца II, при родителе его, Леопольде, и все сии августейшие особы съехались в Вене. Эрц-герцогиня, вступившая в супружество, недолго наслаждалась сим счастливым состоянием, кончила жизнь после первых родов. Многие уверяли, что император Иосиф чрезвычайно любил свою племянницу и торжественно говорил, что если б он был помоложе, то не уступил бы ее ему. Я скоро после сего несчастия случился в Вене, и мне сказывали за верное, что болезнь Иосифа, об которой ей неосторожно сказали, способствовала также прекратить ее век.

Во время путешествия великого князя граф Никита Иванович Панин, хотя и правил департаментом иностранных дел, но уже не пользовался прежнею от императрицы доверенностию и от разных причин стал кредит свой терять. Слабость здоровья его препятствовала ему ездить во дворец. Граф Безбородко, граф Марков и г-н Бакунин, сии два последние им облагодетельствованные, позабыв долг благодарности, присоединились к Безбородко, начали распоряжать всеми делами по сей части, и граф Марков, усмотрев впоследствии, что тогдашний в случае находящийся князь Зубов равным образом имеет желание войти в сии дела, отложился и от графа Безбородко, дабы приобресть себе доверенность и сделаться нужным сему могущему любимцу. Вот как у двора пренебрегают для своей собственной пользы честию, совестию и благодарностию! Государь сам нередко впадает в сии дворские ухищрения и лишается людей лучшей нравственности и настоящих сынов Отечества. Почтенный граф Н. И. Панин, хотя обладал твердым духом, но не мог, однако же, переносить хладнокровно столь чувствительных неприятностей. Одно утешение его состояло в любви к нему его высочества, которого он с нетерпением ожидал. Я здесь принужден, хотя с крайним прискорбием, но бывши очевидцем, привести странный поступок великого князя с сим его воспитавшим мужем. Возвращаются их высочества в Петербург, посещают на другой день изнеможенного графа, старик в полном удовольствии. Потом вдруг, безо всякой известной причины, по крайней мере около месяца, не только не едут к нему, но и не наведываются о его здоровье. Сие небрежение графу нанесло чувствительный удар и едва ли не ускорило его кончину, вскоре после того воспоследовавшую. Меня уверяли, что при свидании в чужих краях с герцогинею Виртембергскою, родительницею императрицы Марии Федоровны, много было говорено о графе Панине по некоторым сношениям с нашим двором, и что герцогиня, в угождение императрице Екатерине, советовала великому князю не столько уже быть подвластному наставлениям графа Панина. Крайне удивило и оскорбило всех родных графа такое по возвращении странное его высочества поведение. Наконец, за несколько дней перед кончиною графа, пожаловал к нему на вечер великий князь. Тут было объяснено о всем предыдущем, но граф через несколько дней после скончался.

Во время сего путешествия сделался у нас несчастлив и сослан в ссылку в Астрахань Павел Бибиков, флигель-адъютант ее величества государыни. Сей молодой человек был горячего сложения и с некоторым честолюбием. До отъезда их высочеств он имел к ним вход, и, видно, надеялся для будущих времен получить себе большую выгоду. Вздумалось ему, по ненависти к князю Потемкину, которого он в присутствии ему преданных иногда бранивал, описать в письме к князю Куракину, находящемуся в числе сопровождающих их высочества, положение двора, где об князе Потемкине много непохвального было сказано. Князь, как будто, эту переписку предузнал и, отказав всем другим представлявшимся ему офицерам, для посылки курьерами дал преимущество представленному от Бибикова, а между тем дали знать в Риге, чтоб, по приезде сего курьера, все пакеты от него отобрав, возвратить в Петербург. Таким образом все открылось. Бибиков посажен был у генерала-прокурора князя Вяземского под караулом. Его допрашивали и сослали разжалованного в подполковники в Астрахань, где он скоро после того и умер. Сущая неосторожность и дерзкое поведение противу столь могущего вельможи погубили сего молодого человека. Надобно прибавить, что прежде князь его жаловал.

Знаменитые происшествия во время царствования сей великой монархини, все увенчанные желаемыми успехами, возвысили Россию до высшей степени уважения. Две войны противу турок привели, наконец, сего вероломного врага в крайнюю слабость. Разделение Польши прибавило несколько областей к Российской Империи, но сие уничтожение независимого государства соседственными могущими державами, исполненное без всякого настоящего права, заставило об оном судить не к чести участвовавших государей. Приписывали Фредерику, королю Прусскому, о сем первую мысль. Ему, конечно, всех более надлежало пользоваться случаями распространять свои владения; часть же Польши, к его государству принадлежащая, была самая выгодная течением реки Вислы и городом Данцигом, прежде им же присвоенным. Брат его, принц Генрих, приезжал нарочно в Петербург с этим предложением, на которое государыня хотя не вдруг, но согласилась. Исполнение сего намерения подало весьма худой пример. Россия же, почти всегда господствовавшая в Польше, усилив соседей, себе выгоды ни малейшей не приобрела.

Упорственное желание со стороны императрицы, по особым причинам, возвесть Станислава Понятовского на Польский престол, против воли польского народа, до первого раздела сего государства, привело уже поляков в справедливое негодование. Поступки Станислава касательно России не всегда соответствовали ее ожиданиям. После первого последовал второй и конечный раздел; с уничтожением королевства последовало уничтожение и короля. Он принужден был подписать в Вильне, куда он переехал из Варшавы, отрекательный акт, представленный ему князем Репниным от нашего двора. Странно в судьбе сего государя, что самая та же держава и тот же уполномоченный вельможа князь Репнин, при котором он провозглашен и признан королем, предназначен был несколько лет потом требовать и присутствовать при отрицании сего владельца. По разделении или уничтожении Польши велено ему было жить в Вильне, а государь Павел I его уже перевел в Петербург, где он и скончался. Король Прусский Фредерик в своих исторических повествованиях, говоря об нем, с некоторою шуткою прибавляет, что он во всем сбыл сведущ, кроме своего ремесла, подразумевая, что он не умел царствовать. Польское правление составлялось из так называемого феодального правления. Вельможи имели неограниченные права; король имел весьма слабую власть, а народ был всегда в сущем рабстве и изнурен как работою, так и одноторжием жидов, заграбивших всю внутреннюю торговлю. Следственно, связи общей никогда никакой не было, что для соседственных держав весьма было выгодно. Но не менее при избрании каждого короля возрождались замешательства, от того конфедерации и почти междоусобие, наносившее сему государству чувствительный вред. Но о сем довольно.

Согласие и любовь их императорских высочеств заслужили им приверженность Петербургской публики, но возбудили некоторым образом какую-то беспокойную зависть у большого двора. Начали думать о средствах ослабить сию взаимную супружескую любовь; подвели, что называется, интригу. Меня уверяли, что барон Сакен, бывший прежде во время молодости великого князя в числе его кавалеров, а тогда при Константине Павловиче находящийся, подучен был и настроен, чтобы отвлечь великого князя от всех тех советов, которые великая княгиня ему нередко подавала, будучи окружена как она, так и он, людьми им преданными, как-то: г-жа Бенкендорф, Лафермиер, их чтец. Сих-то людей ему описали, что они владеют великою княгинею, которая их слушается, а от нее и он некоторым образом, по чужим внушениям, беспрестанно поступать должен и водим совершенно ими. Его самолюбие, уже и без того стесненное обыкновенным его положением, будучи встревожено наущениями, привело его не токмо в неудовольствие и не токмо разорвало сей драгоценный союз, но первая возродившаяся в нем мысль и желание были, чтобы доказать великой княгине, что она никакого влияния над ним иметь не может. И на сей конец выбрал он г-жу Нелидову, фрейлину великой княгини и начал к ней иметь особое внимание и отличать ее, а чрез это самое унижать, сколько возможно, свою добродетельную супругу. Перемена сия при их дворе причинила отдаление г-жи Бенкендорф и Лафермиера, а в нраве его высочества соделала чрезвычайную к худшему перемену, так что мы, кавалеры дежурные, на каждом шагу опасались подпасть какому-либо выговору или неудовольствию и всегда с беспокойством отправляли свое дневание.

Если б не самые почтенные люди меня тогда уверяли и к которым сама великая княгиня с надежными случаями об оном писала, называя участвовавших в сей подлой и мерзкой интриге, я, конечно, не мог бы никогда поверить. Но вот в какой мрачности действует при дворе зависть и какими утонченными и хитрыми вымыслами расстраивает все имеющее вид благополучия! Важно было и нужно направлять все душевные свойства столь могущего наследника ко всему ведущему к добродетели и к воздержанной жизни, но в сем случае всем пренебрегали для удовлетворения своего собственного самолюбия. Да позволят мне сделать здесь одно свое примечание, как иногда рассудок человеческий заблуждает. Понимаю, что государю умному и редких достоинств возражения и противоречия нестерпимы; еще менее соучастника в правлении терпеть он может, но приготовлять достойного преемника что мешает? Не надлежит ли ему, напротив того, пещись, сколько возможно, его во всем усовершенствовать, дабы установленный в правлении порядок, дабы собственною его способностию приобретенная государству слава не могли увядать и во времена его наследников? При Екатерине один разумнейший вельможа говаривал, и не без основания, что она, к несчастию, отличала иногда свою собственную славу с славой своего народа.

Фрейлина Нелидова вела себя похвально и не причиняла великой княгине дальних огорчений, но не менее ее высочество, лишась искренности и любви своего супруга, принуждена была вести себя совсем не по-прежнему и в обращении, и речах быть скромнее и осторожнее. Здесь можно беспристрастно сказать в похвалу сей августейшей особе, что нельзя более употреблять терпения и снисхождения, как она употребляла. От того в продолжительности она возвратила к себе если не любовь, так дружбу своего супруга. Он к ней был всегда внимателен. Его привязанность к Екатерине Ивановне ⟨Нелидовой⟩ страстью никак назвать было нельзя. Его это занимало, забавляло, а когда случалось, что она не приезжала по вечерам по дворец, то я находил его еще веселее.

Французский страшный переворот и якобинские зловредные или, смело можно сказать, пагубные правила соделали над императрицею сильное впечатление. Сия монархиня до того весьма было полюбила все сочинения главных французских сего времени писателей и, может быть, их хитросплетенная система, обольщающая человеческое самолюбие, легко согласовалась с необыкновенными ее дарованиями. Но последствия сего вольнодумства, начавшего с таким ужасом действовать над французским народом, не токмо обнаружили разлившийся от сих мнимых философов яд, но начали уже потрясать и царские престолы. Тогда явно оказалось, что главная цель их была ненависть ко всякой власти, в руках государя находящейся и определенных границ не имеющей. Как будто есть возможность всегда, при переменяющихся во всяком государстве обстоятельствах, положить ненарушимый предел власти государевой? Сей образ мыслей, постоянно увеличивающийся в раскаленных головах, возродил наконец мечтательную и неудобовозможную систему гражданского равенства. У нас в сие время один некто, по имени Радищев, в хорошем уже чине тогда находившийся и милостию государыни взысканный, вздумал написать самую опасную книгу. Она уже и начала продаваться, но скоро узнали, ее запретили, а его, разжаловав, сослали в ссылку. При сем случае императрица изволила поступить с важностию и правосудием, не покидавших ее никогда в подобных обстоятельствах. Она, прочитав сие сочинение, выписала самые опаснейшие из него мнения и сей экстракт послала в Уголовную Палату с повелением, чтобы судьи, рассмотрев сии пагубоносные мнения, отвечали, какому наказанию повинен по нашим законам тот, кто подобное рассеивает в народе. Он приговорен был к смерти, яко бунтовщик. Многие меня уверяли, что он был из числа так называемых мартинистов, что и вероятно.

В каждом государстве самое, кажется, главное правило быть должно, чтобы поддерживать в народе добрые нравы. На сей конец надлежит в нем усугублять благоговение к вере, а дабы сие правило воздействовало надлежащим образом, то должны все над ним начальствующие служить тому примером. С тех пор как начали писать и углубляться в системы гражданского законодательства, никто полезнее не мог найти сего соломонова изречения, что страх Божий есть начало премудрости. Еще я недавно читал, что благоговение к вере весьма способствовало прославить царствование Людовика XIV, что частию красноречие проповедников, усовершенствовав язык французский, распространило сие совершенство и на все прочие отрасли словесности. Какое позорище важнее показаться может для народа и сильнее впечатление в нем сделать, когда он видит всех первенствующих вельмож, начиная с самого государя, прибежных к вере и исполняющих с усердием весь долг, на христианина возложенный. Тогда покажется, и не без основания, что и гражданских должностей обязанности со всевозможною доброю волею и желанием без всякого пристрастия исполняются. Тогда самолюбие и роскошь, имеющие противоборствующую причину, не выходят из надлежащих границ и не рассеивают зловредную заразу пустого чванства вменять в достоинство жить не по состоянию. Но сколь уже мы отдалены от сего положения! Случилось мне однажды найтить в аглинском авторе сравнение, им сделанное, между языческим и христианским героем. Сличив нравоучение древних с нравоучением евангельским, для образования человека, он ясно доказывает, что поучения Иисуса вящие достоинства выводят в человеке и дают им преимущество. Мы, люди светские, о сем мало размышляем, да и подчиняемся без всякой осторожности общим принятым правилам, хотя они нимало не ведут нас к совершенству, а напротив, к развращению.

Должности вельмож, конечно, велики, трудны и тягостны. Но какое за них лестное удовлетворение, какая приятная награда, честь, уважение и похвала! Люди портятся, без сумнения, но портятся от дурных примеров. Сии рассуждения опять меня обращают к императрице. Во время ее царствования все было важно, почтенно. Она умела себя так вести, что каждый вельможа ее почитал и любил, и старался также на нее походить. Вольтер написал:

«Когда Август пил, вся Польша была пьяна.»

Вот так сильно действует над подданными пример государя!

Великое дело, когда каждый государь не выходит из правил, впечатлевающих к нему благоговение его народа. В сем чувствовании замыкается в каждом желание исполнять в точности возлагаемую на него должность. Толпу людей невозможно содержать без страха. В нынешнее время, когда я сие пишу, поведение императора Наполеона с французским народом сему служить может ощутительным доказательством.

Говоря о французах, кстати, вспомнил и опишу вкратце приезд в Петербург графа д'Артуа. Сей принц, брат несчастного французского короля, выехал из своего государства, дабы просить помощи у других государей в защищении своего брата, у которого уже власть начали отымать. В Саксонии, в Пильнице, был сделан и подписан трактат, по которому некоторые державы, как-то: Пруссия, Австрия и пр., соединясь между собою, обещались войну объявить Франции с таким уговором, чтобы выручить Людовика из злодейских рук раздраженных якобинцев. Но сей поступок их токмо более ожесточил. Следствия известны. Между тем граф д'Артуа в Петербург приехал и был принят с особою отличностию и с полным уверением о всевозможном вспомоществовании пособить ему сделать высадку на берега Франции, где его единомышленники его уже дожидались. Он, севши при отъезде от нас на фрегат, намеревался сперва заехать в Англию, но там не был принят. Поведение в сем случае славного министра Питта, да и во многих других, подало случай принца осуждать, и если подлинно рассмотреть беспристрастно, то можно найтить в поведении его великие ошибки. Многие знающие люди уверяют, что от него зависело прекратить революцию, подавая надлежащую помощь вандейцам; но его мысли, кажется, были те, что продолжение сих бедствий приведет, наконец, Францию в крайнюю слабость и истощение. Вместо того сие государство, среди расстройки, мятежей и междоусобий, нашло в себе столько средств и пособий, что даже не только противостояло внешним неприятелям, но их привело в слабость. Политическая система Англии не есть лучшая, ибо основана на корыстолюбии, следственно, она старается во всяком случае все выгоды в собственную свою пользу обращать и непостоянно и скупо другим помогает.

Многие части в правлении государственном во время царствования Великой Екатерины образованы по новому начертанию, между прочим губернии или наместничества. От сего учреждения проистекала для империи большая польза. Прежде один воевода с товарищем управлял целою губерниею, в делах была большая проволочка и неудобность. Дворянство, живущее в деревнях, не имело столько способов в воспитании детей и, мало между собою сообщаясь, оставалось в совершенной праздности и без всякой пользы для Отечества; нравы не обрабатывались и оставались загрубелыми, особливо же в отдаленных губерниях, народ или крестьяне не имели понятия о некотором общем порядке и не столько имели способов к промышленности. Сим общеполезным средством распространялось некоторое нужное просвещение и обходительность. Находили только, что в начертании о губерниях излишне учреждены присутственные места первой инстанции, что, кажется, после и поправлено уничтожением некоторых. В рассуждении пространства нашей империи и свирепых свойств нашего народа нужно было ввести сельскую полицию или благочиние. С того времени действительно менее слышно о каких-либо злодеяниях. Нередко случались и злоупотребления со стороны помещиков. Правление в нашей империи таково, что совестью более действует, нежели настоящим правом. Границы власти неопределенны; следственно, несоразмерность часто может быть употреблена вместо справедливости. Разумеется, что я говорю о частной власти, не имеющей препон. Верховная власть не должна бы никогда выходить из круга, предписанного законами. Великий Петр не успел довершить законодательство во всей полноте. Екатерина остановилась на той точке, которой перейти без большей опасности невозможно было: дать народу законную свободу, т. е. уничтожить собственность над крестьянами. О сем подумывали в ее царствование, но исполнить не смели; да и трудно к сему приступить. Надобно, кажется, чтоб через время оное как будто само собой пришло. В теперешнее время, когда я сие пишу (1809), нашли изрядный способ, вместо одного, всех крестьян целой вотчины отпущать, а они потом, управляясь сами собою, начали называться «вольными пахарями». Если б от принадлежности крестьян являлись частые злоупотребления, то сие наносило бы великий вред государству, но сего во множестве редко видно. Да и по моему мнению, в этом важном переменении, весьма трудном в исполнении, будет ли большая польза? Распространять мои рассуждения я далее не желаю, предоставляя превосходным умам решать сию задачу, а довольствуюсь токмо смело сказать, судя по опытности, что крестьян в Российской империи несчастными назвать нельзя, если я с ними сравню некоторых других земель крестьян; наши, хотя в рабстве, но многих превосходят. Каждое государство имеет свою особенность, по своему положению и по свойствам своего народа, и, кажется, должно в оной оставаться. Попрекают нас другие в рассуждении наших крестьян, но вспомнили бы о Польше, в каком состоянии в ней были всегда крестьяне, и возможно ли их с нашими сравнить.

В 1787 году угодно было государыне императрице послать меня к шведскому королю поблагодарить его за присылку, ей сделанную, с поздравлением благополучного возвращения из Крыма.

Всем известно, что Швеция, по неплодородию своей земли и по суровости своего климата, весьма недостаточна съестными припасами, а особливо хлебом. Главный торг ее состоит в железе и меди. Правление ее Густавом III переменено, т. е. что он унизил власть Сената. Сие правительство, наконец, всем распоряжало в государстве и даже противилось воле своего государя. Он иногда принужденно подписывал решение, Сенатом учиненное. Двор французский, всегда нам неблагоприятствующий, вследствие условия, единожды навсегда утвержденного трактатами, давал шведскому королю денежные субсидии для содержания многочисленного войска. Российский двор ради своих выгод имел всегда, помощию также денег, многих ему преданных и поддерживающих важность и могущество Сената. Со времен Густава III, к которому я был послан, все сие уже переменилось. Переворот французский довершил сию перемену. Денег присылать не стали. Король час от часу делался самовластнее. Повоевав с нами неудачно, заключил мир и, переменив свою систему, по случаю гибельных для человеческого роду якобинских правил, приложился было к императрице. С нею, яко смежный союзник, хотел он совокупно войну объявить Франции. Но хитрые якобинцы, узнав о сем им угрожающем намерении и имев единомыслящих уже и в Швеции, пресекли век сего государя. Все обстоятельства его кончины по истории известны. Следующий странный и весьма правдивый анекдот касательно до его двора я почел за нужное здесь присоединить. Король никогда не любил женский пол и не мог решиться иметь наследников с своею супругою. Она была короля Датского сестра, принцесса видная, стройная и черты лица имела приятные; была при том самого кроткого нраву. Королева-мать, дому Прусского, сетуя на сына за его равнодушие касательно до наследства (ибо он хотя и имел одного брата, герцога Судерманландского, женатого, но также бездетного), приступала к нему и выговаривала ему о сем даже с негодованием неоднократно. Он, почитая мать и не желая ее прогневить, сделал ей следующее предложение, чтоб уговорить королеву избрать из придворных, кто более ей понравится и прижить с ним наследника. Но долго королева сему противилась; однако ж, наконец, принуждена была согласиться. У двора, а особливо в подобных намерениях, есть какая-то особая уловка, и сию целомудренную государыню склонили на сей поступок, представляя ей, сколь нужно для спокойствия государства иметь настоящего преемника престола. Меня уверяли, что барон Мунк, находившийся тогда в достоинстве обер-шталмейстера,— отец нынешнего короля. Покойный король Густав III не токмо его признал законным, но и всем сенаторам велел подпискою его равным образом признать.

В государстве небогатом не надобно удивляться заведенному порядку, но мне кажется, что уже установить лучший, какой я в Швеции нашел, невозможно. Добрые нравы пресечением роскоши весьма были сбережены. Никто не смел жить сверх своего состояния. Даже и в платье и в столе все ограничено было законами. При сем умеренном образе жизни, отвращавшем от всякого разврата, молодые люди, воспитывающиеся под присмотром своих родителей, даже и в свете показавшиеся и начав службу, никаких дурных примеров не могли иметь. Для того-то в сем государстве находилось всегда много достойных людей. Я могу смело сказать, что я там нашел настоящее просвещение: все то, что служило к почитанию и к соблюдению веры и к сохранению общего порядка. Крестьяне, как я инде сказал, составляя также из своих депутатов часть государственных чинов, и имея голос, как и прочие, на сеймах, допущены иногда бывали, по случаю какого-либо благодарения, даже и в кабинет своего государя, что я сам однажды видел, и король меня нарочно приказал затем опять к себе позвать, примолвив, что сие позорище довольно, может быть, для меня любопытно будет. Переезд чрез Ботнический залив весьма неприятен, но услуга хороша. Лучший способ велеть заблаговременно привесть лодки из острова Аланда в Абов, на которых, переехав до сего острова и проехав его, уже в гавани, называемой Экер, находится у почтмейстера род пакетбота, на котором до берегов Швеции доезжают. Не худо, в случае противных ветров, запастись поболее съестными припасами, что я и сделал.

Не хочу кончить сие отделение, не поговорив еще о короле. Он очень любил словесность, сам часто занимался и писывал драмы, следственно, любил театральные представления. Во время моей бытности приказал он сыграть одну ⟨драму⟩ своего сочинения, именуемую «Кристина». Содержание почерпнуто из истории датской и шведской, и между актами подходил ко мне и несколько переводил. Но как я по-шведски не разумею, то принужден был прибегнуть к знатокам. Они меня уверяли, что в ней много занимательного. Двор его составлен был из лучших людей, как мужчин, так и дам, его окружающих. Они в летнее время все жили во дворце, в увеселительном его замке Дротингольме.

В министре, правящем иностранных дел департаментом (граф Оксентирне), я нашел человека любезнейшего и с большими сведениями, но так был недостаточен, что во всем был на королевском содержании. Он меня уверял, что некоторые анекдоты о Шведенбурге действительно справедливы. Я здесь об них не упоминаю, потому что они всем известны, но заключу небольшим рассуждением, что нам не может быть никак известно и растолковать невозможно, отчего иногда в человеке находятся странные способности, которые не на обмане и не на хитрости основаны. Они нас приводят в удивление, и нам тогда кажется, что человек как будто что-то сверхъестественное в себе имеет. Но подобные рассуждения далеко завести могут.

В 1790 году ее величеству угодно было, после возвращения моего из Швеции, по случаю восшествия на престол императора Леопольда, послать меня к нему с поздравлением,— лестное препоручение, тем паче, что ко двум дворам сряду я был послан. Леопольд был государь умный, с большими сведениями, любил дела и занимался охотно, но свойства его были слабы и приметна была в нем некоторая робость. Пред тем он правил совершенно Тосканиею. Но на пространном театре Германии и Австрийского дому наследственных областей, сделавшись преемником после брата своего Иосифа, правление его казалось слабо. Покойный император вел войну против турок совокупно с нами, но успехи не ответствовали его ожиданиям. Сверх того, Нидерландия была не спокойна, и даже в Венгрии некоторое негодование распространяться начинало. Он мне сам изволил рассказывать, что прусский двор, пользуясь сими обстоятельствами, старался через своих шпионов размножить неудовольствие и что сии причины принудили его величество заключить особый мир.

При сем случае я узнал Вену и ее жителей, о чем уже в примечании писал в другом месте, а мне хотелось токмо упомянуть и показать вкратце, каким образом себя должен вести молодой человек, присланный от важного двора и который, можно сказать, в виду у всех в обществах находящихся людей. Тут нужны как светскость, так и обращение с каждым, пристойное с его положением. Я так был счастлив, что и тут не менее успел, как и в

Швеции. Мне же самому чрезвычайно было приятно. Отличные учтивости, в приеме мне деланные, уважая от кого я был прислан, лаская мое самолюбие, не уменьшили, однако, во мне надлежащей признательности, и я старался о сем нередко с сими самыми почтенными особами отзываться. Но когда встречал я людей гордых и спесивых, что в Вене и бывает, то платил им такою же монетою и давал иногда почувствовать. На сие надобно особую ловкость. Я ее, думаю, приобрел, бывши долго у двора и в большом свете. По сей причине я советую каждому молодому человеку к светскости как можно более привыкать и знать и уметь с каждым по его важности и состоянию пристойно обходиться, без лишней смелости и без робости, в чем состоит истинная любезность. Если при первом входе в большой свет молодой человек себя тщательно захочет обрабатывать, он нечувствительно сделает такую привычку, что уже ему никакого труда не будет, и он не найдет никогда себя в замешательстве.

Одно из первых для молодого человека достоинств — уметь говорить ясно и складно. Дабы сие приобрести, надобно прилежать к познанию языков и читать как можно более и даже выписывать из книг лучшие изречения. Стараться также, будучи в свете, примечать людей, приятно объясняющихся и нравящихся всем прочим, и у них перенимать. Невероятно, сколь от того, даже с посредственными дарованиями, можно понравиться. Женский пол не токмо пренебрегать не надобно, но стараться во всем угождать, а они, по большей части, довольствуются мелким, так сказать, и раздробительным вниманием. Главная их слабость состоит в их самолюбии, и его удовлетворять весьма легко, хотя иногда и на счет истины.

Теперь обращаюсь опять к Вене. Кн. Дм⟨итрий⟩ Михайлович Голицын, посол от нашего двора, человек был почтенный, добрый, всеми любим. Он пробыл в Вене до самой своей кончины, что продолжалось около тридцати лет; жил почти открытым домом, и великолепнее своих сотоварищей. В нем было между прочим то достоинство, что он мог приобресть доверенность не токмо тамошних министров, но и самого государя. Император Иосиф, когда надобно было о чем-либо важном переговорить, давал ему знать, куда и в которое время приехать; по большей части сии свидания бывали в загородном доме у князя. Таким поведением в посланнике собственный двор должен быть доволен, и князь мог называться со всех сторон счастливым. Но к концу жизни его, переменою у нас министерства, сделали ему чувствительную обиду и до крайности огорчили сего почтенного старика: прислали к нему в товарищи графа Андрея Разумовского. Сия небрежливость к заслуженному и усердному и непризнательность тронули его до крайности и сократили, может быть, и век его. Вот какие иногда уязвительные огорчения наносят нам придворные интриги! Не смотрят ни на достоинства, ни на услуги и сими переменами иногда много расстраивают дела, отчего бывают вредные следствия. Нашел я еще тогда славного кн. Кауница: он подлинно был необыкновенный человек как в делах, так и своих привычках. Король Прусский в своих записках об нем отзывается как о человеке весьма глубокомыслящем в делах и весьма мелочном в своих вкусах; и подлинно его распределение времени в течение дня, поздний час его обеда (он обедывал в семь часов), одеяние его и можество других странностей делали его совершенно, что называется, оригиналом. Характеру был он также необыкновенного и весьма похвального: был беспристрастен. Ровное, хотя гордое, со всеми обхождение подавало ему способ узнавать людей. Вот анекдот, делающий ему много чести: внутреннее одно министерское место упразднилось кончиною вельможи, его занимавшего. Императрица Мария-Терезия советуется с князем, кого назначить. Он ей предлагает одного, но она с удивлением ему напоминает, что представленный им тот самой, об котором он ей однажды сказывал, что его ненавидит. Кауниц с своим обыкновенным равнодушием отвечает, что хотя он меня и терпеть не может, но у в⟨ашего⟩ величества способнее на сие место нет другого. Распределение часов ему так было дорого, что он очень недоволен оставался, если кто к нему взойдет в необыкновенный час. Покойная императрица, супруга императора Леопольда, в день княжева рождения, вздумала приехать его поздравить поутру и у него позасиделась; ему, не взирая на сделанную честь, что-то скучно стало. Чтоб сократить сию беседу, он вдруг ей говорит, что покойная Мария-Терезия имела привычку в этот час во дворец возвращаться. И так добрая сия государыня, поняв из его речей, что время его оставить, уехала. Он был, можно сказать, государями своими избалован.

Возвратясь в Россию, принужден я был за разлитием вод взять другой путь, ехать на Киев; впрочем, не сожалел: в первый раз случилось быть в сем первопрестольном городе. Начальники, в нем бывшие, мало его украшали. Граф П. А. Румянцев никак об нем не пекся. Сие небрежение навлекло ему от императрицы неудовольствие. Во время путешествия ее в Крым, проезжая через некоторые города, она любовалась на их отстройку, но зато в Киеве, ничего нового не приметив, изъяснилась на счет начальников не в их похвалу. Гр. Румянцев, начальствуя тогда в Киеве, сие услышав, перестал ездить во дворец, сказывая о себе, что он нездоров и посещающим его из придворных говаривал своим манером: «Батюшки, не знаю, как государыня на мне изволит взыскивать касательно до строениев; я приобвык брать города, а строить их не мое дело».

После сей поездки думал я попасть в дипломатический корпус, но успеть никак не мог. Все, казалось, к тому благоприятствовало. Граф Безбородко мне предоставил отличие представиться императрице поутру в почивальной, где она, по своему обыковению, приняв меня весьма милостиво, изволила со мною разговаривать около двух часов. Я слушал ее с особым вниманием, тем паче что речь тотчас началась об революции французской, и она весьма разумно и основательно о сем пагубном происшествии рассуждать изволила; удивлялась французскому дворянству, оставившему отечество и короля и рассевшемуся по Европе. Где девался в нем дух рыцарства, сказала она, чем в прежние времена оно столь прославлялось? Изыскивая отчасти причины сего восколебания, я не осмелился ничего прибавить на счет писателей XVIII века, а особливо на счет Вольтера. Государыня (и сие известно всем было) любила читать его сочинения, да и вошла с ним в переписку. Ее самолюбие на сем было замешано. Похвала об ней столь прославляемого писателя ей должна была быть приятна. Подробные донесения о дворе Венском входили также в наш разговор. Мне весьма было лестно, что в мою жизнь хотя однажды удостоился такой важной беседы и имел случай столь великой монархини рассуждения слышать. Я также тут, кстати, имел время донести ее величеству, с каким уважением мы, русские, приняты в чужих краях, что должно совершенно отнести столь славному царствованию и таким великим делам, каковыми украшалось ее правление.

При ней тогда в случае был князь Зубов; поведение его было не из лучших. Он сделался горд, и публика его не любила. Случилось мне его просить, чтоб он подал государыне от меня письмо. Я желал быть назначен посланником к сардинскому двору. Несколько раз я сперва приезжал и все его не мог видеть. Наконец, он меня допустил. Я его нашел читающим и запечатывающим бумаги. Сколь скоро я объяснил ему мою нужду, он мне с холодным видом ответствовал, для чего я не чрез гр. Безбородку прошу. Я сказал ему, что я надеялся, если он сделает мне милость и захочет в сем случае помочь, что я скорее достигну своей цели. Письмо он взял, не уверив меня ни в чем. После того хотя он меня и часто видел, но никогда не упомянул даже, что письмо подано. Вот как он обращался! Сии люди позабывали, что сколь скоро их случай пройдет, то уже ничего не будет значить, и всякий им оборачивает спину. Я с ним же самим видел сию перемену. После кончины императрицы, в первый раз по приезде моем в Петербург, поутру во дворце, едва вхожу я в залу на половину государя, тут некоторые мои знакомые здороваются со мною. Он, как скоро меня увидел, подбежал ко мне, как будто обрадован, что меня увидел и спрашивал с нетерпением о приезде дяди моего, кн. Ивана Федоровича Голицына, которого государь, пожаловав из генерал-майоров в генералы от инфантерии, позвал в Петербург. Я, отвечая ему с вежливостью, однако ж, остановил его, дабы прежде поздороваться с князем Масальским, который ко мне в то же время подошел и чтоб дать ему почувствовать, что приветствие его не столь уже важно. Вот тот же человек, но другое обхождение.

Что более государыня приходила в лета, то все менее было видно искренности и любви к великому князю. Последние годы ее царствования он уже все более и более продолжал свое пребывание в увеселительных своих замках и доживал до настоящей зимы. Между тем редко и по праздникам в город приезжал. Она окружилась людьми, ей преданными, выписала из Белоруссии Петра Богдановича Пасека (он был там наместником), велела ему жить во дворце и пожаловала его в генерал-адъютанты. Архаров оставлен был в Петербурге военным губернатором. Приметным образом в императрице приближенные увидели перемену. Она стала задумчивее и в лице поизменилась, а особливо после разрыва, приуготовленного совсем церковного обряда для венчания великой княжны Александры Павловны с Густавом, королем шведским. Неудача сего преднамеренного брака произвела в государыне сильное потрясение. Рассказывали мне, что когда граф Марков возвратился во дворец с отказом короля, которому предложено было подписать договорные пункты и объявить об оном императрице, она вся затряслась и не могла несколько минут ничего спросить. Я до сего времени не знаю точно, в чем состояло главное затруднение. Думать надобно, что в правлении государством в случае королевской кончины и в построении в городе Стокгольме Греческой церкви. Но отчего предварительно об оном не изъяснились, также мне неизвестно. Сие тронуло сильно государыню, и впервые еще столь важное дело не получило желаемого успеха. В течение ее царствования главные ее намерения всегда исполнялись. Осмеливаюсь здесь при сем случае сделать свое рассуждение. С королем шведским поступлено несколько самовластно и, может быть, некоторые предложенные пункты противились и нарушали коренные законы шведского правления, чего, кажется, и требовать бы не надлежало. Разрыв сего союза уповательно ускорил кончину императрицы, а великой княжне причинил чувствительные огорчения, расстроив ее здоровие и, вероятно, также сократив ее век. Иногда человек, а особливо венценосец, от излишнего самолюбия и надменности, мнит господствовать событиями по своему произволу и воображает, что власти его никакого сопротивления быть не может.

После сего неприятного происшествия государыня вскоре скончалась апоплексическим ударом 6 ноября 1796 года. К государю, находившемуся тогда в Гатчине, послали гр. Николая Зубова донести, что императрица совсем без надежды и в крайней опасности. Государь, однако ж, ее застал хотя дышащую, но уже совершенно без памяти. Как скоро она скончалась, он велел сказать князю Федору Барятинскому, бывшему обер-гофмаршалом, что он отставлен. Все чрез сутки приняло совсем новый вид. Перемена мундиров в полках гвардии, вахт-парады, новые правила в военном учении; одним словом, кто бы за неделю до того уехал, по возвращении ничего бы не узнал, что со мною и случилось по моем приезде из Москвы. Дворец как будто обратился весь в казармы: внутренние бекеты, беспрестанно входящие и выходящие офицеры с повелениями, с приказами, особливо поутру. Стук их сапогов, шпор и тростей, все сие представляло совсем новую картину, к которой мы не привыкли. Тут уже тотчас было приметно, сколь государь страстно любил все военное, а особливо точность и аккуратность в движениях, следуя отчасти правилам Фредерика, короля Прусского.

Я уже был при приезде моем в Петербург, в девятый день по кончине императрицы, во дворце. Признаюсь, что при входе на лестницу был тронут чувством сожаления и никак не мог предвидеть, что увижу так скоро ее тело, поставленное в тронной, под тем же самым балдахином, где я ее видел в величественном ее виде, дающую аудиенции. Сие позорище меня до крайности растрогало, я, зарыдав, подошел и поцеловал ее руку, которую нарочно из гроба на самом краю положили, для всех желающих отдавать ей последний долг благодарности и уважения. После того, остановясь несколько минут, начал на нее смотреть. Какие мысли обращались тогда в моем воображении, описать не в состоянии. Но если есть что важного в свете, то, конечно, кончина земного могущего владыки. Какой страшный отчет он отдать должен, какую славу он после себя оставляет! Но, к несчастию, иногда судьба их поданных не столь тщательно и прилежно их занимает. Императрица же настоящим образом пеклась о благосостоянии ей вверенного народа, что мы уже и видели. Не доставало токмо дружеской связи между ею и великим князем. Сей недостаток имел для России несчастные следствия. Государь император Павел при восшествии своем на престол, питая издавна в сердце своем чувствительные неудовольствия, хотя ознаменовал начало своего царствования знаками щедрости, но имея от природы большую в свойствах горячность, начал поступать нередко с несовместною с поступками суровостию. Сей быстрый переход из кроткого и милосердного в столь строгое правление привел россиян в ужас и негодование. <...>

Государь, по просьбе дяди моего, И. И. Шувалова, пожаловал меня куратором Московского университета. Но я еще оставался в Петербурге и участвовал в церемонии перенесения тела императора Петра III из Невского монастыря в Зимний дворец. Государь, благоговея к памяти своего родителя и желая соравнять его прах местом погребения с прочими нашими государями, сперва перенес останки его в Зимний дворец, где они и поставлены были рядом с телом государыни Екатерины. Кто помнил прежние происшествия, тот мог при сем случае делать важные заключения. Также удивительно, что как будто нарочно должен был случиться в это время в Петербурге гр. Алексей Орлов; ему также приказано было в числе употребленных находится. Что в нем в этот день происходило, каждый вообразить может; а никто бы, думаю, не согласился быть в его положении. За несколько дней до сего перенесения государь наложил на гробницу августейшего родителя своего золотую корону, ибо он не был коронован. Все еще находившиеся и служившие покойному императору получили награждения; между прочим и дядя мой родной, князь Иван Федорович, бывший при государыне генерал-адъютантом и живший в отставке генерал-майором, пожалован был генералом полным и Александровским кавалером.

К шести неделям после кончины императрицы последовало их погребение в церкви Петра и Павла, что в крепости. Я во время сей церемонии имел счастие быть при ее величестве императрице Марии Федоровне и ее препровождать. Против царских дверей было сделано небольшое возвышение; тут поставили тело покойной Екатерины. При конце панихиды государыня императрица, взошед на оное, воздала ей последний долг, поцеловав дважды ее, и потом, покрыв императорскою мантиею тело, с помощию тут находящихся наложили крышу. Вскоре потом вся церемония и окончилась. <...>

Некоторая строгость с русскими подчиненными от начальствующего весьма нужна: кто заслуживает штраф или наказание, без упущения да наказан будет. Сие непременно нужно к сохранению порядка. Строгость же вознаграждается одобрением к повышениям, знаками за усердие и т. п. Но отчего же столь трудно и мудрено все сие целое, составляющее все части государственного правления, содержать в некотором постоянном порядке? От начальствующих вельмож. У них изглаживается в сердцах истинная любовь к Отечеству, возрождаются же на место оной корысть и собственные выгоды. Нравы портятся, и хотя бы за ними было особое наблюдение, невозможно, кажется, им в продолжительности одинаковыми быть. Но пример самого государя много и почти все в сем случае делает. Подданные непременно во многом ему подражают. Я, может быть, иногда повторяю, что пишу, но, однако ж, не могу воздержаться, чтоб с удивлением не сказать: для чего потомки великой Екатерины не берут ее в пример? Должность, возложенная на государя, столь велика, столь важна (ибо благоденствие нескольких миллионов народа от нее зависит), что прочее все в образе ее жизни становится посторонним. Он должен себя вести, и даже в своих удовольствиях, не по примеру частного человека. Все время его и все часы уже должны быть определены на пользу государства. Отдохновения ему остается мало. Но какое же он ощущает в себе бесподобное удовольствие, в полном уверении, что бдительностию своею и беспрестанными занятиями он осчастливливает тьму людей всякого состояния, от Бога ему вверенных, имя его с восторгом произносящих и воссылающих ко Всевышнему мольбы о продолжении драгоценных его дней! Усладительная мысль сия должна, кажется, превышать все прочие соображения. Не устрашается государь тяжести подъемлемого им бремени правления государства; он окружает себя людьми, в том ему помогающими. Но как он их изберет? Сие обстоятельство всех для него затруднительнее. Но, однако ж, подавая собою пример, ревнуя в прилежности к делам наравне с ними, он усугубляет в них желание служить Отечеству.

Государыня, кажется, за правило себе поставляла редко переменять министров, что немало послужило к учреждению порядка внутреннего и к усовершенствованию некоторых частей в правлении. Вся сия сложная громада, под ее взором, двигалась согласно и стройно. Такое-то сильное впечатление производит необыкновенный ум! Но подобно, как человеческое тело имеет свою юность, зрелость, где все силы его и бодрость находятся в лучшем состоянии, а при старости начнет приходить в слабость, равно и государства, возвышаясь постепенно, находят, наконец, предел и с той уже точки начинают расстраиваться, ослабевать и к падению склоняться. Царствование Екатерины, мнится, было высшею степенью славы России. Счастливым я себя поставляю, что жил в ее время и ей служил, и был очевидцем всей величественности и уважения, до которого достигло мое любимое Отечество. Как при том пропустить без должной похвалы тех самых ее помощников, знаменитых соотчичей наших, одаренных необыкновенными способностями, доказавших всей Европе, что россияне могут почитаться, без всякой лести, почти в свете первым народом.

Государыня была очень терпелива и до служивших в ее комнатах очень милостива. Вот сему пример. Однажды, после обеда, она, сидя в кабинете, изволила написать записку и позвонила, чтобы вошел камердинер, но никто не входит. Она в другой раз, но также никого. Подождавши немного, она уже изволила встать, пошла к ним в комнату и с удивлением, но без гнева, им сказала, что она несколько раз звонила, но никто не идет. Они, оробевши, извинилися, что не слыхали. «А что вы делаете?» — изволила государыня спросить.— «Мы между собою играли в карты по обыкновению».— «Так вот тебе, Михайла, письмецо; отнеси его к князю Потемкину, а чтоб не останавливать вашу игру, я, покуда ты ходишь, сяду за тебя». Какая милость и какое снисхождение!

Однажды императрица, перед тем, как ехать прогуливаться в санях, изволила выйти немного прежде, нежели ее ожидали. Быв дежурным, я тут случился. Пошли мы по сделанному скату вместо лестницы (а сие было сделано, чтобы покойнее всходить). Она вдруг изволит мне говорить: «Si vous croyez que vous êtes au bout de votre carrière, vous vous trompez très fort».— Я ей отвечал: «En si bonne compagnie, je voudrais qu'elle n'eut pas de fin».— Государыня опять: «Monsieur, vous êtes bien galant».*

В Царском Селе императрица изволила провождать все лето, и сей увеселительный замок тем паче нравился ей, что она изволила начать и успела кончить предивный Аглинской сад (в нем были воздвигнуты памятники победам графа Румянцева и графа Орлова-Чесменского), а во дворце сделать новые для себя покои. В сем ее отменным вкусом украшенном месте она как будто покоилась от тех своих трудов, и тут уже придворного этикета никакого не было. Мы, придворные, хаживали во фраках и вели жизнь самую покойную и приятную. Обращение наше, можно сказать, было смелее гораздо городского. Во время ее вечерних

---

* Если вы думаете, что вы в конце вашего пути, то очень ошибаетесь.— В таком хорошем обществе я желал бы, чтобы путь этот не имел конца.— Вы, сударь, очень любезны (фр.— *Ред.*).

прогулок мы иногда между собою разрезвимся, бегаем друг за другом, играем в разные игры, что государыне всегда даже угодно было. Я отменно любил сию Царскосельскую жизнь. Привыкнув и, будучи охотник читать и писать, я всегда с собою брал книги и, вставши поутру рано, ухаживал в сад, чтобы ими заниматься. Окружавшие меня приятные предметы усугубляли удовольствие заниматься полезным чтением, и часто тут, сидя под каким-нибудь тенистым деревом, делал я важные размышления, и в моей голове иногда обращался целый род человеческий. Часто останавливался я на сей мысли, что человек, одаренный превосходными способностями, а особливо венценосец, удивительные перемены в свете сделать может и быть отменно полезным, и что деяния его целыми веками не изглаживаются, а напротив, время, все прочее истребляющее, дает им новый блеск и новую твердость. С такими заключениями я обозревал все разные в саду сделанные украшения, как-то: беседки, домики, колонны и т. п. Все сие (думал я сам в себе) от времени разрушится и обратится в прах, а великие и полезные дела, на чем основывается блаженство целого общества, навек невредимо пребывают. И так царствование Екатерины бессмертным назваться может. Она возвысила Россию на степень чести и славы, показав Европе, что россияне, мудро управляемые, до всего достигнуть могут.

Я сказал выше, что не было никакого этикету, да и караул был почти ничего не значущий. Самый малый отряд гвардии с одним офицером оной исправлял. Государыня была уверена в любви своих подданных; но я иногда, глядя на нее, прогуливающуюся по садам почти одну, а особливо поутру, во время распространившегося якобинства и знавши, что у нас шатаются иностранцы по Петербургу Бог знает какие, за нее побаивался. Одевалась она довольно просто и на голове носила большую круглую шляпку. В сем, однако ж, простом, так называемом, сертуке, не теряла она никогда своего отличного виду, и все ее движения были без принуждения и всегда очень приятны.

Я случился в Царском Селе, когда родился великий князь Константин Павлович. Императрица несказанно была обрадована, тем паче, что другого внука весьма желала. Имя Константина уже заранее ему было назначено, и кормилица-гречанка приготовлена. Государыня имела в виду для будущих времен восстановить Греческую восточную империю и его возвесть на престол великого Константина.

Видя государыню в таком полном удовольствии, воображение мое заразилось каким-то стихотворческим духом, и я в этот день, сошед в комнаты своего дяди Ивана Ивановича <Шувалова>, начал писать стихи. После, кончив их вскоре в городе и показав дяде, который их похвалил, имел счастие поднести ее величеству. Они напечатаны в Академических известиях в том же году. Также, по случаю моего вторичного в Петербург приезда, написал я стихи французские, в похвалу государю Павлу I. Они ему поднесены были кн. Александром Борисовичем Куракиным, и за них я благодарность получил.

Когда мы дежурили у их высочеств, в Павловском или в Гатчине, надо было иногда поостеригаться, хотя обхождение с нами было милостивое. Об государыне Марии Федоровне я смело скажу, что редко я видывал особу благонравнее и добродетельнее. Терпение же ее в иных случаях было примерное. Она была всегда ровна. Я могу об себе сказать, что получал от нее нередко знаки ее благоволения. Она жаловала всегда читать и нередко изволила бирать у меня книги и со мною советоваться. Распределение времени ее высочества было так аккуратно, что она никогда без занятия не оставалась. Любимое ее упражнение было гравировать на камнях и она до большого совершенства изволила достигнуть в сем искусстве. Порядок, установленный у великого князя, был, если можно сказать, в такой уже точности, что все распределено было по часам и он сам тому служил примером. Если изволит приказать прийти в 4 часа поутру, чтобы ехать верхом, то, верно, как скоро ударят часы, он уже готов и выйдет. Впрочем, придворным было приятно. Оба сии увеселительные дворцы отделаны с большим вкусом, сады прекрасные, и даже чудно, что под таким суровым климатом и на такой неплодородной и болотистой земле помощью искусства и сбережения могли их привесть до такого совершенства.

Через год после кончины императрицы лишился я благодетеля своего и дяди, Ивана Ивановича Шувалова. Я думаю, что в жизни моей не бывало и не будет для меня столь чувствительного огорчения. Хотя он был уже в летах и немощен, но моя к нему любовь, благодарность и сильная привычка от таковой потери сделали меня неутешным. Слезами моими я отдал ему временный долг, а благодеяния его и отеческое обо мне попечение век не изгладятся из моего сердца. Я вам, любезные дети мои, передаю сии чувствования, да не будет он забвен и в памяти вашей. Храните его изображение и старайтесь на него походить. Он был отменно добродетелен, бескорыстен и всеми любим. Отечеству и государю предан. Он основал Академию художеств и Московский университет. Я уже писал его жизнь, следственно, здесь и не повторю.

Также мне надобно здесь упомянуть о другом почтенном человеке, который меня весьма жаловал. Граф Никита Иванович Панин, воспитывавший государя императора Павла I и управлявший, яко первый министр, департаментом иностранных дел почти во все время царствования императрицы Екатерины, напоследок, сделавшись немощен, был отставлен. Он был с большими достоинствами и что его более всего еще отличало, какая-то благородность во всех его поступках и в обращении ко всякому внимательность, так что его нельзя было не любить и не почитать: он как будто к себе притягивал. Я в жизни моей мало видал вельмож, столь по наружности приятных. Природа его одарила came:= санови-тостью и всем, что составить может прекрасного мужчину. Все его подчиненные его боготворили, и он в одно время некоторым подарил часть своих деревень, пожалованных ему в Польше. Он меня очень жаловал. Я у него бывал каждый день и приезживал к нему с книгою в кармане, чтобы ему читать что тогда выходило, а особливо по-русски.

Брат его, граф Петр Иванович, был также важный человек и как в военном деле, так и в гражданской части понятия и ума был необыкновенных. Твердость духа более всего прочего его отличала. Вот сему пример. Императрица, с начала своего царствования, езжала иногда в Сенат на общее собрание. Приехавши однажды в сопровождении генерал-прокурора князя Вяземского и севши на свое место, она приказала Вяземскому читать заготовленный указ о некоторых переменах. По прочтении сенаторы все встали, кроме графа, и зачали государыню благодарить, а особливо граф Воронцов Роман Ларионович, который в пояс начал кланяться. Императрица, приметя, что граф остался на своем месте, изволила у него спросить, соглашается ли он. Вставши, граф ей отвечал, что если она приказывает, он первый повинуется ее воле, но если изволит требовать его мнения, то он осмеливается сделать некоторые свои примечания. После сего ответа государыня приказала исполнение остановить, а графу приехать во дворец на другой день для объяснения, и сказывают, что его замечания были приняты. Он командовал второю армиею противу турок и взял крепость Бендеры; после того скоро пошел в отставку.

Князь Николай Васильевич Репнин, тесть мой по первой жене, был с превосходными дарованиями. Он служил с отличностью на войне, в посольствах и был наместником. Свойства его были благородны, но попрекали его несколько надменностию, что, однако ж, при старости его весьма уменьшилось. С ним сделался чудесный переворот в образе его мыслей. До некоторых лет он, как светский человек и сластолюбивый, об религии думал, как и многие другие, поверхностным образом, но внезапность и преждевременная кончина покойной жены моей, которую он страстно любил, заставила его войтить в самого себя и сделать сильный оборот. С того времени он зачал прилежать к священным книгам и сделался богомолен. К сему еще пособило любопытство узнать смысл мистических книг, зачинавших тогда продаваться, а особливо творений известного Сен-Мартена, что его и повело постепенно к Библии, в которой, сказывают, содержится развязка сих неудобопонятных книг. Последние годы жизни его он был оставлен Павлом I. Изменчивый ли нрав покойного государя либо придворные интриги отдалили сего почтенного гражданина и принудили идти в отставку. Он был уже фельдмаршалом и ежели бы государь захотел, откладывая свое самолюбие, иметь при себе умного, усердного и опытного человека, не мог бы он способнее его найти, а особливо столь твердого и правдивого. Честь ему делает большую, что он, хотя старее был по службе князя Потемкина, но знавши, сколь он мог быть полезен во время начавшейся войны с турками, в письме к императрице предлагает свои услуги и охотно соглашается идти в команду к князю Потемкину. И подлинно, на нем вся тяжесть войны сей и все исполнение, можно сказать, лежали.

Об фельдмаршале графе Захаре Григорьевиче Чернышеве надобно мне также упомянуть. Он отличался каким-то особым дарованием приводить в отменный порядок все ему вверенное. Никогда Военная Коллегия (а он был президентом ее) не была до того совершенства приведена. При всех его способностях и важных занимаемых им должностях он был характеру веселого и приятного. Москва, которою он также правил, одолжена ему многими украшениями. Он в Прусскую войну и перед сражением при Коллине между австрийцами и пруссаками подал преважный совет фельдмаршалу Лаудону, при котором он находился волонтером.

Фельдмаршал Румянцев столь прославился своими победами, что я об нем почитаю за излишнее распространяться. Он в Российской империи будет занимать важное место. По нем, сообразуяся течению времени, видели мы в военном искусстве бесприкладного Суворова, сего российского орла. Он даже всю Европу привел в изумление быстротою своих славных подвигов, и ежели граф Румянцев, получивши начальство над армиею против турок, переменил систему войны и начал действовать наступательно, Суворов в сем отношении его гораздо превзошел и, узнав более других свойства и способность российского солдата, умел он действовать таким образом, что все преимущества, от природы ему данные, обращал в пользу, чего еще до него ни один полководец у нас не делал. Он, это правда, иногда людей не жалел скорыми маршами и битвою на штыках, но сими неожидаемыми нашествиями, устрашив неприятеля и рассеяв его силы, заставлял скорее просить миру. Переход его через Альпы все на свете превосходит. Сами французы, напыщенные самолюбием, ему отдают справедливость. В характере его были странности. Он в праздные часы, может быть, оттого, что не любил об деле говорить, а особливо при многих, все любил делать чудесные вопросы, как напр<имер>, сколько звезд на небе. Не мог терпеть, если кто ему скажет: «не знаю». Об сих странностях И. И. Шувалов разговаривал однажды с императрицею Екатериною. Она изволила ему на то сказать, что фельдмаршалу все сие простительно, потому (продолжала она), что когда мы двое с ним сидим, то я не могу довольно вам рассказать, сколь он, когда захочет, умно и основательно рассуждает: совсем, кажется, не тот человек. Вот какого была об нем мнения сие великая монархиня.

Назначен будучи куратором в Московском университете, я переехал в сию древнюю столицу после погребения покойной императрицы. Университет был управляем Михаилом Михайловичем Херасковым, а директор Фон-Визин перед тем пожалован был в сенаторы. До назначения другого директорскую должность отправлял старший канцелярии советник Тейльс. Я нашел все в порядке, только большую нечистоту в камерах, в столе и в кухне. Все сие вскоре было исправлено. Больницу я также поправил, умножив в ней число постелей, и все, что могло быть нужно к покою и на пользу недугующих, я все придумал.

Что же принадлежит до гимназии и профессорских классов, я не могу довольно похвалить и всю честь приписываю как управляющим, так и наставникам. Каждый исполняет свою должность, можно сказать, с удовольствием. Но паче всего мне полюбилось и достойно всякой похвалы, что воспитание юношей было препоручено двум, как называли тогда, эфорам. Они, по своему попечению и в исправлении своей должности, были образцовые люди и каких редко найтить можно. От такого порядка и усердия питомцы себя вели так хорошо, что никогда не было слышно ни шалостей, ни шуму, и редко когда которой из них был наказан.

Гимназия была в одном корпусе с университетом, и в нее хаживали учиться около семисот мальчиков, по большей части без состояния и самые неимущие. Какая благотворительная подмога сим несчастным и какая польза для общества! Сие первоначальное учение, поелику преподаваемо было под надзором всех начальников, было в лучшем порядке, и учители тщательнее должность свою исполняли. По отбытии моем в чужие краи университет был преобразован. Лучше ли, время сие докажет; но немудрено доказать, что прежнее начертание очень было полезно, что на самом опыте видно и на тех достойных людях, которые, почерпнув в нем свои познания, достигли до больших чинов и по службе отличились.

Тут я в первый раз в жизни моей имел настоящую должность и в сношениях с другими людьми начал узнавать, как мудрено обходиться и сколь надобно быть осторожну, что во всяком месте и положении неизлишнее. Я где-то уже поставил, что я был всегда внутренно весьма спокоен и неволнуем ни самолюбием и никакою другою страстию. Следственно, я старался узнавать людей и приметить мог, сколь они пристрастны и паче самолюбивы. Будучи у двора, я похожее приметил за ними, но в делах и в суждении о них совсем другие оттенки. Редкий, кто не любит спорить. Иной оттого, что хочет доказать, что не хуже другого разумеет; иной для некоторого упрямства, чтоб не уступить, а иной, наконец, видит вещи совсем инаково. Спорить всегда непристойно, а рассматривать, судить и делать возражения даже нужно, поелику сим образом дело лучше объясняется и его обозревают со всех сторон. Вскоре еще к нам пожаловали в кураторы Кутузов, и потом Ковалевский. Здесь и при сем случае я сделал примечание, как легко добиться можно должности или места, которое, впрочем, совсем не нужно, да и излишнее. Сверх того, можно испортить учрежденный порядок. На что было похоже видеть вдруг четырех кураторов! Тут вскоре возродилась ненависть, спор и даже жалобы. К счастию моему, я принужден был, по случаю болезни жены моей, уехать в чужие края. Потом все переиначено, и самая главная и полезная часть, т. е. воспитание, уничтожено. Гр. Завадовский уже издавна приготавливался его преобразовать, а тут, сделавшись министром народного просвещения, исполнил свое намерение. Итак, лучшее у нас учреждение, от которого проистекала истинная польза для государства и где обрабатывались нравы молодых людей, не могло устоять на сем опытностию подтвержденном, пристойном основании. Сему в доказательство послужит, что через несколько времени потом опять завели небольшую гимназию и взяли питомцев. <...>

РАЗНЫЕ АНЕКДОТЫ

Граф Александр Матвеевич Мамонов, находившийся в случае при императрице, влюбился в фрейлину княжну Щербатову. Сия любовная интрига, несколько времени продолжавшаяся, наконец доведена была недоброжелателями графа до сведения самой государыни. Она сперва не совсем поверила и хотела совершенно удостовериться. Но умели так хитро сделать, что ее величество их нашла прогуливающихся одних в Царскосельском саду. Сия великодушная монархиня, приближась к ним, без всякого гнева, им токмо объявила, что они скоро будут обвенчаны и чтоб они к тому приготовлялись. В самом деле свадьба их через две недели воспоследовала. Какая редкая и удивительная воздержанность в подобных случаях, где самолюбие должно приведено быть в раздражение! Но вспомним, что то была великая Екатерина, которая ни в каком положении не забывалась, и она умела различить частное какое-либо обстоятельство, не имеющее никакого, впрочем, влияния и где она соревновалася и с другими особами ее пола.

Во время опасной болезни великого князя Павла Петровича в 1770 году, если я не ошибаюсь, подумывали объявить, в случае несчастию, наследником престола графа Бобринского.

В продолжении случая кн. Потемкина, когда он начальствовал армиею, граф Мамонов, бывший тогда в самой большой доверенности у государыни, по естественной ненависти к сему горделивому и зазнавшемуся вельможе, успел уже столько его унизить в мыслях императрицы и сбавить его власти, что написан был указ, что граф Румянцев принял начальство над армиею, а князь Потемкин, возвратясь, должен был ожидать дальнейших повелений в Киеве.

Я все сие пишу уже из памяти и старался ничего не забыть и не пропустить, что занимательнее показалось. Для вас, мои любезные дети, примечания мои не бесполезны будут. Вы найдете в сих записках много достойного примечания. Ваши времена, может быть, будут совсем другие. Хотя положение и обстоятельства переменяются, но люди или страсти их остаются те же. Молодой человек, входящий в большой свет, на великий и опасный опыт себя поставляет. Дворская жизнь, к счастию, меня не испортила. Я так был счастлив, что обо мне везде хорошо отзывались и если я, в своих намерениях по службе недовольно успел, то может быть сему причиною, что я не так часто хаживал к случайным людям и не искал их благорасположения. Но иные из них были горды и как будто от себя отпихивали. На сие, впрочем, при дворе не должно смотреть, и хотя иногда и наскучит, но все показываться. Любимца надобно себе представить, что он как в чаду и окружен по большей части льстецами. Они его самолюбие беспрестанно надувают, следственно, не мудрено ему забываться.

Среди любимого загородного жилища, где государыня наслаждалась приятствами украшенной природы, одно обстоятельство ее встревожило, и со всем своим великим духом не могла она никак скрывать своего беспокойства. Сие случилось во время войны со шведским королем. Неожиданный разрыв, соседственность земель и малое число у нас на этой границе войск привели императрицу несколько в замешательство. К счастию, финляндское шведское войско воспротивилось переступить свою границу, уверяя, что нет настоящей причины наступательно действовать противу России. Тут же и подосланы были от нас их тайно уговаривать. В Петербурге народ, хотя слышны были пушечные выстрелы во время сражения между обоими флотами, был спокоен и даже бодрился против короля и между собою разговаривая, часто у них вырывалося их изречение: «Покажись-ка он, мы шапками его замечем». Однако ж, вскоре потом сия война благополучно кончилась. Два неглавные генерала, с нашей стороны Игельштром, а с шведской — Амфельд, пользуясь остановкою между ими военных действий, зачали между собою пересылаться и, наконец, пожелали иметь свидание. Армфельд, имея у короля большую доверенность, заговорил о желании его пресечь войну. Игельштром изъявил на сие расположение также свое доброхотство. Условились отправить курьеров, и вскоре потом мир был заключен. Императрица, несколько времени после, разговаривая об сей войне, изволила однажды примолвить: «I'ai fait la guerre sans généraux et la paix sans ministres»*. Главнокомандующим был тогда граф Иван Петрович Салтыков и стоял к Выборгу. Об мире узнал уже по заключении. Тут начал входить в политические дела князь Зубов. Через несколько времени после сей молодой человек заграбил в свои руки все дела, до Польши принадлежащие, и причиною, может быть, сделался всему, что наши войска, будучи рассеяны по городу Варшаве, претерпели. Тот же граф Игельштром, об котором я выше упомянул, дав себя в обман одной полячке, дозволил полякам брать оружие в арсенале и скрытному их заговору дал время усилиться. За несколько же времени пред сим несчастным приключением отозван был наш посол граф Сиверс также вследствие придворной интриги. Он же, надобно знать, своими благоразумными поступками умел склонить поляков без дальнего роптания, признать последний раздел Польши и заставил их присягнуть в подданстве. Всем известно, сколь дорого за сие заплатили поляки при взятии Варшавы. <...>

* Я вела войну без генералов и заключила мир без министров (фр.— *Ред.*).

ФЕДОР ВАСИЛЬЕВИЧ РОСТОПЧИН

Последний день жизни императрицы Екатерины II и первый день царствования императора Павла I

Все, окружавшие императрицу Екатерину, уверены до сих пор, что происшествия во время пребывания шведского короля в С.-Петербурге суть главною причиною удара, постигшего ее в пятый день ноября 1796 года.

В тот самый день, в который следовало быть сговору великой княжны Александры Павловны, по возвращении графа Моркова от шведского короля с решительным его ответом, что он на сделанные ему предложения не согласится, известие сие столь сильно поразило императрицу, что она не могла выговорить ни одного слова и оставалась несколько минут с отверстым ртом, доколе камердинер ее, Зотов (известный под именем Захара), принес и подал ей выпить стакан воды. Но после сего случая, в течение шести недель, не было приметно ни малейшей перемены в ее здоровьи. За три дня до кончины сделалась колика, но чрез сутки прошла: сию болезнь императрица совсем не признавала важною. Накануне удара, то есть с 4-го числа на 5-е, она, по обыкновению, принимала свое общество в спальной комнате, разговаривали очень много о кончине Сардинского короля и стращала смертью Льва Александровича Нарышкина. 5-го числа Мария Саввишна Перекусихина, вошедши, по обыкновению, в 7 часов утра к императрице для пробуждения ее, спросила, каково она почивала, и получила в ответ, что давно такой приятной ночи не проводила, и за сим государыня, встав с постели, оделась, пила кофе и, побыв несколько минут в кабинете, пошла в гардероб, где она никогда более десяти минут не оставалась, по выходе же оттуда обыкновенно призывала камердинеров для приказания, кого принять из приходивших ежедневно с делами. В сей день она с лишком полчаса не выходила из гардероба, и камердинер Тюльпин, вообразив, что она пошла гулять в Эрмитаж, сказал о сем Зотову; но этот, посмотря в шкаф, где лежали шубы и муфты императрицы (кои она всегда сама вынимала и надевала, не призывая никого из служащих) и видя, что все было в шкафе, пришел в беспокойство и, пообождав еще несколько минут, решился идти в гардероб, что и исполнил. Отворя дверь, он нашел императрицу лежащую на полу, но не целым телом, потому что место было узко и дверь затворена, а от этого она не могла упасть на землю. Приподняв ей голову, он нашел глаза закрытыми, цвет лица багровый, и была хрипота в горле. Он призвал к себе на помощь камердинеров, но они долго не могли поднять тела по причине тягости и оттого, что одна нога подвернулась. Наконец, употребя еще несколько человек из комнатных, они с великим трудом перенесли императрицу в спальную комнату, но, не в состоянии будучи поднять тело на кровать, положили на полу на сафьянном матрасе. Тотчас послали за докторами.

Князь Зубов, был извещен первый, первый потерял и рассудок: он не дозволил дежурному лекарю пустить императрице кровь, хотя о сем убедительно просили его и Марья Саввишна Перекусихина, и камердинер Зотов. Между тем прошло с час времени. Первым из докторов приехал Рожерсон. Он пустил в ту же минуту кровь, которая пошла хорошо; приложил к ногам шпанские мухи, но был, однако же, с прочими докторами одного мнения, что удар последовал в голову и был смертельный. Несмотря на сие, прилагаемы были до последней минуты ее жизни все старания; искусство и усердие не переставали действовать. Великий князь Александр Павлович вышел около того времени гулять пешком. К великому князю-наследнику от князя Зубова и от прочих знаменитых особ послан был с известием граф Николай Александрович Зубов, а первый, который предложил и нашел сие нужным, был граф Алексей Григорьевич Орлов-Чесменский.

В тот самый день наследник кушал на Гатчинской мельнице, в пяти верстах от дворца его. Перед обедом, когда собрались дежурные и прочие особы, общество Гатчинское составлявшие, великий князь и великая княгиня рассказывали Плещееву, Кушелеву, графу Виельгорскому и камергеру Бибикову случившееся с ними тою ночью. Наследник чувствовал во сне, что некая невидимая и сверхъестественная сила возносила его к небу. Он часто от этого просыпался, потом засыпал и опять был разбужаем повторением того же самого сновидения; наконец, приметив, что великая княгиня не почивала, сообщил ей о своем сновидении и узнал, к взаимному их удивлению, что и она то же самое видела во сне и тем же самым несколько раз была разбужена.

По окончании обеденного стола, когда наследник со свитою возвращался в Гатчину, а именно в начале третьего часа, прискакал к нему навстречу один из его гусаров, с донесением, что приехал в Гатчину шталмейстер граф Зубов с каким-то весьма важным известием. Наследник приказал скорее ехать и не мог никак вообразить себе истинной причины появления графа Зубова в Гатчине. Останавливался более он на той мысли, что, может быть, король шведский решился требовать в замужество великую княжну Александру Павловну, и что государыня о сем его извещает.

По приезде наследника в гатчинский дворец граф Зубов был позван к нему в кабинет и объявил о случившемся с императрицею, рассказав все подробности. После сего наследник приказал наискорее запрячь лошадей в карету и, сев в оную с супругою, отправился в Петербург, а граф Зубов поскакал наперед в Софию для заготовления лошадей.

Пока все это происходило, Петербург не знал еще о приближающейся кончине императрицы Екатерины. Быв в английском магазине, я возвращался пешком домой и уже прошел было Эрмитаж, но, вспомня, что в следующий день я должен был ехать в Гатчину, вздумал зайти проститься с Анною Степановною Протасовою. Вошед в ее комнату, я увидел девицу Полетику и одну из моих своячениц в слезах: они сказала мне о болезни императрицы и были встревожены первым известием об опасности. Анна Степановна давно уже пошла в комнаты, и я послал к ней одного из лакеев, чтобы узнать обстоятельнее о происшедшем. Ожидая возвращения посланного, я увидел вошедшего в комнату скорохода великого князя Александра Павловича, который сказал мне, что он был у меня с тем, что Александр Павлович просит меня приехать к нему поскорее. Исполняя волю его, я пошел к нему тотчас и встречен был в комнатах камердинером Парлантом, который просил меня обождать скорого возвращения его императорского высочества, к чему прибавил, что императрице сделался сильный параличный удар в голову, что она без всякой надежды и, может быть, уже не в живых. Спустя минут пять, пришел и великий князь Александр Павлович. Он был в слезах, и черты лица его представляли великое душевное волнение. Обняв меня несколько раз, он спросил, знаю ли я о происшедшем с императрицею? На ответ мой, что я слышал об этом от Парланта, он подтвердил мне, что надежды ко спасению не было никакой, и убедительно просил ехать к наследнику для скорейшего извещения, прибавив, что хотя граф Николай Зубов и поехал в Гатчину, но я лучше от его имени могу рассказать о сем несчастном происшествии.

Доехав домой на извозчике, я велел запрячь маленькие сани в три лошади и чрез час прискакал в Софию. Тогда уже было 6 часов пополудни. Тут первого увидел я графа Николая Зубова, который, возвращаясь из Гатчины, шумел с каким-то человеком, приказывая ему скоро выводить лошадей из конюшни. Хотя и вовсе не было до смеха, однако же, тут я услышал нечто странное. Человек, который шумел с графом Зубовым, был пьяный заседатель. Когда граф Зубов, по старой привычке обходиться с гражданскими властями, как со свиньями, кричал ему: «Лошадей, лошадей! Я тебя запрягу под императора»,— тогда заседатель весьма манерно, пополам учтиво и грубо, отвечал: «Ваше сиятельство, запрячь меня не диковина, но какая польза? Ведь я не повезу, хоть до смерти изволите убить. Да что такое император? Если есть император в России, то дай Бог ему здравствовать; буде матери нашей не стало, то ему виват!» Пока граф Зубов шумел с заседателем, прискакал верхом конюшенный офицер, майор Бычков, и едва он остановил свою лошадь, показались фонари экипажа в восемь лошадей, в котором ехал наследник. Когда карета остановилась, и я, подошед к ней, стал говорить, то наследник, услышав мой голос, закричал: «Ah, c'est vous, mon cher Rostopschin!»*. За сим словом он вышел из кареты и стал разговаривать со мною.

---

* Ах, это вы, мой дорогой Ростопчин! (фр.— *Ред.*).

расспрашивая подробно о происшедшем. Разговор продолжался до того времени, как сказано, что все готово; садясь в карету, он сказал мне: «Faites moi le plaisir de me suivre; nous arriverons ensemble. I'aime a vous voir avec moi»*. Сев в сани с Быковым, я поскакал за каретою. От Гатчины до Софии встретили наследника 5 или 6 курьеров, все с одним известием от великих князей, от графа Салтыкова и прочих. Они все были с записками, и я, предвидев это, велел из Софии взять фонарь со свечою, на случай, что если будут письма из Петербурга, то можно бы было читать их в карете. Попадались еще в встречу около двадцати человек разных посланных, но их мы ворочали назад, и таким образом составили предлинную свиту саней. Не было ни одной души из тех, кои, действительно или мнительно имея какие-либо сношения с окружающими наследника, не отправили бы нарочного в Гатчину с известием: между прочим, один из придворных поваров и рыбный подрядчик наняли курьера и послали.

Проехав Чесменский дворец, наследник вышел из кареты. Я привлек его внимание на красоту ночи. Она была самая тихая и светлая; холода было не более 3°, луна то показывалась из-за облаков, то опять за оные скрывалась. Стихии, как бы в ожидании важной перемены в свете, пребывали в молчании, и царствовала глубокая тишина. Говоря о погоде, я увидел, что наследник устремил взгляд свой на луну и при полном ее сиянии мог я заметить, что глаза его наполнялись слезами и даже текли слезы по лицу. С моей стороны преисполнен быв важности сего дня, предан будучи сердцем и душою тому, кто восходил на трон российский, любя отечество и представляя себе сильно все последствия, всю важность первого шага, всякое оного влияние на чувства преисполненного здоровьем, пылкостью и необычайным воображением, самовластного монарха, отвыкшего владеть собою, я не мог воздержаться от повелительного движения, и, забыв расстояние между ним и мною, схватя его за руку, сказал: «Ah, monseigneur, quel moment pour vous!»**. На это он отвечал, пожав крепко мою руку: «Attendez, mon cher, attendez. J'ai vecu quarante deux ans. Dieu m'a soutenu; peut-être, donnera-t-il la force et la raison pour supporter l'état, auquel il me destine. Espérons tout de Sa bonté»***.

Вслед за сим он тотчас сел в карету и в $8^1/_2$ часов вечера въехал в С.-Петербург, в котором еще весьма мало людей знали о происшедшем.

Дворец был наполнен людьми всякого звания, кои, собраны будучи вместе столько же по званиям их, сколько из любопытства или страха, все с трепетом ожидали окончания одного долговременного царствования для вступления в другое, совсем новое.

---

* Доставьте мне удовольствие: поедемте вместе. Я люблю, когда вы рядом (фр. — *Ред.*).

** Ах, государь, какой момент для вас! (фр.—*Ред.*).

*** Погодите, мой друг, погодите. Я живу сорок второй год. Бог поддерживает меня; быть может, Он дарует мне силу и разум, чтобы управлять государством, которое Он мне вручает. Положимся всецело на Его милость (фр.— *Ред.*).

По приезде наследника всякой, кто хотел, подвинутый жалостию или любопытством, входил в ту комнату, где лежало едва дышащее тело императрицы. Повторялись вопросы то о часе кончины, то о действии лекарств, то о мнении докторов. Всякой рассказывал разное, однако же, общее было желание иметь хоть слабую надежду к ее выздоровлению.

Вдруг пронесся слух (и все обрадовались), будто государыня, при отнятии шпанских мух, открыла глаза и спросила пить; но потом, чрез минуту, возвратились все к прежнему мнению, что не осталось ожидать ничего, кроме часа ее смерти.

Наследник, зашед на минуту в свою комнату в Зимнем дворце, пошел на половину императрицы. Проходя сквозь комнаты, наполненные людьми, ожидающими восшествия его на престол, он оказывал всем вид ласковый и учтивый. Прием, ему сделанный, был уже в лице государя, а не наследника. Поговоря несколько с медиками и расспрося о всех подробностях происшедшего, он пошел с супругою в угольный кабинет и туда призывал тех, с коими хотел разговаривать или коим что-либо приказывал.

На рассвете, чрез 24 часа после удара, пошел наследник в ту комнату, где лежало тело императрицы. Сделав вопрос докторам, имеют ли они надежду и получа в ответ, что никакой, он приказал позвать преосвященного Гавриила с духовенством читать глухую исповедь и причастить императрицу Святых Таин, что и было исполнено. Потом он позвал меня в кабинет и изволил сказать: «Я тебя совершенно знаю таковым, каков ты есть, и хочу, чтобы ты откровенно мне сказал, чем ты при мне быть желаешь?» Имея всегда в виду истребление неправосудия, я, не останавливаясь нимало, отвечал: «Секретарем для принятия просьб». Наследник, позадумавшись, сказал мне: «Тут я не найду своего счета; знай, что я назначаю тебя генерал-адъютантом, но не таким, чтобы гулять только по дворцу с тростью, а для того, чтобы ты правил военною частию.» Молчание было моим ответом. Хотя мне и не хотелось быть опять в военной службе, но непристойно было отказаться от первой милости, которую восходящий на престол государь собственным движением мне оказывал. Потом с четвертью часа он разговаривал с камер-пажом Нелидовым, вероятно, о тетке его, Катерине Ивановне, которая столь важную роль играла до восшествия и после восшествия императора Павла на престол; она уже восемь месяцев жила в Смольном монастыре, поссорившись с великою княгинею в Гатчине.

Между тем все ежеминутно ожидали конца жизни императрицы, и дворец более и более заполнялся людьми всякого звания. Граф Безбородко более тридцати часов не выезжал из дворца. Он был в отчаянии: неизвестность судьбы, страх, что он под гневом нового государя и живое воспоминание благотворений умирающей императрицы наполняли глаза его слезами, а сердце горечью и ужасом. Раза два он говорил мне умилительным голосом, что он надеется на мою дружбу, что он стар, болен, имеет 250 тысяч рублей дохода и единой просит милости, быть отставленным от службы без посрамления. Вместе с тем, соболезнуя, просил он о Трощинском, который был его творение, и объяснил мне, что уже восьмой день, как подписан указ о пожаловании его в действительные статские советники, но не отослан Грибовским в Сенат.

Вошедши к наследнику и отвечая на вопрос его: «Что делается во дворце?»,— я нашел удобным описать отчаяние графа Безбородко и положение Трощинского. Тут я получил повеление уверить графа Безбородко, что наследник, не имея никакого особенного против него неудовольствия, просит его забыть все прошедшее и что считает на его усердие, зная дарования его и способность к делам; указ же о пожаловании Трощинского приказал мне взять и отослать в Сенат, что и было мною исполнено. Грибовский, в виде человека, желающего исчезнуть, принес и отдал мне указ, сказав, что не он виноват, а князь Зубов, который приказал не отсылать указа в Сенат.

Наследник, позвав графа Безбородко, приказал ему заготовить указ о восшествии на престол, а мне поручил написать к князю Александру Борисовичу Куракину, бывшему тогда в Москве, чтобы он поспешил своим приездом в С.-Петербург. Я, в моем письме, дав знать князю Куракину об отчаянной болезни императрицы, отправил оное с курьером.

В час пополудни в коридоре за спальною комнатой накрыли стол, за которым наследник и его супруга кушали двое.

В три часа пополудни приказано было вице-канцлеру графу Остерману ехать к графу Маркову, забрать все его бумаги, запечатать и привезти; но не знаю, из чего граф Остерман вздумал, что препоручение привезти налагало на него обязанность, чтобы он сам внес их во дворец, а как они были завязаны в две скатерти, то Остерман сквозь все комнаты дворца тащил эти две кипы бумаг точно так, как дети, играя, таскают маленькие салазки, нагруженные не по силам их.

Наследник, отдав мне свою печать, которую навешивал на часах, приказал запечатать, вместе с графом Александром Николаевичем Самойловым, кабинет государыни. Тут я имел еще два доказательства в глупости и подлости Александра Николаевича. Быв с ним сперва знаком и им любим, я подпал у него после под гнев за то, что о свадьбе моей сказал графу Безбородко прежде, чем ему. Увидев теперь мой новый доступ и ход, он вздумал сделать из меня опять друга себе и стряпчего: начал уверять в своей преданности и рассказывать о гонениях, кои он претерпел от императрицы (которую называл уже покойною) за то, что представил к награждению какого-то гатчинского лекаря. Но ничто меня так не удивило, как предложение его, чтобы, для лучшего и точного исполнения повеления наследника касательно запечатания вещей и бумаг в кабинете, сделать прежде им всем опись. Согласясь, однако же, со мною, что на сие потребно несколько недель и писцов, мы завязали в салфетки все, что было на столах, положили в большой сундук, а к дверям приложили вверенную мне печать.

Наследник приказал обер-гофмаршалу князю Барятинскому ехать домой; должность его поручил графу Шереметеву, а гофмаршалами назначил графов Тизенгаузена и Виельгорского.

С трех часов пополудни слабость пульса у императрицы стала гораздо приметнее; раза три или четыре думали доктора, что последует конец, но крепость сложения и множество сил, борясь со смертию, удерживали и отдаляли последний удар.

Тело лежало в том же положении на сафьянном матрасе, недвижно, с закрытыми глазами. Сильное хрипение в горле слышно было и в другой комнате; вся кровь поднималась в голову, и цвет лица был иногда багровый, а иногда походил на самый живой румянец. У тела находились попеременно придворные лекаря и, стоя на коленах, отирали ежеминутно материю, текущую изо рта, сперва желтого, а под конец черноватого цвета.

В комнате, исключая императорской фамилии, внутренней услуги и факультета, была во все время камер-фрейлина Анна Степановна Протасова, погруженная в горесть. Глаза ее не сходили с полумертвого тела ее благодетельницы. Еще до прибытия наследника в С.-Петербург великие князья Александр и Константин были в мундирах тех баталионов, коими они командовали в Гатчинском модельном войске.

Часов в пять пополудни наследник велел мне спросить у графа Безбородко, нет ли каких-нибудь дел, времени не терпящих, и хотя обыкновенные донесения, по почте приходящие, и не требовали поспешного доклада, но граф Безбородко рассудил войти с ними в кабинет, где и мне приказал наследник остаться. Он был чрезвычайно удивлен памятью графа Безбородко, который не только по подписям узнавал, откуда пакеты, но и писавших называл по именам. Сие не так покажется чрезвычайным, когда отличим бумаги одни от других: все были или от генерал-губернаторов, или от начальников разных частей, кои еженедельно, для формы, присылали государыне свои донесения, а важные и интересные дела предоставляли переписке с князем Зубовым, графом Салтыковым и генерал-прокурором. При входе графа Безбородко с бумагами наследник сказал ему, показывая на меня: «Вот человек, от которого у меня нет ничего скрытного!» Когда же граф Безбородко, окончив, вышел из кабинета, то наследник, быв еще в удивлении, объяснился весьма лестно на его счет, примолвив: «Этот человек для меня дар Божий; спасибо тебе, что ты меня с ним примирил». В течение дня наследник раз пять или шесть призывал к себе князя Зубова, разговаривал с ним милостиво и уверял в своем благорасположении. Отчаяние сего временщика ни с чем сравниться не может. Не знаю, какие чувства сильнее действовали на сердце его; но уверенность в падении и ничтожестве изображалась не только на лице, но и во всех его движениях. Приходя сквозь спальную комнату императрицы, он останавливался по нескольку раз пред телом государыни и выходил рыдая. Помещу здесь одно из моих примечаний: войдя в комнату, называемую дежурной, я нашел князя Зубова сидящего в углу; толпа придворных удалялась от него, как от зараженного, и он, терзаемый жаждою и жаром, не мог выпросить себе стакана воды. Я послал лакея и подал сам питье, в коем отказывали ему те самые, кои, сутки тому назад, на одной улыбке его основывали здание своего счастия; и та комната, в коей давили друг друга, чтоб стать к нему ближе, обратилась для него в необитаемую степь.

В девять часов пополудни Рожерсон, войдя в кабинет, в коем сидели наследник и супруга его, объявил, что императрица кончается. Тотчас приказано было войти в спальную комнату великим князьям, княгиням и княжнам, Александре и Елене, с коими вошла и статс-дама Ливен, а за нею князь Зубов, граф Остерман, Безбородко и Самойлов. Сия минута до сих пор и до конца жизни моей пребудет в моей памяти незабвенною. По правую сторону тела императрицы стояли наследник, супруга его и их дети; у головы призванные в комнату Плещеев и я; по левую сторону доктора, лекаря и вся услуга Екатерины. Дыхание ее сделалось трудно и редко; кровь то бросалась в голову и переменяла совсем черты лица, то, опускаясь вниз, возвращала ему естественный вид. Молчание всех присутствующих, взгляды всех, устремленные на единый важный предмет, отдаление на сию минуту от всего земного, слабый свет в комнате — все сие обнимало ужасом, возвещало скорое пришествие смерти. Ударила первая четверть одиннадцатого часа. Великая Екатерина вздохнула в последний раз и, наряду с прочими, предстала пред суд Всевышнего.

Казалось, что смерть, пресекши жизнь сей великой государыни и нанеся своим ударом конец и великим делам ее, оставила тело в объятиях сладкого сна. Приятность и величество возвратились опять в черты лица ее и представили еще царицу, которая славою своего царствования наполнила всю вселенную. Сын ее и наследник, наклоня голову пред телом, вышел, заливаясь слезами, в другую комнату; спальная комната в мгновение ока наполнилась воплем женщин, служивших Екатерине.

Сколь почтенна была тут любимица ее, Марья Савишна Перекусихина! Находившись при ней долгое время безотлучно, будучи достойно уважена всеми, пользуясь неограниченною доверенностию Екатерины и не употребляя оной никогда во зло, довольствуясь во все время двумя, а иногда одною комнатою во дворцах, убегая лести и единственно занятая услугою и особою своей государыни и благодетельницы, она с жизнью ее теряла счастие и покой, оставалась сама в живых токмо для того, чтоб ее оплакивать. Твердость духа сей почтенной женщины привлекала многократно внимание бывших в спальной комнате; занятая единственно императрицей, она служила ей точно так, как будто бы ожидала ее пробуждения: сама поминутно приносила платки, коими лекаря обтирали текущую изо рта материю, поправляла ей то руки, то голову, то ноги; несмотря на то что императрица уже не существовала, она беспрестанно оставалась у тела усопшей, и дух ее стремился вслед за бессмертною душою императрицы Екатерины.

Слезы и рыдания не простирались далее той комнаты, в которой лежало тело государыни. Прочие наполнены были людьми знатными и чиновными, которые во всех происшествиях, и счастливых, и несчастных, заняты единственно сами собой, а сия минута для них всех была тем, что страшный суд для грешных. Граф Самойлов, вошедши в дежурную комнату, натурально с глупым и важным лицом, которое он тщетно принуждал изъявлять сожаление, сказал: «Милостивые государи! Императрица Екатерина скончалась, а государь Павел Петрович изволил взойти на Всероссийский престол». Тут некоторые (коих я не хочу назвать, не потому, чтобы забыты были мною имена их, но от живого омерзения, которое к ним чувствую) бросились обнимать Самойлова и всех предстоящих, поздравляя с императором. Обер-церемониймейстер Валуев, который всегда занят единственно церемониею, пришел с докладом, что в придворной церкви все готово к присяге. Император со всею фамилиею, в сопровождении всех съехавшихся во дворец, изволил пойти в церковь. Пришедши, стал на императорское место, и все читали присягу, вслед за духовенством. После присяги императрица Мария, подошедши к императору, хотела броситься на колена, но была им удержана, равно как и все дети. За сим каждый целовал крест и Евангелие и, подписав имя свое, приходил к государю и к императрице к руке. По окончании присяги государь пошел прямо в спальную комнату покойной императрицы, коей тело в белом платье положено было уже на кровати, и диакон на аналое читал Евангелие. Отдав ей поклон, государь, по нескольких минутах, возвратился в свои собственные покои и, подозвав к себе Николая Петровича Архарова, спросил что-то у него; пришедши же в кабинет, пока раздевался, призвал меня к себе и сказал: «Ты устал, и мне совестно; но потрудись, пожалуйста, съезди с Архаровым к графу Орлову и приведи его к присяге. Его не было во дворце, а я не хочу, чтобы он забывал 28 июня. Завтра скажи мне, как у вас дело сделается».

Тогда уже было за полночь, и я, севши в карету с Архаровым, поехал на Васильевский остров, где граф А. Г. Орлов жил в своем доме. Весьма бы я дорого дал, чтобы не иметь сего поручения. Не спавши две ночи, расстроенный всем происшедшим и утомленный менее телом, чем душою, исполняя поминутно один целые сутки все приказания, я должен был при том бегать несколько раз чрез Эрмитаж в комнаты Анны Степановны Протасовой, где во все то время была моя жена, преданная не словом, но сердцем покойной императрице и находившаяся в столь горестном положении, что мое присутствие было ей весьма нужно.

Николай Петрович Архаров, почти совсем не зная меня, но видя нового временщика, не переставал говорить мерзости на счет графа Орлова и до того, что я принужден был сказать ему, что наше дело привести графа Орлова к присяге, а прочее предоставить Богу и государю. Я имел предосторожность взять с собою один из печатных листов присяги, под коими обыкновенно подписываются присягающие. Архарову, который своего милостивца и повелителя при Чесме хотел вести в приходскую церковь, я сказал наотрез, что на это никак не соглашусь. Приехав в дом Орлова, мы нашли ворота запертыми. Вошедши в дом, я велел первому попавшемуся нам человеку вызвать камердинера графского, которому сказал, чтобы разбудил графа и объявил о приезде нашем. Архаров, от нетерпения или по каким-либо неизвестным мне причинам, пошел вслед за камердинером, и мы вошли в ту комнату, где спал граф Орлов. Он был уже с неделю нездоров и не имел сил оставаться долее во дворце; чрез несколько часов по приезде наследника из Гатчина, он поехал домой и лег в постель. Когда мы прибыли, он спал крепким сном. Камердинер, разбудив его, сказал: «Ваше сиятельство! Николай Петрович Архаров приехал».— «Зачем?» — «Не знаю: он желает говорить с вами». Граф Орлов велел подать себе туфли и, надев тулуп, спросил довольно грозно у Архарова: «Зачем вы, милостивый государь, ко мне в эту пору пожаловали?» Архаров, подойдя к нему, объявил, что он и я (называя меня по имени и отчеству) присланы для приведения его к присяге, по повелению государя императора.— «А императрицы разве уже нет?» — спросил граф Орлов и, получа в ответ, что она в одиннадцатом часу скончалась, поднял вверх глаза, наполненные слез, и сказал: «Господи! Помяни ее во царствии Твоем! Вечная ей память!» Потом, продолжая плакать, он говорил с огорчением на счет того, как мог государь усомниться в его верности; говорил, что служа матери его и Отечеству, он служил и наследнику престола, и что ему, как императору, присягает с тем же чувством, как присягал и наследнику императрицы Екатерины. Все это он заключил предложением идти в церковь. Архаров тотчас показал на это свою готовность; но я, взяв уже тогда на себя первое действующее лицо, просил графа, чтобы он в церковь не ходил, а что я привез присягу, к которой рукоприкладства его достаточно будет. «Нет, милостивый государь,— отвечал мне граф,— я буду и хочу присягать государю пред образом Божиим». И, сняв сам образ со стены, держа зажженную свечу в руке, читал твердым голосом присягу и, по окончании, приложил к ней руку, а за сим, поклонясь ему, мы оба пошли вон, оставив его не в покое.

Несмотря на трудное положение графа Орлова, я не приметил в нем ни малейшего движения трусости или подлости.

Архаров завез меня в дом, в котором я жил, говоря во всю дорогу о притеснениях, которые он вытерпел в прошедшее царствование, давая чувствовать, что он страдал за преданность государю. Кто не знал его, тот на моем месте мог бы подумать, что он был гоним за твердость духа и честь.

Таким образом кончился последний день жизни императрицы Екатерины. Сколь ни велики были ее дела, а смерть ее слабо действовала над чувствами людей. Казалось, все было в положении путешественника, сбившегося с дороги, но всякой надеялся попасть на нее скоро. Все, любя перемену, думали найти в ней выгоды, и всякой, закрыв глаза и зажав уши, пускался без души разыгрывать снова безумную лотерею слепого счастия.

Ноября 15-го дня 1796 года.

КОММЕНТАРИЙ

С. Н. ГЛИНКА. ЗАПИСКИ.

Сергей Николаевич Глинка (1776—1847) принадлежал в начале XIX в. к числу наиболее известных русских литераторов. Он происходил из небогатой, но прославленной в истории русской культуры семьи, обучался в Сухопутном Шляхетном кадетском корпусе, затем недолго служил в гвардии; вышел в отставку майором в 1800 г. и вскоре всецело занялся литературой. Его наследие довольно велико: пьесы, стихи, повести, памфлеты, критические и публицистические статьи, исторические сочинения, переводы с французского языка: стихи, проза и философские трактаты.

Особенную известность принес С. Н. Глинке издававшийся им в 1808—1826 гг. журнал «Русский вестник». Возникший в «послетильзитскую эпоху», когда оскорбленное военным поражением и позорным миром с «узурпатором» Наполеоном российское общество тяжело переживало происшедшее, жаждало отмщения и искало нравственной опоры в патриотическом чувстве, журнал С. Н. Глинки стремился утвердить читателя в превосходстве всего русского (истории, языка, характера) перед иностранным и противопоставлял добродетели славных предков современным нравам, испорченным «иноземным» воспитанием. Созвучный настроению эпохи, журнал был очень популярен. Кроме многочисленных публикаций самого Сергея Николаевича, на страницах «Русского вестника» активно печатался его брат, известный поэт Ф. Н. Глинка, а также такие крупные писатели того времени, как Г. Р. Державин, И. И. Дмитриев, Ф. В. Ростопчин, Е. Р. Дашкова и др.

В 1812 г. С. Н. Глинке довелось на деле доказать свой патриотизм: одним из первых записавшись в ряды Московского ополчения, своими горячими выступлениями он заслужил (по свидетельству П. А. Вяземского) славу «народного трибуна». В первые же недели войны «за любовь к Отечеству, доказанную сочинениями и деяниями», писатель был награжден орденом св. Владимира IV степени. Почти все свои небольшие средства Глинка истратил на снаряжение ополченцев и на помощь вдовам и сиротам погибших на войне и в послевоенные годы ему пришлось испытать серьезную нужду. «Русский вестник» постепенно выходил из моды и терял читателей; клонилась к закату и писательская популярность Глинки. В поисках заработка для пропитания себя и семьи он поступил в 1827 г. на службу в цензуру, но долго здесь не задержался, был уволен в 1830 г., так как постоянно отстаивал идею писательской независимости и конфликтовал по этому поводу со своим начальством.

Стараниями известных литераторов, и в их числе П. А. Вяземского, И. И. Дмитриева, А. С. Шишкова, С. Н. Глинке была выхлопотана пенсия, которая позволила ему жить, хотя и стесненно, но без явной нужды. Последние годы своей жизни Глинка главным образом посвятил работе над «Записками».

«Записки» С. Н. Глинки, в той их части, которая относится к царствованию Екатерины II, печатаются по изданию: «Записки Сергея Николаевича Глинки». СПб., 1895. Сохранены все подстрочные примечания, принадлежащие автору и публикаторам, а также все особенности авторского стиля.

ГЛАВА I

«Был могущ, хотя и не в порфире» — строка из стихотворения Г. Р. Державина «Водопад».

Кастелан (каштелян) — почетная должность, дававшая в Польше право заседать в Сенате.

...был в числе членов нового правления.— т. е. правления, образовавшегося в 1815 г. после ликвидации Великого герцогства Варшавского, бывшего частью наполеоновской империи.

...героев Омировских.— т. е. героев Гомера.

Клико — марка лучшего французского шампанского.

...в чашах Оссиановских...— Оссиан (III в.) — легендарный шотландский поэт. В конце XVIII— начале XIX в. были очень популярны «Песни Оссиана», написанные шотландским фольклористом Дж. Макферсоном (1736—1796) по мотивам древне-шотландского фольклора.

Наказ — «Наказ Комиссии для обсуждения проекта нового Уложения законов», написанный Екатериной II в 1765—1767 гг. Содержал ряд либеральных идей по поводу реформы законодательства. Выдержал в XVIII в. 4 издания; неоднократно переиздавался также в XIX в.

Полевать — охотиться.

...Женщин окутал в турецкие шали, мужчин нарядил в ботинки. Моду на шали в России ввел Г. А. Потемкин, который сам постоянно раздаривал их дамам. Под «ботинками» С. Н. Глинка, очевидно, имеет в виду введенные Потемкиным для пехотинцев сапоги с короткими голенищами, с которыми надевали навыпуск длинные штаны с кожаными крагами (до этого в пехоте носили башмаки с гамашами).

...Польские и контрдансы...— бальные танцы конца XVIII— начала XIX в. «Польский» — иначе «полонез».

Победа Мачинская — победа в последнем сражении русско-турецкой войны 1787—1791 гг., одержанная русской армией под командованием кн. Н. В. Репнина возле города Мачин (ныне на территории Румынии).

Макао — азартная карточная игра.

Лукулловский обед — роскошный и обильный. По имени Луция Лицproperly Лициния *Лукулла* (около 117— около 56 до н. э.), римского государственного деятеля, прославившегося роскошью жизни и богатством.

...карты, выдуманные для забавы полоумного французского короля. Считалось, что игральные карты изобретены во Франции для слабоумного короля Карла VI, хотя в действительности их происхождение более древнее.

Четверть — мера сыпучих тел, равная 109,9 *л.*

Барда — побочный продукт винокурения. Для корма скота использовали как свежую, так и силосованную и сушеную барду.

Понт Эвксинский — Черное море.

Царство Митридатово — Царь Понта Митридат IV Эвпатор (132—63 г. до н. э.) подчинил себе все Черноморское побережье.

...последнее гнездо владычества монгольского — т. е. Крымское ханство, возникшее в XV в. при распаде Золотой Орды.

Романы Феодора Эмина — «Непостоянная Фортуна, или Похождения Мирамонда» (1763); «Награжденная постоянность, или Приключения Лизарка и Сарманды» (1764); «Письма Эрнеста и Доравры» (1766) и др. Все книги выдержали по нескольку изданий.

Маркиз Г..., переведенный Елагиным — роман А.-Ф. Прево «Приключения маркиза Г., или Жизнь благородного человека, оставившего свет». (Ч. 1—4. СПб., 1756—1758).

Соотчичи — соотечественники.

Пажити — пастбища.

«Ведомости Московские» — одна из старейших русских газет «Московские ведомости» (в 1779—1789 гг. редактировалась Н. И. Новиковым).

«Живописец» — журнал, издававшийся Н. И. Новиковым в 1772—1773 гг.

Огромлял — поражал внезапно и сильно, как громом.

Печать Хамова. В русском дворянстве существовала своеобразная теория, согласно которой крепостные крестьяне, в отличие от дворян, принадлежали к другой расе и являлись потомками библейского Хама — землепашца и «непочтительного» сына Ноя. (Ср.: *Свербеев Д. Н.* Записки. Т. I. М., 1899. С. 135). Отсюда часто встречающиеся в русской литературе XIX в. помещичьи выражения: «хамово племя», «хамка» и т. п.

«Древняя Русская Вивлиофика» — исторический журнал, издававшийся Н. И. Новиковым с 1773 г.

«Записки Сюлли» — *Сюлли* Максимиллиан Бетюн (1560—1641), французский государственный деятель, первый министр Генриха IV. Переводчиком его «Записок на русский язык» был М. И. Веревкин. (Т. 1—10 М., 1770—1776).

Шар дворянский. Речь идет о шарах для тайного голосования.

Кафизма — раздел Псалтири.

ГЛАВА II

...из стен Смоленска, сооруженных тем исполином своего века, который из среды писца перешел на среду вельможи и царя. Имеется в виду русский царь Борис Годунов (1551—1605), начавший свою карьеру с низших придворных чинов. В его царствование зодчим Федором Конем был построен Смоленский Кремль.

Канифасные — из *канифаса,* плотной хлопчатобумажной ткани с рельефным узором, преимущественно в полоску.

«Путешествие по Ладожскому озеру» — книга Н. Я. Озерецковского называлась «Путешествие по озерам Ладожскому и Онежскому» (СПб., 1792).

Рамена — плечи.

Кефий, выставленный Нарежным в «Бурсаке». Речь идет о персонаже романа В. Т. Нарежного «Бурсак», опубликованного в 1824 г.,— Куфии.

Выморачивать — добывать обманом, лестью, выманивать.

ГЛАВА III

Столпляет — стесняет толпой, сгоняет.

«Хорев». Премьера трагедии Сумарокова состоялась в Петербурге в 1750 г.

...два свои разговора в царстве мертвых... Имеются в виду диалоги А. В. Суворова «Разговор в царстве мертвых между Александром Великим и Геростратом» (1755) и «Разговор в царстве мертвых. Кортес и Монтецума» (1756).

В нашем энциклопедическом словаре... Очевидно, речь идет об «Энциклопедическом лексиконе» А. А. Плюшара (Т. 1—17. СПб., 1835—1841).

Заведения г-жи Ментенон. Речь идет об основанном мадам Ментенон вблизи Парижа Сен-Сирском аббатстве — учебном заведении для воспитания молодых дворянок.

...откуда вышла Елизавета... Речь идет о перевороте 1741 г.

...о Бецком разошлась молва... Имеется в виду широко известная в свое время эпиграмма:

Иван Иваныч Бецкий,
Человек немецкий,
Носил мундир шведский,
Воспитатель детский,
В двенадцать лет
Выпустил в свет
Шестьдесят кур,
Набитых дур.

Чванкины, Жеманихи — персонажи комедии Я. Княжнина «Хвастун».

Сиропитательный, или Воспитательный, дом был открыт в Москве по инициативе И. И. Бецкого для воспитания младенцев, брошенных родителями. Выпускники его получали ремесленные навыки и записывались в мещанское сословие.

...изображенное и на корпусной наше стене...— см. главу VI «Записок» С. Н. Глинки.

Державин... почтил его могилу... На смерть И. И. Бецкого Державин написал оду «На кончину благотворителя», а проповедник архимандрит Анастасий Братановский произнес погребальное слово.

«Всемирная Лакроциева история» — «Краткая всеобщая история г. Ла Кроца». СПб., 1766 (первое издание — СПб., 1761).

Астрея — древнегреческая богиня справедливости.

В «Собеседнике» 1783 года... Фонвизин предложил... Речь идет о сочинении Фонвизина «Несколько вопросов, могущих возбудить в умных и честных людях особливое внимание». Ответы на вопросы Фонвизина дала в том же журнале Екатерина II. Вопрос Фонвизина, о котором упоминает Глинка, звучал немного иначе: «Отчего известные и явные бездельники принимаются везде равно с честными людьми?».

Даламбер Жан-Лерон (1717—1783) — французский философ и математик.

ГЛАВА IV

Вольтеров «Задиг» — роман Вольтера «Задиг, или Судьба» (русский перевод: СПб., 1765).

...в Москве на Никитской... церковь... Церковь Большого Вознесения у Никитских ворот.

«Русские анекдоты» — ч. 1—5. М., 1822.

жены де Рибаса — адмирал Иосиф де Рибас (1749—1800) был женат на Анастасии Ивановне Соколовой (1741—1822), побочной дочери И. И. Бецкого.

«Петербургский зритель» — И. А. Крылов совместно с А. И. Клушиным издавал в 1792 г. журнал «Зритель», а в 1793—1794 гг.— «Санкт-Петербургский Меркурий».

...отчет Неккера о доходах Франции. Неккер Жан (1732—1804), женевский банкир, генеральный директор финансов Франции в 1777—1781 гг. и 1788—1789 гг. Пытался бороться с дефицитом гос. бюджета, вводя строгую экономию. Сыграл видную роль в подготовке и созыве Генеральных штатов.

Старший внук Екатерины — великий князь Александр Павлович.

«Житие Клевеланда» — роман А.-Ф. Прево «Английский философ, или История Кливленда, незаконного сына Кромвеля, им самим написанная» (русский перевод: Ч. 1—9. СПб., М., 1760—1784).

«Сказка о Бове Королевиче». Популярная в России лубочная повесть «Сказка о славном и сильном богатыре Бове королевиче и о прекрасной супруге его Дружневне», известная с XVII в.

Вольтерова Ельдорада — об «Ельдораде» (Эльдорадо) Вольтер писал в повести «Кандид».

...Анаксагор гоним в Афинах...— Анаксагор (около 500—428 г. до н. э.), греческий философ, объяснявший происхождение и исчезновение вещей соединением и разделением качественно однородных первоэлементов. Был изгнан из Афин по обвинению в безбожии.

По катонскому владычеству над собой...— т. е. по твердости и самообладанию, присущим Катону Младшему.

...был Титом для других. Римский император Тит Флавий Веспасиан прославился своей чрезвычайной мягкостью и милосердием к подданным.

Фарос (Форос) — маяк, выстроенный в древности на о. Форосе в устье Нила.

...хотя он и взял Кольберг... Кольберг был взят русскими войсками 5 декабря 1761 г.

...отважился ехать в Москву... С весны 1771 по январь 1772 г. в Москве была эпидемия чумы, во время которой начались народные волнения. Поскольку московский главнокомандующий П. С. Салтыков покинул город, Екатерина направила в Москву для наведения порядка своего бывшего фаворита Г. Г. Орлова.

ГЛАВА V

...назвал его «Камиллом».— В стихотворении «Вельможа»:

И в наши вижу времена
Того я славного Камилла,
Которого труды, война
И старость дух не утомила.

«Записки касательно русской истории». Это сочинение Екатерины было опубликовано в «Собеседнике любителей российского слова» в 1783—1784 гг., вышло отдельным изданием в 1787—1794 гг.

Скала Тарпейская. В древнем Риме — отвесный утес Капитолийского холма, откуда сбрасывали осужденных на смерть преступников.

Битва Жемаппская. В 1792 г. при городе Жемаппе в Бельгии близ французской границы французские войска под начальством Дюмурье разбили австрийцев.

...барда Оссиана, и слепца Эдипа, и героя Донского. Имеются в виду трагедии В. А. Озерова «Фингал», «Эдип в Афинах» и «Дмитрий Донской».

Цинциннат — римский патриций, консул (460 г. до н. э.). Считался образцом доблести, скромности и верности гражданскому долгу.

Филопомен (253—183 гг. до н. э.) — греческий полководец, отстаивавший в борьбе с Римом независимость Греции.

Регул (ум. около 248 г. до н. э.) — римский полководец.

Кастор и Поллукс — в греческой мифологии: братья-близнецы, образец братской любви.

Фабриций и Эпаминонд — Фабриций, Кай Лусцин (III в. до н. э.), римский полководец, считался образцом доблести; Эпаминонд (около 418—362 гг. до н. э.), древнегреческий полководец, крупный военный тактик античности.

«Жизни великих людей» — «Сравнительные жизнеописания» Плутарха, изданные в 1765 г. в русском переводе под заглавием «Житие славных в древности мужей, писанное Плутархом».

Храм Дельфийский — храм Аполлона в греческом городе Дельфы у подножия горы Парнас, известный своим оракулом.

Тридцатилетняя война — война 1618—1648 гг. в Германии между католиками и протестантами, в которой приняли участие также Франция, Швеция, Дания и Чехия.

«Робинзон» Давида Фое. Речь идет о «Робинзоне Крузо» Даниэля Дефо. И. Г. Кампе был автором книги «Новый Робинзон», изданной в русском переводе в 1792 г.

«Открытие Америки» — сочинение И. Г. Кампе; издано в русском переводе в 3-х частях в 1787—1788 гг.

Кортец (Кортес) Эрнандо (1485—1547) — испанский конкистадор, завоеватель Мексики.

Монтезума (Монтесума) — правитель государства ацтеков в древней Мексике, при котором началось завоевание страны Кортесом.

Держава Перувианская — государство инков, находившееся на территории Перу.

Герера Антонио (1549—1625) — испанский историк.

«Об обязанностях военного человека» Леклерка. Имеется в виду, видимо, сочинение Н. Г. Леклерка «Искусство явиться в свет с успехом, приписанное господам кадетам V возраста» (Издания 1774 и 1790 гг.).

сочинили русскую историю. Произведение Левека «Российская история, сочиненная из подлинных летописей, из достоверных сочинений и из лучших историков», было частично опубликовано в русском переводе (1787 г.; вышел 1-й том).

ГЛАВА VI

Александр Македонский (Александр Великий) (356—323 гг. до н. э.) — македонский царь, крупнейший полководец древности, создатель обширной империи, простиравшейся от Египта до Западной Индии и распавшейся сразу после его смерти.

Катон Утикский (Утический, Младший) (95—46 гг. до н. э.) — древнеримский трибун, глава республиканской партии в борьбе против Цезаря. Не желая пережить падения республики, покончил с собой.

Образец Вобановой крепости — Вобан, Себастьян (1633—1707), французский военный инженер, построивший около трехсот крепостей, маршал, автор высоко ценимой современниками системы постепенной атаки крепостей.

Фабий Максим Кунктатор (275—203 гг. до н. э.) — римский полководец, воевавший с Ганнибалом.

Ганнибал (Аннибал Барка) (247—183 гг. до н. э.) — карфагенский полководец.

Василий Великий (329—378) — крупный православный богослов.

Гроций, Гуго (1583—1645) — голландский политический писатель, один из основателей теории естественного права.

Илоты — земледельческий класс в древней Спарте, стоявший несколько выше рабов и считавшийся собственностью государства.

Леонид — спартанский царь (491—480 гг. до н. э.). С отрядом в 300 человек защищал Фермопильский проход от огромного полчища персов под командованием Ксеркса и погиб вместе со своими воинами.

Нибур Бартольд Георг (1776—1831) — немецкий историк.

Вико Джамбатиста (1668—1744) — итальянский философ и историк.

«Генриада» — поэма Вольтера, посвященная французскому королю Генриху IV.

...системы Птоломея, Тихобрага и Коперника — различные астрономические системы: геоцентрическая (Земля в центре Вселенной) Птолемея, гелиоцентрическая (Солнце в центре Вселенной) Николая Коперника и система Тихо де Браге: в центре Вселенной Земля, вокруг нее вращается Солнце, а вокруг Солнца — все остальные планеты.

Утрехтский мир 1713 г. — мирный договор, закончивший войну 1701—1713 гг. за испанское наследство.

Война 1756 г. — так называемая Семилетняя война (1756—1763), в которой участвовали Пруссия, Англия и Португалия — с одной стороны, и Австрия, Франция, Швеция, Саксония, Испания и Россия — с другой.

переторжка — перепродажа.

«Академические известия» — журнал «Академические известия, содержащие в себе историю наук и новейшие открытия оных», издавался при Академии наук в 1779—1781 гг.

«Московский журнал» — издавался Н. М. Карамзиным в 1791—1792 гг.

Триптолем и Церера — в греческой мифологии: Триптолем — первый жрец Деметры, родоначальник земледелия; Церера — древнеримская богиня производительных сил природы.

ГЛАВА VII

Метастазий (Матастазио) Пьетро-Антонио-Доменико-Бонавентура (1698—1798) — итальянский поэт, драматург и либреттист.

Расин Жан (1639—1699) — французский драматург.

Галлер Альбрехт, фон (1708—1777) — швейцарский поэт и естествоиспытатель.

Геснер Соломон (1730—1788) — швейцарский поэт и художник.

Феокрит (конец IV—1-я пол. III в. до н. э.) — греческий поэт.

Вильгельм Телль — герой швейцарской народной легенды.

«Санкт-Петербургский вестник» — журнал, издавался в 1778—1781 гг.

...творец «Душеньки»... — поэт И. Ф. Богданович.

Терпсихора — греческая богиня танца и хорового пения.

Улисс приказал себя... привязать к мачте. Речь идет об эпизоде из «Одиссеи» Гомера, когда Одиссей (Улисс), проплывая мимо острова сирен, приказал привязать себя к мачте корабля, чтобы не поддаться заманчивому пению сирен и не броситься в море, как это обычно бывало.

Сфинкс, опустошивший Фивы — в древнегреческой мифологии: чудовище — крылатый лев с головой женщины, обитавшее в окрестностях Фив и задававшее прохожим неразрешимые загадки, после чего убивавшее их.

Понтер — игрок в карты.

...три Аристотелева единства. Имеется в виду «Поэтика» Аристотеля, в которой, говоря о структуре трагедии, он выделил необходимость единства в ней действия и времени (но не места, как ошибочно ему приписывалось).

Мельпомена — в древнегреческой мифологии: одна из 9 муз, покровительница трагедии.

«Альзира» — трагедия Вольтера «Альзира, или Американцы» (1736; русский перевод 1786).

...холмогорский гений — М. В. Ломоносов, родившийся в Холмогорах.

Помпиньян Жан Жак Лефран (1709—1784) — французский поэт.

...вдохновение Сафы — т. е. Сафо (7—6 вв. до н. э.), греческой поэтессы.

Творец «Семиры» — А. П. Сумароков.

...1767 года при собрании депутатов — т. е. во время созыва и работы Комиссии депутатов от всех сословий для обсуждения проекта нового Уложения Законов.

...в слове, в котором предъявил душу ее Наказа. Видимо, речь идет о сочинении А. П. Сумарокова «Слово ее императорскому величеству государыне Екатерине Алексеевне... на 1769 год января 1 дня». (СПб., 1768).

Философ Фернейский — Вольтер.

В моих «Очерках жизни»... Имеются в виду «Очерки жизни и избранные сочинения А. П. Сумарокова». (Ч. 1—3. СПб., 1841).

Крин — лилия.

...окончив воспитание в Тверском училище. И. А. Крылов получил домашнее образование; с девяти лет служил в Тверском губернском магистрате. В 1778 г. умер отец Крылова; мать с детьми в 1782 г. переехала в Петербург.

«Таратор». Речь идет о комедии И. А. Крылова «Проказники» (1787—1788), герои которой, Рифмокрад и Таратора, изображали в карикатурном виде супругов Княжниных.

Лабрюйер Жан, де (1645—1696) — французский философ-моралист, автор книги «Характеры, или нравы этого века» (1687).

«Детское чтение» — журнал «Детское чтение для сердца и разума» издавался Н. И. Новиковым в 1785—1789 гг.

...Карамзин назвал его Агатоном... В очерке «Цветок на гроб моего Агатона». Агатон — персонаж романа Х.-М. Виланда «История Агатона», греческий юноша.

...письма, получаемые от русского путешественника, — т. е. от Н. М. Карамзина.

Вейссе Христиан-Феликс (1726—1804) — немецкий поэт и детский писатель.

Бомбон (бонбон) — конфеты.

Чайльд-Гарольд — главный герой одноименной поэмы Байрона.

Пракситель (около 390— около 330 до н. э.) — древнегреческий скульптор.

...в моей «Сумбеке» — т. е. стихотворной трагедии С. Н. Глинки «Сумбека, или Падение Казанского царства».

Сен-Прё — главный герой романа Ж.-Ж. Руссо «Юлия, или Новая Элоиза», бедный учитель.

Сен-Ламберт Жан-Франсуа (1716—1803) — французский писатель и философ.

Гельвеция — старое латинское название Швейцарии.

...герцог Мальборуг, известный и по военному поприщу, и по песни. Речь идет о герцоге Джоне Черчилле Мальборо (1650—1722) (в России имелось несколько транскрипций его фамилии), главнокомандующем английской армии в войне за испанское наследство; выведен в известной песенке «Мальбрук в поход собрался».

Триссионо (Триссино) Джанджорджио (1478—1550) — итальянский поэт и драматург.

Плавт Тит Макций (середина III в.— около 184 г. до н. э.) — римский комедиограф.

Теренций Публий (около 195—159 гг. до н. э.) — римский комедиограф.

Полист — персонаж комедии Я. Княжнина «Хвастун».

Детуш Филипп (1680—1754) — французский драматург.

Врютит — втянет, впутает, посадит.

Севиньи (Севинье) Мария (1626—1696) — французская писательница, автор книги «Письма мадам де Севинье к ее дочери».

«Русский словарь» — «Словарь Академии Российской». Ч. 1—6. СПб., 1789—1794.

...ее слышал Руссо еще 1756 года. Имеется в виду либо «Рассуждение о происхождении неравенства среди людей», написанное Руссо в 1754 г., либо его роман «Юлия, или Новая Элоиза».

...рукопись Княжнина. По некоторым сведениям, за статью «Горе моему оте-

честву» Я. Б. Княжнин был вызван в Тайную канцелярию и умер после допроса.

Он скончался в 1791, а... «Вадим»... напечатан в 1792. Трагедия «Вадим Новгородский» была написана Я. Княжниным в 1789 г., а напечатана в 1793.

ГЛАВА VIII

Екатерина, недовольная Телемаком, укоряла Ментора — Телемак — сын Одиссея, главный герой романа Фенелона «Путешествие Телемака». В поисках отца Телемак посещает греческие государства, постигая политическую мудрость. Его сопровождает его учитель, Ментор, чье имя стало нарицательным.

«Письма русского путешественника» — сочинение Н. М. Карамзина. Фрагментарно печатались в «Московском журнале» 1791—1792 гг. и альманахе «Аглая» (1794—1795). Первое полное издание —1801 г.

...перевод Карамзина Вольтерова эклезиаста. Имеется в виду стихотворение Карамзина «Опытная Соломонова мудрость, или Мысли, выбранные из Экклезиаста. Вольный перевод из Вольтера», впервые опубликованное: «Аониды», 1797. Кн. 2. С. 173.

...мысли, дышавшие Фенелоновой душою. Фенелон (1651—1715) — французский писатель и педагог, воспитатель внука Людовика XIV.

«Россиада» — поэма М. М. Хераскова.

Буффлер Станислав (1737—1815) — французский поэт, художник и государственный деятель.

Тит Ливий (59 г. до н. э.—17 г. н. э.) — римский историк.

...какого шума наделала та шляпа, перед которою безумец Геслер велел кланяться. Речь идет об эпизоде из легенды о Вильгельме Телле: за отказ поклониться шляпе австрийского герцога императорский наместник в Швейцарии Гейслер приказал Теллю сбить стрелой яблоко, положенное на голову маленького сына Телля. Телль сбил яблоко, а затем убил наместника.

...выстроен... кареем — карей (каре) — войско, выстроенное квадратом.

Гельвеций Клод Андриан (1715—1771) — французский философ-просветитель.

Раздобарствовал — то же, что растобаровал: рассуждал, говорил.

«Ифигения» и «Федра» — трагедии Ж. Расина.

ГЛАВА IX

«Маяк» — журнал, выходивший в Петербурге в 1840—1845 гг. Издателями были П. А. Корсаков и С. А. Бурачок.

...поэтическая практика Фридриха II. Фридрих II Прусский (Великий) писал стихи на французском языке.

Семилетняя война — европейская война 1756—1763 гг.

ГЛАВА X

...запылала война в Польше от тщеславного порыва нового временщика — т. е. П. А. Зубова (см. «Записки» кн. Ф. Н. Голицына в настоящем издании).

Жирондисты — одна из партий эпохи Великой французской революции, отражавшая интересы крупной буржуазии. В 1793 г. была разгромлена, а виднейшие вожди жирондистов казнены.

«Марсельеза» — революционная песня Великой французской революции, сочиненная в 1792 г. Руже де Лилем.

Петиметр — щеголь, вертопрах, рабски подражающий французской моде и манере поведения.

Спиноза Бенедикт (1632—1677) — голландский философ.

Ламетри Жюльен Офре, де (1709—1751) — французский философ.

Высшее Существо — культ Высшего Верховного Существа был введен во Франции в 1793 г. в качестве альтернативы католицизму.

Князь Н. В. Репнин препоручил двух своих родных внуков... — сыновей своей старшей дочери, кн. Александры Николаевны Волконской — Николая (1778—1845), впоследствии князя Репнина, и Никиту (1781—1844) Григорьевичей.

...граф М. Ф. Каменский с двумя своими сыновьями — впоследствии генералами от инфантерии Сергеем (1771—1835), владельцем известного крепостного театра в Орле, и Николаем (1776—1811), главнокомандующим Молдавской армией в русско-турецкую кампанию 1810 г.

Трехлетняя заграничная война. Речь идет о заграничных походах русской армии 1813—1815 гг.

«Юнговы ночи» Лаво. Имеются в виду, очевидно, «Сельские ночи» Ж. Ш. Тибо де Лаво (изданы в русском переводе в 1786 и 1792 гг.)

Додд. «Размышления в темнице». Книга называется «Размышления английского пресвитера Додда и сетования его в темнице» (1789).

Анахарзис» Бертелеми. Книга французского писателя Ж.-Ж. Бартелеми (1716—1795) «Путешествие молодого Анахарсиса в Грецию».

...польский Козловского — известный полонез О. А. Козловского на стихи Г. Р. Державина «Гром победы, раздавайся».

...является Екатерина в полном наряде Натальи Кирилловны — т. е. в древнерусском наряде. Наталья Кирилловна Нарышкина (1651—1694), царица, вторая жена царя Алексея Михайловича, мать Петра I.

Вольтеров Гурон — Гурон — герой повести Вольтера «Простодушный».

«Фелица» — известная ода Г. Р. Державина, опубликованная впервые в 1783 г. в «Собеседнике любителей российского слова» под заглавием: «Ода к премудрой киргиз-кайсацкой царевне Фелице, писанная татарским мурзою, издавна поселившимся в Москве, а живущим по делам своим в Санкт-Петербурге», и посвященная Екатерине II.

ГЛАВА XI

Камбиз — персидский царь (правил 529—522 гг.) до н. э., завоевавший Египет.

Филипп Македонский (380—336 гг. до н. э.) — царь Македонии, полководец, отец Александра Великого.

...в журнале Брусилова — Н. П. Брусилов издавал в 1805 г. «Журнал российской словесности».

Граф Петр Александрович — Румянцев.

Князь Григорий Александрович — Потемкин-Таврический.

«Чувствительное путешествие» — в более известном переводе роман Л. Стерна называется «Сентиментальное путешествие».

Поп Александр (1688—1744) — английский поэт.

Ролленева история — Роллен Шарль (1661—1741), французский историк и педагог, автор многотомной «Древней истории» и «Римской истории».

Вавилон... Экбатана... Персеполис... Пальмира — столицы знаменитых в древности государств: Вавилонии, Мидии, Персии и Пальмиры.

Дюмарсе Кесарь-Шесно (1676—1756) — французский филолог, один из авторов «Энциклопедии».

Лонгин (III в.) — философ-неоплатоник.

Фокион (около 402—317 гг. до н. э.) — афинский полководец.

Смит Адам (1723—1790) — шотландский экономист.

Анакреон (Анакреонт) (около 570—478 гг. до н. э.) — греческий поэт-лирик.

...в корпусе, учрежденном Семеном Васильевичем Зоричем. Семен Гаврилович (а не Васильевич) Зорич учредил в Шклове, где жил по выходе в отставку, Благородное училище, впоследствии переведенное в Москву и преобразованное в Первый Московский кадетский корпус.

Армида — героиня поэмы Т. Тассо «Освобожденный Иерусалим».

«Наталья, боярская дочь» — повесть Н. М. Карамзина.

...в собрании депутатов. Речь идет о депутатах Уложенной комиссии 1767 г.

...отправил какую-то таинственную девицу в Россию. Речь об известной авантюристке княжне Таракановой, выдававшей себя за дочь императрицы Елизаветы Петровны. В 1775 г. А. Г. Орлов обманом вывез Тараканову из Италии; она была заключена в Петропавловскую крепость, где вскоре умерла от чахотки. Современ-

ники также отождествляли княжну Тараканову с загадочной инокиней Досифеей, содержавшейся под строгим секретом в Московском Ивановском монастыре и умершей в начале XIX в.

...употреблен он в тайную экспедицию... в Черную гору — далее С. Н. Глинка излагает содержание «Записок» кн. Ю. В. Долгорукова, публиковавшихся в журнале «Отечественные записки» (1840, № 11—12, в отрывках) и в книге П. В. Долгорукова «Сказание о роде князей Долгоруковых» (СПб., 1840). По оценке современных историков, воспоминания Долгорукова не отличаются точностью, а заслуги автора в них чрезмерно превозносятся. Миссия Долгорукова в 1769 г. на побережье Адриатики и в Черногорию заключалась в выяснении обстановки и уточнении, насколько состоятельны надежды России на помощь Югославии в русско-турецкой войне. Второй, более деликатной, целью миссии было изучение личности тогдашнего правителя Черногории Степана Малого, выдававшего себя за спасшегося в 1762 г. русского императора Петра III, и, в случае опасности для России и лично Екатерины II, его устранение.

Прибыв в Черногорию, Ю. В. Долгоруков сперва обвинил Степана Малого в самозванстве и арестовал его, но вскоре затем, убедившись в его неопасности и широкой популярности в народе, освободил, снабдил боеприпасами и, заручившись от него обещанием лояльности, покинул Черногорию.

Архипелаг. Речь идет о Греции.

...в Семигалию к Драговичу — по запискам Ю. В. Долгорукова — Драшковичу.

Массена Андре (1758—1815) — французский маршал, сподвижник Наполеона.

Лекурб Клод-Жан (1759—1815) — французский генерал.

...черногорец, служивший капитаном в России — по запискам Ю. В. Долгорукова — капитан Пламенац.

...к князю Алексею Григорьевичу — Орлову-Чесменскому (оговорка автора: графу, а не князю).

Брандер — судно, начиненное горючими и взрывчатыми веществами, употреблявшееся для поджигания неприятельских судов.

...военные записки Монтекуккули — «Записки Раимунда графа Монтекуккули, генераллисима цесарских войск..., или Главные правила военной науки» (Пер. с франц. М., 1760).

Опасный соперник — гр. А. А. Безбородко.

Фокс Чарльз Джеймс (1749—1806) — английский государственный деятель.

Питт Уильям Младший (1759—1806) — английский государственный деятель.

...в «Отце семейства», кажется, Ифланда — автором драмы «Отец семейства» был Дидро (1758; пер. Н. Сандунова, 1784).

«Сын любви» — драма А. Коцебу (1791).

ГЛАВА XII

...Пушкина «Камин» ходит по рукам — стихотворение Вас. Льв. Пушкина «К камину» («Любезный мой камин, товарищ дорогой»).

«Аониды» — альманах, издававшийся Н. М. Карамзиным в 1796—1799 гг.

«Сорена» — трагедия Николева «Сорена и Замир».

...под Донским — монастырем.

Батавия — древнее название Голландии.

...занимался он своей должностью. В конце царствования Екатерины II кн. Ю. В. Долгоруков командовал войском, расположенным в Москве, в 1795 г. вышел в отставку; при Павле был главным начальником Москвы.

...переводил из «Энциклопедии». «Энциклопедия» —17-ти томный словарь, изданный Д. Дидро в 1751—1772 гг. К написанию статей были привлечены почти все крупные ученые и писатели Франции.

...пристрастие... к голубой ленте — т. е. к ленте ордена св. Андрея Первозванного, высшей награды империи.

...разнеслась молва об адской машине. Речь идет о совершенном в 1802 г. покушении на жизнь Наполеона.

ГЛАВА XIII

Ставчики — небольшие скамьи, табуреты.

Бонапарт, по словам Суворова, «смело шагая»... — говорили, что А. В. Суворов, ознакомившись во время своей ссылки в с. Кончанское с подробностями ранних кампаний Бонапарта, сказал: «Широко шагает, пора унять молодца».

С. А. ТУЧКОВ. ЗАПИСКИ

Сергей Алексеевич Тучков (1766—1839) принадлежал к семье, оставившей яркий след в российской истории. Два его брата, Николай «Тучков I» и Александр «Тучков IV» геройски погибли в Бородинском сражении. Еще один брат — Павел — отличился в битве за Смоленск, был, израненный, взят в плен под Валутиной горой и приведен к Наполеону, который велел возвратить ему шпагу. Вдова Александра Тучкова, Маргарита Михайловна, урожд. Нарышкина, основательница и первая игуменья Спасо-Бородинского монастыря. Племянник — Алексей Алексеевич Тучков — декабрист, а дочь последнего, Наталья Тучкова-Огарева — талантливая мемуаристка, известная по своим отношениям к А. И. Герцену.

С. А. Тучков большую часть своей жизни провел на военной службе: зачисленный с малолетства унтер-офицером в артиллерию, он в 1782 г. блестяще выдержал офицерский экзамен и был произведен в прапорщики, а в 1789 г.— в капитаны артиллерии. Принимал участие в русско-шведской войне 1788—1790 гг., в Польской кампании 1792—1794 гг., в русско-турецкой войне 1808—1812 гг. и в ряде других кампаний. Когда в 1802 г. к России присоединилась Грузия, Тучков на протяжении ряда лет возглавлял в ней гражданскую администрацию. Принимал он участие и в Отечественной войне 1812 г., но в конце ее внезапно был отстранен от должности и предан суду. Причиной послужила жалоба кн. Адама Чарторижского и некоторых других влиятельных деятелей «польской партии», обвинявших Тучкова в разграблении войсками его корпуса имений князя Радзивилла. Дело тянулось до конца царствования Александра I и завершилось в 1826 г. оправданием Тучкова. В 1828 г. он был вновь принят на службу, участвовал в русско-турецкой войне и окончательно вышел в отставку в 1834 г.

Его воспоминания, публикуемые лишь в той части, которая касается царствования Екатерины II, представляют значительный интерес как живое свидетельство военных и общественно-политических событий эпохи. Следует, однако, учесть, что как всякий мемуарист С. А. Тучков был не беспристрастен в своих суждениях и оценках, что особенно сказалось в его отношении к личности великого князя Александра Павловича. Здесь его пером водила пережитая личная обида (отстранение от службы и неправедный суд), заставлявшая Тучкова быть не только суровым, но и придирчивым и несправедливым в характеристике будущего императора Александра I.

Публикуется по тексту первого издания: «Записки Сергея Алексеевича Тучкова». СПб., 1908. Гл. 1—7.

ГЛАВА 1

...война против турок — русско-турецкая война 1768—1774 гг.

Тупей — часть мужской прически, модной в 1760—1780-х гг.: взбитые и зачесанные назад волосы надо лбом.

Кошелек — специальный мешочек, в который вкладывали напудренную косу. Принадлежность мужской прически 2-й половины XVIII в.

...Ломоносова грамматика и риторика — «Российская грамматика» и «Краткое руководство к красноречию, книга первая, в которой содержится риторика...» Оба сочинения вышли в XVIII в. несколькими изданиями.

ГЛАВА 2

Лукулл Люций Люциний (106—57 гг. до н. э.) — римский полководец, прославился богатством, роскошью и пышными пирами.

...не наказывать телесно. Имеется в виду Жалованная грамота дворянству 1785 г., определявшая права дворян, в том числе освобождение от личных податей, от рекрутской повинности и от телесных наказаний.

...постановление... о губерниях. Указ 1775 г., ставший основой нового административно-территориального деления России на губернии численностью в 300—400 тыс. жителей. Всего к концу царствования Екатерины II было около 50 губерний.

сей Разумовский сделан был гетманом. Гетманом был не фаворит Елизаветы Алексей Разумовский, а его брат Кирилл.

...отнятие у монастырей деревень и земель — произошло в 1764 г.

ГЛАВА 3

Руссо Жан-Батист (1671—1741) — французский поэт-лирик.

...в готическом, но довольно приятном вкусе — здесь: *готический* — в смысле старинный.

...записывает на счет состоящего при нем долга — в царствование Александра II тело герцога де Кроа было предано земле.

Фельдцейхмейстер — главный начальник артиллерии.

...император Петр III... думал защищаться против всей гвардии. Во время событий переворота 1762 г., возведшего на престол Екатерину II, Петр III пытался укрыться в Ораниенбауме.

Пальник — приспособление для воспламенения заряда: род палки со щипцами, в которых зажимался горящий фитиль.

Прам — крупный плоскодонный тихоходный корабль с сильным артиллерийским вооружением (от 18 до 44 орудий крупного калибра).

Шебека — длинное, остроконечное трехмачтовое судно, имеющее от 12 до 40 орудий на борту.

Единорог — длинная гаубица.

Чухонский — финский.

Фашина — в саперных работах: пучок хвороста цилиндрической формы, перехваченный в нескольких местах проволокой или веревкой.

Валганк (валганг) — поверхность вала.

Надолбы — заграждения из врытых в грунт камней, выстроенные перед крепостным валом для его усиления.

Гласис — земельная насыпь перед наружным рвом укрепления.

ГЛАВА 4

...иллюминатские, мартинистские и масонские собрания — и иллюминаты, и мартинисты были различными течениями внутри масонства.

Гальот (галиот) — небольшое двухмачтовое судно.

Плутонги — пехотное подразделение численностью около 200 человек.

ГЛАВА 5

...самая трогательная музыка... ни малейшего действия. Мнение С. А. Тучкова о неспособности Александра I к музыке не подтверждается другими современниками. Так, гр. В. Н. Головина писала о талантливой игре Александра на скрипке.

Каплица — католическая часовня.

...носят природную свою одежду — т. е. национальную одежду.

Рабин (раввин) — священнослужитель в иудейской религии.

ГЛАВА 6

Ретраншемент — окоп, полевое укрепление в виде неглубокого вала и рва, расположенных в две линии.

Фронтиспис — в старинном употреблении то же, что фронтон: верхняя передняя часть постройки. Здесь: верхняя часть ворот.

...ядром разбил сию икону. На самом деле икона Остробрамской богородицы, одинаково почитавшаяся как католиками, так и православными, была лишь слегка повреждена осколками ядер.

Фланкеры — стрелки.

ГЛАВА 7

Эспантон — копье с широким плоским наконечником. Носилось офицерами гвардейских полков как строевое парадное оружие.

...едва исполнилось им по двадцать лет. Оба внука Екатерины, Александр и Константин, вступили в брак, когда им исполнилось по 16 лет.

Екатерина хотела внучку свою Екатерину... отдать в супружество — не Екатерину, а ее сестру, Александру Павловну.

...завещание сие не было, однако ж, нигде объявлено. По распространенной версии, завещание Екатерины II, передававшее престол в обход Павла его сыну Александру, было представлено Павлу гр. А. А. Безбородко, а затем уничтожено.

Ф. Н. ГОЛИЦЫН. ЗАПИСКИ

Князь Федор Николаевич Голицын (1751—1827) — родной племянник известного просветителя и мецената, первого куратора Московского университета И. И. Шувалова. В молодости много путешествовал с дядей по европейским странам, в том числе по Швейцарии и Франции. Числясь на службе с 1755 г., фактически начал служить с конца 1770-х гг. на должности обер-прокурора 1-го Департамента Сената. В 1786 г. был сделан камергером. Совмещал службу в Сенате с исполнением дипломатических поручений в европейских столицах. Находясь во Франции, был принят Людовиком XVI, Марией-Антуанеттой и герцогом д'Артуа; в Италии — римским папой. Как писал о Голицыне современник, «среди двора пышной Версалии, где необузданная роскошь и все непозволительное, лишь прикрытое цветами остроумия и наружной пристойности, готовили Францию к плачевнейшей эпохе ее бытия, он пребыл недосягаем всеобщею заразою» (Московские ведомости. 1827. 10 дек. № 99).

Дважды Голицын гостил у Вольтера и, как свидетельствовали современники, сумел внушить «фернейскому старцу» уважение к своим религиозным принципам, так что тот в его присутствии воздерживался от своих обычных атеистических выпадов.

В декабре 1796 г. Ф. Н. Голицын был назначен куратором Московского университета и оставался на этой должности до конца 1803 г., после чего вышел в отставку в чине тайного советника и более на службу не возвращался, занимаясь делами семьи, имения, а также литературным творчеством. Его сочинения, наиболее интересными из которых являются его «Записки», по большей части остались неопубликованными и в настоящее время утрачены.

«Записки» Ф. Н. Голицына публикуются с незначительными сокращениями по тексту первой публикации: Русский Архив, 1874.

Случайные люди — т. е. люди, находящиеся в «случае», в фаворе, фавориты.

...сей самый случай прекратил жизнь ее — великая княгиня Наталья Алексеевна умерла в 1776 г. родами.

Что случилось... с графом Андреем Кирилловичем Разумовским — при дворе ходили слухи о близких отношениях вел. кн. Натальи Алексеевны и гр. А. К. Разумовского.

...по особым причинам возвесть Станислава Понятовского на польский престол. Понятовский был одним из фаворитов Екатерины II.

...король Прусский Фредерик в своих исторических повествованиях. Имеется в виду «История моего времени» Фридриха II Прусского, изданная на русском языке в 1789, 1792 и 1794 гг.

Одноторжие — монополия.

Кавалеры — здесь: придворные.

Французский страшный переворот — т. е. Великая Французская революция.

Мартинисты — масоны.

Позорище — зрелище.

Вандейцы — участники контрреволюционного крестьянского восстания во французской провинции Вандее (1793—1796).

Вольные пахари — по указу 1803 г. помещикам разрешалось отпускать на волю своих крепостных с обязательным наделением их землей. Освобожденные по этому указу крестьяне приобретали статус вольных хлебопашцев.

Все обстоятельства его кончины по истории известны. Густав III был убит 16 марта 1792 г. на маскарадном балу.

...узнал Вену и ее жителей. Неизвестно, на какое из своих сочинений ссылается Ф. Н. Голицын.

...велел сказать... Барятинскому, что он отставлен. Кн. Ф. С. Барятинский был одним из убийц Петра III.

Бекеты — то же, что пикеты — небольшие отряды охраны.

Куратор — попечитель.

Невский монастырь — Александро-Невская лавра в Петербурге.

...должен был случиться... гр. Алексей Орлов. Как и кн. Барятинский, гр. А. Г. Орлов был участником убийства Петра III.

Александровский кавалер — кавалер ордена св. Александра Невского, одной из высших наград империи.

...церковь Петра и Павла, что в крепости — Петропавловский собор.

«Si vous croyez... trés fort» — фр. каламбур: слово carrière обозначет и путь, и карьеру.

Они напечатаны в Академических известиях. «Песнь на рождение... Константина Павловича, сочиненная в Царском Селе, апреля 27 дня 1779 года», опубликована: «Академические известия». 1779. Т. 2. Стихи были написаны в ломоносовской традиции.

...стихи французские, в похвалу государю Павлу I — опубликованы не были.

...я уже писал его жизнь — «Жизнь обер-камергера И. И. Шувалова, написанная племянником его». Написано в 1798 г.; опубликовано: Москвитянин. 1853. Ч. 2. № 6.

Камера — здесь: зал.

Эфор — правитель; от эфоров в древней Спарте — коллегии из 5 человек, сосредоточивших в своих руках всю административную власть в стране.

...подумывали объявить... наследником престола графа Бобринского. Гр. А. Г. Бобринский был побочным сыном Екатерины II от Григория Орлова.

...что наши войска... претерпели. Речь идет об антирусском восстании в Варшаве в 1794 г.

Ф. В. РОСТОПЧИН. ПОСЛЕДНИЙ ДЕНЬ ЖИЗНИ ИМПЕРАТРИЦЫ ЕКАТЕРИНЫ II И ПЕРВЫЙ ДЕНЬ ЦАРСТВОВАНИЯ ПАВЛА I

Граф Федор Васильевич Ростопчин (1763—1826), крупный государственный деятель и литератор конца XVIII — начала XIX в. Более всего он известен как генерал-губернатор Москвы в период Отечественной войны 1812 г., готовивший своими патриотическими «афишками» Москву и москвичей к отпору неприятеля, а после сжегший собственноручно свое любимое подмосковное имение Вороново, дабы не досталось оно в руки врага. Деятельность Ростопчина в это время хорошо знакома читателю по роману Л. Н. Толстого «Война и мир».

Карьера Ростопчина началась с военной службы. В 1792 г. он был сделан камер-юнкером и принялся служить при дворе. Сблизившись с великим князем Павлом, будущим императором, он в павловское царствование быстро выдвинулся, получил графский титул и несколько престижных должностей, но в начале

1801 г. был внезапно отставлен и первые годы начавшегося вскоре царствования Александра I провел частным лицом в Москве и в Воронове, занимаясь хозяйством и литературой.

После ряда поражений в антинаполеоновских войнах, завершившихся унизительным Тильзитским миром, Ростопчин фактически возглавил в Москве так называемую «русскую партию», противопоставлявшую реформаторским планам правительства исконные российские начала, способные, по ее мнению, обеспечить стабильность и процветание государства. Национально-патриотическими идеями, выпадами против «иноземного» французского воспитания и призывами к пробуждению национального духа и патриотических добродетелей были проникнуты все сочинения Ростопчина 1806—1812 гг., как публицистические, так и художественные («Мысли вслух на Красном крыльце», повесть «Ох, французы!», комедия «Вести, или Убитый живой» и др.). Высокий авторитет Ростопчина среди московских консерваторов способствовал большой популярности его взглядов и сочинений. Во множестве списков по рукам ходили как его собственные политические произведения, так и приписываемые ему анонимные памфлеты, направленные, в частности, против М. М. Сперанского, и сыгравшие некоторую роль в отставке последнего в 1812 г.

Именно патриотическая репутация Ростопчина побудила Александра I назначить его весной 1812 г. московским генерал-губернатором. На этом посту Ростопчин пробыл до 1814 г., потом некоторое время числился в Государственном совете, а в 1816 г. уехал за границу и до 1823 г. жил в основном во Франции, где много писал по-французски и немного по-русски — беллетристику, путевые заметки, а также мемуарные очерки, один из которых и публикуется в настоящем издании по источнику: Архив князя Воронцова. Кн. 8. М., 1876.

...происшествия во время пребывания шведского короля — т. е. история неудачного сватовства в 1796 г. Густава IV Адольфа к великой княжне Александре Павловне.

Шпанские мухи — пластырь из порошка, сделанного из мушек-шпанок, обладающий нарывообразующим действием.

София — почтовая станция вблизи Царского Села.

...одна из моих свояченнц. Ф. В. Ростопчин был женат на племяннице гр. А. С. Протасовой — Екатерине Петровне (1776—1859). У его жены были сестры: Александра (1774—1842) за кн. А. А. Голицыным, Вера (ум. 1814) за И. В. Васильчиковым и Варвара, умершая незамужней.

Чесменский дворец — загородный путевой дворец вблизи Царскосельской дороги (1774—1777 гг., арх. Ю. М. Фельтен). В настоящее время перестроен.

Глухая исповедь — обряд отпущения грехов умирающему, находящемуся без сознания.

...внутренней услуги и факультета — здесь: факультет — собрание специалистов.

Гатчинское модельное войско — войска, расквартированные в Гатчине и находившиеся под непосредственной командой вел. князя Павла Петровича, в организации и обмундировании которых копировалась прусская армия времен Фридриха II. Здесь: модельное — в смысле образцовое. По воцарении Павла гатчинские войска стали образцом для реорганизации всей армии.

...не хочу, чтобы он забывал 28 июня —1762 года, день переворота, свергнувшего Петра III и приведшего на престол Екатерину II.

СОДЕРЖАНИЕ

Литературно-художественное издание

ЗОЛОТОЙ ВЕК ЕКАТЕРИНЫ ВЕЛИКОЙ

Зав. редакцией *Г. М. Степаненко*

Редактор *В. В. Белугина*

Художественный редактор *Л. В. Мухина*

Технический редактор *Г. Д. Колоскова*

Корректоры *В. В. Конкина, Н. В. Иванова*

ИБ № 8756
ЛР № 040414 от 27.03.92 г.

Сдано в набор 12.07.95. Подписано в печать 30.08.95. Формат $60 \times 90^1/_{16}$. Бумага офс. № 2. Гарнитура литературная. Офсетная печать. Усл. печ. л. 21,0. Уч.-изд. л. 22,54. Тираж 5000 экз. Заказ 6233. Изд. № 5587.

Ордена «Знак Почета» Издательство Московского университета.
103009, Москва, Б. Никитская, 5/7.
Книжная фабрика № 1 Комитета РФ по печати.
144003, г. Электросталь Московской обл., ул. Тевосяна, 25.

НОВЫЕ КНИГИ

ИЗДАТЕЛЬСТВА МОСКОВСКОГО УНИВЕРСИТЕТА

Конец крепостничества в России. (Документы, письма, мемуары, статьи)/Сост., вступ. ст. и коммент. В. А. Федорова.— *(Университетская библиотека)*. 35 л.

В книгу включены официальные записки, проекты, отчеты и донесения, агентурные данные о настроениях различных слоев общества, извлечения из законодательных правовых актов, публицистические материалы и прокламации. Представлены дневники и мемуары представителей разных общественно-политических течений, в том числе крупных государственных деятелей (П. А. Валуева, Н. А. Милютина, С. С. Ланского, В. А. Черкасского), писателей и ученых (Л. Н. Толстого, А. Н. Энгельгардта, А. И. Кошелева, П. П. Семенова — Тян-Шанского). Печатаются важнейшие рескрипты и публичные выступления Александра II.

Для преподавателей вузов, учителей, студентов, широкого круга читателей.

Вершины русской поэзии. Век XIX/**Составление, предисловие, преамбулы и примечания В. В. Кожинова**.— 36 л. (*Университетская библиотека*).

Стихотворения для этой книги отобраны на основе только художественных критериев — и никаких иных. Это наиболее глубокие по содержанию и наиболее совершенные по форме лирические произведения корифеев русской классической литературы — А. С. Пушкина, Е. А. Баратынского, Ф. И. Тютчева, А. В. Кольцова, М. Ю. Лермонтова, А. А. Фета, Н. А. Некрасова.

Для широкого круга читателей.

Поэзия французского символизма. Лотреамон. Песни Мальдорора/Под ред. Г. К. Косикова.— 30 л. (*Университетская библиотека*).

В книгу включены стихи французских поэтов-символистов, многие из которых сыграли выдающуюся роль в развитии мировой поэзии. Среди них — Шарль Бодлер, Стефан Малларме, Тристиан Корбьер, Артюр Рембо, Сен-Поль Ру, Поль Клодель, Андре Жид, Марсель Пруст, Поль Валери и другие. Иные имена могут стать открытием для широкого читателя. Особое место занимают «Песни Мальдорора» Лотреамона. Значительная часть произведений впервые появляется в переводе на русский язык. Издание открывается вступительной статьей и заключено обстоятельными комментариями.

Для широкого круга читателей.

**В 1996 г.
В ИЗДАТЕЛЬСТВЕ
МОСКОВСКОГО УНИВЕРСИТЕТА
ВЫЙДЕТ В СВЕТ КНИГА**

Русская литература 19 века и христианство.— 27 л.

Книга составлена на основе материалов международной научной конференции, в которой участвовали видные ученые из России, стран СНГ, ряда европейских государств, США, Канады, Японии.

Насколько русская литература была христианской? Анализируя ее классические произведения, авторы показывают, что она сконцентрировала в себе подлинные национальные духовные традиции и ее тысячелетние корни лежат в христианской православной культуре.

Для специалистов филологов, историков, философов, учителей, студентов и широкого круга читателей.

По вопросам приобретения книг просьба обращаться по телефонам: 939—33—23; 229—75—41.